Giulia Enders

DARM MIT CHARME

Alles über ein unterschätztes Organ

Mit Illustrationen von Jill Enders

Ullstein

Die Ratschläge in diesem Buch sind von der Autorin und vom Verlag sorgfältig erwogen und geprüft worden. Sie bieten jedoch keinen Ersatz für kompetenten medizinischen Rat. Alle Angaben in diesem Buch erfolgen daher ohne jegliche Gewährleistung oder Garantie seitens des Verlags oder der Autorin. Eine Haftung der Autorin bzw. des Verlags und seiner Beauftragten für Personen-, Sach- und Vermögensschäden ist ebenfalls ausgeschlossen.

4. Auflage, 2014
Ullstein ist ein Verlag der Ullstein Buchverlage GmbH
ISBN 978-3-550-08041-8

Satz: Pinkuin Satz und Datentechnik, Berlin
Druck und Bindearbeiten: CPI books GmbH, Leck
Printed in Germany

Für alle alleinerziehenden Eltern, die so viel Energie und Liebe für ihre Kinder aufbringen wie unsere Mutter für meine Schwester und mich.

Und für Hedi.

Inhalt

Vorwort

Ich wurde per Kaiserschnitt geboren und konnte nicht gestillt werden. Das macht mich zum perfekten Vorzeigekind der Darmwelt im 21. Jahrhundert. Hätte ich damals schon mehr über den Darm gewusst, hätte ich Wetten abschließen können, welche Krankheiten ich mal so bekommen würde. Zuerst war ich laktoseintolerant. Ich wunderte mich nie, warum ich nach meinem fünften Lebensjahr plötzlich wieder Milch trinken konnte, irgendwann wurde ich dick, dann wieder dünn. Dann ging es mir lange gut, und dann kam »die Wunde«.

Als ich siebzehn Jahre alt war, bekam ich grundlos eine kleine Wunde auf meinem rechten Bein. Sie heilte einfach nicht, und nach einem Monat ging ich zum Arzt. Die Ärztin wusste nicht wirklich, was es war, und verschrieb mir eine Salbe. Drei Wochen später war mein ganzes Bein voller Wunden. Bald beide Beine, die Arme und mein Rücken. Manchmal auch mein Gesicht. Zum Glück war es Winter, und alle dachten, ich hätte Herpes und eine Schürfwunde auf der Stirn.

Kein Arzt konnte mir helfen – es war wohl irgendwie Neurodermitis. Ich wurde gefragt, ob ich sehr gestresst sei oder ob es mir seelisch nicht gut gehe. Cortison funktionierte ein bisschen, aber sobald ich es absetzte, kam einfach alles zurück. Ein Jahr lang zog ich im Sommer wie Winter Strumpfhosen an, damit meine Wunden nicht durch die Hose nässten. Irgendwann raffte ich mich auf und begann, mich selbst schlauzumachen. Durch Zufall stieß ich auf einen Bericht über eine sehr ähnliche Haut-erkrankung. Ein Mann hatte sie nach der Einnahme von Antibiotika bekommen, und auch ich hatte ein paar Wochen vor der ersten Wunde Antibiotika nehmen müssen.

Von diesem Moment an behandelte ich meine Haut nicht mehr wie die Haut eines Hautkranken, sondern wie die eines Darmkranken. Ich aß keine Milchprodukte mehr, kaum noch Gluten, nahm verschiedene Bakterien zu mir und ernährte mich insgesamt gesünder. In dieser Zeit machte ich einige verrückte Experimente … hätte ich damals schon Medizin studiert, hätte ich mich nur ungefähr die Hälfte davon getraut. Einmal überdosierte ich mich mehrere Wochen lang mit Zink und hatte danach monatelang einen erheblich gesteigerten Geruchssinn.

Mit ein paar Kniffen bekam ich meine Krankheit letztlich gut in den Griff. Es war ein Erfolgserlebnis, und ich spürte am eigenen Körper, dass Wissen Macht sein kann. Ich fing an, Medizin zu studieren.

Im ersten Semester saß ich während einer Party neben einem Jungen, der den stärksten Mundgeruch hatte, den ich jemals gerochen habe. Es war ein ganz untypischer Geruch – nicht diese kratzigen Wasserstoffaromen von älteren, gestressten Herren oder die süßlich-fauligen Gerüche von zu viel Zucker essenden Tanten. Nach einer Weile setzte ich mich weg. Am nächsten Tag war er tot. Er hatte sich umgebracht. Ich musste immer wieder daran denken. Könnte es sein, dass ein sehr kranker Darm so übel riecht und dass so eine Erkrankung auch die Stimmung beeinflusst?

Nach einer Woche traute ich mich, mit einer guten Freundin über meine Vermutungen zu reden. Ein paar Monate später bekam diese Freundin eine heftige Magen-Darm-Grippe. Sie fühlte sich sehr elend. Als wir uns das nächste Mal sahen, meinte sie, an meiner These könnte schon etwas dran sein, denn so schlecht hatte sie sich auch psychisch schon lange nicht mehr gefühlt. Das gab mir den Anstoß, mich stärker mit dieser Thematik zu beschäftigen. Dabei entdeckte ich einen kompletten Forschungszweig, dessen Gegenstand die Verbindung von Darm und Hirn ist. Es ist ein rapide wachsendes Gebiet. Vor etwa zehn Jahren gab es nur wenige Publikationen dazu, mittlerweile sind es schon mehrere hundert wissenschaftliche Artikel. Wie der Darm Gesundheit und Wohlbefinden beeinflusst, ist eine *der* neuen Forschungsrichtungen unserer Zeit! Der renommierte amerikanische Biochemiker Rob Knight sagte in der Zeitung *Nature*, sie sei mindestens so vielversprechend wie die Stammzellforschung. Ich war in einen Bereich hineingerudert, den ich immer faszinierender fand.

Während meines Studiums merkte ich, wie stiefmütterlich dieses Gebiet in der Medizin behandelt wird. Dabei ist der Darm ein völliges Ausnahme-Organ. Er bildet zwei Drittel des Immunsystems aus, holt Energie aus Brötchen oder Tofu-Wurst und produziert mehr als zwanzig eigene Hormone. Viele Ärzte lernen in ihrer Ausbildung darüber sehr wenig. Als ich im Mai 2013 den Kongress »Microbiome and Health« (Darmbakterien und Gesundheit) in Lissabon besuchte, war die Runde überschaubar. Etwa die Hälfte kam aus Institutionen, die es sich finanziell leisten können, bei »den Ersten« dabei zu sein, wie aus Harvard, Yale, Oxford oder dem EMCL Heidelberg.

Manchmal erschreckt es mich, wenn Wissenschaftler hinter geschlossenen Türen über wichtige Erkenntnisse diskutieren – ohne dass die Öffentlichkeit darüber informiert wird. Oft ist wissenschaftliche Vorsicht besser als eine vorschnelle Behauptung. Aber Angst kann auch wichtige Chancen kaputtmachen. Es gilt in der Wissenschaftswelt mittlerweile als anerkannt, dass Menschen mit bestimmten Verdauungsproblemen häufig Nervenstörungen im Darm haben. Ihr Darm sendet dann Signale an einen Bereich im Gehirn, der unangenehme Gefühle verarbeitet, obwohl sie gar nichts Schlimmes getan haben. Die Betreffenden fühlen sich unwohl und wissen nicht, warum das so ist. Wenn ihr Arzt sie dann als irrationale Psychofälle behandelt, ist das sehr kontraproduktiv! Das ist nur eines der Beispiele dafür, dass manches Forschungswissen schneller verbreitet werden sollte!

Dies ist mein Ziel mit diesem Buch: Ich will Wissen greifbarer machen und dabei auch das verbreiten, was Wissenschaftler in ihren Forschungsarbeiten schreiben oder hinter Kongresstüren bereden – während viele Menschen nach Antworten suchen. Ich verstehe, dass viele Patienten, die unangenehme Krankheiten haben, enttäuscht sind von der Medizin. Ich kann keine Wundermittel verkaufen, und auch ein gesunder Darm wird nicht jede Krankheit heilen. Was ich allerdings kann, ist, in charmantem Ton erklären, wie es so läuft im Darm, was die Forschung Neues bietet und wie wir mit diesem Wissen unseren Alltag besser machen können.

Mein Medizinstudium und meine Doktorarbeit am Institut für Medizinische Mikrobiologie helfen mir dabei, Ergebnisse zu bewerten und einzusortieren. Meine persönliche Erfahrung hilft mir dabei, Menschen das Wissen näherzubringen. Meine Schwester hilft mir dabei, nicht abzudriften, denn dann schaut sie mich beim Vorlesen an und sagt grinsend: »Das machst du noch mal.«

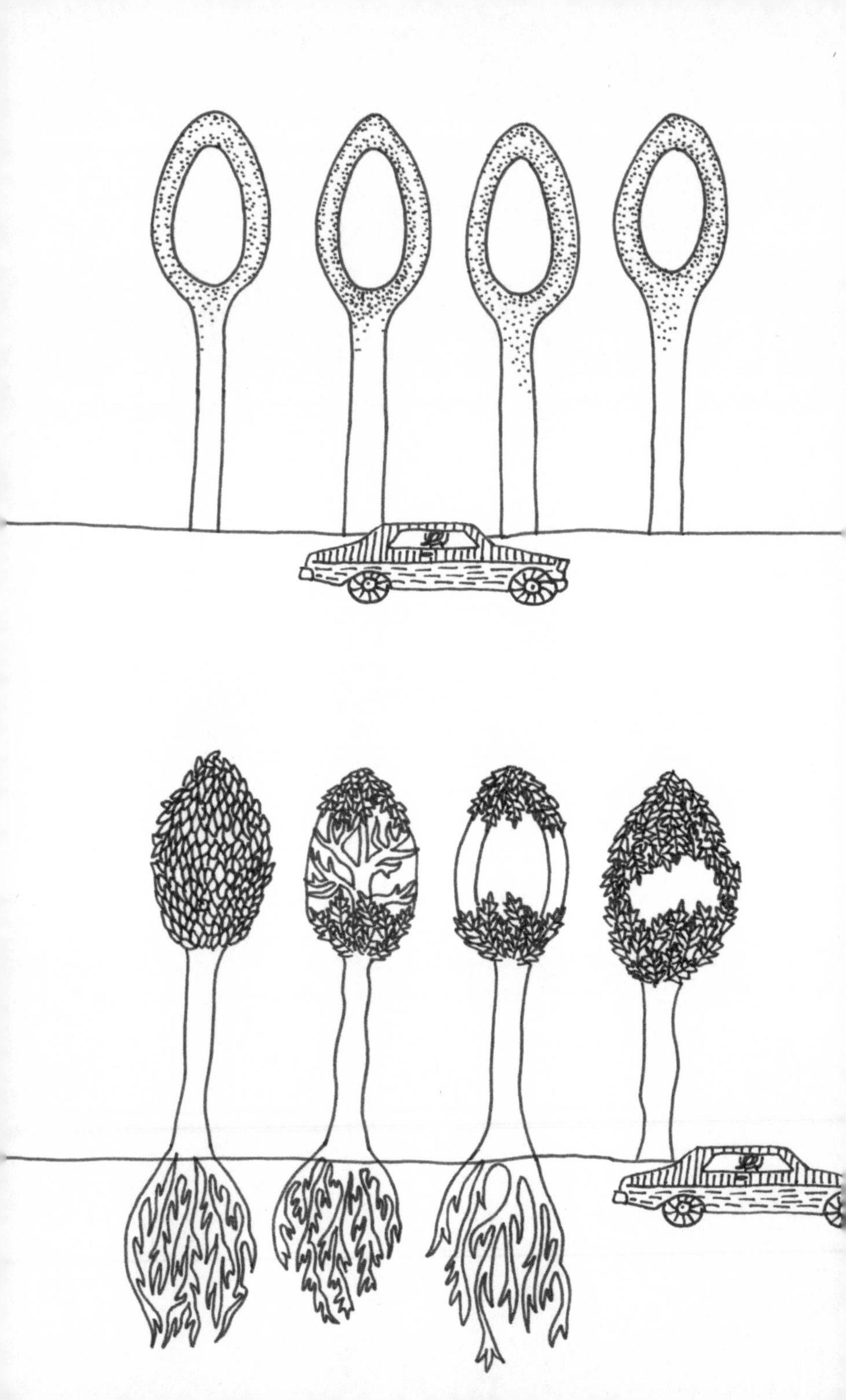

1

DARM MIT CHARME

Die Welt sieht viel lustiger aus, wenn wir nicht nur das sehen, was man sehen kann – sondern auch noch all den Rest. Ein Baum ist dann kein Löffel. Das ist grob vereinfacht nur die Form, die wir mit den Augen wahrnehmen: ein gerader Stamm mit einer runden Krone. Auge sagt uns zur Form: »Löffel.« Unter der Erde sind allerdings mindestens so viele Wurzeln wie oben Äste in der Luft. Hirn müsste dann eigentlich so etwas wie »Hantel« sagen, tut es aber nicht. Den meisten Input kriegt das Hirn von den Augen und höchst selten mal von einer Abbildung im Buch, die einen Baum vollständig zeigt. Also kommentiert es brav die vorbeirauschende Waldlandschaft mit: »Löffel, Löffel, Löffel, Löffel.«

Während wir so »löffelmäßig« durchs Leben laufen, verpassen wir großartige Dinge. Unter unserer Haut ist dauernd etwas los: Wir fließen, pumpen, saugen, quetschen, zerplatzen, reparieren und bauen neu auf. Eine ganze Belegschaft ausgeklügelter Organe arbeitet so perfekt und effizient zusammen, dass ein erwachsener Mensch pro Stunde etwa so viel Energie benötigt wie eine 100-Watt-Glühbirne. Jede Sekunde filtern Nieren unser Blut akribisch sauber – wesentlich genauer als Kaffeefilter –, und meist halten sie dabei auch noch ein Leben lang. Unsere Lunge ist so clever entworfen, dass wir eigentlich nur beim Einatmen Energie verbrauchen. Das Ausatmen passiert ganz von selbst. Wären wir durchsichtig, könnten wir sehen, wie schön sie aussieht: wie ein Aufziehauto in Groß und weich und lungig. Während manchmal einer von uns dasitzt und denkt: »Keiner mag mich«, legt sein Herz gerade die siebzehntausendste 24-Stundenschicht für ihn ein – und hätte jedes Recht, sich bei solchen Gedanken ein bisschen außen vor gelassen zu fühlen.

Würden wir mehr sehen als das, was sichtbar ist, könnten wir auch dabei zuschauen, wie Zellklumpen in Bäuchen zu Menschen werden. Wir würden auf einmal verstehen, dass wir uns grob aus drei »Schläuchen« entwickeln. Der erste Schlauch durchzieht uns und verknotet sich in der Mitte. Das ist unser Blutgefäßsystem, aus dem unser Herz als zentraler Gefäßknoten entsteht. Der zweite Schlauch bildet sich fast parallel auf unserem Rücken, formt eine Blase, die an das oberste Ende des Körpers wandert und dort bleibt. Das ist unser Nervensystem im Rückenmark, aus dem sich das Gehirn entwickelt und aus dem Nerven überall in den Körper sprießen. Der dritte Schlauch durchzieht uns einmal von oben nach unten. Das ist das Darmrohr.

Das Darmrohr richtet unsere Innenwelt ein. Es bildet Knospen, die sich nach rechts und links immer weiter ausbuchten. Diese Knospen werden unsere Lungen. Ein Stückchen weiter unten stülpt sich das Darmrohr aus und bildet unsere Leber. Es formt auch die Gallenblase und die Bauchspeicheldrüse. Vor allem aber beginnt der Schlauch selbst immer trickreicher zu werden. Er ist bei den aufwendigen Mundbauarbeiten beteiligt, formt eine Speiseröhre, die »breakdancen« kann, und bildet einen kleinen Magenbeutel, damit wir Essen ein paar Stunden speichern können. Zu guter Letzt kreiert das Darmrohr sein Meisterwerk, nach dem es letztendlich benannt wurde: den Darm.

Die beiden »Meisterwerke« der anderen Schläuche – Herz und Hirn – genießen hohes Ansehen. Das Herz gilt als lebenswichtig, weil es Blut durch den Körper pumpt, das Hirn wird bewundert, weil es sich jede Sekunde erstaunliche Gedankengebilde ausdenkt. Der Darm aber, so glauben die meisten, geht währenddessen höchstens mal aufs Klo. Sonst hängt er wahrscheinlich lässig im Bauch rum oder pupst ab und zu. Besondere Fähigkeiten kennt man von ihm eigentlich keine. Man könnte sagen, wir unterschätzen das ein wenig – ehrlich gesagt, unterschätzen wir es nicht nur, wir schämen uns sogar oft für unser Darmrohr. Darm mit Scham!

Daran soll dieses Buch etwas ändern. Wir versuchen mal, was man mit Büchern so wunderbar kann – der sichtbaren Welt wahrhaft Konkurrenz zu machen: Bäume sind keine Löffel! Und der Darm hat eine Menge Charme!

Wie geht kacken? – ... und warum das eine Frage wert ist

Mein Mitbewohner kam in die Küche und meinte: »Giulia, du studierst doch Medizin – wie geht kacken?« Es wäre sicher keine gute Idee, mit diesem Satz meine Memoiren zu beginnen, aber diese Frage hat sehr viel für mich verändert. Ich ging in mein Zimmer, setzte mich auf den Boden und wälzte drei verschiedene Bücher. Als ich die Antwort fand, war ich völlig baff. Etwas so Alltägliches war viel klüger und beeindruckender, als ich jemals gedacht hätte.

Unser Klogang ist eine Meisterleistung – zwei Nervensysteme arbeiten gewissenhaft zusammen, um unseren Müll so diskret und hygienisch wie möglich zu entsorgen. Kaum ein anderes Tier erledigt dieses Geschäft so vorbildlich und ordentlich wie wir. Unser Körper hat dafür allerlei Vorrichtungen und Tricks entwickelt. Es fängt schon damit an, wie ausgetüftelt unsere Schließmechanismen sind. Fast jeder kennt immer nur den äußeren Schließmuskel, den man gezielt auf- und zubewegen kann. Es gibt einen ganz ähnlichen Schließmuskel, wenige Zentimeter entfernt – nur können wir ihn nicht bewusst steuern.

Jeder der beiden Schließmuskeln vertritt die Interessen eines anderen Nervensystems. Der äußere Schließmuskel ist treuer Mitarbeiter unseres Bewusstseins. Wenn unser Gehirn es unpassend findet, jetzt auf die Toilette zu gehen, dann hört der äußere Schließmuskel auf das Bewusstsein und hält so dicht, wie er eben kann. Der innere Schließmuskel ist der Vertreter unserer unbewussten Innenwelt. Ob Tante Berta Pupse mag oder nicht, interessiert ihn nicht. Ihn interessiert einzig und allein, ob es uns im Inneren gut geht. Drückt ein Pups? Der innere Schließmuskel will uns alles Unangenehme vom Leib halten. Ginge es nach ihm, könnte auch Tante Berta öfter pupsen. Hauptsache, im Innenleben ist alles gemütlich, und es zwickt nichts.

Diese beiden Schließmuskeln müssen zusammenarbeiten. Wenn unsere Verdauungsreste beim inneren Schließmuskel ankommen, macht dieser reflexartig auf. Er lässt allerdings nicht einfach alles auf den äußeren Schließmuskelkollegen los, sondern erst einmal nur einen Testhappen. In dem Raum zwischen innerem und äußerem Schließmuskel sitzen viele Sensorzellen. Diese analysieren das angelieferte Produkt darauf, ob es fest oder gasförmig ist, und schicken ihre Information hoch an das Gehirn. In diesem Moment merkt das Gehirn: Ich muss aufs Klo!, ... oder vielleicht auch nur pupsen. Es macht dann, was es mit seinem »bewussten Bewusstsein« so gut kann: Es stellt uns auf unsere Umwelt ein. Dazu nimmt es Informationen von Augen und Ohren und zieht seinen Erfahrungsschatz hinzu. In Sekunden-

schnelle entsteht so eine erste Einschätzung, die das Gehirn zurück an den äußeren Schließmuskel funkt: »Ich habe geguckt, wir sind gerade bei Tante Berta im Wohnzimmer – Pupse gehen vielleicht noch, wenn du sie ganz leise raustwitschen lässt. Fest eher ungut.«

Der äußere Schließmuskel versteht und verschließt sich voller Loyalität noch fester als zuvor. Dieses Signal bemerkt dann auch der innere Schließmuskel und respektiert erst mal die Entscheidung seines Kollegen. Die beiden verbünden sich und schieben den Testhappen in eine Warteschleife. Raus muss es irgendwann, nur eben nicht hier und jetzt auch nicht. Einige Zeit später wird es der innere Schließmuskel einfach noch mal mit einem Testhappen probieren. Sitzen wir mittlerweile gemütlich zu Hause auf dem Sofa: freie Fahrt!

Unser innerer Schließmuskel ist ein solides Kerlchen. Sein Motto ist: Was raus muss, muss raus. Und da gibt es auch nicht besonders viel zu interpretieren. Der äußere Schließmuskel muss sich immer mit der komplizierten Welt beschäftigen: Theoretisch könnte man ja schon die fremde Toilette benutzen, oder doch lieber nicht? Kennen wir uns mittlerweile nicht schon gut genug, als dass man auch voreinander pupsen dürfte – muss ich der Erste sein, der das Eis bricht? Wenn ich jetzt nicht aufs Klo gehe, dann kann ich erst wieder heute Abend, und das kann im Laufe des Tages unangenehm werden!

Die Gedanken der Schließmuskeln klingen vielleicht nicht unbedingt nobelpreisverdächtig, aber eigentlich sind es grundlegende Fragen unserer Menschlichkeit: Wie wichtig ist uns unsere Innenwelt, und welche Kompromisse gehen wir ein, um mit der Außenwelt gut klarzukommen? Der eine verkneift sich auf Teufel komm raus den unangenehmsten Pups, bis er sich mit Bauchweh nach Hause quält, der andere lässt sich bei der Familienfeier von Oma am kleinen Finger ziehen und initiiert den eigenen Pups lautstark als unterhaltsame Zaubershow. Langfristig liegt der beste Kompromiss vielleicht irgendwo zwischen beiden Extremen.

Wenn wir uns häufig hintereinander verbieten, auf die Toilette zu gehen, obwohl wir müssten, schüchtern wir den inneren Schließmuskel ein. Wir können ihn damit sogar richtig umerziehen. Die umliegende Muskulatur und er sind dann so oft vom äußeren Schließmuskel diszipliniert worden, dass sie entmutigt sind. Wenn die Kommunikation der beiden Schließmuskeln eisig wird, können sogar Verstopfungen entstehen.

Ganz ohne gezielte Klogang-Unterdrückung kann das auch bei Frauen passieren, während sie ein Kind gebären. Dabei können feine Nervenfasern kaputtgehen, über welche die beiden Schließmuskeln sonst kommunizieren. Die gute Nachricht: Auch Nerven können wieder zusammenwachsen. Egal, ob die Schäden durch eine Entbindung hervorgerufen wurden oder sonst wie, hier bietet sich eine sogenannte Biofeedback-Therapie an. Damit lernen die Schließmuskeln, die sich auseinandergelebt haben, wieder miteinander zurechtzukommen. Diese Behandlung wird in ausgewählten gastroenterologischen Praxen durchgeführt. Eine Maschine misst, wie produktiv der äußere Schließmuskel mit dem inneren zusammenarbeitet. Klappt es gut, wird man mit einem Ton oder einem grünen Signal belohnt. Es ist wie bei einer abendlichen Quizshow, bei der die Bühne leuchtet und klimpert, wenn man etwas richtig beantwortet – nur eben nicht im Fernsehen, sondern bei einem Arzt und mit einer Sensorelektrode im Po. Das Ganze lohnt sich: Wenn Innen und Außen wieder miteinander klarkommen, sucht man gleich viel munterer das stille Örtchen auf.

Schließmuskeln, Sensorzellen, Bewusstsein und Popo-Elektroden-Quizshows – diese ausgeklügelten Details hatte mein Mitbewohner nicht als Antwort erwartet. Die Geburtstagsrunde anständiger BWL-Studentinnen, die mittlerweile in unserer Küche eingetroffen war, ebenfalls nicht. Der Abend wurde trotzdem lustig, und mir wurde klar, dass das Thema »Darm« im Grunde viele Menschen interessiert. Es kamen einige gute neue Fragen auf. Stimmt es, dass wir alle falsch auf dem Klo sitzen? Wie kann man leichter rülpsen? Wieso können wir aus Steak, Apfel oder Bratkartoffeln Energie machen, während ein Auto nur bestimmte Sorten Benzin verträgt? Wozu gibt es den Blinddarm, und warum hat Kot immer die gleiche Farbe?

Meine Mitbewohner kennen mittlerweile schon genau meinen Gesichtsausdruck, wenn ich in die Küche rase und die neusten Darm-Anekdoten erzählen muss – wie beispielsweise die von winzigen Hocktoiletten und leuchtenden Klogängen.

Sitze ich richtig auf dem Klo?

Es ist empfehlenswert, von Zeit zu Zeit Gewohnheiten zu hinterfragen. Laufe ich wirklich den schönsten und kürzesten Weg zur Haltestelle? Ist das Frisieren meines Resthaars über die haarlos gewordene Mittelstelle adäquat und modisch? Oder eben: Sitze ich richtig auf dem Klo?

Auf alle Fragen wird es nicht immer klare Antworten geben – aber Herumexperimentieren an sich kann schon mal frischen Wind in alte Gefilde bringen. Das dachte sich vermutlich auch Dov Sikirov. Für eine Studie bat der israelische Arzt 28 Probanden darum, in drei verschiedenen Positionen den täglichen Stuhlgang auszuüben: auf einer normalen Toilette thronend, auf einer ungewöhnlich kleinen Toilette mühevoll »hock-sitzend« oder wie im Freien hockend. Dabei stoppte er die Zeit und händigte ihnen im Anschluss einen Fragebogen aus. Das Ergebnis war eindeutig: Hocken dauerte durchschnittlich rund 50 Sekunden und wurde von den Beteiligten als vollständiges Entleerungserlebnis empfunden. Sitzen dauerte durchschnittlich 130 Sekunden und fühlte sich nicht ganz so erfolgreich an. (Außerdem: Winzig kleine Toiletten sehen einfach immer niedlich aus – egal, was man darauf tut.)

Warum? Weil unser Darmverschluss-Apparat nicht so entworfen ist, dass er im Sitzen die Luke vollständig öffnet. Es gibt einen Muskel, der in Sitzhaltung oder gerade auch beim Stehen den Darm wie ein Lasso umgreift und in eine Richtung zieht, so dass ein Knick entsteht. Dieser Mechanismus ist sozusagen eine Zusatzleistung zu den anderen Schließmuskeln. Einen solchen Knickverschluss kennt der eine oder andere vom Gartenschlauch. Man fragt die Schwester, warum der Gartenschlauch nicht mehr geht. Wenn sie das Schlauchende anguckt, lässt man den Knick schnell los und wartet anderthalb Minuten, bis man Hausarrest kriegt.

Zurück zum End-Darm-Knickverschluss: So kommt der Kot erst mal zu einer Kurve. Wie bei der Autobahnausfahrt bremst das ab. Dadurch müssen die Schließmuskeln, wenn wir stehen oder sitzen, weniger Kraft aufbringen, um alles drinzuhalten. Lässt der Muskel los, verschwindet der Knick. Die Fahrbahn ist gerade, und es kann reibungslos aufs Gas gedrückt werden.

Die »Hocke« ist schon seit Urzeiten unsere natürliche Kloposition – das moderne Sitztoilettengeschäft gibt es erst seit der Indoor-Kloschüssel-Entwicklung im späten 18. Jahrhundert. Eine »Höhlenmensch schon immer …«-Erklärung hat oft ein etwas problematisches Image bei Medizinern. Wer sagt denn, dass die Hocke den Muskel so viel besser entspannt und die Kotfahrbahn dadurch letztlich gerade wird? Japanische Forscher haben deshalb Probanden leuchtende Substanzen gefüttert und beim großen Geschäft in verschiedenen Positionen geröntgt. Ergebnis eins: Es stimmt – in der Hocke wird der Darmkanal schön gerade, und alles kann schnurstracks raus. Ergebnis zwei: Freundliche

Menschen lassen sich für die Forschung mit leuchtenden Substanzen füttern und beim Kacken röntgen. Beides ziemlich eindrucksvoll, finde ich.

Hämorrhoiden, Darmkrankheiten wie Divertikulitis oder auch Verstopfungen gibt es fast nur in Ländern, in denen man beim Stuhlgang auf eine Art Stuhl geht. Ein Grund dafür, besonders auch bei jungen Menschen, ist nicht etwa schlaffes Gewebe, sondern dass der Druck auf den Darm zu groß ist. Einige Menschen spannen auch tagsüber dauernd ihren Bauch an, wenn sie sehr angestrengt sind. Sie merken es oft gar nicht. Die Hämorrhoiden weichen dem Druck im Inneren lieber aus, indem sie locker aus dem Po baumeln. Bei den Divertikeln drückt sich das Gewebe innerhalb des Darms nach außen. Es entstehen dann winzige glühbirnenförmige Ausstülpungen an der Darmwand.

Unsere Art des Klogangs ist mit Sicherheit nicht die einzige Ursache für Hämorrhoiden und Divertikel. Allerdings muss man auch sagen, dass die 1,2 Milliarden hockenden Menschen dieser Welt kaum Divertikel und deutlich weniger Hämorrhoiden haben. Wir dagegen pressen uns Gewebe aus dem Hintern und müssen es beim Arzt beseitigen lassen – und das alles, weil edel thronend cooler ist als albern hockend? Mediziner gehen davon aus, dass häufiges Pressen auf dem Klo das Risiko für Krampfadern, Schlaganfälle oder auch die Stuhlgangsohnmacht deutlich erhöht.

Aus dem Frankreich-Urlaub eines Freundes bekam ich die SMS: »Die Franzosen spinnen – jemand hat hier an drei Autobahntankstellen die Kloschüsseln geklaut!« Ich musste laut lachen, weil ich erstens ahnte, dass dieser Text komplett ernstgemeint war, und er mich zweitens daran erinnerte, wie ich das erste Mal vor so einer französischen Hocktoilette stand. Warum soll ich mich bitte hocken, wenn ihr auch einfach eine Schüssel hättet bauen können?, dachte ich ein bisschen weinerlich und

schockiert über die große Leere vor mir. In großen Teilen Asiens, Afrika und Südeuropa steht man kurz in Kampfsport- oder Abfahrtsskiposition auf seinem Hock-Klo. Wir hingegen vertreiben uns die Zeit bis zur Vollendung des Schüsselbusiness, indem wir Zeitung lesen, das Klopapier vorfalten, zu putzende Badezimmerecken orten oder geduldig an die gegenüberliegende Wand starren.

Als ich diesen Text meiner Familie im Wohnzimmer vorgelesen habe, blickte ich in irritierte Gesichter. Müssen wir jetzt alle von unserem Porzellanthron klettern und in ungeübt wackliger Hockstellung in ein Loch kacken? Die Antwort ist: Nein. Hämorrhoiden hin oder her! Obwohl es sicher ganz lustig wäre, sich auf die Klobrille zu stellen, um von dort aus alles in der Hocke zu erledigen. Das ist aber nicht nötig: Man kann auch im Sitzen hocken. Dies ist besonders dann lohnenswert, wenn es mal nicht so leicht von der Hand bzw. vom Hintern geht: Der Oberkörper wird leicht nach vorne gebeugt, und die Füße werden auf einen kleinen Hocker gestellt – et voilà: alles im richtigen Winkel, man kann lesen, falten und starren mit astreinem Gewissen.

Die Eingangshalle zum Darmrohr

Man könnte denken, das Ende des Darms hat Überraschendes zu bieten, weil wir uns damit kaum auseinandersetzen. Ich würde nicht einmal sagen, dass es nur daran liegt. Auch die Eingangshalle unseres Verdauungsschlauchs hat einiges in Petto – obwohl wir sie jeden Tag beim Zähneputzen anvisieren.

Den geheimen Ort Nummer eins findet man mit der Zunge. Es sind vier kleine Pünktchen. Zwei davon sind auf der Innenseite der Backe, gegenüber der oberen Zahnreihe, ziemlich in der Mitte. Hier spürt man rechts und links eine kleine Erhöhung. Viele glauben, sie hätten sich hier irgendwann einmal in die Backe

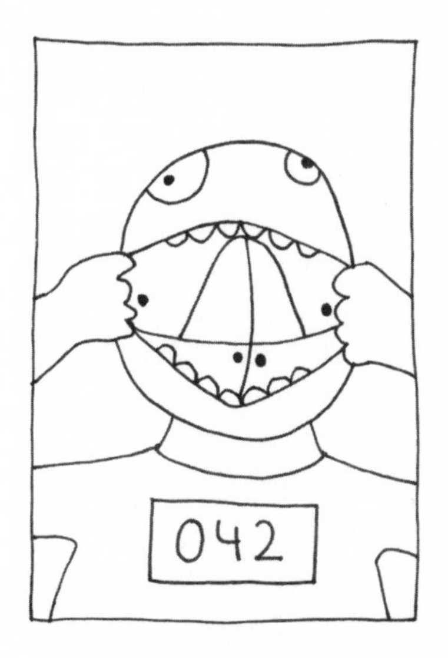

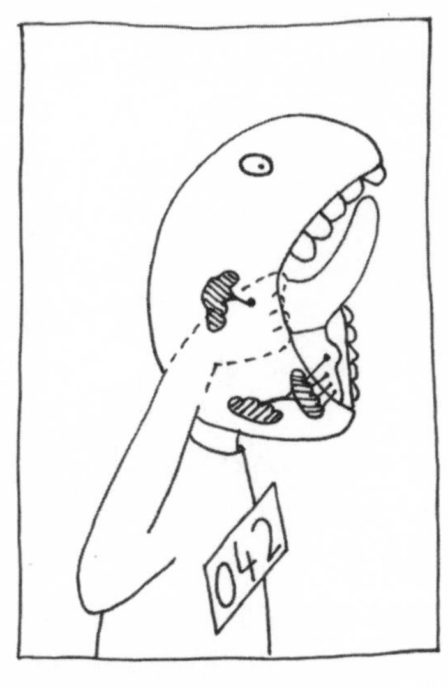

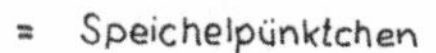

= Speicheldrüsen

gebissen, aber das stimmt nicht – diese Hubbel sind bei jedem Menschen genau an dieser Stelle. Die anderen beiden liegen unter unserer Zunge, rechts und links vom Zungenbändchen. Aus diesen vier Pünktchen kommt Speichel.

Aus den Backenpunkten kommt Speichel, wenn es einen aktuellen Anlass gibt – wie zum Beispiel Essen. Aus den zwei Öffnungen unter der Zunge fließt der Speichel die ganze Zeit. Würde man in diese Öffnungen eintauchen und gegen den Speichelstrom schwimmen, käme man zu den Chef-Speicheldrüsen. Sie produzieren den meisten Speichel – etwa 0,7 bis 1 Liter pro Tag. Wenn es vom Hals in Richtung Kiefer geht, kann man zwei weiche runde Erhebungen fühlen. Darf ich vorstellen? Das sind die Chefs.

Weil die beiden Zungenpünktchen der »Dauerspeichler« genau auf die Hinterseite unserer unteren Schneidezähne gerichtet sind, kriegen wir hier besonders schnell Zahnstein. Im Speichel sind nämlich kalziumhaltige Stoffe, die eigentlich nur den Zahnschmelz härten wollen – wenn man als Zahn allerdings unter Dauerbeschuss steht, ist es ein bisschen zu viel des Guten. Kleine Moleküle, die unschuldig in der Nähe umherschwirren, werden kurzerhand einfach mitversteinert. Das Problem ist nicht der Zahnstein selbst, sondern dass er so schön rau ist. Parodontose- oder Karies-Bakterien können sich an rauen Oberflächen viel besser festhalten als an unserem eigentlich glatten Zahnschmelz.

Wie kommen solche Versteinerungs-Kalzium-Stoffe in unseren Speichel? Speichel ist gefiltertes Blut. In den Speicheldrüsen wird das Blut durchgesiebt. Rote Zellen werden zurückgehalten, denn wir brauchen sie in unseren Adern und nicht im Mund. Kalzium, Hormone oder Abwehrstoffe des Immunsystems hingegen gelangen aus dem Blut in den Speichel. Von Mensch zu Mensch ist der Speichel deshalb ein bisschen anders. Man kann eine Person sogar mit einer Speichelprobe auf Immunkrankheiten oder bestimmte Hormone testen. Außerdem können die Speicheldrüsen einige Stoffe noch extra dazutun, zum Beispiel die Versteinerungs-Kalzium-Stoffe oder auch Schmerzmittel.

In unserem Speichel gibt es ein Schmerzmittel, das sehr viel stärker wirkt als Morphium. Es wird Opiorphin genannt und wurde erst 2006 entdeckt. Natürlich produzieren wir es nur in kleinen Mengen, unser Speichel will uns ja nicht volldröhnen. Aber auch so eine kleine Menge hat ihre Wirkung, denn unser Mund ist ein Sensibelchen! Hier gibt es so viele Nervenenden wie an kaum einem anderen Ort im Körper – der kleinste Erdbeersamen kann uns tierisch auf die Nerven gehen, jedes Sandkorn im Salat merken wir sofort. Eine kleine Wunde, die uns am Ellenbogen noch nicht einmal auffallen würde, tut im Mund höllisch weh und erscheint riesengroß.

Ohne unsere speicheleigenen Schmerzmittel könnte das noch schlimmer sein! Weil wir beim Kauen eine Extraladung solcher Speichelstoffe ausschütten, ist Halsweh nach dem Essen besser, und auch kleine Wunden im Mundinnenraum tun dann weniger weh. Es braucht nicht unbedingt Essen – auch schon beim Kaugummikauen kommen wir an unsere mundeigenen Schmerzmittel. Mittlerweile gibt es sogar eine Handvoll neuer Studien, die zeigen, dass Opiorphin antidepressive Wirkungen besitzt. Funktioniert Frustessen vielleicht auch ein Stück weit über die Spucke? Die Schmerz- und Depressionsforschung der kommenden Jahre wird uns diese Frage vielleicht beantworten können.

Speichel schützt die empfindliche Mundhöhle nicht nur vor zu viel Schmerz, sondern auch vor zu vielen bösen Bakterien. Dafür gibt es zum Beispiel Mucine. Das sind Schleimstoffe. Sie sorgen für ein paar Stunden faszinierter Unterhaltung, wenn man als Kind feststellt, dass man dank ihnen mit dem eigenen Mund

Seifenblasen machen kann. Mucine hüllen unsere Zähne und unser Zahnfleisch in ein schützendes Mucin-Netz. Wir spritzen sie aus unseren Speichelpünktchen ungefähr so, wie Spiderman Netze aus seinem Handgelenk schießt. In diesem Netz bleiben Bakterien hängen, bevor sie uns angreifen können. Während sie dort gefangen sind, können andere antibakterielle Stoffe aus dem Speichel schlechte Bakterien abtöten.

Wie beim Speichel-Schmerzmittel gilt aber auch hier: Die Konzentration der Bakterien-Killer-Stoffe ist nicht übertrieben hoch. Unsere Spucke will uns nicht durchdesinfizieren. Wir brauchen sogar eine gute Stammmannschaft an kleinen Wesen im Mund. Harmlose Mundbakterien werden von unserem Speichel nicht komplett ausradiert, denn sie nehmen Platz ein – Platz, der sonst von gefährlichen Keimen bevölkert werden könnte.

Beim Schlafen produzieren wir kaum Speichel. Das ist super für alle Kissen-Sabberer – würden sie die vollen 1 bis 1,5 Liter Tagesspeichel auch nachts produzieren, wäre das ein unschönes Hobby. Weil wir nachts so wenig Speichel produzieren, haben viele Menschen morgens Mundgeruch oder Halsweh. Acht Stunden knappe Bespeichelung heißt für die Mundmikroben: sturmfrei. Freche Bakterien werden dann nicht mehr so gut im Zaum gehalten, und unsere Schleimhäute in Mund und Rachen vermissen ihre Sprinkleranlage.

Das Zähneputzen vor und nach dem Schlafen ist deshalb eine clevere Einrichtung. Am Abend verringert man damit die Bakterienzahl im Mund und startet so mit einer vorerst kleineren Party-Mikroben-Gesellschaft in die Nacht. Am Morgen räumt man dann die Überreste der nächtlichen Sause weg. Zum Glück wachen unsere Speicheldrüsen morgens mit uns auf und machen sich sofort an die Produktion! Spätestens das erste Brötchen oder unsere Zahnbürste regt den Speichelfluss so richtig an und beseitigt die Mikroben oder transportiert sie hinunter in den Magen. Hier übernimmt die Magensäure den Rest.

Wer auch tagsüber unter Mundgeruch leidet, hat vielleicht nicht genug müffelnde Bakterien entfernen können. Ausgefuchste Kerlchen verstecken sich gerne unter dem neugebildeten Mucin-Netz und sind dort nicht mehr so gut erreichbar für die antibakteriellen Speichelstoffe. Dann können Zungenschaber helfen, aber auch ausgedehntes Kaugummikauen – es sorgt dafür, dass ordentlich Speichel fließt und die Mucin-Verstecke wegspült. Wenn das alles nichts nützt, gibt es einen weiteren Ort, an dem man nach Mundgeruch-Verursachern suchen kann. Dazu kommen wir gleich, nach der Vorstellung des zweiten geheimen Ortes im Mund.

Dieser Ort gehört zu den typischen Überraschungen – man denkt, man kennt jemanden, und findet dann heraus, dass derjenige eine wirklich unerwartete, verrückte Seite hat. Die schick frisierte Frankfurter Sekretärin findet man abends im Internet als Betreiberin einer wilden Frettchenzucht wieder. Den Gitarristen der Heavy-Metall-Band trifft man beim Wollekaufen, weil Stricken entspannend und ein Work-out für die Finger ist. Die besten Überraschungen kommen nach dem ersten Eindruck – das ist schon bei der eigenen Zunge so. Wenn man sie rausstreckt und dabei in den Spiegel schaut, sieht man auch nicht gleich ihr komplettes Wesen. Man könnte sich fragen: Hey, wie geht sie da hinten eigentlich weiter? So richtig zu Ende sieht das ja nicht aus. Genau da beginnt die verrückte Seite der Zunge, die Zungenwurzel.

Hier ist eine andersartige Landschaft voller rosa Kuppeln. Wer keinen ausgeprägten Brechreflex hat, kann sich mit dem Finger ganz vorsichtig auf der Zunge nach hinten tasten. Sobald man am letzten Stück ankommt, merkt man, dass es von unten munter rund entgegenhubbelt. Die Aufgabe der Zungenkuppeln

ist, alles, was wir schlucken, zu überprüfen. Dafür schnappen sich die Kuppeln kleinste Partikel aus Essen, Trinken oder der Atemluft und ziehen sie ins Kuppelinnere. Hier wartet eine Armee aus Immunzellen, um mit Fremdstoffen aus der Außenwelt trainiert zu werden. Apfelstückchen sollen sie in Ruhe lassen, bei Halsweherregern müssen sie sofort zuschnappen. Wer bei der Finger-Erkundungstour also wen erkundet, ist unklar, denn dieser Bereich gehört zu dem neugierigsten Gewebe unseres Körpers: dem Immungewebe.

Das Immungewebe hat ein paar solcher Neugier-Hot-Spots – genaugenommen liegt um den ganzen Rachen ein Ring aus Immungewebe. Diese Zone nennt man auch den Waldeyer Rachenring: unten die Zungenkuppeln, rechts und links unsere Mandeln, und oben gibt es noch was beim Rachendach (in Nasen- und Ohrennähe – wir nennen sie bei Kindern oft einfach »Polypen«, wenn sie zu groß werden). Wer jetzt denkt, dass er keine Mandeln mehr hat – falsch gedacht. Alle Teile des Waldeyer Rachenrings zählen nämlich als Mandeln. Zungenkuppeln, Rachendächer und auch unsere altbekannten Mandeln tun alle dasselbe: Sie tasten neugierig Fremdes ab und trainieren Immunzellen, sich zu verteidigen.

Die Mandeln, die öfter mal entfernt werden, machen das nur einfach nicht immer ganz clever: Sie bilden keine Kuppeln, sondern tiefe Furchen (zur Oberflächenvergrößerung). Darin bleibt dann manchmal zu viel Fremdes hängen und kommt nur schwer wieder raus, wodurch sich das Gewebe hier öfter entzündet. Das ist sozusagen ein Nebeneffekt von überneugierigen Mandeln. Wer also ausschließen kann, dass schlechter Atem von der Zunge oder den Zähnen kommt, der kann mal bei diesen Mandeln nachsehen – wenn er noch welche hat.

Abb.: *Das Immungewebe am Zungengrund, auch tonsilla lingualis genannt*

Manchmal verstecken sich hier kleine weiße Steinchen, die furchtbar riechen! Leute wissen oft nichts davon und kämpfen wochenlang gegen einen üblen Mundgeruch oder einen merkwürdigen Geschmack. Alles Zähneputzen, Gurgeln oder Zungenputzen hilft dann praktisch nichts. Irgendwann kommen die Steine von alleine raus, und alles ist wieder gut – so lange muss man aber nicht warten. Man kann diese Steinchen mit etwas Übung herausdrücken, und der Mundgeruch verschwindet von einem Moment auf den anderen.

Der beste Test, ob unangenehmer Geruch überhaupt von hier kommt, ist: mit dem Finger oder Q-Tips über die Mandeln fahren. Wenn es schlecht riecht, dann kann man auf Steinchensuche gehen. HNO-Ärzte entfernen solche Steine auch – das ist komfortabler und sicherer. Wer Freude an grenzwertig ekligen YouTube-Videos hat, kann sich auch dort verschiedene Rumdrücktechniken angucken und dabei einige Extremexemplare solcher Steine ansehen. Das ist allerdings nichts für schwache Nerven.

Es gibt auch noch andere Hausmittel gegen Mandelsteine. Einige Menschen gurgeln mehrmals täglich Salzwasser, andere schwören auf frisches rohes Sauerkraut aus dem Reformhaus – wieder andere behaupten, ein Verzicht auf Milchprodukte führe zu völliger Steinlosigkeit. Wissenschaftlich bewiesen ist keiner dieser Vorschläge. Besser untersucht ist die Frage, ab wann man Mandeln rausoperieren kann. Die Antwort lautet: am besten, wenn man älter als sieben ist.

Ab diesem Alter haben wir wohl alles Wichtige gesehen. Unsere Immunzellen zumindest: auf die völlig fremde Welt kommen, von Mama abgeknutscht werden, mal im Garten oder Wald sein, ein Tier anfassen, viele Erkältungen hintereinander haben, einen Haufen fremder Leute in der Schule kennenlernen. Das war's auch schon. Ab jetzt hat unser Immunsystem sozusagen fertig studiert und kann normal arbeiten gehen für den Rest unseres Lebens.

Vor dem siebten Lebensjahr sind die Mandeln noch wichtige Ausbildungsstätten. Die Bildung unseres Immunsystems ist nicht nur im Kampf gegen Erkältungen wichtig. Sie spielt auch eine Rolle, wenn es um unsere Herzgesundheit oder unser Gewicht geht. Wer seine Mandeln vor dem siebten Lebensjahr entfernt bekommt, hat zum Beispiel ein höheres Risiko, übergewichtig zu werden. Warum das so ist, wissen Ärzte noch nicht. Der Zusammenhang von Immunsystem und Gewicht ist aber immer öfter Gegenstand von Studien. Für untergewichtige Kinder kann der Mandel-Moppeleffekt prima sein. Sie rücken durch eine Gewichtszunahme in den Normalbereich. In allen anderen Fällen wird Eltern empfohlen, nach der Operation auf eine ausgewogene Ernährung ihrer Kinder zu achten.

Wer schon vor dem siebten Lebensjahr lieber auf Mandeln verzichtet, sollte also immer gute Gründe haben. Wenn die Mandeln beispielsweise so groß sind, dass das Schlafen und Atmen schwierig werden, ist jeder Mandel-Moppeleffekt egal. Es ist zwar rührend, dass das eigene Immungewebe uns so motiviert verteidigen will. Aber es schadet uns dann mehr, als es nützt. Oft können Ärzte dann auch nur den störenden Teil der Mandel weglasern und müssen sie nicht gleich ganz entfernen. Anders ist das bei Dauerentzündungen. Dann können unsere Immunzellen nie entspannen, und das ist auf lange Bahn gesehen nicht gut für sie. Egal, ob vier, sieben oder fünfzig Jahre alt – überempfindliche Immunsysteme können auch mal davon profitieren, wenn die Mandeln verabschiedet werden.

Zum Beispiel Menschen mit Psoriasis (auch Schuppenflechte genannt) tun dies. Sie leiden wegen eines überalarmierten Immunsystems unter juckenden Hautentzündungen (oft am Kopf beginnend) oder Gelenkbeschwerden. Außerdem haben Psoriasis-Patienten auch überdurchschnittlich oft Halsweh. Ein möglicher Faktor bei dieser Erkrankung sind Bakterien, die sich dauerhaft in den Mandeln verstecken können und von dort das Immunsystem ärgern. Seit über dreißig Jahren beschreiben Ärzte immer wieder Fälle, bei denen nach einer Mandelentfernung auch die Hautkrankheit sehr viel besser wurde oder abheilte. Deshalb untersuchten im Jahr 2012 Forscher aus Island und den USA diesen Zusammenhang genauer. Sie teilten 29 Psoriasis-Patienten mit häufigen Halsschmerzen in zwei Gruppen auf. Die eine Hälfte ließ sich die Mandeln entfernen, die andere Hälfte nicht. Bei 13 der 15 »Entmandelten« verbesserte sich die Krankheit deutlich und dauerhaft. Bei den Noch-Mandeln-Besitzenden gab es kaum Veränderungen. Auch bei rheumatischen Erkrankungen kann man heute schon die Mandeln entfernen, wenn sich der Verdacht erhärtet, dass sie daran schuld sind.

Mandeln drin oder Mandeln draußen – für beides gibt es gute Argumente. Wer seine Mandeln schon früh hergeben muss, sollte sich keine Sorgen machen, dass das Immunsystem jetzt alle wichtigen Lektionen aus dem Mund verpasst! Dafür gibt es ja zum Glück auch noch die Zungenkuppeln und das Rachendach. Wer noch Mandeln hat, muss allerdings auch keine Angst vor versteckten Bakterien haben: Viele Menschen haben einfach nicht so tiefe Furchen in den Mandeln und deshalb auch keine Probleme damit. Zungenkuppeln und Co. sind praktisch nie Verstecke für Keime. Sie sind anders gebaut und haben Drüsen, mit denen sie sich in regelmäßigen Abständen selbst reinigen.

In unserem Mund passiert jede Sekunde einiges: Speichelpünktchen schießen Mucin-Netze, pflegen unsere Zähne und schützen uns vor zu großer Empfindlichkeit. Unser Rachenring überwacht Fremdpartikel und bereitet seine Immunarmeen damit vor. Wir bräuchten nichts davon, wenn es hinter dem Mund nicht weiterginge. Der Mund ist einzig und allein die Eingangshalle zu einer Welt, in der Fremdes zu Eigenem wird.

Der Aufbau des Darms

Es gibt Dinge, die sind enttäuschend, wenn man sie besser kennenlernt. Die Schokowaffeln aus der Werbung werden nicht von Hausfrauen im Bäuerinnen-Outfit mit Liebe gebacken, sondern kommen aus einem Fabrikgebäude mit Neonröhrenbeleuchtung und Fließbandarbeit. Die Schule ist gar nicht so lustig, wie man am ersten Schultag noch denkt. Im Backstagebereich des Lebens sind alle ungeschminkt. Hier gibt es vieles, das von weit weg wesentlich besser aussieht als von nah dran.

Das ist beim Darm nicht der Fall. Unser Darmrohr sieht von weitem ulkig aus. Hinter unserem Mund führt eine zwei Zentimeter breite Speiseröhre den Hals hinunter, verfehlt die Spitze des Magens und geht dann irgendwo seitlich in den Magen über. Die rechte Magenseite ist viel kürzer als die linke – deshalb krümmt er sich zu einem halbmondförmigen, schiefen Beutelchen. Der Dünndarm schlängelt sich mit seinen sieben Metern Länge orientierungslos mal nach rechts und mal nach links, bis er schließlich in den Dickdarm übergeht. Daran wiederum hängt ein scheinbar unnötiger Blinddarm, der wohl nichts kann, außer sich entzünden. Außerdem hat der Dickdarm lauter Ausstülpungen. Er sieht aus wie ein trauriger Versuch, eine Perlenkette nachzuahmen. Von weitem betrachtet, ist das Darmrohr ein unansehnlicher, uncharmanter und unsymmetrischer Schlauch.

Deshalb pfeifen wir jetzt mal auf Abstand. Es gibt kaum ein Organ in unserem gesamten Körper, das immer faszinierender aussieht, je näher wir heranzoomen. Je mehr man über den Darm weiß, desto schöner wird er. Schauen wir uns also zunächst die merkwürdigen Stellen etwas genauer an.

Die »gargelige« Speiseröhre

Als Erstes fällt ins Auge: Die Speiseröhre kann nicht zielen. Statt den kürzesten Weg zu nehmen und direkt oben auf die Mitte des Magens zuzusteuern, erreicht sie ihn an seiner rechten Seite. Ein genialer Schachzug. Chirurgen würden so etwas einen End-zu-Seit-Anschluss nennen. Es ist zwar ein kleiner Umweg, aber er lohnt sich. Allein bei jedem Schritt, den wir gehen, verdoppelt sich der Druck im Bauch, weil wir unsere Bauchmuskeln anspannen. Beim Lachen oder Husten steigt der Druck gar um ein Vielfaches. Weil der Bauch von unten auf den Magen drückt, wäre es schlecht, wenn die Speiseröhre genau am oberen Ende andocken würde. Seitlich versetzt bekommt sie nur einen Bruchteil des Druckes ab. Wenn wir uns jetzt nach dem Essen bewegen, müssen wir so nicht bei jedem Schritt aufstoßen. Bei einem starken Lachanfall verdanken wir dem cleveren Winkel und seinen Verschlussmechanismen, dass höchstens hier und da mal ein Freuden-Pups mitlacht – Lach-Kotzen ist dagegen kaum bekannt.

Ein Nebeneffekt des Seiteneingangs ist die Magenblase! Auf allen Röntgenbildern sieht man oben im Magen diese kleine Luftblase. Luft steigt schließlich nach oben und sucht nicht zuerst den Seitenausgang. Deshalb müssen viele Leute erst ein bisschen Luft hinunterschlucken, bevor sie rülpsen können. Durch das Schlucken bewegen sie die Öffnung der Speiseröhre ein bisschen näher zur Luftblase, und schwups kann der Rülps in die Freiheit aufsteigen. Wer im Liegen rülpsen will, schafft das sehr viel einfacher, wenn er auf der linken Seite liegt. Wer mit drückendem Bauch die ganze Zeit auf der rechten Seite liegt, sollte sich schlichtweg mal umdrehen.

Valera Ekimotchev
Birth Date: 1/16/1983
ID: 3782953
Acc No: 7722536

Radiology
Acq. time: 23:1

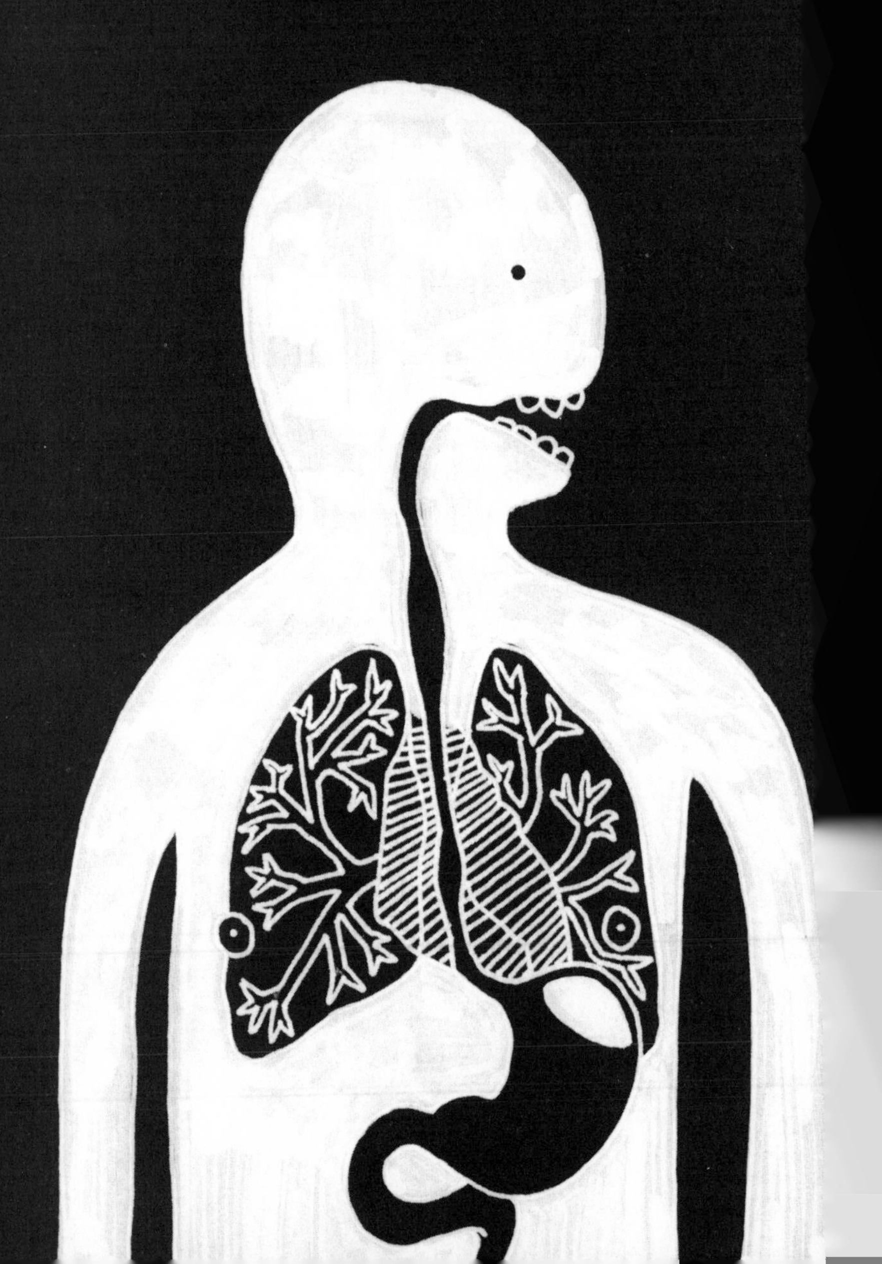

Auch das »gargelige« Aussehen der Speiseröhre ist hübscher, als es auf den ersten Blick wirkt. Wenn man genau hinschaut, sieht man, dass einige Muskelfasern spiralförmig um die Speiseröhre herumlaufen. Sie sind der Grund für die »gargeligen« Bewegungen. Wenn man sie in die Länge zieht, reißen sie nicht, sondern ziehen sich wie Telefonhörerkabel spiralig zusammen. Unsere Speiseröhre ist über Faserzüge mit unserer Wirbelsäule verbunden. Wenn wir uns ganz gerade hinsetzen und mit dem Kopf nach oben schauen, ziehen wir unsere Speiseröhre in die Länge. Dadurch wird sie enger und kann sich besser nach unten und oben verschließen. Nach einem üppigen Mahl hilft eine gerade Haltung also besser gegen saures Aufstoßen als ein runder Buckel.

Das schiefe Magenbeutelchen

Unser Magen sitzt viel weiter oben, als wir denken. Er beginnt knapp unter der linken Brustwarze und endet unter dem rechten Rippenbogen. Alles, was unterhalb von diesem schiefen Beutelchen weh tut, ist nicht der Magen. Wenn viele Leute meinen, sie haben etwas am Magen, ist es in Wirklichkeit ihr Darm. Auf dem Magen sitzen das Herz und die Lungen. Wenn wir so richtig viel gegessen haben, ist es deshalb schwieriger, ganz tief einzuatmen.

Ein vom Hausarzt oft übersehenes Syndrom ist das Römheld-Syndrom. Im Magen sammelt sich so viel Luft, dass sie von

---

Abb.: *Zur besseren Darstellung der Magenblase wurde auf die genaue Schwarzweiß-Verteilung eines Röntgenbildes verzichtet. Auf einem gewöhnlichen Röntgenbild erscheinen dichte Materialien, wie Zähne oder Knochen, hell, weniger dichte Bereiche, wie die Magenblase oder die Luft in der Lunge, dunkel.*

unten auf das Herz und die Eingeweidenerven drückt. Betroffene reagieren unterschiedlich. Ihnen wird schwindelig oder unwohl. Bei manchen Menschen geht es so weit, dass sie Angst oder Atemnot bekommen, wieder andere haben sogar einen starken Schmerz im Brustbereich wie bei einem Herzinfarkt. Häufig werden die Betroffenen von Ärzten wie überängstliche Simulanten behandelt, die sich alles nur einbilden. Hilfreicher wäre da mal die Frage: »Haben Sie probiert zu rülpsen oder zu pupsen?« Auf Dauer ist dann der Verzicht auf blähendes Essen angesagt, das Wiedereinrenken der Magen- und Darmflora oder auch der Verzicht auf größere Mengen Alkohol. Alkohol kann gasproduzierende Bakterien auf das bis zu Tausendfache erhöhen. Einige Bakterien benutzen Alkohol nämlich als Nahrung (was man beispielsweise bei vergorenen Früchten schmeckt). Wenn im Darmtrakt fleißige Gasproduzenten sitzen, wird die nächtliche Disko zum morgendlichen Trompetenkonzert. Von wegen »Alkohol desinfiziert«?

Und nun zu seiner merkwürdigen Form. Die eine Seite des Magens ist viel länger als die andere, so dass sich das komplette Organ krumm biegen muss. Dadurch kommt es im Inneren zu großen Falten. Man könnte auch sagen: Der Magen ist der Quasimodo der Verdauungsorgane. Doch sein unförmiges Äußeres hat einen tieferen Sinn. Wenn wir einen Schluck Wasser trinken, kann die Flüssigkeit aus der Speiseröhre direkt an der rechten, kurzen Seite des Magens entlangfließen und am Tor zum Dünndarm landen. Essen dagegen plumpst auf die große Seite des Magens. So trennt unser Verdauungsbeutelchen überausgefuchst, was es kleinkneten muss und was es schneller weiterleiten darf. Unser Magen ist nicht einfach *schief*, er hat einfach nur zwei Expertenseiten. Die eine kommt besser mit Flüssigem klar, die andere mit Festem. Zwei Magen in einem sozusagen.

Der umherschlängelnde Dünndarm

In unserem Bauch liegt ein drei bis sechs Meter langer Dünndarm, ganz locker, Schlinge für Schlinge. Wenn wir Trampolin springen, hüpft er einfach mit. Wenn wir in einem startenden Flugzeug sitzen, wird auch er in Richtung Sitzlehne gepresst. Wenn wir tanzen, schwubbelt er munter umher, und wenn wir unser Gesicht vor Bauchschmerzen verziehen, spannt er seine Muskeln in ziemlich ähnlicher Form an.

Nur wenige Menschen haben schon mal ihren eigenen Dünndarm gesehen. Auch bei einer Darmspiegelung schaut sich der Arzt meistens nur den Dickdarm an. Wer die Chance hatte, sich mittels einer kleinen schluckbaren Kamera auf den Weg durch den Dünndarm zu machen, ist meist überrascht. Statt auf einen düsteren Schlauch trifft man auf dieses andersartige Wesen: wie Samt glänzend, nass und rosa und irgendwie zart. Kaum jemand weiß, dass nur der allerletzte Meter Dickdarm etwas mit Kot zu tun hat – die Meter davor sind überraschend sauber (übrigens auch weitgehend geruchlos) und beschäftigen sich treu und appetitlich mit allem, was wir ihnen entgegenschlucken.

Auf den ersten Blick mag der Dünndarm ein bisschen konzeptloser wirken als die anderen Organe. Unser Herz hat vier Kammern, unsere Leber ihre Leberlappen, Venen haben Klappen, und das Gehirn hat Areale – der Dünndarm dagegen schlängelt sich nur orientierungslos umher. Seine wahre Gestalt wird erst unter dem Mikroskop sichtbar. Wir haben es hier mit einem Wesen zu tun, das den Begriff »Liebe zum Detail« kaum besser verkörpern könnte.

Unser Darm will uns so viel Fläche bieten wie möglich. Dafür faltet er gerne. Da sind zuallererst die sichtbaren Falten – ohne sie bräuchten wir einen bis zu 18 Meter langen Dünndarm, um genug Verdauungsfläche zu haben. Ein Hoch auf die Falten!

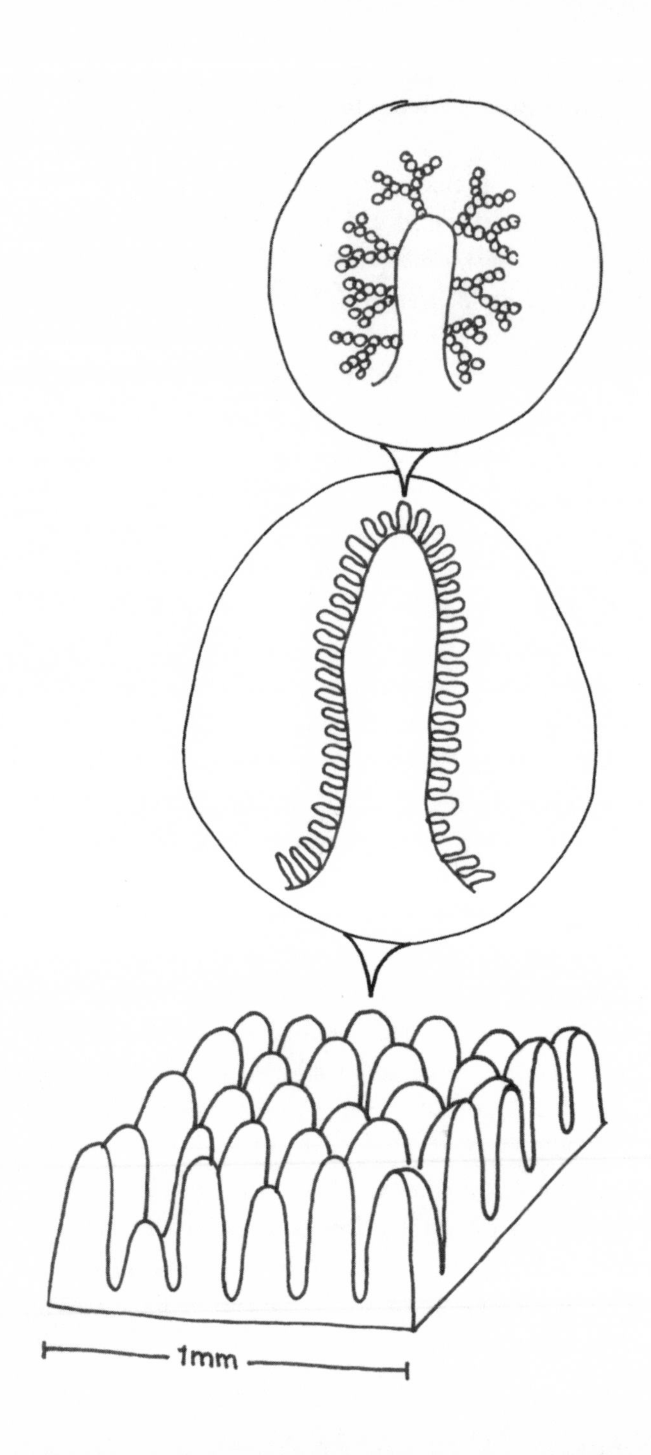
1mm

Ein Perfektionist wie der Dünndarm hört allerdings hier noch nicht auf. Auf einem einzigen Quadratmillimeter Darmhaut ragen dreißig winzige Zotten in den Nahrungsbrei. Diese Zotten sind so klein, dass wir sie fast noch sehen können – aber eben nur fast. Der Grenzbereich zwischen Sichtbarem und Unsichtbarem wird von unseren Augen so hoch aufgelöst, dass wir gerade noch eine samtartige Struktur erkennen. Die kleinen Zotten sehen unter dem Mikroskop wie große Wellen aus lauter Zellen aus. (Samt sieht ganz ähnlich aus.) Unter einem besseren Mikroskop erkennt man, dass jede einzelne dieser Zellen wieder mit lauter zotteligen Ausstülpungen besetzt ist. Zotten auf Zotten sozusagen. Diese Zotten wiederum haben einen samtartigen Besatz, hervorgerufen durch unzählige Gebilde aus Zucker, die in der Form Hirschgeweihen ähneln – das ist die sogenannte Glykokalix. Würde man alles glattstreichen – Falten, Zotten und Zotten auf Zotten –, wäre unser Darm etwa sieben Kilometer lang.

Warum muss er überhaupt so riesig sein? Insgesamt verdauen wir also auf einem Gebiet, das hundertmal größer ist als unsere Haut. Das scheint ziemlich unverhältnismäßig für eine kleine Portion Pommes oder einen einzelnen Apfel. Aber genau darum geht es in unserem Bauch: Wir vergrößern uns selbst und verkleinern alles Fremde, bis es so winzig ist, dass wir es aufnehmen können und es ein Teil von uns wird.

Damit fangen wir schon im Mund an. Ein Bissen von einem Apfel klingt nur deshalb so saftig, weil wir mit unseren Zähnen viele Millionen Apfelzellen platzen lassen wie Luftballons. Je frischer der Apfel ist, desto mehr Zellen sind noch intakt – deshalb vertrauen wir auf besonders laute Knackgeräusche.

Genauso wie wir knackige Frische lieben, bevorzugen wir auch erhitzte proteinreiche Lebensmittel. Steak, Rührei oder ge-

---

Abb.: *Darmzotten, Mikrovilli und die Glykokalix*

bratenen Tofu finden wir leckerer als rohes Fleisch, glibbriges Ei oder kalten Tofu. Auch das liegt daran, dass wir intuitiv etwas verstanden haben. Im Magen passiert mit einem rohen Ei nämlich das Gleiche wie in der Pfanne: Eiweiß wird weiß, Eigelb wird pastellfarben, und beide stocken. Wenn wir uns nach genügend langer Zeit erbrechen würden, käme ein optisch astreines Rührei dabei heraus, und das ganz ohne Hitze. Proteine reagieren auf eine Herdplatte genauso wie auf Magensäure – sie entfalten sich. Dann sind sie nicht mehr so clever gebaut, um sich beispielsweise unsichtbar im Eiklar zu lösen, sondern zeigen sich als weiße Brocken. So können sie im Magen und Dünndarm sehr viel einfacher abgebaut werden. Kochen erspart uns also die ganze erste Ladung »Entfaltungsenergie«, die ansonsten der Magen dafür aufbringen müsste, und ist damit der outgesourcte Teil unseres Verdauungsgeschäfts.

Die allerletzte Verkleinerung der Nahrungsmittel, die wir zu uns nehmen, passiert letztendlich im Dünndarm. Ganz am Anfang gibt es ein kleines Loch in der Darmwand, das ist die Papille. Sie erinnert ein bisschen an die Speichelpünktchen im Mund – aber ist größer. Durch diese winzige Öffnung werden unsere Verdauungssäfte auf den Nahrungsbrei gespritzt. Sobald wir etwas essen, werden sie in der Leber und in der Bauchspeicheldrüse produziert und dann zur Papille geliefert. Sie enthalten die gleichen Bestandteile wie Waschmittel und Spüli aus dem Supermarkt: Verdauungsenzyme und Fettlöser. Waschmittel wirken gegen Flecken, weil sie fettige, eiweißhaltige oder zuckrige Substanzen sozusagen von den Kleidern »wegverdauen« und im Abwasser davontransportieren, während alles nass geknetet wird. Das ist so ziemlich das Gleiche wie das, was im Dünndarm passiert. Hier werden allerdings vergleichsweise riesige Stücke Eiweiß, Fett oder Kohlenhydrate aufgelöst, um über die Darmwand in das Blut zu gelangen. Ein Apfelstückchen ist dann kein

Apfelstückchen mehr, sondern eine Nährlösung aus Milliarden und Abermilliarden energiereichen Molekülen. Um sie alle einzeln aufzunehmen, braucht es eine recht große Fläche – 7 Kilometer Länge sind da gerade recht. So gibt es auch immer noch Sicherheitspuffer, wenn im Darm Entzündungen sind oder man sich eine Darmgrippe eingefangen hat.

In jeder einzelnen Dünndarmzotte befindet sich ein winziges Blutgefäß. Es wird mit den resorbierten Molekülen gefüttert. Alle Gefäße des Dünndarms laufen zusammen und fließen dann durch die Leber, die unsere Nahrung auf Schadstoffe und Gifte prüft. Gefährliches kann hier noch vernichtet werden, bevor es in unseren großen Blutkreislauf übergeht. Essen wir zu viel, werden hier erste Energiespeicher angelegt. Von der Leber aus fließt das nahrhafte Blut direkt zum Herzen. Von hier aus wird es mit einem kräftigen Stoß zu den vielen Zellen des Körpers gepumpt. Ein Zuckermolekül landet dann zum Beispiel bei einer Hautzelle in der rechten Brustwarze. Hier wird es aufgenommen und mit Sauerstoff verbrannt. Dabei entsteht Energie, um die Zelle lebendig zu halten, und als Nebenprodukte fallen Wärme und winzige Mengen Wasser an. Insgesamt passiert das bei so vielen kleinen Zellen gleichzeitig, dass wir konstant 36 bis 37 Grad Celsius warm sind.

Das Grundprinzip von unserem Energiestoffwechsel ist einfach: Damit ein Apfel heranreift, verbraucht die Natur Energie. Wir Menschen wiederum zerkleinern den Apfel und verbrennen ihn anschließend bis auf die Molekülebene. Die dabei wieder freiwerdende Energie nutzen wir, um zu leben. Alle Organe, die aus dem Darmrohr entstehen, können Brennmaterial für unsere Zellen beschaffen. Auch unsere Lungen machen nichts anderes, als mit jedem Atemzug Moleküle aufzunehmen. »Luft holen« bedeutet dann sozusagen, »gasförmige Nahrung zu sich zu nehmen«. Ein guter Teil unseres Körpergewichts kommt durch die eingeatmeten Atome zustande und nicht nur durch einen Cheeseburger. Pflanzen ziehen sogar den größten Teil ihres Gewichts aus der Luft und nicht aus der Erde ... Ich hoffe allerdings nicht, hiermit die nächste Diät-Idee für ein Frauenmagazin geliefert zu haben.

In all unsere Organe stecken wir also Energie – und erst im Dünndarm bekommen wir auch mal etwas zurück. Das macht Essen zu so einer dankbaren Beschäftigung. Direkt nach dem letzten Happen kann man aber noch keinen Energieschub erwarten. De facto sind viele Menschen dann erst mal müde. Das Essen ist auch noch gar nicht im Dünndarm angekommen, sondern steckt in den Verdauungsvorbereitungen fest. Der Hunger ist zwar weg, weil der Magen durch die Nahrung gedehnt wurde, aber wir sind genauso schlapp wie vor dem Essen und müssen zusätzlich noch Kraft aufbringen für die aufwendige Durchmischung und Zerkleinerung. Dabei fließt eine Menge Blut durch unsere Verdauungsorgane. Viele Wissenschaftler gehen daher davon aus, dass unser Gehirn durch die geringere Durchblutung müde wird.

Einer meiner Professoren meint dazu: »Wenn das ganze Blut aus dem Kopf im Bauch wäre, wären wir tot oder ohnmächtig.« Tatsächlich gibt es auch andere mögliche Ursachen für die Müdigkeit nach dem Essen. Bestimmte Signalstoffe, die wir bei Sattheit ausschütten, können Hirnbereiche stimulieren, die uns müde machen. Die Müdigkeit stört vielleicht unser Gehirn bei der Arbeit, unser Dünndarm findet sie allerdings prima. Er kann am effektivsten arbeiten, wenn wir angenehm entspannt sind. Dann steht ihm nämlich die meiste Energie zur Verfügung, und das Blut ist nicht voll mit Stresshormonen. Der ruhige Buchleser ist in Sachen Verdauung erfolgreicher als ein angespannter Topmanager.

Der unnötige Blinddarm und der pummelige Dickdarm

Im Behandlungsraum einer Arztpraxis liegen, mit einem Thermometer im Mund und mit einem im Hintern. Es gibt schönere Tage. So lief früher eine der Untersuchungen bei Verdacht auf Blinddarmentzündung ab. War die Po-Temperatur deutlich höher als die des Mundes, galt das als ein wichtiges Indiz. Heutzutage verlassen sich Ärzte nicht mehr auf Thermometerdifferenzen. Hinweise auf eine Blinddarmentzündung sind Fieber plus Schmerzen rechts unterhalb des Bauchnabels (hier befindet sich der Blinddarm bei den meisten).

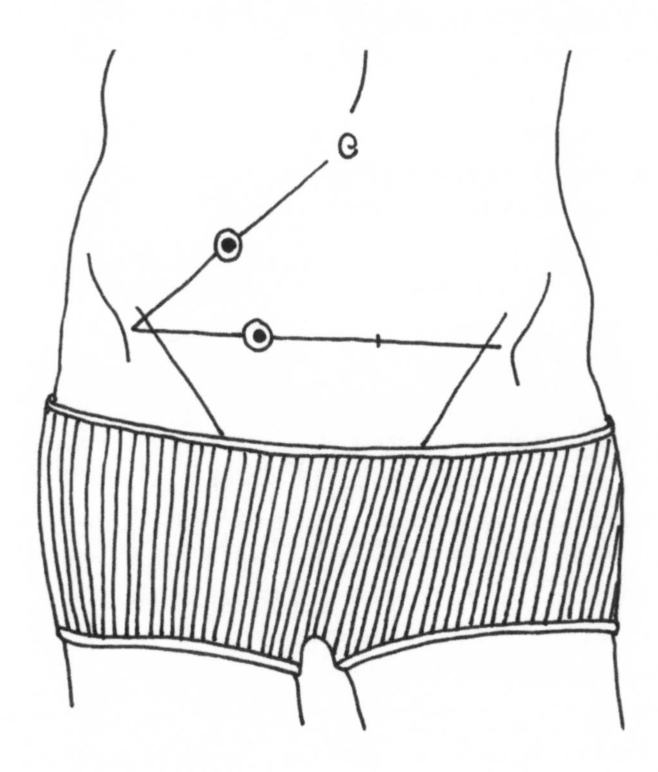

Auf diese Stelle zu drücken tut oft weh, während es links vom Bauchnabel dann kurioserweise wieder guttut. Sobald man den Finger links wieder wegnimmt – autsch! Das liegt daran, dass unsere Bauchorgane von einer Schutzflüssigkeit ummantelt sind. Bei Druck auf der linken Seite schwimmt rechts der entzündete Darm in einem größeren Flüssigkeitskissen, und das gefällt ihm gut. Ein anderer Hinweis auf eine Blinddarmentzündung sind Schmerzen beim Anheben des rechten Beines gegen einen Widerstand (jemand muss dagegen drücken) und Appetitlosigkeit oder Übelkeit.

Unser Blinddarm gilt als unnötiges Organ. Kein Arzt auf der ganzen Welt würde allerdings einem Patienten mit schlimmen Bauchschmerzen den Blinddarm rausnehmen. Der Blinddarm ist ein offiziell wichtiger Teil des Dickdarms. Das, was man Menschen rausoperiert, ist der sogenannte Wurmfortsatz, der unten am Blinddarm dranhängt. Er sieht noch nicht mal wie ein echtes Stück Darm aus, sondern eher wie ein unaufgeblasener Luftballon, mit dem Clowns Tiere formen. Kein Wunder, dass ihn da niemand ernst nimmt und ihn nach dem nächstgrößeren Darmteil, an dem er dranhängt, benennt. So wie wenn man sagt: »Ich wohne in Frankfurt«, obwohl man in Lorsbach lebt.

Unser Wurmfortsatz ist nicht nur zu winzig, um sich mit Nahrungsbrei zu beschäftigen, er hängt auch noch an einer Stelle, zu der kaum Essen hinkommt. Der Dünndarm mündet ein Stück weiter oben seitlich in den Dickdarm und übergeht ihn damit einfach. Wir haben es hier mit einem Wesen zu tun, das eher von unten zuschauen kann, was die Welt über es hinwegschiebt. Wer sich noch an die Kuppellandschaft aus dem Mund erinnert, ahnt vielleicht schon, welche Kompetenz in dem merkwürdigen Beobachter schlummert! Obwohl er weit von seinen Kollegen entfernt ist, gehört der Wurmfortsatz zum Immungewebe der Mandeln.

Unser Dickdarm beschäftigt sich mit den Dingen, die im Dünndarm nicht aufgenommen werden können. Deswegen sieht er auch nicht samtig aus. Es wäre schlichtweg vergebene Mühe, hier noch mal lauter aufnahmefreudige Zotten hinzusetzen. Stattdessen ist er die Heimat von Darmbakterien, die letzte Essensreste für uns zerlegen. Für diese Bakterien interessiert sich wiederum unser Immunsystem sehr.

Der Wurmfortsatz sitzt also an einer vortrefflichen Stelle! Weit genug weg, um sich nicht mit dem ganzen Nahrungskram zu beschäftigen, aber nah genug dran, um sich alle fremden Mikroben anzuschauen. Während in den Wänden des Dickdarms große Lager mit Immunzellen sind, besteht der Wurmfortsatz fast ausschließlich aus Immungewebe. Kommt hier ein schlechter Keim vorbei, ist er rundherum umzingelt. Das heißt allerdings auch, dass sich alles rundherum entzünden kann – 360°-Panorama sozusagen. Wenn der kleine Wurmfortsatz dabei stark anschwillt, wird es für ihn noch schwerer, die Keime aus sich herauszufegen. So kommt es zu den mehr als hunderttausend »Blinddarm-OPs« jedes Jahr allein in Deutschland.

Das ist allerdings nicht der einzige Effekt. Wenn hier nur die Guten überleben und alles Gefährliche attackiert wird, hieße das im Umkehrschluss, in einem gesunden Wurmfortsatz sitzt eine sehr ausgewählte Sammlung an feinsten, hilfreichen Bakterien. Genau das ist das Ergebnis der Studien der amerikanischen Forscher William Parker und Randy Bollinger, die diese Theorie 2007 aufgestellt haben. Praktisch ist das beispielsweise nach einer kräftigen Runde Durchfall. Dann sind oft viele der typischen Darmbewohner weggefegt, und es ist ein leichtes Spiel für neue Mikroben, die freie Fläche zu besiedeln. Diesen Job will man ungerne dem Zufall überlassen. Genau hier springt nach Parker & Bollinger das Team aus dem Wurmfortsatz ein und breitet sich schützend von unten über den gesamten Dickdarm aus.

In Deutschland leben wir nicht gerade in einem Gebiet mit vielen Durchfallerregern. Auch wenn wir mal eine Darmgrippe erhaschen, ist unsere Umwelt mit viel ungefährlicheren Mikroben bestückt als beispielsweise Indien oder Spanien. Man kann also sagen, dass wir den Wurmfortsatz nicht so dringend brauchen wie die Menschen dort. Deshalb sollte man sich auch keine großen Sorgen machen, wenn man eine Blinddarm-OP hatte oder vor sich hat! Die Immunzellen des restlichen Dickdarms sind zwar nicht ganz so dicht beieinander, aber insgesamt sind sie um ein Vielfaches zahlreicher als die des Wurmfortsatzes und kompetent genug, um den Job zu übernehmen. Wer Durchfall bekommt und auf Nummer sicher gehen will, kann sich dann für die Wiederbevölkerung des Darms auch gute Bakterien in der Apotheke kaufen.

Jetzt dürfte klarer sein, wozu wir den Blinddarm beziehungsweise Wurmfortsatz haben. Warum aber hängt da so ein Dickdarm dran? Die Nahrung wurde ja schon aufgenommen, Zotten gibt es hier auch keine mehr, und was will die Darmflora überhaupt mit den unverdaulichen Resten? Unser Dickdarm schlängelt sich nicht umher. Er legt sich wie ein dicker Bilderrahmen außen um den Dünndarm herum. Dass er »dick« genannt wird, ist für ihn keine Beleidigung. Er braucht für seine Aufgaben eben mehr Raum.

Wer gut mit seinen Ressourcen umgeht, übersteht auch harte Zeiten. Genau das ist das Lebensmotto von unserem Dickdarm. Er lässt sich für alles Übriggebliebene Zeit und verdaut gründlich zu Ende. Im Dünndarm kann in der Zwischenzeit schon die zweite oder dritte Mahlzeit aufgenommen werden – der Dickdarm lässt sich davon nicht beirren. Überbleibsel aus dem Essen werden etwa 16 Stunden lang gewissenhaft überarbeitet. Dabei werden Stoffe aufgenommen, die wir sonst in aller Eile verloren hätten: Wichtige Mineralien wie Calcium können erst hier wirklich resorbiert werden. Durch die sorgfältige Zusammenarbeit von Dickdarm und Darmflora bekommen wir außerdem eine Extradosis energiereicher Fettsäuren, Vitamin K, Vitamin B12, *Thiamin* (Vitamin B1) und *Riboflavin* (Vitamin B2). Das ist für vieles hilfreich, zum Beispiel für eine funktionierende Blutgerinnung, für starke Nerven oder auch als Schutz vor Migräne. Auf dem letzten Meter Darm wird auch unser Wasser- und Salzhaushalt sehr genau ausbalanciert: Nicht, dass es jemand ausprobieren sollte, aber unser Kot ist immer exakt gleich salzig. Durch dieses feine Tarieren kann ein ganzer Liter Flüssigkeit gespart werden. Würde das hier nicht erledigt, müssten wir jeden Tag einen ganzen Liter mehr trinken.

Wie im Dünndarm werden alle resorbierten Errungenschaften des Dickdarms über das Blut zur Leber gebracht, dort gegengeprüft und danach in den großen Kreislauf weitergegeben. Die letzten Zentimeter des Darmrohrs schicken ihre Blutgefäße allerdings nicht über die entgiftende Leber, sondern direkt in den großen Kreislauf. In der Regel wird hier auch gar nichts mehr aufgenommen, weil das schlichtweg schon erledigt ist. Es gibt allerdings eine Ausnahme: Zäpfchen. Zäpfchen können viel weniger Medikament enthalten als schluckbare Pillen und wirken trotzdem schneller. Tabletten und Säfte müssen wir oft nur deshalb so hoch dosieren, weil die Leber einen großen Teil davon entgiftet, bevor sie überhaupt an den Wirkungsort gelangen. Das ist allerdings unpraktisch, weil wir diese »Giftstoffe« ja wegen ihrer praktischen Effekte haben wollen. Wer die Leber erst gar nicht mit Fiebersenkern und Co. belasten will, nutzt die Abkürzung des Enddarms mit Zäpfchen gut aus. Das ist vor allem bei Kindern und älteren Menschen eine prima Idee.

Was wir wirklich essen

Die wichtigste Phase unserer Verdauung findet im Dünndarm statt, wenn die maximale Fläche auf die winzigste Zerkleinerung der Nahrung trifft. Hier entscheidet sich, ob wir Laktose vertragen, was gesunde Nahrung ist oder welches Essen Allergien hervorruft. Unsere Verdauungsenzyme arbeiten in dieser letzten Etappe wie winzige Scheren: Sie zerschnippeln das Essen so lange, bis es den kleinsten gemeinsamen Nenner mit unseren Körperzellen hat. Der Trick der Natur ist nämlich, dass alle lebendigen Dinge aus den gleichen Grundmaterialien bestehen: aus Zuckermolekülen, Aminosäuren und Fetten. All unsere Nahrungsmittel kommen von Lebewesen – dazu gehört nach biologischer Definition ein Apfelbaum genauso wie eine Kuh.

Zuckermoleküle können zu komplexen Ketten verknüpft werden. Sie schmecken dann nicht mehr süß und sind die sogenannten Kohlenhydrate in Lebensmitteln wie Brot, Nudeln oder Reis. Wer eine Scheibe Toastbrot verdaut, bekommt nach der Schnippelarbeit der Enzyme folgendes Endprodukt: die gleiche Menge Zuckermoleküle, wie wenn er ein paar Löffel weißen Haushaltszucker gegessen hätte. Der einzige Unterschied besteht darin, dass Haushaltszucker keine große Enzymbearbeitung braucht, sondern schon so kleingestückelt im Dünndarm ankommt, dass er direkt ins Blut aufgenommen werden kann. Zu viel purer Zucker auf einmal versüßt unser Blut für kurze Zeit.

Der Zucker aus sehr hellem Toastbrot wird von den Enzymen relativ schnell verdaut. Bei Vollkornbrot geht es viel langsamer vonstatten! Es besteht aus besonders komplizierten Zuckerketten, die Stück für Stück auseinandergebaut werden müssen. Vollkornbrot ist deshalb keine Zuckerbombe, sondern ein wohltuendes Zuckerdepot. Übrigens: Auf eine plötzliche Versüßung muss der Körper viel heftiger reagieren, um alles wieder in ein gesundes Gleichgewicht zurückzubringen. Er schüttet dann große Mengen Hormone aus, vor allem Insulin, und das bewirkt, dass man, wenn der Sondereinsatz vorbei ist, schneller wieder müde ist. Wenn Zucker nicht zu schnell aufgenommen wird, ist er ein wichtiger Rohstoff. Dann können wir ihn als heizendes Brennholz für unsere Zellen nutzen oder auch, um eigene Zuckerstrukturen wie die Hirschgeweih-Glykokalix auf unseren Darmzellen herzustellen.

Trotzdem mag unser Körper zuckrig Süßes, denn er spart Arbeit – eben weil es schneller aufnehmbar ist, genauso wie warme Proteine. Hinzu kommt, dass Zucker enorm schnell in Energie umgesetzt wird. Diese erfolgreiche Energiezufuhr wiederum wird vom Gehirn mit guten Gefühlen belohnt. Es gibt allerdings einen Fallstrick: Noch nie in der Geschichte der Menschheit mussten wir mit einem so enormen Überangebot an Zucker umgehen. In amerikanischen Supermärkten ist bereits in rund 80 Prozent der verarbeiteten Produkte Zucker zugesetzt. Evolutionstechnisch hat unser Körper also gerade das Süßigkeitenversteck gefunden und frisst sich ahnungslos voll, bevor er mit Zuckerschock und Bauchweh auf dem Sofa zusammensackt.

Auch wenn wir wissen, dass zu viel Naschen ungesund ist, unseren Instinkten kann man es nicht verübeln, wenn sie begeistert zuschlagen. Essen wir zu viel Zucker, speichern wir ihn einfach für harte Zeiten ab. Das ist eigentlich eine praktische Sache. Zum einen erledigen wir das, indem wir ihn wieder zu langen Zuckerketten formen und als sogenanntes Glykogen in der Leber lagern, zum anderen, indem wir ihn zu Fett umbauen und im Fettgewebe horten. Zucker ist der einzige Stoff, den unser Körper mit wenig Aufwand zur Fettherstellung nutzen kann.

Die Glykogenspeicher sind schon nach einer Weile Joggen aufgebraucht – ziemlich genau dann, wenn man denkt: Jetzt fühlt es sich aber plötzlich anstrengend an. Deshalb raten Ernährungsphysiologen, mindestens eine Stunde Sport zu treiben, wenn man Fett verbrennen will. Frühestens nach dem ersten kleinen Leistungsknick werden die edlen Reserven richtig angezapft. Wir ärgern uns vielleicht darüber, dass nicht sofort der Bauchspeck angegangen wird – aber unser Körper versteht diesen Ärger nicht, denn: Menschliche Zellen verehren Fett.

Fett ist von allen Nahrungsteilchen die effizienteste und wertvollste Substanz! Die Atome sind so ausgefuchst aneinandergebaut, dass Fett – im Vergleich zu Kohlenhydrate oder Proteine – pro Gramm doppelt so viel Energie bündeln kann. Wir benutzen es, um unsere Nerven damit zu ummanteln – wie die Plastikhülle um Elektrokabel. Durch diese Ummantelung sind wir so schnelle Denker. Einige wichtige Hormone in unserem Körper werden aus Fett gemacht, und letztlich ist jede einzelne unserer Zellen in eine fettige Membran eingehüllt. So etwas Besonderes wird geschützt und nicht beim ersten kleinen Sprint verjubelt. Sollte die nächste Hungersnot kommen – und in den vergangenen Millionen Jahren gab es viele –, ist jedes Gramm Bauchspeck eine Lebensversicherung.

Auch für unseren Dünndarm ist Fett etwas ganz Besonderes. Es kann nicht, so wie die anderen Nährstoffe, einfach aus dem Darm ins Blut aufgenommen werden. Fett ist nicht wasserlöslich – es würde die winzigen Blutgefäße in den Dünndarmzotten sofort verstopfen und in den größeren Adern wie Öl auf dem Spaghettiwasser schwimmen. Die Aufnahme von Fett läuft deshalb anders ab: über unser Lymphsystem. Lymphgefäße sind für Blutgefäße so etwas wie Robin für Batman. Jedes Blutgefäß im Inneren des Körpers wird von einem Lymphgefäß begleitet, auch jedes ganz kleine Äderchen im Dünndarm. Während die Blutadern dick und rot sind und heldenhaft Nährstoffe in unsere Gewebe pumpen, sind Lymphgefäße dünn und weißlich-durchsichtig. Sie holen gepumpte Flüssigkeit wieder aus dem Gewebe zurück und transportieren Immunzellen, um überall für das Rechte zu sorgen.

Lymphgefäße sind so schmächtig, weil sie keine muskulösen Wände wie unsere Blutadern haben. Oft arbeiten sie einfach mit der Schwerkraft zusammen. Deshalb haben wir morgens beim Aufwachen dicke Augen. Im Liegen kann die Schwerkraft nämlich nicht viel ausrichten, die kleinen Lymphgefäße im Gesicht sind zwar gutmütig geöffnet, aber erst wenn wir uns gerade hinstellen, kann die Flüssigkeit, die über Nacht vom Blut hierhin transportiert wurde, wieder über sie nach unten abfließen. (Unsere Unterschenkel sind nach langem Herumlaufen deshalb nicht voll mit Flüssigkeit, weil die Beinmuskeln die Lymphgefäße bei jedem Schritt zusammendrücken und so das Gewebswasser nach oben gepresst wird.) Überall im Körper gehört die Lymphe eher zu den unterschätzten Schwächlingen – außer im Dünndarm. Hier hat sie ihren großen Auftritt! Alle Lymphgefäße laufen zu einem beachtlich breiten Gefäß zusammen und können das ganze verdaute Fett sammeln, ohne Gefahr zu laufen, verstopft zu werden.

Dieses Gefäß trägt den schon fast mächtig klingenden Namen *Ductus thoracicus*! Man könnte ihn mit den Worten vorstellen: »Es lebe der *Ductus* und bringe uns bei, warum edles Fett so wichtig ist und schlechtes Fett so schlecht!« Kurz nach einer fettreichen Mahlzeit sind im *Ductus* so viele winzige Fetttröpfchen, dass die Flüssigkeit nicht mehr durchsichtig, sondern weiß ist wie Milch. Deshalb nennt man den *Ductus* auch Milchbrustgang. Männer wie Frauen haben einen. Wenn sich das Fett

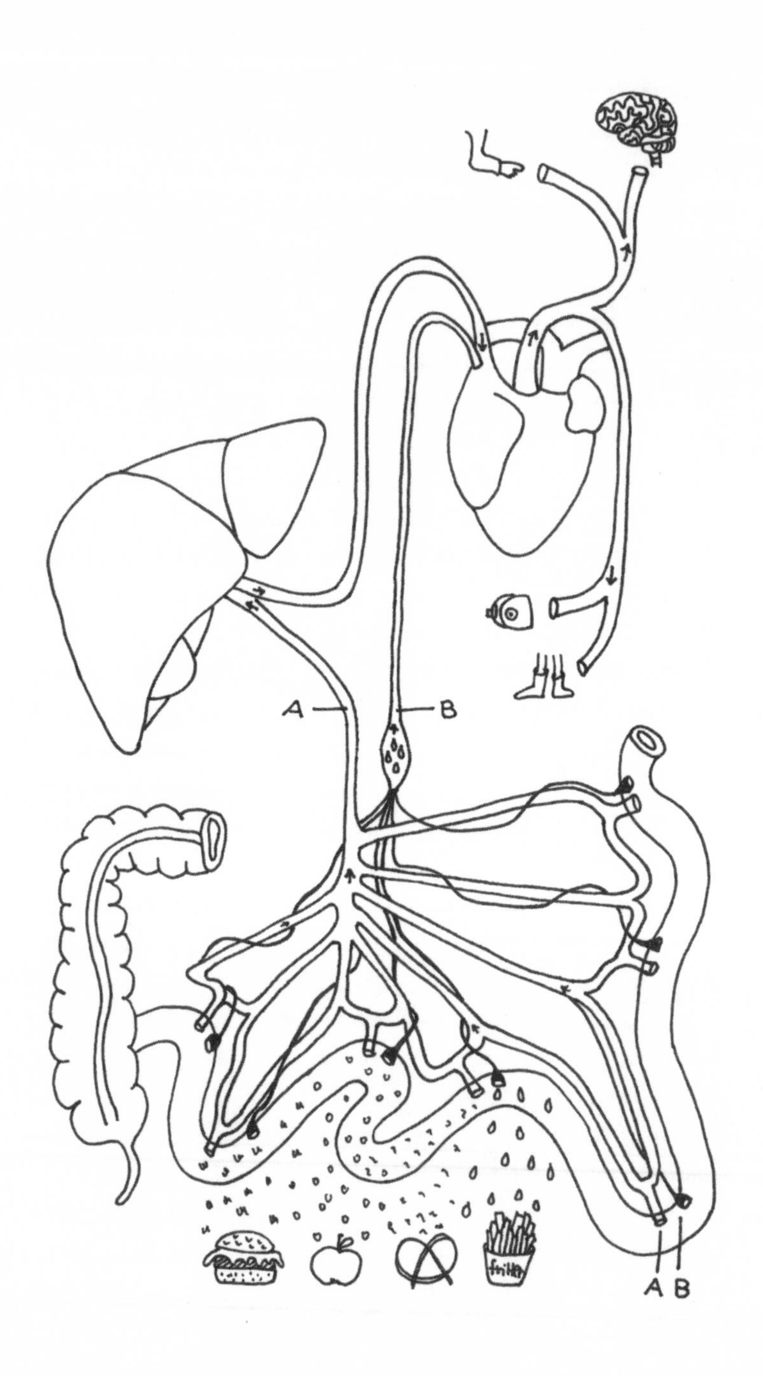
A
B
A
B

im *Ductus* gesammelt hat, macht es einen Bogen vom Bauch durch das Zwerchfell schnurstracks zum Herz. (Hier wird die gesammelte Flüssigkeit aus Beinen, Augenlidern und auch vom Darm hineingekippt.) Edles Olivenöl oder auch billiges Fritteusenfett wird also direkt ins Herz gegossen. Vorher gibt es keinen Umweg über die Leber – wie bei allem anderen, was wir verdauen.

Entgiftung von gefährlichem, schlechtem Fett findet erst statt, nachdem das Herz alles einmal kräftig herumgepumpt hat und die Fetttröpfchen dann irgendwann zufällig in einem Blutgefäß der Leber gelandet sind. Die Leber beherbergt ziemlich viel Blut, weshalb die Wahrscheinlichkeit hoch ist, dass so eine Begegnung bald stattfinden wird – aber zuvor sind Herz und Gefäße schutzlos dem ausgeliefert, was McDonald's und Co. zum günstigsten Preis erwerben konnten.

So wie übles Fett Schlechtes bewirken kann, so kann gutes wundervolle Auswirkungen haben. Wer ein paar Euro mehr für echtes kaltgepresstes Olivenöl (Extra Vergine) ausgibt, tunkt sein Baguette in einen wohltuenden Balsam für Herz und Gefäße. Zu Olivenöl gibt es viele Studien, die nahelegen, dass es vor Arteriosklerose, zellulärem Stress, Alzheimer und Augenkrankheiten (wie der Makuladegeneration) schützen kann. Darüber hinaus sieht man positive Effekte bei entzündlichen Krankheiten wie rheumatischer Arthritis und auch bei der Vorbeugung von bestimmten Krebsarten. Besonders spannend für alle, die Fett fürchten, ist auch Folgendes: Olivenöl hat das Potential, gegen ungewollte Speckröllchen anzukämpfen. Es blockiert nämlich ein Enzym im Fettgewebe, die Fettsäuresynthase, die gerne aus überflüssigen Kohlenhydraten Fett herstellt. Nicht nur wir pro-

---

Abb.: *A = Blutgefäße laufen über die Leber und dann zum Herz.*
B = Lymphgefäße führen direkt ins Herz.

fitieren von Olivenöl, auch die guten Bakterien im Darm mögen eine kleine Pflegeeinheit.

Gutes Olivenöl kostet auch mal einen Euro mehr, es schmeckt nicht fettig oder ranzig, sondern grün und fruchtig, und es verursacht beim Schlucken manchmal ein kratziges Gefühl durch die darin enthaltenen Gerbstoffe. Wem diese Beschreibung etwas zu abstrakt war, der kann sich auch über die verschiedenen Gütesiegel zur guten Flasche entlanghangeln.

Das Olivenöl frohen Mutes in die Pfanne kippen ist allerdings eine weniger gute Idee – denn: Hitze macht vieles kaputt! Heiße Herdplatten sind zwar super für Steak und Ei, aber nicht bei öligen Fettsäuren, die dadurch chemisch verändert werden können. Zum Braten nimmt man am besten sogenanntes Bratöl oder feste Fette wie Butter oder Kokosfett. Sie sind zwar voller verpönter gesättigter Fettsäuren, aber auch stabiler, wenn es um Hitze geht.

Edle Öle sind nicht nur hitzesensibel, sondern fangen auch gerne freie Radikale aus der Luft ab. Freie Radikale richten in unserem Körper viel Schaden an, weil sie gar nicht so gerne frei sind, sondern sich viel lieber fest binden wollen. Dabei hängen sie sich an alles Mögliche – an Blutgefäße, Gesichtshaut oder Nervenzellen – und sorgen so für Gefäßreizungen, Hautalterung und Nervenkrankheiten. Wenn sie sich an unser Öl binden wollen, wunderbar, aber bitte erst in unserem Körper und nicht in der Küche. Deshalb den Deckel nach Gebrauch gut zudrehen, und ab damit in den Kühlschrank.

Tierisches Fett in Fleisch, Milch oder Eiern beinhaltet viel mehr *Arachidonsäure* als pflanzliche Öle. Aus *Arachidonsäure* stellt unser Körper schmerzfördernde Signalstoffe her. In Ölen wie Rapsöl, Leinöl oder Hanföl hingegen ist mehr entzündungshemmende *Alpha-Linolensäure*, und in Olivenöl befindet sich eine Substanz mit vergleichbarer Wirkung, die *Oleocanthal* heißt. Diese Fette wirken ähnlich wie Ibuprofen oder Aspirin, nur in sehr viel geringeren Dosen. Bei akutem Kopfweh helfen sie also nicht – ein regelmäßiger Gebrauch kann aber helfen, wenn man eine entzündliche Krankheit hat oder häufiger unter Kopfschmerzen oder Menstruationsbeschwerden leidet. Manchmal werden die Schmerzen schon etwas milder, wenn man darauf achtet, mehr pflanzliche als tierische Fette zu sich zu nehmen.

Ein Allheilmittel für Haut und Haare ist Olivenöl allerdings nicht. Dermatologische Studien konnten sogar zeigen, dass pures Olivenöl die Haut leicht reizt und dass die Haare durch Olivenöl meist so fettig werden, dass das Auswaschen im Anschluss den Pflegeeffekt wieder zunichtemacht.

Auch im Körper kann man es mit Fett übertreiben. Zu viel – egal ob gutes oder schlechtes – übersteigt unsere Kapazitäten. Das ist dann so, wie wenn man sich viel zu viel Creme ins Gesicht schmiert. Von Ernährungsphysiologen wird empfohlen, 25 bis maximal 30 Prozent des täglichen Energiebedarfs durch Fett zu decken. Das wären durchschnittlich 55 bis 66 Gramm pro Tag – sportliche große Menschen können etwas mehr zu sich nehmen, ruhigere kleine Menschen lieber etwas weniger. Mit einem Big Mac hat man praktischerweise schon die Hälfte des täglichen Fettbedarfs abgedeckt – fragt sich nur, mit welcher Art von Fett. Bei einem Chicken-Teriyaki-Sandwich der Fastfoodkette Subway kommt man nur auf 2 Gramm ... wie man die restlichen 53 nötigen Gramm bekommt, ist einem dann irgendwie selbst überlassen.

Nach Kohlenhydraten und Fett fehlt jetzt nur noch der dritte – und wohl unbekannteste –Grundbaustein unserer Nahrung: die Aminosäuren. Es ist eine komische Vorstellung, aber neutral bis nussig schmeckender Tofu oder würzig-salziges Fleisch besteht aus lauter kleinen Säuren. Wie bei den Kohlenhydraten werden die kleinen Bausteine in Ketten aneinandergereiht. Sie schmecken dadurch anders und heißen am Ende anders, nämlich Protein. Im Dünndarm nehmen die Verdauungsenzyme das Gebilde auseinander, und die Darmwand schnappt sich die wertvollen Einzelteile. Es gibt zwanzig solcher Aminosäuren und unendliche Möglichkeiten, sie zu den verschiedensten Proteinen zu kombinieren. Wir Menschen bauen daraus unter vielem anderen unsere DNA, unser Erbgut, bei jeder neuen Zelle, die wir tagsüber herstellen. Das tun auch alle anderen Lebewesen, egal ob Pflanze oder Tier. Deshalb beinhaltet alles, was man in der Natur essen kann, Protein.

Sich fleischlos ohne Mangelerscheinungen zu ernähren ist dennoch schwieriger, als viele denken: Pflanzen bauen andere Proteine als Tiere, und oft benutzen sie von einer Aminosäure so wenig, dass man ihre Proteine »inkomplett« nennt. Wenn wir dann aus ihren Aminosäuren wiederum eigene Proteine bauen wollen, kommen wir in der Kette nur so weit, bis uns eine Aminosäure ausgeht! Halbfertige Proteine werden dann einfach wieder kaputtgemacht, und wir pinkeln die kleinen Säuren aus oder recyceln sie noch irgendwie. Bohnen fehlt die Aminosäure *Methionin*, Reis und Weizen (und damit Seitan) fehlt *Lysin*, Mais fehlen sogar gleich zwei: *Lysin* und *Tryptophan*! Das ist aber nicht der endgültige Triumph der Fleischliebhaber über die fleischlos essenden Menschen: Vegetarier und Veganer müssen einfach nur clever kombinieren.

Bohnen haben zwar kein *Methionin*, aber dafür eine Riesenmenge *Lysin* – eine Weizentortilla mit Bohnenpaste und leckerer Füllung liefert alle Aminosäuren, die man für die eigene Proteinherstellung braucht. Wer Ei und Käse isst, kann auch dadurch inkomplette Proteine ausgleichen. In vielen Ländern nehmen die Menschen seit Jahrhunderten ganz intuitiv Mahlzeiten zu sich, die sich so ergänzen: Reis mit Bohnen, Nudeln mit Käse, Fladenbrot mit Humus oder Toast mit Erdnussbutter. Theoretisch muss noch nicht einmal innerhalb von einer Mahlzeit kombiniert werden, es reicht sogar innerhalb eines Tages (oft ist so eine Kombination aber sogar eine ganz hilfreiche Inspiration, wenn man nicht weiß, was man kochen soll). Es gibt auch Pflanzen, die alle wichtigen Aminosäuren in genügenden Mengen beinhalten: Soja und Quinoa oder auch Amaranth, Spirulina-Algen, Buchweizen und Chia-Samen. Tofu hat deshalb schon zu Recht seinen Ruf als Fleischersatz – allerdings mit der Einschränkung, dass mittlerweile immer mehr Menschen darauf allergisch reagieren.

Allergien, Unverträglichkeiten und Intoleranzen

Eine Theorie zur Entstehung von Allergien setzt bei der Verdauung im Dünndarm an. Wenn wir es nicht schaffen, ein Protein auf die einzelnen Aminosäuren herunterzubrechen, können winzige Stückchen davon übrig bleiben. Normalerweise werden sie dann einfach nicht ins Blut aufgenommen. Die unerwartete Macht liegt aber bei den Unauffälligen – in diesem Fall bei der Lymphe. Solche kleinen Partikel könnten, in einem Fetttröpfchen eingeschlossen, in die Lymphe gelangen und dort von aufmerksamen Immunzellen aufgeschnappt werden. Sie finden dann zum Beispiel einen winzigen Partikel Erdnuss mitten in der Lymphflüssigkeit und greifen den Fremdkörper natürlich an.

Wenn sie ihn das nächste Mal sehen, sind sie schon besser darauf vorbereitet und können stärker attackieren – irgendwann reicht es sogar, die Erdnuss in den Mund zu nehmen, und die informierten Immunzellen vor Ort packen ihre Uzis aus. Die Folge sind immer stärker werdende allergische Reaktionen wie beispielsweise das extreme Anschwellen von Gesicht und Zunge. Eine solche Erklärung passt zu Allergien, die vor allem von Lebensmitteln ausgelöst werden, die fettig und gleichzeitig proteinreich sind, wie Milch, Ei und, allen voran, Erdnüsse. Warum es fast keine Menschen gibt, die auf fettigen Frühstücksspeck allergisch sind, hat einen einfachen Grund. Wir bestehen selbst aus Fleisch und können es in der Regel gut verdauen.

Zöliakie und Glutensensitivität

Die Allergieentwicklung über den Dünndarm kann nicht nur durch Fett ausgelöst werden. Allergene wie Krabben, Pollen oder Gluten sind keine Fettbomben per se, und Menschen, die fettreich essen, haben nicht unbedingt mehr Allergien als andere. Eine weitere Theorie für die Entstehung von Allergien ist folgende: Unsere Darmwand kann für kurze Zeit durchlässiger sein und dadurch tatsächlich zulassen, dass Nahrungsüberbleibsel in das Darmgewebe und Blut gelangen. Mit diesem Vorgang beschäftigen sich Wissenschaftler vor allem im Zusammenhang mit Gluten, einem Proteingemisch aus Getreidesorten wie Weizen.

Es ist nicht etwa so, dass Getreide gerne von uns gegessen wird. Eigentlich will sich eine Pflanze vermehren – und wir essen ihre Nachkommen einfach. Statt uns eine Szene zu machen, vergiften Pflanzen ihre Samen kurzerhand ein klein wenig. Das alles ist weitaus weniger dramatisch, als es im ersten Moment klingt – ein paar gegessene Weizenkörner sind für beide Seiten noch in Ordnung. So können Menschen gut überleben und Pflanzen auch noch. Je mehr Gefahr eine Pflanze wittert, desto mehr solcher Stoffe gibt sie in ihre Samen. Weizen ist so in Sorge, weil seine Samen nur ein sehr kurzes Zeitfenster zum Wachsen und Fortpflanzen haben. Da darf nichts schiefgehen. In Insekten hemmt Gluten ein wichtiges Verdauungsenzym. Einem frechen Grashüpfer dürfte Weizengras damit schwer im Magen liegen, wenn er zu viel davon abknabbert, und genau dann ist auch für beide gut, wenn er damit aufhört.

Im menschlichen Darm kann Gluten teilweise unverdaut durch die Darmzellen wandern und von dort die Verbindung zwischen den einzelnen Zellen auflockern. Dadurch kommen Weizenproteine in Gebiete, in die sie nicht zu kommen haben, und das wiederum gefällt dem Immunsystem weniger gut. Einer von hundert Menschen hat eine genetische Glutenunverträglichkeit (Zöliakie), aber deutlich mehr Menschen haben eine Glutensensitivität!

Bei der Zöliakie kann der Verzehr von Weizen starke Entzündungen auslösen, die Darmzotten zerstören oder auch das Nervensystem schwächen. Die Betroffenen haben Bauchschmerzen, Durchfälle, wachsen als Kinder nicht so gut oder sind im Winter sehr blass. Das Kniffelige an dieser Erkrankung ist aber, dass sie mal mehr oder mal weniger ausgeprägt sein kann. Bei weniger starken Entzündungen merkt man oft jahrelang nichts. Man hat zwar ab und zu Bauchschmerzen oder leidet eventuell unter Blutarmut, die ganz zufällig beim Hausarzt auffällt. Die beste Therapie bei Zöliakie ist zurzeit, ganz auf Weizen und Co. zu verzichten.

Bei einer Glutensensitivität kann man Weizen essen, ohne davon starke Dünndarmschäden zu bekommen, aber man sollte es auch nicht übertreiben. Ein bisschen so wie beim Grashüpfer. Viele Menschen merken aber erst, wenn sie eine bis zwei Wochen glutenfrei essen, dass es ihnen besser geht. Auf einmal haben sie seltener Verdauungsprobleme oder Blähungen, weniger Kopf- oder Gelenkschmerzen. Einige Menschen können sich besser konzentrieren oder sind seltener müde und abgeschlagen. Die Glutensensitivität wird erst seit sehr kurzer Zeit besser erforscht. Momentan lässt sich die Diagnose in etwa so zusammenfassen: Beschwerden bessern sich bei glutenfreier Ernährung, obwohl die Untersuchungen auf Zöliakie negativ sind. Die Darmzotten sind zwar nicht entzündet oder kaputt, aber das Immunsystem ist womöglich trotzdem unangenehm von zu vielen Brötchen berührt.

Die Durchlässigkeit des Darms kann auch nur kurze Zeit erhöht sein, zum Beispiel nach der Einnahme von Antibiotika, durch den Genuss von viel Alkohol oder durch Stress. Wer nur deshalb sensibel auf Gluten reagiert, kann sogar Zeichen einer richtigen Unverträglichkeit aufweisen. Dann hilft es, eine Zeitlang auf Gluten zu verzichten. Wichtig bei der endgültigen Diagnose sind eine ordentliche Untersuchung und der Nachweis bestimmter Moleküle auf den Blutkörperchen. Neben den allgemein bekannten Blutgruppen A, B, AB oder Null gibt es auch noch viele zusätzliche Eigenschaften wie das sogenannte DQ-Merkmal. Wer nicht zu den Gruppen DQ2 oder DQ8 gehört, hat mit hoher Wahrscheinlichkeit keine Zöliakie.

Laktose- und Fruktose-Intoleranz

Bei der Laktose-Intoleranz handelt es sich nicht um eine Allergie oder Unverträglichkeit. Aber auch hier kann Nahrung nicht vollständig in ihre Einzelteile aufgespaltet werden. Laktose ist ein Bestandteil von Milch und besteht aus zwei chemisch verknüpften Zuckermolekülen – das Verdauungsenzym, das die beiden auseinanderschneidet, kommt nicht aus der Papille. Die Dünndarmzellen bauen es selbst oben auf ihren kleinsten Zotten. Laktose fällt auseinander, wenn sie die Darmwand berührt, und die einzelnen Zucker werden aufgenommen. Fehlt das Enzym, kann man ganz ähnliche Schwierigkeiten bekommen wie bei Glutenunverträglichkeit oder Glutensensitivität: Bauchschmerzen, Durchfall oder auch Blähungen. Anders als bei der Zöliakie wandern hier aber keine unverdauten Laktose-Partikel durch die Darmwand. Sie rutschen einfach weiter vom Dünndarm in den Dickdarm und ernähren dort gasproduzierende Bakterien. Blähungen und andere Beschwerden sind sozusagen Dankesgrüße von paradiesisch überfütterten Mikroben. Obwohl das sehr unangenehm ist, ist Laktose-Intoleranz bei weitem nicht so ungesund wie eine unerkannte Zöliakie.

Jeder besitzt die Gene für die Verdauung von Laktose. In

seltenen Fällen gibt es damit tatsächlich von Geburt an Probleme. Babys können dann keine Muttermilch trinken, ohne davon starke Durchfälle zu bekommen. Bei 75 Prozent aller Menschen schaltet sich das Gen langsam ab, wenn sie älter werden. Wir trinken schließlich nicht mehr nur aus Busen oder Fläschchen. Außerhalb von Westeuropa, Australien und den USA ist man eine Rarität, wenn man als Erwachsener noch Milch verträgt. Auch in unseren Breitengraden häufen sich mittlerweile die laktosefreien Supermarktprodukte, denn aktuellen Schätzungen zufolge ist jeder fünfte Bundesbürger laktose-intolerant. Je älter man ist, desto höher ist auch die Wahrscheinlichkeit, Milchzucker nicht mehr aufspalten zu können – oft kommt man aber mit sechzig Jahren nicht auf den Gedanken, der Blähbauch oder das bisschen Durchfall käme vom gewohnten Glas Milch oder der köstlichen Sahnesoße.

Es ist allerdings ein Irrglaube zu meinen, man dürfe jetzt gar keine Milch mehr zu sich nehmen! In den meisten Fällen hat man eben noch Laktose spaltende Enzyme im Darm, aber ihre Aktivität ist einfach etwas heruntergeschraubt. Sagen wir auf 10 bis 15 Prozent von dem, was sie früher mal konnten. Wenn man also feststellt, dass man ohne ein Glas Milch ein angenehmeres Bauchgefühl hat, kann man in Ruhe für sich herausfinden, wie viel noch geht und ab wann die Probleme kommen. Ein Stück Käse oder Sahne im Kaffee sind dann oft völlig in Ordnung, genauso wie Milchcremes in Süßigkeiten.

Ganz ähnlich verhält es sich bei der häufigsten Nahrungsmittelintoleranz in Deutschland. Jeder dritte Deutsche hat Probleme mit dem Fruchtzucker Fruktose. Daher rührt der Ballspiel-Klassiker »Kirschen essen«: »Kirschen gegessen, Wasser getrunken, Bauchweh bekommen ...« Auch bei der Fruktose-Intoleranz gibt es starke, angeborene Unverträglichkeiten, die Betroffenen reagieren schon auf geringste Mengen mit Verdauungsproblemen. Der Großteil der Menschen hat aber eher ein Problem mit zu viel Fruktose. Die meisten wissen wenig darüber, und beim Einkaufen klingt »mit Fruchtzucker« gesünder als »mit Zucker«. Deshalb süßen Lebensmittelhersteller gerne mit purer Fruktose und tragen so zusätzlich dazu bei, dass unser Essen mehr Fruktose enthält als jemals zuvor.

Ein Apfel am Tag wäre für viele kein Problem – wenn nicht auch schon das Ketchup der Pommes, der gesüßte Fruchtjoghurt und der Eintopf aus der Dose Fruktose beinhalten würden. Einige Tomaten werden extra so gezüchtet, dass sie besonders viel Fruchtsüße enthalten. Darüber hinaus haben wir heute ein Fruchtangebot, das es ohne Globalisierung und Flugzeugtransport nirgendwo geben könnte. Ananas aus tropischen Gebieten liegen im Winter neben frischen Erdbeeren aus holländischen Gewächshäusern und ein paar getrockneten Feigen aus Marokko. Was wir also als Nahrungsmittelintoleranz einsortieren, ist womöglich nur die Reaktion eines völlig normalen Körpers, der sich innerhalb von einer Generation auf eine Ernährung umstellen muss, die er Millionen Jahre zuvor so nicht hatte.

Der Mechanismus, der sich hinter der Fruktose-Intoleranz verbirgt, ist noch mal anders als bei Gluten oder Laktose. Fruktose ist schon ein einzelnes Zuckermolekül und muss überhaupt nicht mehr gespalten, sondern nur noch über die Darmwand transportiert werden. Menschen mit einer angeborenen Unverträglichkeit haben wenige Transportkanäle (sogenannte GLUT-5-Transporter) in der Darmwand. Wenn sie eine kleine Menge Fruchtzucker zu sich nehmen – zum Beispiel eine Birne –, sind die Transportkanäle überlastet, und der Birnenzucker wandert, wie bei der Laktose-Intoleranz, zur Darmflora im Dickdarm.

Tritt die Intoleranz erst später im Leben auf, ist die Sache nicht so klar, denn auch Menschen ohne Beschwerden schicken einen Teil der Fruktose unverdaut zum Dickdarm (vor allem, wenn es sehr viel ist). Es kann zum Beispiel sein, dass die Darmflora ungeschickt zusammengesetzt ist. Wer dann eine Birne isst, schickt die übriggebliebene Fruktose zu einer Darm-Bakterien-Mannschaft, die damit besonders unangenehme Beschwerden verursacht. Das wird natürlich immer heftiger, je mehr Ketchup, Eintopf aus der Dose oder Fruchtjoghurt man zuvor schon zu sich genommen hat.

So eine Fruktose-Intoleranz kann sich auch auf unser Gemüt niederschlagen. Zucker hilft nämlich auch vielen anderen Nährstoffen dabei, ins Blut aufgenommen zu werden. Die Aminosäure *Tryptophan* etwa klammert sich bei der Verdauung gerne an Fruktose. Wenn wir aber so viel Fruktose im Bauch haben, dass ein großer Teil gar nicht aufgenommen werden kann, verlieren wir so auch das *Tryptophan. Tryptophan* wiederum brauchen wir, um *Serotonin* zu bauen. Das ist ein Signalstoff, der als Glückshormon bekannt wurde, weil ein Mangel an *Serotonin* zu Depressionen führen kann. Eine über lange Zeit unentdeckte Fruktose-Intoleranz kann also durchaus depressive Verstimmungen verursachen. Diese Erkenntnis hat erst seit sehr kurzer Zeit Einzug in ärztliche Praxen genommen.

Ob auch eine Ernährung mit viel zu viel Fruktose auf die Stimmung drückt, ist eine Frage, die sich daraus erst ergibt. Ab 50 Gramm Fruktose pro Tag (das wären fünf Birnen oder acht Bananen oder auch etwa sechs Äpfel) sind bei mehr als der Hälfte vieler Menschen die natürlichen Transporter überlastet. Isst man mehr, kann das gesundheitliche Folgen haben wie Durchfall, Bauchweh, Blähungen und über längere Zeit auch depressive Verstimmungen. In den USA liegt der durchschnittliche Fruktose-Konsum heute schon bei 80 Gramm, unsere Eltern kamen mit Honig im Tee, wenig Fertigprodukten und einem normalen Obstverzehr noch auf 16 bis 24 Gramm pro Tag.

Serotonin sorgt nicht nur für gute Laune, sondern ist auch für ein zufriedenes Sattheitsgefühl verantwortlich. Hungerattacken und dauerndes Naschen können ein Nebeneffekt von Fruktose-Intoleranz sein, wenn zusätzlich noch andere Beschwerden wie Bauchweh auftreten. Ein interessanter Hinweis ist das auch für alle diätbewussten Salat-Esser. In sehr vielen Dressings aus dem Supermarkt oder Schnellrestaurants ist mittlerweile Fruktose-Glukose-Sirup enthalten. In Studien konnte nachgewiesen werden, dass dieser Sirup auch bei Menschen ohne Fruktose-Intoleranz bestimmte Signalstoffe für Sattheit (*Leptin*) unterdrückt. Ein Salat mit gleich viel Kalorien und einem selbstgemachten Essig-Öl- oder Joghurt-Dressing hält länger satt.

Wie alle Bereiche im Leben ist auch die Lebensmittelherstellung im ständigen Wandel. Manchmal haben Neuerungen gute Auswirkungen und manchmal schlechte. Das Pökeln etwa war einst eine fortschrittliche Methode, um zu verhindern, dass Menschen durch vergammeltes Fleisch vergiftet werden. Jahrhundertelang war es daher Brauch, Fleisch- und Wurstwaren zur Konservierung mit viel Nitritsalzen zu pökeln. Sie bekommen dadurch einen leuchtend roten Farbstich. Das ist der Grund, warum Schinken, Salami, Leberkäse oder auch Kassler beim Anbraten nicht braungrau wird wie etwa ein unbearbeitetes Stück Steak oder Kotelett. Im Jahr 1980 schließlich wurde die Verwendung von Nitrit wegen eventueller gesundheitlicher Risiken stark eingeschränkt. Wurstwaren enthalten nun nicht mehr als 100 Milligramm (ein tausendstel Gramm) Nitritsalz pro Kilogramm Fleisch. Seither erkranken auch sehr viel weniger Menschen an Magenkrebs. Die Korrektur einer einst sehr sinnvollen Neuerung war also mehr als angebracht. Heute mischen kluge Metzger viel Vitamin C mit wenig Nitrit, um Fleisch auf sicherere Weise haltbar zu machen.

Solch ein modernes Umdenken könnte auch nötig sein, was die Verwendung von Weizen, Milch und Fruktose anbelangt. Es ist gut, solche Nahrungsmittel auf unserem Ernährungsplan zu haben, weil sie wertvolle Stoffe enthalten – aber vielleicht sollten wir die Mengen überdenken, die wir davon zu uns nehmen. Während unsere Urahnen, die Jäger und Sammler, jedes Jahr bis zu fünfhundert verschiedene einheimische Wurzeln, Kräuter und Pflanzen aßen, kommt unser Essen heute größtenteils von siebzehn Nutzpflanzen. Es ist nicht merkwürdig, wenn unser Darm mit solchen Umstellungen seine Schwierigkeiten hat.

Verdauungsprobleme spalten unsere Gesellschaft in zwei Gruppen: Die einen sorgen sich um ihre Gesundheit und achten sehr genau auf ihre Ernährung, die anderen sind genervt, dass sie mittlerweile kaum ein Abendessen für ihre Freunde zubereiten können, ohne in der Apotheke einzukaufen. Beide Seiten haben recht. Viele Menschen werden oft übervorsichtig, wenn sie beim Arzt von einer Nahrungsmittelintoleranz erfahren haben, und merken, dass ihre Beschwerden besser werden, wenn sie etwas weglassen. Sie essen dann keine Früchte, keine Getreide- oder keine Milchprodukte mehr, fast so, als ob diese giftig wären. Der größte Teil dieser Menschen reagiert aber eigentlich empfindlich auf zu viel davon und ist nicht aus genetischen Gründen völlig unverträglich. Er hat oft noch genug Enzyme für ein bisschen Sahnesoße, genauso wie er mal ein Stück Brezel oder ein fruchtiges Dessert verspeisen kann.

Auf die Empfindlichkeit an sich sollte man aber in jedem Fall achten. Nicht jede Neuerung in unserer Esskultur muss man brav runterschlucken. Weizen zum Frühstück, Mittagessen und Abendbrot, Fruktose in jedem Fertigprodukt, das nicht bei drei auf dem Baum ist, oder Milch lange nach der Säuglingszeit – es ist nicht verrückt, wenn das dem eigenen Körper nicht gefällt. Weder regelmäßige Bauchschmerzen passieren einfach so noch »immer mal wieder Durchfall« oder starke Abgeschlagenheit, und niemand sollte das einfach so hinnehmen. Auch wenn der

Arzt dann ausschließen kann, dass eine Zöliakie oder eine starke Fruktose-Intoleranz vorliegt – wer beim Weglassen merkt, dass es guttut, hat das Recht, sich gutzutun.

Antibiotikabehandlungen, großer Stress oder Magen-Darm-Infekte sind neben einem generellen *Zuviel* ein paar typische Auslöser dafür, dass man eine Zeitlang empfindlich auf bestimmte Lebensmittel reagiert. Sobald aber wieder gesunde Ruhe eingekehrt ist, kann sich auch ein sensibler Darm wieder einrenken. Die Lösung ist dann kein lebenslanger Verzicht, sondern dass man wieder etwas essen kann, was man eine Zeitlang nicht vertragen hat – nur eben in Mengen, die man gut verträgt.

Eine kleine Lektüre zum Kot

Bestandteile
Farbe
Konsistenz

Liebe Leser, es wird Zeit, dass wir uns mit dem Eingemachten beschäftigen. Schnallen Sie Ihre Hosenträger enger, geben Sie der Brille den letzten Stups hoch auf die Nase, und trinken Sie einen gewagten Schluck Tee! Mit sicherem Abstand nähern wir uns einem mysteriösen Häufchen.

BESTANDTEILE

Viele Menschen denken, dass Kot vor allem aus dem besteht, was sie gegessen haben. Das stimmt nicht.

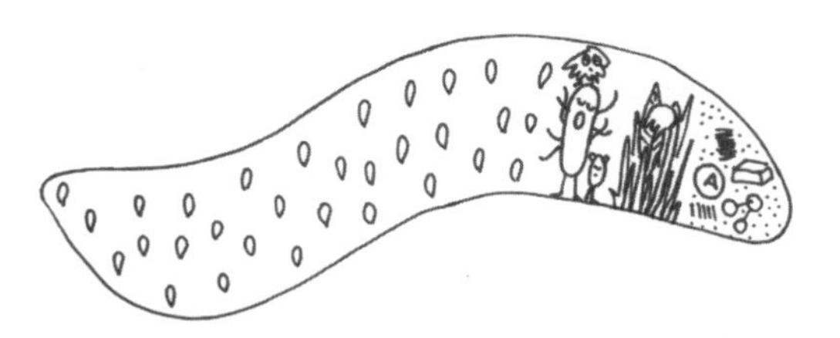

Kot besteht zu drei Vierteln aus Wasser. Wir verlieren rund 100 Milliliter Flüssigkeit täglich. Bei einem Verdauungsdurchlauf werden vom Darm schon ungefähr 8,9 Liter resorbiert. Worauf wir dann noch in der Toilettenschüssel schauen, ist also die absolute Maximaleffizienz: Was hier noch an Flüssigkeit enthalten ist, gehört auch hierhin. Durch den optimalen Wassergehalt ist der Kot weich genug, um unsere Stoffwechselreste sicher hinauszutransportieren.

Ein Drittel der festen Bestandteile sind Bakterien. Sie haben als Darmflora ausgedient und scheiden deshalb aus dem aktiven Dienst aus.

Ein weiteres Drittel sind unverdauliche Pflanzenfasern. Je mehr Gemüse oder Obst man isst, desto größere Häufchen kommen zustande. So kann man es von den durchschnittlichen 100 bis 200 Gramm Kotgewicht auch mal auf 500 Gramm pro Tag schaffen.

Das letzte Drittel ist ein Sammelsurium. Es besteht aus Stoffen, die der Körper loswerden will – wie beispielsweise Überbleibsel von Medikamenten, Farbstoffen oder Cholesterin.

FARBE

Die natürliche Farbe von menschlichem Kot ist braun bis gelbbraun. Auch wenn wir überhaupt nichts in diesem Farbton gegessen haben. Genauso ist es bei unserem Urin – immer tendiert er zu Gelb. Das liegt an einem sehr wichtigen Erzeugnis, das wir jeden Tag frisch produzieren: unserem Blut. Pro Sekunde werden 2,4 Millionen neue Blutkörperchen hergestellt. Genauso viele werden gleichzeitig aber auch wieder abgebaut. Der rote Farbstoff daraus wird dabei erst zu einem grünen umgewandelt, danach zu einem gelben – das sieht man auch, wenn man sich stößt, an den verschiedenen Phasen eines blauen Flecks. Per Urin wird ein kleiner Teil des Gelbs direkt ausgepinkelt.

Der größte Teil gelangt über die Leber in den Darm. Dort können die Bakterien noch eine weitere Farbe daraus bauen: Braun. Es kann für uns äußerst praktisch sein, die Herkunft anderer Kot-Farbnuancen einschätzen zu können:

HELLBRAUN BIS GELB: *Dieser Farbton kann durch das harmlose Krankheitsbild Morbus Meulengracht zustande kommen. Ein Enzym des Blutabbaus arbeitet nur noch mit 30 Prozent der Effektivität. Dadurch kommt weniger Farbstoff in den Darm. Mit acht Prozent der Bevölkerung ist Morbus Meulengracht relativ weit verbreitet. Und das ist gar nicht so übel, denn nach neusten Studien schützt dieser Enzymdefekt im Alter vor Arteriosklerose. Die einzige Nebenwirkung ist: Man verträgt Paracetamol nicht gut und sollte es daher möglichst nicht nehmen.*
Eine andere Ursache für ein gelbliches Häufchen sind Probleme mit den Darmbakterien – wenn sie nicht richtig arbeiten, wird auch kein Braun hergestellt. Durch Antibiotika-Einnahmen oder Durchfall kann hier die Farbproduktion aufgemischt werden.

HELLBRAUN BIS GRAU: *Wenn die Verbindung von Leber zu Darm auf dem Weg abknickt oder abgedrückt wird (meist nach der Gallenblase), kann auch kein Blutfarbstoff mehr im Kot landen. Abgeknickte Gänge sind nie gut, deshalb sollte man bei jedem Grauton zum Arzt.*

SCHWARZ ODER ROT: *Geronnenes Blut ist schwarz, frisches Blut ist rot. Diesmal handelt es sich aber nicht nur um den Farbstoff, der zu Braun umgewandelt werden kann. Bei diesen Farben sind ganze Blutkörperchen mit dabei. Bei Hämorrhoiden ist das helle Rot nicht weiter bedenklich. Alles, was dunkler erscheint, sollte man beim Arzt abchecken lassen – außer es gab am Vortag rote Beete.*

KONSISTENZ

Die Bristol-Stuhlformen-Skala gibt es seit 1997. Sie ist also noch nicht besonders alt, wenn man sich überlegt, seit wie vielen Jahrmillionen es schon Stuhlgang gibt. Gezeigt werden sieben verschiedene Konsistenzen, in denen Kot vorkommen kann. So etwas kann sehr hilfreich sein, denn die meisten Menschen reden nicht gerne darüber, wie ihr Häufchen aussieht. An dieser Schweigsamkeit ist auch gar nichts auszusetzen, man muss ja nicht über alles sprechen. Ein Problem ist aber, dass deshalb auch Menschen mit einem ungesunden Stuhlgang denken, dieser sei völlig normal. Sie kennen es eben nicht anders. Eine gesunde Verdauung, bei der Kot am Ende einen optimalen Wassergehalt hat, führt zu einem Typ 3 oder Typ 4. Die anderen Formen sollten nicht an der Tagesordnung sein. Wenn doch, kann man bei einem guten Arzt abklären, ob man beispielsweise bestimmte Lebensmittel nicht verträgt oder Verstopfungen etwas entgegensetzen kann. Die Originalversion stammt von dem englischen Arzt Dr. Ken Heaton.

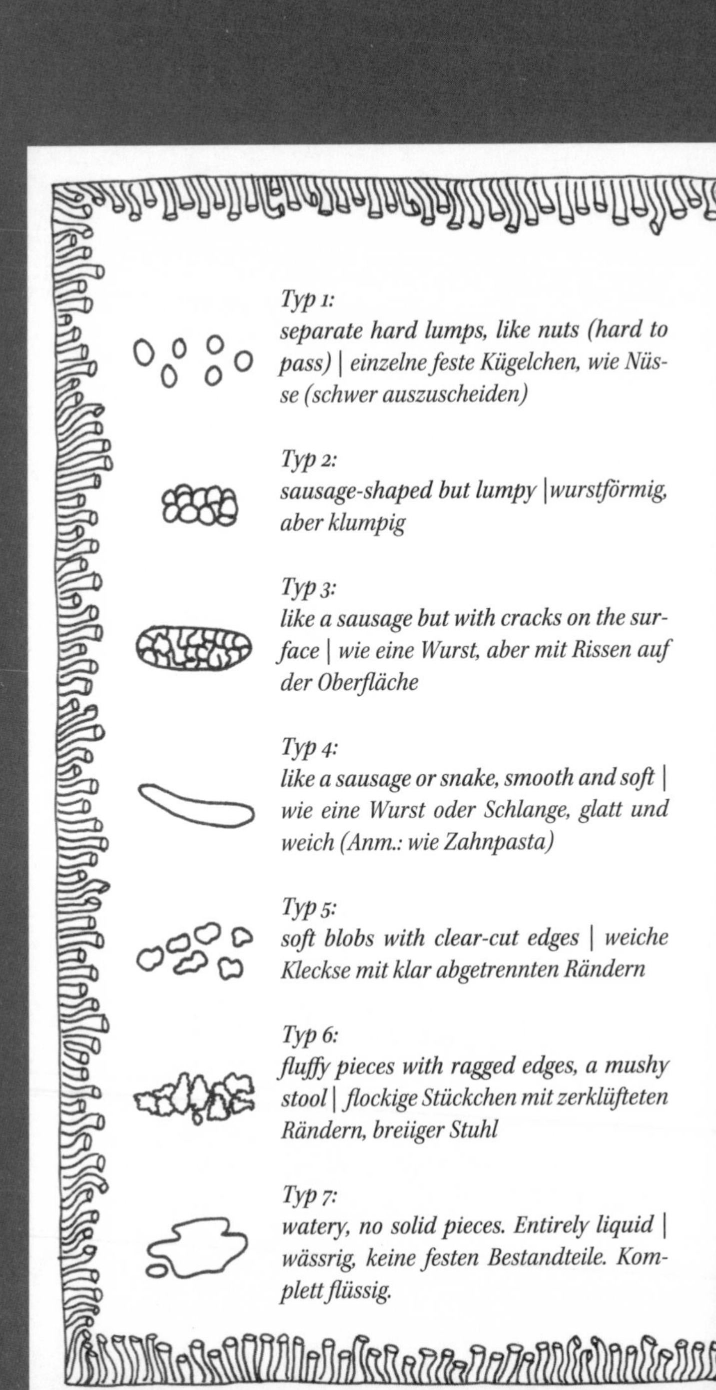

Typ 1:
separate hard lumps, like nuts (hard to pass) | einzelne feste Kügelchen, wie Nüsse (schwer auszuscheiden)

Typ 2:
sausage-shaped but lumpy | wurstförmig, aber klumpig

Typ 3:
like a sausage but with cracks on the surface | wie eine Wurst, aber mit Rissen auf der Oberfläche

Typ 4:
like a sausage or snake, smooth and soft | wie eine Wurst oder Schlange, glatt und weich (Anm.: wie Zahnpasta)

Typ 5:
soft blobs with clear-cut edges | weiche Kleckse mit klar abgetrennten Rändern

Typ 6:
fluffy pieces with ragged edges, a mushy stool | flockige Stückchen mit zerklüfteten Rändern, breiiger Stuhl

Typ 7:
watery, no solid pieces. Entirely liquid | wässrig, keine festen Bestandteile. Komplett flüssig.

Zu welchem Typ man gehört, kann einen Hinweis darauf geben, wie langsam unverdauliche Nahrungsbestandteile vom Darm transportiert werden. Bei Typ 1 brauchen Verdauungsreste demnach etwa hundert Stunden (Verstopfung), bei Typ 7 um die zehn Stunden (Durchfall). Als am vorteilhaftesten wird Typ 4 angesehen, weil er das optimalste Wasser-Feststoff-Verhältnis besitzt. Wer Typ 3 oder Typ 4 in der Toilette vorfindet, kann außerdem noch beobachten, wie schnell die Formation im Wasser sinkt. Es sollte nicht schnurstracks auf den Schüsselboden sacken, weil dann eventuell noch zu viel Nahrung enthalten ist, die nicht richtig verdaut wurde. Wenn Kot nicht so schnell sinkt, sind Gasbläschen darin, die ihn im Wasser auch mal schweben lassen können. Das kommt von Darmbakterien, die meistens sinnvolle Arbeit leisten, und ist ein gutes Zeichen, wenn man ansonsten nicht unter Blähungen leidet.

Dies war die kleine Lektüre zum Kot, lieber Leser. Die Hosenträger können nun wieder gelockert werden, die Brille darf entspannt auf ihren Lieblingsort zurücksinken. Das Geschäft des Enddarms beendet hiermit das erste Kapitel. Wir wenden uns nun der Elektrik des Lebens zu: den Nerven.

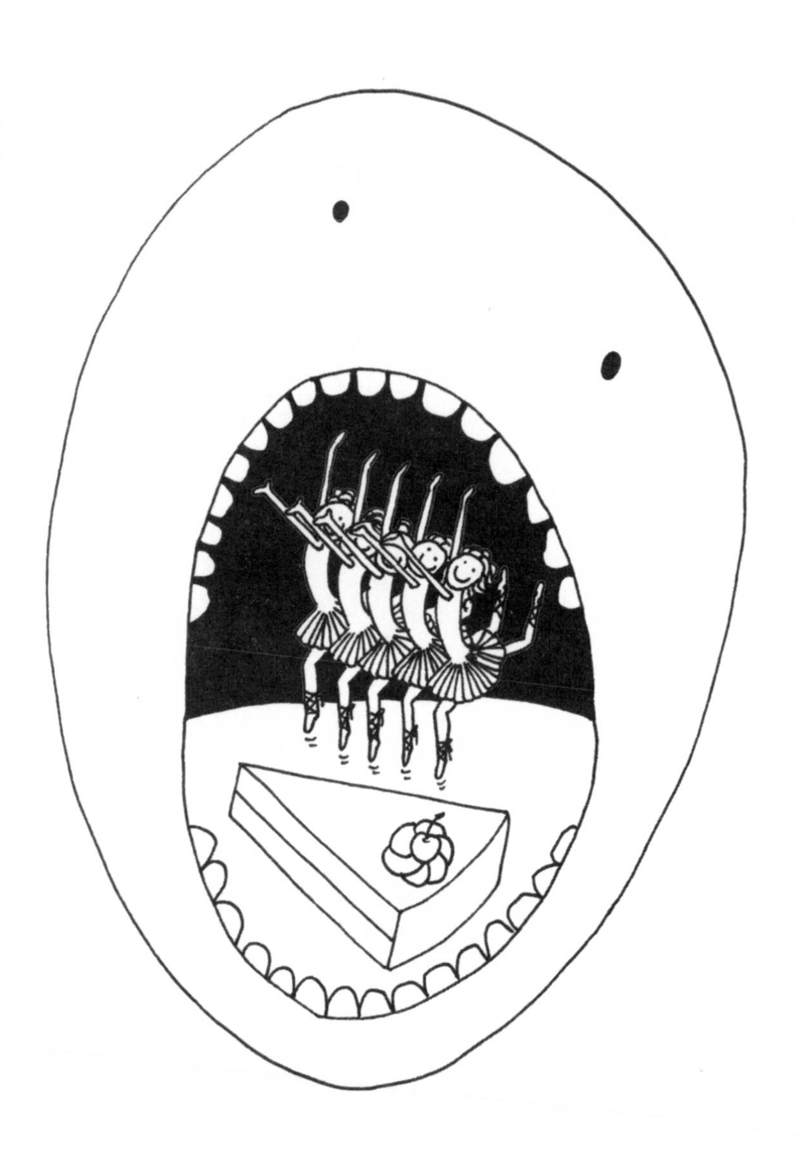

2

DAS NERVENSYSTEM DES DARMS

Es gibt Stellen, an denen das Unbewusste an das Bewusste grenzt. Wir sitzen im Wohnzimmer und essen zu Mittag. Dabei merken wir nicht, dass nur ein paar Meter entfernt in der Wohnung nebenan ein anderer Mensch sitzt und auch etwas isst. Manchmal hören wir vielleicht ein fremdes Knarzen im Boden und denken dadurch wieder über unsere Wände hinaus. Auch in unserem Körper gibt es solche Bereiche, von denen wir einfach nichts mitbekommen. Was unsere Organe den ganzen Tag arbeiten, spüren wir nicht. Wir essen ein Stück Torte: Im Mund schmecken wir sie noch, und auch die ersten Zentimeter beim Schlucken nehmen wir wahr, aber dann – paff! – ist unser Essen weg. Ab hier verschwindet alles in einem Bereich, der medizinisch-sachlich »glatte Muskulatur« heißt.

Die glatte Muskulatur ist nicht bewusst kontrollierbar. Sie sieht unter dem Mikroskop anders aus als Muskulatur, die wir bewusst steuern können – wie etwa den Bizeps. Den Bizepsmuskel im Oberarm können wir anspannen und loslassen, wenn wir wollen. Bei kontrollierbaren Muskeln sind die kleinsten Fasern so ordentlich strukturiert, als wären sie mit einem Lineal gezeichnet.

Die Untereinheiten von glatter Muskulatur ergeben organisch verwobene Netze und bewegen sich in harmonischen Wellen. Auch unsere Blutgefäße werden von glatter Muskulatur ummantelt, deshalb erröten viele Leute, wenn ihnen etwas peinlich ist. Die glatte Muskulatur erschlafft bei Emotionen wie Scham. Dadurch werden die Äderchen im Gesicht erweitert. Bei vielen Leuten zieht sich der Muskelmantel unter Stress zusammen, die Gefäße werden dadurch kleiner, und das Blut muss dagegen anpressen – das kann zu hohem Blutdruck führen.

Der Darm ist gleich von drei Mänteln glatter Muskulatur umhüllt. Auf diese Weise kann er sich unfassbar geschmeidig bewegen, mit unterschiedlichen Choreographien an unterschiedlichen Stellen. Der Choreograph dieser Muskeln ist das darmeigene Nervensystem. Es steuert alle Abläufe im Verdauungskanal und ist außergewöhnlich selbständig. Trennt man die Verbindung von ihm zum Gehirn durch, bewegt sich hier trotzdem alles munter verdauend vorwärts – so ein Phänomen gibt es sonst nirgendwo in unserem Körper. Beine würden bewegungslos, Lungen könnten nicht mehr atmen. Es ist schade, dass wir die Arbeit dieser eigensinnigen Nervenfasern nicht bewusst mitbekommen. Ein Rülps oder Pups klingt vielleicht ulkig, aber die Bewegung dabei sieht so filigran aus wie die einer Balletttänzerin.

Wie unsere Organe das Essen transportieren

Ich lade hiermit ein zur Verfolgung des Stücks Torte vor und hinter dem »Paff«.

Augen

Lichtteilchen, die am Tortenstück abprallen, treffen auf die Sehnerven der Augen und aktivieren sie. Dieser »erste Eindruck« wird einmal durch das gesamte Gehirn zur Sehrinde geschickt. Sie ist im Inneren des Kopfes, etwa kurz unterhalb eines hochgebundenen Pferdeschwanzes. Hier bastelt das Gehirn ein Bild aus den Nervensignalen – jetzt sehen wir das Tortenstück erst wirklich. Diese leckere Information wird weitergeleitet: Es gehen Informationen zur Speichelfluss-Zentrale, und schon fließt uns das Wasser im Mund zusammen. Auch unser Magen schüttet allein beim Anblick von etwas Köstlichem in Vorfreude etwas Magensäure aus.

Nase

Steckt man den Finger in die Nase, merkt man, dass es nach oben noch weitergeht, man dort aber nicht hinkommt. Hier sind die Riechnerven. Sie werden von einer Schutzschicht aus Schleim bedeckt. Alles, was wir riechen, muss zuerst im Schleim gelöst werden – sonst kommt es nicht zu den Nerven.

Riechnerven sind Spezialisten – es gibt für viele einzelne Gerüche eigene Rezeptoren. Manchmal hängen sie jahrelang in der Nase ab, bis sie endlich ihren Einsatz haben. Dann dockt ein einziges Maiglöckchen-Geruchsmolekül an dem darauf wartenden Rezeptor an, und dieser ruft dann stolz zum Hirn: »Maiglöckchen!« Danach hat er wieder ein paar Jahre lang nichts zu tun. Hunde haben übrigens unfassbar viel mehr Riechzellen als wir Menschen, obwohl wir schon sehr viele haben.

Um etwas von der Torte zu riechen, müssen einzelne Moleküle des Tortenstücks in die Luft abdriften, beim Atmen in die Nasenlöcher gezogen werden. Das können aromatische Stoffe aus Vanilleschoten sein, kleinste Plastikmoleküle von billigen Einmalgabeln oder auch verdampfende Alkoholdüfte aus einer Rumfüllung. Unser Riechorgan ist ein chemisch bewanderter Vorkoster. Je näher wir die erste Gabel mit Torte zum Mund führen, desto mehr gelöste Tortenmoleküle strömen in die Nase. Wenn wir auf den letzten Zentimetern kleine Spuren von Alkohol wahrnehmen, kann der Arm kurzzeitig zurückrudern, die Augen können erneut inspizieren, der Mund die Frage stellen, ob diese Torte Alkohol beinhalten soll oder vielleicht verdorben ist. Der letzte Segen ist das Okay: Mund auf, Gabel rein, und das Ballett beginnt.

Mund

Der Mund ist ein Bereich der Superlative. Der kräftigste Muskel unseres Körpers ist der Kiefermuskel, der beweglichste, quergestreifte Muskel des Körpers ist die Zunge. Zusammen können die beiden nicht nur unfassbar stark zermalmen, sondern auch wendige Manöver ausführen. Ein guter Kollege im Reich der Superlative ist unser Zahnschmelz – er ist aus dem härtesten Material, das ein Mensch herstellen kann und dadurch noch härter als

Diamant. Das ist auch nötig, denn mit unserem Kiefer können wir bis zu 80 Kilogramm Druck auf einen Backenzahn ausüben. Dieses Gewicht entspricht in etwa dem eines erwachsenen Mannes! Kommt uns etwas sehr Festes im Essen entgegen, lassen wir fast eine gesamte Fußballmannschaft rhythmisch darauf herumhüpfen, bevor wir es runterschlucken. Bei einem Bissen Torte braucht man nicht die Maximalkraft – dann reichen auch ein paar Mädchen in Tutu und Schläppchen.

Während des Kauens kommt die Zunge ins Spiel. Sie verhält sich wie ein Coach. Wenn sich Tortenstückchen feige fernab vom Kautumult verstecken, schubst sie diese zurück ins Geschehen. Ist der Brei klein genug, geht es ans Schlucken. Die Zunge schnappt sich etwa 20 Milliliter Tortenpampe und schiebt sie ans Gaumendach, dem Bühnenvorhang zur Speiseröhre. Es funktioniert wie ein Lichtschalter: Wenn man mit der Zunge darauf drückt, startet das Schluckprogramm. Der Mund wird verriegelt, denn jegliches Atmen stört. Im Anschluss wird der Tortenbrei weit nach hinten in den Rachen gestoßen – auf die Bühne und los.

Rachen

Gaumensegel und oberer Schlundschnürer heißen zwei Formationen. Sie schließen feierlich die letzten Ausgänge der Nase. Diese Bewegung ist so kräftig, dass man sie noch im Flur um die Ecke hört: Die Ohren merken dann ein kleines Plopp. Die Stimmlippen dürfen nicht mehr reden und schließen sich. Der Kehldeckel erhebt sich majestätisch wie ein Dirigent (vom Hals aus tastbar), und die gesamte Basis des Mundes senkt sich – jetzt drückt eine kräftige Welle das bisschen Torte unter tosendem Speichelapplaus in die Speiseröhre.

Speiseröhre

Der Tortenbrei braucht für diesen Weg etwa fünf bis zehn Sekunden. Die Speiseröhre bewegt sich beim Schlucken wie eine La-Ola-Welle. Wenn der Brei kommt, weitet sie sich, hinter ihm verschließt sie sich wieder. Auf diese Weise kann nichts zurückrutschen.

Der Vorgang funktioniert so automatisch, dass wir sogar im Handstand schlucken können. Unsere Torte schlängelt also – die Schwerkraft missachtend – anmutig durch den Oberkörper. Breakdancer würden diese Bewegung *the snake* oder *the worm* nennen, Mediziner nennen sie propulsive Peristaltik. Das erste Drittel der Speiseröhre ist mit quergestreifter Muskulatur umgeben – deshalb merken wir das erste Stück Weg noch bewusst. Die unbewusste Innenwelt beginnt hinter der kleinen Kuhle, die wir ertasten, wenn wir uns ganz oben ans Brustbein fassen. Ab diesem Punkt ist die Speiseröhre aus glatter Muskulatur aufgebaut.

Das untere Ende der Speiseröhre wird von einem ringförmigen Muskel zugehalten. Er lässt sich von der Schluckbewegung anstecken und wird für acht ausgelassene Sekunden locker. Dadurch öffnet sich die Speiseröhre zum Magen hin, und die Torte kann ungehindert hineinplumpsen. Im Anschluss verschließt sich der Muskel wieder, während man oben im Rachen schon aufatmet.

Der Weg von Mund zu Magen ist der erste Akt – er erfordert maximale Konzentration und gutes Teamwork. Das bewusste, periphere und das unbewusste, autonome Nervensystem müssen hier zusammenarbeiten. Dieses Zusammenspiel muss gut einstudiert werden. Wir fangen schon als Babys im Mutterbauch damit an, das Schlucken zu üben. Bis zu einem halben Liter Fruchtwasser schlucken wir probehalber jeden Tag. Wenn mal etwas schiefgeht, ist das nicht schlimm. Da wir komplett in

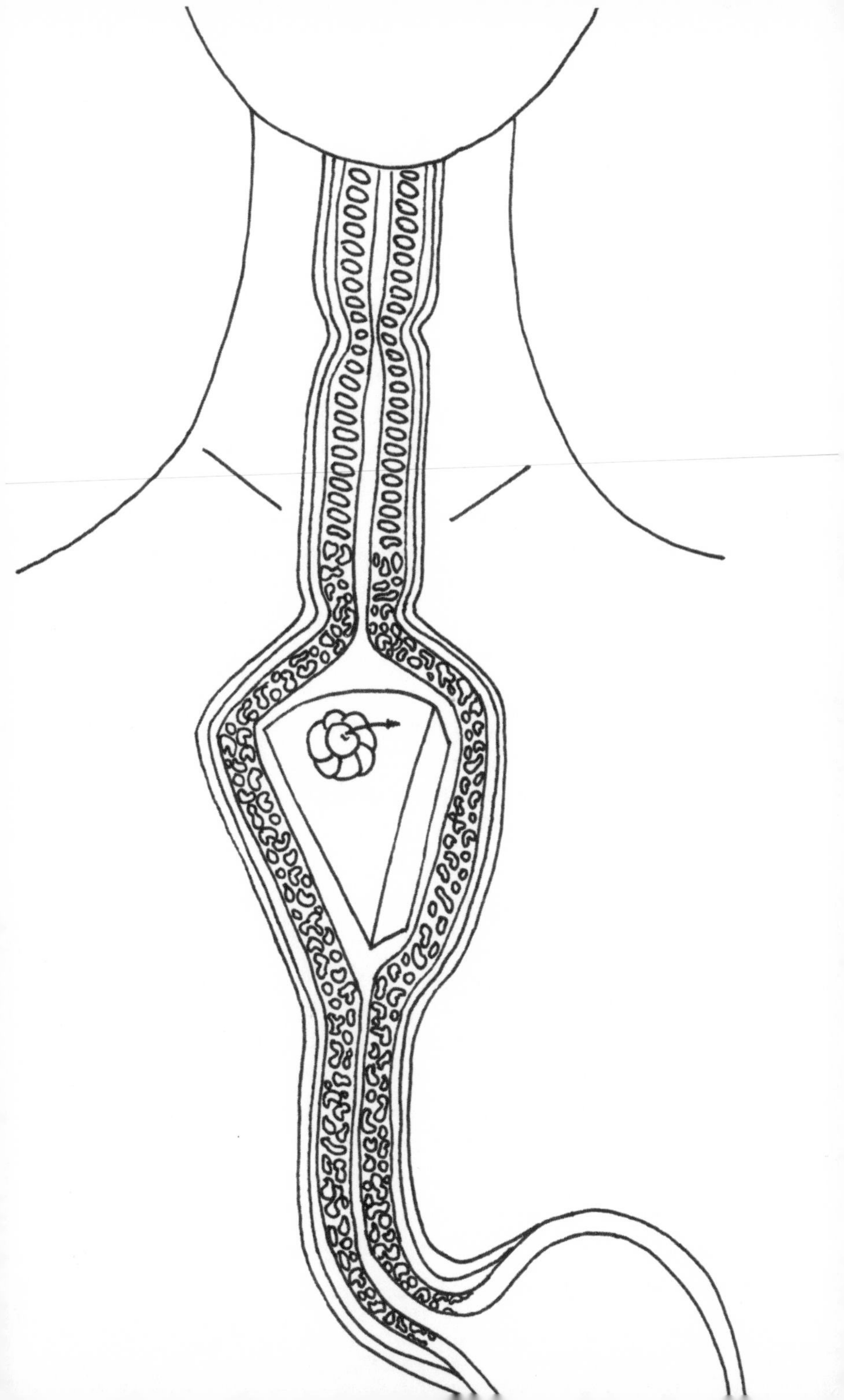

Flüssigkeit eingelegt sind, sind auch unsere Lungen voll damit – Verschlucken im klassischen Sinne geht also gar nicht.

In unserem erwachsenen Leben schlucken wir jeden Tag sechshundert bis zweitausend Mal. Dabei setzen wir mehr als zwanzig Muskelpaare in Gang – und meist läuft alles glatt. Im Alter verschlucken wir uns wieder häufiger: Die koordinierenden Muskeln nehmen es dann nicht immer ganz genau, der obere Schlundschnürer guckt nicht mehr so streng auf die Uhr, oder der Kehlkopfdeckel-Dirigent braucht einen Stock zum Erheben. Auf den Rücken klopfen ist in solchen Momenten zwar gut gemeint – aber es erschrickt die betagten Rachengestalten nur unnötig. Bevor es zu oft im Hustendebakel endet, geht man lieber frühzeitig zu einem Logopäden und hält die Schlucktruppe auf Trab.

Magen

Der Magen ist sehr viel bewegungsfreudiger, als viele denken. Kurz bevor die Torte in den Magen plumpst, entspannt er sich – solange Essen in ihn hineinpurzelt, kann er sich dann weiter und weiter dehnen. Er macht Platz für alle, die Platz wollen. Ein Kilogramm Torte mit einem Volumen von einer Packung Milch passt locker in eine mitwachsende Magen-Hollywoodschaukel. Emotionen wie Angst oder Stress können das Dehnen der glatten Magenmuskulatur erschweren, dann sind wir schnell voll, oder uns wird schon nach kleinen Portionen übel.

Ist die Torte angekommen, beschleunigen die Magenwände ihre Bewegungen wie Beine beim Anlaufnehmen und – bam! – wird das Essen angeschubst. In einem hübschen Bogen fliegt die Torte gegen die Magenwand, prallt ab und plumpst zurück. Mediziner nennen das Retropulsion, große Geschwister nennen das »Mal gucken, wie weit du fliegen kannst«. Anlauf und Schubs ergeben zusammen das typische Gurgelgeräusch, wenn wir unser

Ohr ganz oben auf den Bauch legen (in dem kleinen Dreieck, bei dem rechts und links die Rippenbögen zusammenlaufen). Wenn der Magen so munter anfängt zu schaukeln, regt das den ganzen Verdauungsschlauch zur Bewegung an. Dann treibt auch der Darm seinen Inhalt nach vorne und macht so Platz für Neues. Deshalb müssen wir manchmal nach einem großen Essen ziemlich bald aufs Klo.

Ein Stück Torte kann in der Bauchwelt ganz schön was auf die Beine stellen. Der Magen wird etwa zwei Stunden damit herumschaukeln. Dabei zermalmt er die Bissen zu winzigen Partikeln. Ein Großteil ist unter 0,2 Millimeter groß. Krümel, die so klein sind, klatschen nicht mehr an die Wand, sondern rutschen durch ein kleines Loch am Ende des Magens. Dieses Loch ist der nächste Schließmuskel – der Magenpförtner. Er bewacht den Ausgang des Magens und den Eingang zum Dünndarm.

Einfache Kohlenhydrate wie Kuchenboden, Reis oder Nudeln werden schnell an den Dünndarm weitergereicht. Dort werden sie verdaut und sorgen schon bald für einen Anstieg des Blutzuckers. Proteine und Fett hält der Pförtner deutlich länger im Magen fest. Ein Stück Steak schaukelt dann gerne mal sechs Stunden lang, bevor es komplett im Dünndarm angekommen ist. Deshalb wollen wir nach dem Essen von Fleisch oder fettig Frittiertem am liebsten einen süßen Nachtisch: Unser Blutzucker will nicht so lange auf das Essen warten – das Dessert gibt schon mal einen Blutzuckervorschuss. Kohlenhydratreiche Mahlzeiten machen zwar schneller fit, aber halten nicht so lange satt wie Proteine oder Fett.

Dünndarm

Sobald die ersten Minihäppchen im Dünndarm ankommen, passiert die richtig echte Verdauung. Der bunte Tortenbrei wird bei seiner Durchreise durch diesen Schlauch fast komplett in den Wänden verschwinden – in etwa wie Harry Potter auf Gleis 9 ¾. Der Dünndarm packt die Torte beherzt. Er knetet auf einer Stelle herum, hackt den Nahrungsbrei in alle Richtungen, pendelt mit seinen Zotten in ihm herum und schiebt den völlig vermischten Brei kräftig vorwärts. Unter dem Mikroskop sieht man: Selbst die winzigen Darmzotten helfen mit! Sie bewegen sich hoch und runter wie kleine Trampelfüßchen. Einfach alles ist in Bewegung.

Egal, was unser Dünndarm so tut, er befolgt dabei eine Grundregel: Es geht weiter, es geht nach vorne. Dafür gibt es den sogenannten peristaltischen Reflex. Der Erstentdecker dieses Mechanismus isolierte ein Stück Darm und blies Luft durch ein Röhrchen hinein – der Darm pustete kontaktfreudig zurück. Deshalb empfehlen viele Ärzte ballaststoffreiche Nahrung für eine angeregte Verdauung: Unverdauliche Ballaststoffe drücken gegen die Darmwand, und sie drückt interessiert zurück. Diese Darmgymnastik sorgt dafür, dass Essen schneller durchkommt und geschmeidig bleibt.

Wenn der Tortenbrei ein aufmerksamer Tortenbrei wäre, könnte er vielleicht auch noch die »Wupps« hören. In unserem Dünndarm gibt es besonders viele Schrittmacherzellen. Diese Zellen geben kleine Stromstöße von sich. Für unsere Darmmuskeln ist das, als würde ihnen jemand »Wupp!« zurufen … und wieder: »Wupp!« So driftet der Muskel nicht ab, sondern »wuppt« kurz zurück wie beim Tanzen zum Bass in der Disko. Die Torte bzw. das, was von ihr übrig ist, wird so zielsicher weitergeschoben.

Unser Dünndarm ist der fleißigste Abschnitt unseres Verdauungsrohrs und sehr gewissenhaft bei seiner Arbeit. Er lässt nur in klaren Ausnahmefällen zu, dass ein Verdauungsprojekt nicht vorankommt: beim Kotzen. Der Dünndarm ist da ganz pragmatisch. Er steckt keine Arbeit in etwas, das uns nicht guttut. Solche Dinge lässt er formlos unverdaut zurückwandern.

Die Torte ist nun, bis auf gewisse Reste, im Blut verschwunden. Eigentlich könnten wir diesen jetzt in den Dickdarm folgen – aber dann würden wir eine mysteriöse Kreatur verpassen, die hörbar ist und oft falsch verstanden wird. Das wäre schade, also bleiben wir noch kurz hier.

In Magen und Dünndarm liegen nach der Verdauung nur noch grobe Überreste herum: zum Beispiel ein unzerkautes Maiskorn, magensaftresistente Tabletten, überlebende Bakterien aus der Nahrung oder ein aus Versehen verschlucktes Kaugummi. Unser Dünndarm liebt Sauberkeit. Er gehört zu diesen Gestalten, die nach einem großen Essen immer gleich die Küche aufräumen. Besucht man zwei Stunden nach der Verdauung den Dünndarm, ist hier alles blitzblank, und es riecht kaum nach irgendetwas.

Eine Stunde nachdem der Dünndarm etwas verdaut hat, fängt er an, sich zu reinigen. Dieser Vorgang heißt im Lehrbuch »wandernder motorischer Komplex«. Dabei öffnet der Magenpförtner einmal kollegial die Tore und wischt seine Reste zum Dünndarm. Der wiederum übernimmt den Job und erzeugt eine kräftige Welle, die alles vor sich herschiebt. Mit einer Kamera betrachtet, sieht das so unvermeidbar rührend aus, dass selbst trockene Naturwissenschaftler den Motorkomplex als kleinen Haushälter (*housekeeper*) bezeichnen.

Jeder hat seinen Haushälter schon einmal gehört: Es ist das Magenknurren, und das kommt nicht nur aus dem Magen, sondern vor allem aus dem Dünndarm. Wir knurren nicht, weil wir Hunger haben, sondern weil nur zwischen dem Verdauen endlich mal Zeit fürs Putzen ist! Wenn Magen und Dünndarm leer sind, ist die Bahn frei, und der Haushälter kann loslegen. Beim lang geschaukelten Steak muss er besonders lange warten, bis er endlich putzen darf. Erst spätestens nach sechs Stunden Magen- plus etwa fünf Stunden Dünndarmaufenthalt kann hinter dem Steak aufgeräumt werden. Hören muss man die Putzaktion nicht immer, mal ist sie laut und mal leise, je nachdem, wie viel Luft in Magen und Darm gelangt ist. Wenn man in dieser Zeit etwas isst, wird die Putzaktion sofort abgebrochen. Es soll schließlich in Ruhe verdaut – und nicht durchgefegt werden. Wer also immer etwas nascht, lässt keine Zeit für Sauberkeit. Diese Beobachtung trägt dazu bei, dass einige Ernährungswissenschaftler empfehlen, fünf Stunden Pause zwischen den Mahlzeiten zu machen. Ob es bei jedem genau fünf Stunden sein müssen, ist allerdings nicht bewiesen. Wer ordentlich kaut, lässt weniger Arbeit für seinen

Haushälter liegen und kann auch mal auf seinen Bauch hören, wenn es um das nächste Essen geht.

Dickdarm

Am Ende des Dünndarms ist die sogenannte Bauhin-Klappe. Sie trennt den Dünndarm vom Dickdarm, denn die beiden haben ziemlich unterschiedliche Arbeitsansichten. Der Dickdarm ist eher ein gemütlicher Zeitgenosse. Sein Motto ist nicht unbedingt »Weiter, nach vorne!« – er bewegt Nahrungsreste auch mal zurück und dann wieder nach vorne. So, wie es ihm gerade richtig erscheint. Bei ihm gibt es keinen wandernden Haushälter. Der Dickdarm ist die ruhige Heimat für unsere Darmflora. Wenn etwas unverdaut zu ihm gefegt wird, beschäftigt sich eben diese damit.

Unser Dickdarm arbeitet gemächlicher, weil er auf mehrere Beteiligte achten muss: Unser Gehirn möchte nicht immer aufs Klo gehen, unsere Darmbakterien möchten genug Zeit haben, um sich unverdauter Nahrung anzunehmen, und unser Restkörper möchte gerne die ausgeliehenen Verdauungsflüssigkeiten zurück.

Was im Dickdarm ankommt, erinnert nicht mehr an ein Tortenstück – und das sollte es auch nicht. Von der Torte übriggeblieben sind vielleicht noch ein paar Fruchtfasern der Kirsche auf dem Sahnehäubchen – der Rest sind Verdauungssäfte, die hier zurückresorbiert werden. Wenn wir große Angst haben, scheucht unser Gehirn den Dickdarm auf. Dann hat er nicht mehr genug Zeit, um Flüssigkeit zu resorbieren, und das Ergebnis ist Angstdurchfall.

Obwohl der Dickdarm (wie der Dünndarm) ein glattes Rohr ist, wird er auf Abbildungen immer wie eine Art Perlenkette dargestellt. Woher kommt das? Tatsächlich sieht der Dickdarm so aus, wenn man den Bauch öffnet. Das liegt allerdings nur daran, dass er mal wieder in seiner Slow-Motion-Art tanzt. Genau wie der Dünndarm bildet er beim Kneten Einstülpungen, um den Brei darin gut festzuhalten – nur bleibt er einfach eine ganze Weile in dieser Pose, ohne sich zu bewegen. In etwa wie ein Straßenkünstler, der pantomimisch in einer Position verharrt. Zwischendurch macht er sich kurz locker und formt an anderen Stellen neue Einstülpungen, in denen er dann wieder lange Zeit verharrt. Die Lehrbücher bleiben deshalb bei der Perlenkettenversion … Wer fürs Klassenfoto schielt, sieht dann eben auch so aus.

Drei bis vier Mal am Tag rappelt sich der Dickdarm auf und bewegt eingedickten Nahrungsbrei ernsthaft motiviert nach vorne. Wer genug Masse bieten kann, schafft es dann sogar drei bis vier Mal am Tag aufs Klo. Bei den meisten Menschen reicht der Dickdarminhalt für einen Toilettengang pro Tag. Auch drei Mal pro Woche ist statistisch gesehen noch im gesunden Bereich. Dickdärme von Frauen sind generell ein bisschen gemütlicher als die von Männern. Woran das liegt, weiß die Medizin noch nicht – Hormone sind allerdings nicht der Hauptgrund.

Von der Gabel mit Torte bis zum Häufchen vergeht durchschnittlich ein Tag. Schnelle Därme schaffen es in acht Stunden, eher langsame in dreieinhalb Tagen. Durch die Durchmischung können auch Teile der Torte nach zwölf, andere nach 42 Stunden die Chill-Lounge des Dickdarms verlassen. Solange die Konsistenz stimmt und man keine Beschwerden hat, muss man sich als etwas gemütlicher verdauender Mensch keine Sorgen machen. Im Gegenteil – wer zu der »einmal am Tag oder seltener«-Fraktion gehört oder auch ab und an zu Verstopfungen neigt, hat laut einer niederländischen Studie sogar ein geringeres Risiko, bestimmte Enddarmerkrankungen zu bekommen. Getreu dem Motto des Dickdarms: In der Ruhe liegt die Kraft.

Sauer aufstoßen

Auch der Magen kann stolpern. Seine glatte Muskulatur kann genauso Gehfehler haben wie die quergestreifte Muskulatur der Beine. Wenn dabei etwas wie Magensäure an Orte gelangt, die nicht dafür ausgestattet sind, brennt es. Beim sauren Aufstoßen kommen Magensäure und Verdauungsenzyme bis in den Rachen, bei Sodbrennen schaffen sie es nur bis an den Anfang der Speiseröhre und verursachen ein Brennen im Brustkorb.

Der Grund für Aufstoßen ist auch nicht anders als beim Stolpern: Es sind die Nerven. Sie regulieren die Muskulatur. Wenn die Sehnerven eine Stufe nicht wahrnehmen, werden die Beinnerven falsch informiert, und unsere Beine laufen, als ob es kein Hindernis gäbe: Wir stolpern. Wenn unsere Verdauungsnerven falsche Infos bekommen, halten sie die Magensäure nicht auf und lassen sie im Rückwärtsgang losfahren.

Der Übergang von der Speiseröhre zum Magen ist ein anfälliger Ort für so ein Stolpern – trotz der Vorsichtsmaßnahmen »enge Speiseröhre, fester Sitz im Zwerchfell und Kurve zum Magen«, geht immer wieder mal etwas schief. Rund ein Viertel aller Deutschen haben hier Beschwerden. Das Ganze ist keine neumodische Erscheinung: Auch Nomadenvölker, die noch so leben wie vor Hunderten von Jahren, verzeichnen ähnlich hohe Raten an Sodbrennen und Aufstoßen.

Die Crux ist: In dem Bereich von Speiseröhre und Magen müssen zwei verschiedene Nervensysteme eng zusammenarbeiten – einmal das Nervensystem aus dem Gehirn und einmal das des Verdauungsrohrs. Nerven aus dem Gehirn regulieren beispielsweise den Schließmuskel zwischen Speiseröhre und Magen. Außerdem hat das Gehirn einen Einfluss auf die Säurebildung. Die Nerven des Verdauungsrohrs sorgen dafür, dass sich die Speiseröhre in harmonischer La-Ola-Welle nach unten bewegt und so mit den tausend Spuckschlücken pro Tag immer schön sauber bleibt.

Praktische Tipps gegen Sodbrennen oder Aufstoßen bauen darauf auf, diese beiden Nervensysteme auf den richtigen Pfad zurückzubringen. Kaugummikauen oder Teetrinken unterstützt den Verdauungsschlauch, indem viele kleine Schlücke den Nerven die richtige Richtung zeigen: hin zum Magen, nicht zurück. Entspannungstechniken bewirken, dass weniger hektische Nervenbefehle vom Hirn entsendet werden. Das sorgt im besten Fall für ein stetiges Schließen des Ringmuskels und weniger Säurebildung.

Zigarettenrauch aktiviert Hirnbereiche, die auch beim Essen angeregt werden. Dadurch fühlt man sich zwar wohler, aber produziert auch ohne echten Grund mehr Magensäure und lockert dabei den Ringmuskel der Speiseröhre auf. Das Rauchen sein zu lassen hilft bei unangenehmem Aufstoßen und Sodbrennen deshalb oft.

Auch Schwangerschaftshormone können so ein Durcheinander auslösen. Eigentlich sollen sie die Gebärmutter bis zur Geburt schön locker und gemütlich halten. Diese Wirkung haben sie allerdings auch am Schließmuskel der Speiseröhre. Die Folge ist ein lockerer Magenverschluss, der zusammen mit dem Druck aus dem gewölbten Unterbauch die Säure nach oben fliehen lässt. Wer ein Verhütungsmittel mit weiblichen Hormonen benutzt, kann als Nebenwirkung auch öfter sauer aufstoßen.

Zigarettenrauch oder Schwangerenhormone – unsere Nerven sind keine komplett isolierten Elektrokabel. Sie sind organisch in unser Gewebe eingeflochten und reagieren auf alle Stoffe um sie herum. Daher empfehlen einige Ärzte den Verzicht auf eine Vielzahl von Lebensmitteln, die die Kraft des schließenden Ringmuskels herabsetzen: Schokolade, scharfe Gewürze, Alkohol, Zuckerbomben, Kaffee und so weiter und so fort.

All diese Substanzen beeinflussen unsere Nerven, sie müssen aber nicht bei jeder Person einen Säurestolperer auslösen. Modelle aus der amerikanischen Forschung empfehlen, lieber selber auszuprobieren, bei welchen Lebensmitteln die eigenen Nerven empfindlich reagieren. So muss nicht unnötig auf alles verzichtet werden.

Es gibt einen interessanten Zusammenhang, den man durch ein Medikament entdeckt hat, das wegen seinen Nebenwirkungen nie zugelassen wurde. Dieses Mittel blockiert Nerven an einer Stelle, an der sonst Glutamat an Nerven bindet. Glutamat kennen die meisten als Geschmacksverstärker. Es wird aber auch von unseren Nerven freigesetzt. Bei den Nerven der Zunge bewirkt das Glutamat eine Intensivierung von Geschmackssignalen. Im Magen kann es Verwirrung stiften, denn die Nerven wissen nicht unbedingt, ob das Glutamat von ihrem Kollegen kommt oder vom China-Restaurant. Die Idee für das Selbstexperiment lautet deshalb: eine Zeitlang auf glutamat-reiches Essen verzichten. Dafür muss man im Supermarkt schon mal die Lesebrille auspacken und die Miniaturwörtchen der Inhaltsstoffliste anschauen. Oft versteckt sich das Glutamat auch in kryptischen Wortkreaturen wie Natrium-Mono-Glutamat oder Ähnliches. Wenn man eine Besserung merkt – gut. Wenn nicht, hat man auf jeden Fall einige Zeit gesünder gelebt.

Wer seltener als einmal pro Woche sauer stolpert, kann auf einfache Mittel zurückgreifen: Säureneutralisierer aus der Apotheke funktionieren – als Hausmittelchen hilft auch Kartoffelsaft. Säure zu neutralisieren ist allerdings eine ziemlich schlechte Dauerlösung! Magensäure verätzt auch Allergene und schlechte

Bakterien aus der Nahrung oder hilft bei der Eiweißverdauung. Einige der neutralisierenden Medikamente beinhalten außerdem Aluminium. Das ist ein sehr fremder Stoff für unseren Körper – man sollte also niemals zu viel davon nehmen, sondern sich immer streng an die Vorgaben auf dem Beipackzettel halten.

Spätestens nach vier Wochen sollte man mit Säureneutralisierern skeptisch umgehen. Hört man nicht auf diesen Ratschlag, lernt man sehr schnell einen trotzigen Magen kennen, der seine Säure zurückwill. Unser Magen produziert dann einfach extra viel Säure – einmal, um das Medikament abzupuffern, und darüber hinaus, um endlich wieder sauer zu sein. Säureneutralisierer sind nie Dauerlösungen – auch nicht bei anderen Säurephänomenen wie der Magenschleimhautentzündung.

Hat man also trotz Säureneutralisierern immer noch Beschwerden, muss der Arzt kreativer werden. Er sollte ein Blutbild machen und eine körperliche Untersuchung. Bei normalen Ergebnissen kann er dann einen Säure-Pumpen-Hemmstoff empfehlen. Solche Hemmstoffe hindern die Magenzellen daran, überhaupt erst Säure in den Magen zu pumpen. Die Säure fehlt dem Magen vielleicht hier und da – aber man muss ihm und der Speiseröhre in solchen Fällen erst mal wieder Ruhe verschaffen, um sich von den Säureattacken zu erholen.

Wenn die Probleme nachts auftreten, ist es clever, sich im 30°-Winkel erhöht hinzulegen. Es kann schon eine ganz lustige Abendbastelei sein, so eine Konstruktion mit Geodreieck und Kopfkissen hinzubekommen. Es gibt aber auch vorgefertigte Kissen im Fachhandel. Die 30°-Oberkörper-Hochlagerung ist außerdem super für das Herz-Kreislauf-System. Das hat unser Physiologieprofessor gefühlte dreißig Mal gesagt – und da er Herz-Kreislauf-Forscher ist und sich selten wiederholt, glaube ich ihm das. Gleichzeitig führt es auch dazu, dass ich ihn mir immer in 30° schlafend vorstelle, sobald sein Name erwähnt wird.

Überhaupt nicht schlafen sollte man bei den Alarmsymptomen: Schluckbeschwerden, Gewichtsverlust, Schwellungen oder Blut in irgendeiner Form. Spätestens jetzt muss eine Kamera dem Magen einen kontrollierenden Besuch abstatten – egal, wie ungern man das macht. Das wirkliche Risiko beim Aufstoßen ist nämlich nicht die brennende Säure, sondern Gallenflüssigkeit, die aus dem Dünndarm über den Magen bis zur Speiseröhre hochgestoßen wird. Gallenflüssigkeit brennt überhaupt nicht, hat aber viel tückischere Folgen als die Säure. Von allen Menschen, die sauer aufstoßen, haben glücklicherweise nur ganz wenig Gallensäure mit dabei.

Gallensäure kann die Zellen der Speiseröhre stark verwirren. Sie sind sich plötzlich nicht mehr sicher: »Bin ich hier echt in der Speiseröhre? Dauernd kommt Galle? Vielleicht bin ich eine Dünndarmzelle und habe das all die Jahre nicht gemerkt … wie peinlich!« Sie wollen eigentlich nur alles richtig machen und verändern sich von Speiseröhrenzellen zu Magen-Darm-Zellen. Das kann schiefgehen. Mutierende Zellen können sich falsch programmieren und wachsen dann nicht mehr kontrolliert wie andere Zellen. Von allen Menschen, die stolpern, verletzt sich nur ein kleiner Prozentsatz dadurch brenzlig.

In den allermeisten Fällen sind und bleiben Aufstoßen und Sodbrennen ungefährliche, aber lästige Stolperer. Ähnlich wie man nach dem Stolpern die Kleider kurz zurechtrückt, den Schreck durch ein Kopfschütteln neutralisiert und gemäßigt weiterläuft, kann man sich auch beim Aufstoßen verhalten – ein paar Schlücke Wasser rücken zurecht, die Säure kann man neutralisieren, und im Anschluss läuft man am besten ein bisschen ruhiger weiter.

Erbrechen

Würde man hundert Menschen nebeneinanderstellen, die in nächster Zeit kotzen, ergäbe das ein sehr buntes Bild. Person 14 sitzt in der Achterbahn und reißt die Hände in die Höhe, Nummer 32 lobt den famosen Eiersalat, Nummer 77 umklammert ungläubig einen Schwangerschaftstest, und Person Nummer 100 liest gerade auf einem Beipackzettel »kann Übelkeit und Erbrechen verursachen«.

Erbrechen ist kein Stolpern. Erbrechen läuft nach einem präzisen Plan. Es ist eine Meisterleistung. Millionen kleine Rezeptoren testen unseren Mageninhalt, untersuchen unser Blut und verarbeiten Eindrücke vom Gehirn. Jede einzelne Information wird im riesigen Fasernetz aus Nerven gesammelt und zum Hirn geschickt. Das Hirn kann Informationen abwägen. Je nachdem, wie viel Alarm insgesamt geschlagen wird, fällt die Entscheidung aus: kotzen oder nicht kotzen. Das wird vom Hirn ausgesuchten Muskeln mitgeteilt, die sich dann an die Arbeit machen.

Würde man dieselben hundert Personen während dem Erbrechen einmal durchleuchten, bekäme man hundert Mal das gleiche Bild: Das alarmierte Hirn aktiviert den Hirnbereich für Übelkeit und stellt die Körperschalter auf Notfall. Wir werden blass, weil das Blut aus den Wangen abgezogen wird und in den Bauch wandert. Unser Blutdruck fällt ab, und der Herzschlag wird langsamer. Zu guter Letzt kommt der fast sichere Vorbote: Speichel. Er wird vom Mund in großen Mengen gebildet, sobald ihn das Gehirn über den aktuellen Stand der Dinge informiert hat. Damit sollen die wertvollen Zähne vor der Magensäure geschützt werden.

Zuallererst bewegen sich jetzt Magen und Darm in nervösen kleinen Wellen – sie schieben ihren Inhalt leicht panisch in völlig entgegengesetzte Richtungen. Dieses Zurückrudern können wir nicht spüren, weil es im unbewussten glatten Muskelbereich liegt. Genau in dieser Zeit merken allerdings viele Menschen ganz intuitiv, dass sie jetzt ein Behältnis aufsuchen sollten.

Ein leerer Magen hilft nicht gegen Erbrechen, denn der Dünndarm kann genauso seinen Inhalt zurückleeren. Dafür macht der Magen extra die Tür auf und lässt Dünndarminhalt wieder zurück. Bei so einem großen Vorhaben arbeiten eben alle zusammen. Wenn der Dünndarm dem Magen plötzlich seinen Inhalt entgegendrückt, kann dieser Druck im Magen sensible Nerven reizen. Diese Nerven schicken daraufhin Signale zum Brechzentrum im Gehirn. Jetzt ist klar: Alles ist zum Kotzen … bereit.

Die Lungen holen einen besonders tiefen Atemzug, die Atemwege werden verschlossen. Der Magen und die Öffnung zur Speiseröhre werden auf einmal ganz entspannt und – pautz – drücken das Zwerchfell und die Bauchdeckenmuskulatur einmal ruckartig von unten, als wären wir eine Tube Zahnpasta. All der Inhalt aus dem Magen wird von uns weggepresst. Schwungvoll, immer raus damit!

Warum wir erbrechen und was wir dagegen tun können

Menschen-Tiere sind extra so gebaut, dass sie erbrechen können. Zu unseren kotzfähigen Kollegen zählen Affen, Hunde, Katzen, Schweine, Fische und auch Vögel. Unfähig, sich zu übergeben, sind dagegen Mäuse, Ratten, Meerschweinchen, Kaninchen oder

Pferde. Sie haben eine zu lange, enge Speiseröhre. Außerdem fehlen ihnen die kotztalentierten Nerven.

Tiere, die nicht kotzen können, müssen sich bei der Nahrungsaufnahme anders verhalten. Ratten und Mäuse »nibbeln« ihr Futter. Dabei knabbern sie winzige Stückchen prüfend ab und fressen erst weiter, wenn ihnen der erste Testhappen nicht geschadet hat. War er giftig, wird ihnen so meist nur ziemlich übel. Außerdem lernen sie, nicht mehr davon zu essen. Darüber hinaus können Nagetiere Gifte besser abbauen, weil ihre Leber mehr Enzyme dafür hat. Pferde können noch nicht mal nibbeln. Wenn bei ihnen etwas Ungutes im Dünndarm landet, ist das oft lebensgefährlich. Im Grunde können wir also erst mal mächtig stolz sein, wenn wir uns röhrend über einer Kloschüssel krümmen.

Während der Brechtiraden kann man die kurzen Kotzpausen zum Grübeln nutzen. Der famose Eiersalat von Nummer 32 hat sich erstaunlich gut gehalten, als er von seinem Kurztrip in die Magengefilde zurückkehrt. Ein paar Stückchen vom Ei, Erbsen und Nudeln sind deutlich erkennbar. 32 denkt noch ernüchtert: Ich muss ziemlich schlecht gekaut haben. Kurz darauf bietet der nächste Schwall ein etwas kleinteiligeres Arrangement. Wenn unser Erbrochenes erkennbare Stücke enthält, kommt es mit hoher Wahrscheinlichkeit aus dem Magen und nicht aus dem Dünndarm. Je feiner, bitterer oder gelblicher, desto eher handelt es sich um einen kleinen Postkartengruß aus dem Dünndarm. Deutlich erkennbares Essen ist zwar schlecht gekaut – aber wenigstens frühzeitig aus dem Magen herauskatapultiert worden und noch nicht in den Dünndarm gelangt.

Auch die Art des Erbrechens verrät uns einiges. Kommt es ganz plötzlich, fast ohne Vorwarnung und dann in einem heftigen Schwall, spricht das für einen Magen-Darm-Virus. Die vorsichtigen Sensoren zählen nämlich erst mal, wie viel Krankheitserreger sie antreffen – wenn sie beim Zählen merken: Ab

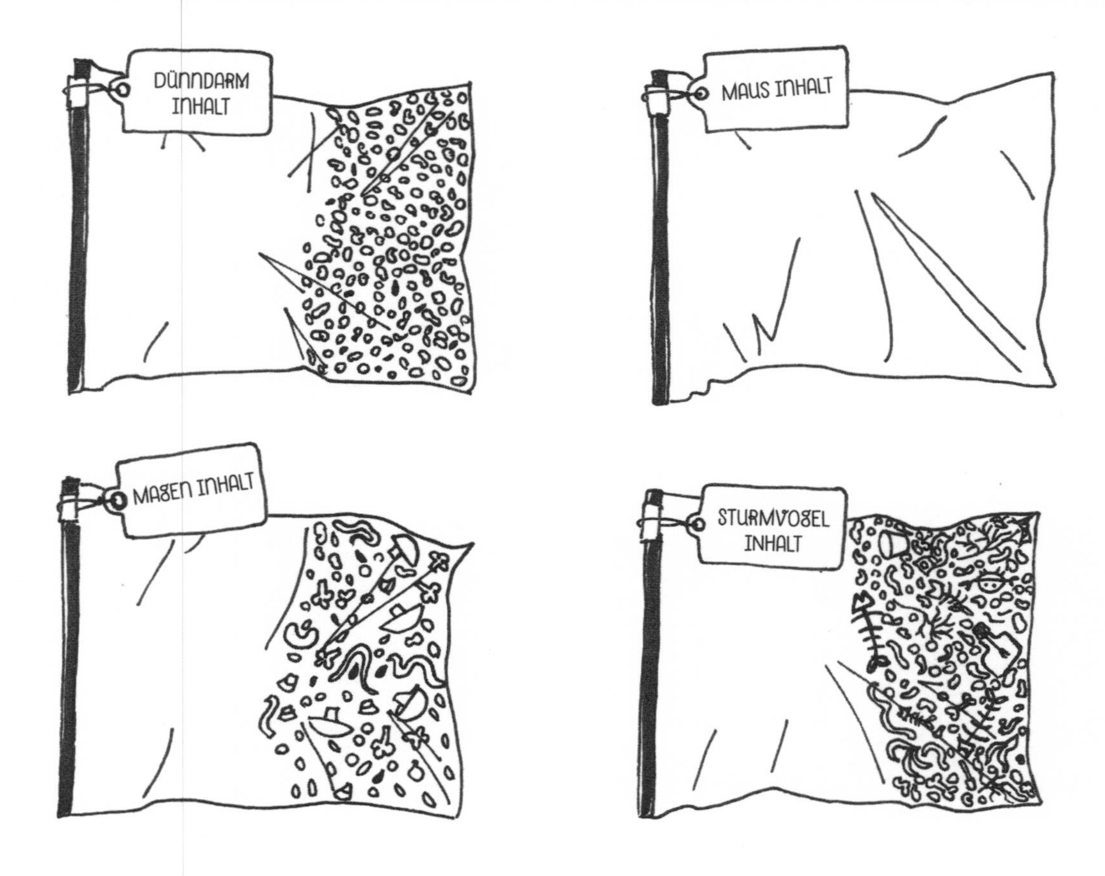
DÜNNDARM INHALT
MAUS INHALT
MAGEN INHALT
STURMVOGEL INHALT

hier ist es jetzt wirklich zu viel!, ziehen sie die Notbremse. Vor dieser Schwelle hätte sich vermutlich das Immunsystem noch darum kümmern können, aber jetzt ist es die Angelegenheit der Magen-Darm-Muskeln.

Bei Vergiftungen durch schlechte Lebensmittel oder Alkohol kommt das Brechen ebenfalls schwallartig, allerdings kündigt es sich fairerweise kurze Zeit vorher mit Übelkeit an. Die Übelkeit soll uns beibringen, dass dieses Essen übel für uns ist. In Zukunft wird Person 32 einer Schüssel Eiersalat wesentlich skeptischer gegenübertreten.

Nummer 14 von der Achterbahn geht es genauso mies wie Eiersalat-32. Achterbahn-Reihern funktioniert nach dem Prinzip »Reiseübelkeit«. Hier ist gar kein Gift im Spiel, und trotzdem landet Kotze auf Füßen und in Handschuhfächern oder saust mit der Windrichtung auf die nächste Heckscheibe. Unser Gehirn bewacht unseren Körper – akribisch und vorsichtig –, vor allem bei kleinen Kindern. Die derzeit fundierteste Erklärung für Kotzen-on-the-Road lautet: Wenn die Informationen der Augen auffällig abweichend zu denen des Ohrs sind, weiß das Gehirn nicht mehr, was schiefläuft, und zieht alle möglichen Notregister.

Wenn man im Auto oder im Zug ein Buch liest, berichten die Augen »kaum Bewegung«, und der Gleichgewichtssensor in den Ohren sagt: »Eine Menge Bewegung.« Umgekehrt ist es, wenn man beim Fahren Baumstämme am Waldrand verfolgt. Wenn wir gleichzeitig unseren Kopf ein bisschen bewegen, sieht es aus, als ob die Baumstämme noch schneller vorbeirauschen, als wir uns in Wirklichkeit bewegen – und wieder verwirrt das unser Gehirn. Solche Widersprüche von Augen und Gleichgewichtssinn kennt unser Gehirn eigentlich nur bei Vergiftungen. Wer zu viel getrunken oder Drogen genommen hat, fühlt Bewegung, obwohl er still dasitzt.

Auch starke Emotionen wie seelische Belastungen, Stress oder Angst können Grund für Erbrechen sein. Normalerweise bilden wir jeden Morgen das Stresshormon CRF (*Corticotropin Releasing Factor*) und legen so ein Polster an, um den Körper für die Anforderungen des Tages zu wappnen. CRF sorgt dafür, dass wir Energiereserven anzapfen können, dass das Immunsystem nicht überreagiert oder dass unsere Haut bei Sonnenlichtstress zum Schutz braun wird. Wenn eine Situation ungewöhnlich aufregend ist, kann das Gehirn eine Extradosis CRF ins Blut spritzen.

Allerdings wird nicht nur in den Gehirnzellen CRF gebildet, sondern auch in den Magen-Darm-Zellen. Auch hier bedeutet dieses Signal: Stress und Bedrohung! Wenn Magen-Darm-Zellen hohe Mengen CRF bemerken, ist es egal, woher das Signal kommt (Hirn oder Darm), allein die Information, dass einer von beiden gerade die Welt zu krass findet, reicht, um darauf mit Durchfall, Übelkeit oder Erbrechen zu reagieren.

Bei Hirnstress befördert das Erbrechen Nahrungsbrei heraus, um Verdauungsenergie zu sparen. Diese kann das Gehirn dann nutzen, um seine Probleme zu lösen. Bei Darmstress wird der Nahrungsbrei herausbefördert, weil er giftig ist oder der Darm gerade nicht imstande ist, gut zu verdauen. In beiden Fällen kann es ein Vorteil sein, sich zu entleeren. Es ist schlichtweg nicht die Zeit für gemütliches Verdauen. Menschen, die sich aus Nervosität übergeben, besitzen einen Verdauungsschlauch, der aufmerksam versucht zu helfen.

Übrigens: Sturmvögeln dient das Erbrechen auch als Verteidigungstechnik. Wer sich erbricht, wird von anderen Tieren eher in Ruhe gelassen. Forscher nutzen diesen Umstand. Sie nähern sich dem Nest der Tiere, halten den Vögeln kleine Kotzbeutel entgegen, und diese erbrechen dann zielgerichtet hinein. Im Labor wird der Mageninhalt anschließend auf Schwermetalle und Fischvielfalt überprüft, um zu schauen, wie gesund die Umwelt ist.

Hier ein paar Tipps, wie sich unnötige Kotz-Attacken minimieren lassen:

1. Bei Reiseübelkeit: Weit vorne zum Horizont schauen – so kann man die Information der Augen und die des Gleichgewichtorgans besser synchronisieren.
2. Mit Kopfhörern Musik hören, sich seitlich hinlegen oder Entspannungstechniken ausprobieren – das hilft einigen. Eine mögliche Erklärung hierfür ist die beruhigende Wirkung dieser Maßnahmen. Je sicherer wir uns fühlen, desto weniger unterstützen wir die Alarmstimmung im Gehirn.
3. Ingwer: Es gibt mittlerweile eine Sammlung an Studien, die belegen, dass Ingwer gut wirkt. Stoffe aus der Ingwerwurzel blockieren das Brechzentrum und damit den Brechreiz. In Bonbons oder Ähnlichem sollte Ingwer allerdings nicht nur als Geschmacksstoff, sondern in echter Form enthalten sein.
4. Medikamente gegen Erbrechen aus der Apotheke können verschieden funktionieren: Sie können Rezeptoren am Brechzentrum blockieren (dieselbe Wirkungsweise wie Ingwer), die Nerven aus Magen und Darm betäuben oder bestimmte Alarmmeldungen unterdrücken. Die Medikamente zur Alarmunterdrückung sind fast identisch mit Arzneimitteln gegen Allergien. Beide unterdrücken den Alarmstoff Histamin. Die Medikamente gegen Übelkeit können aber viel stärker im Gehirn wirken. Moderne Allergiemittel sind in letzter Zeit immer so weiterentwickelt und verbessert worden, dass sie kaum im Gehirn andocken. Dort macht das Unterdrücken von Histamin nämlich müde.
5. P6! Das ist ein Akupunkturpunkt, der in der Schulmedizin mittlerweile anerkannt wird, weil er in über vierzig Studien

zu Übelkeit und Erbrechen gute Wirkung gezeigt hat – auch im Vergleich zu Placebos. Wir wissen also nicht, wie oder warum, aber P6 funktioniert. Dieser Punkt ist zwei bis drei Finger unterhalb des Handgelenks und zwar genau zwischen den beiden hervorspringenden Sehnen am Unterarm. Wenn gerade kein Akupunkteur in der Nähe ist, kann man versuchen, einfach sanft ein paar Mal über den Punkt zu streichen, bis es besser wird. Das ist dann zwar nicht mit den entsprechenden Studien belegt, aber eventuell ein lohnendes Selbstexperiment. Laut der traditionellen chinesischen Medizin aktiviert der Punkt Energiebahnen, die über die Arme durch das Herz laufen, das Zwerchfell entspannen und zum Magen oder weiter in das Becken laufen.

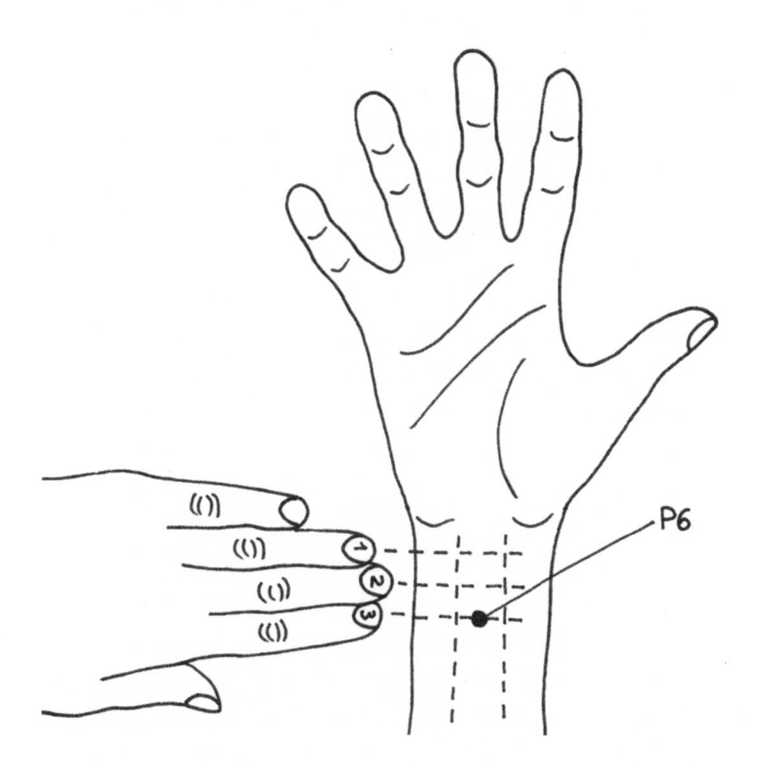

Nicht alle Tipps funktionieren bei allen Brechreiz-Auslösern. Mittelchen wie Ingwer, Apothekenware oder P6 können guttun – bei emotionalem Erbrechen hilft es oft am besten, wenn man dem eigenen, inneren Sturmvogel ein sichereres Nest baut. Durch Entspannungstechniken oder auch Hypnotherapie (bei einem echten Hypnotherapeuten und nicht etwa bei einem unseriösen Hypnotiseur!) kann man die eigenen Nerven trainieren, ein dickeres Fell zu bekommen. Je öfter und länger man übt, desto besser wird man – kleiner doofer Bürostress oder Prüfungen können uns weniger bedrohen, wenn wir sie nicht so nah an uns herankommen lassen.

Erbrechen ist nie eine Strafe aus dem Bauch! Es ist viel eher ein Zeichen, dass Gehirn und Darm sich bis an ihre letzten Grenzen für uns aufopfern. Sie schützen uns vor unbemerktem Gift in der Nahrung, sind übervorsichtig bei Augen-Ohren-Halluzinationen auf Reisen oder sparen Energie, um Probleme zu lösen. Die Übelkeit soll uns ein Kompass für die Zukunft sein: Was ist gut für uns? Was ist es nicht?

Wissen wir nicht genau, woher der Brechreiz kommt, sind wir gut beraten, uns ihm einfach anzuvertrauen. Genauso verhält es sich auch, wenn wir etwas Falsches zu uns genommen haben, aber uns nicht übergeben müssen. Auch hier sollte man nichts künstlich erzwingen – sei es per Finger-in-den-Mund, Salzwasser oder einer Magenspülung. Das kann beim Schlucken von Chemikalien wie Säure oder Aufschäumendem sogar richtig nach hinten losgehen. Schaum wandert nämlich gern in die Lunge, und Säure hätte so die Gelegenheit, die Speiseröhre ein zweites Mal zu verätzen. Deshalb ist das sogenannte forcierte Erbrechen seit dem Ende der neunziger Jahre in der Notfallmedizin weitgehend abgeschafft worden.

Der echte Brechreiz stammt aus einem jahrtausendealten Programm, das die Kompetenz besitzt, dem Bewusstsein die Zügel aus der Hand zu nehmen. Unser Bewusstsein ist über diese spürbare Entmachtung manchmal empört bis geschockt – eigentlich wollte es in munterer Runde Tequila trinken und jetzt das? Weil es uns den Ärger aber oft überhaupt erst eingebrockt hat, muss es dann auch zurückstecken. Wenn Erbrechen aus unnötiger Übervorsicht passiert, darf das Bewusstsein allerdings auch mal zurück an den Verhandlungstisch, um seine Anti-Kotz-Joker auszupacken.

Verstopfung

Verstopfung ist wie . Man wartet auf etwas, das dann einfach nicht . Dafür muss man oft auch noch recht viel Kraft aufbringen. Für all die Mühe kriegt man manchmal nur wenige •••. Oder es geht, aber eben nur ziemlich

selten.

10 bis 20 Prozent der Deutschen haben Verstopfung. Wer zu dieser Clique dazugehören will, sollte mindestens zwei der folgenden Anforderungen erfüllen: Man hat seltener als drei Mal pro Woche Stuhlgang, ein Viertel aller Stuhlgänge sind besonders hart, oft in kleinen Pünktchen-Portionen (•••), man muss sie mit Kraft herausbefördern, schafft es nur, wenn man nachhilft (mit Mittelchen und Tricks) oder man fühlt sich nicht vollständig entleert, wenn man das Klo verlässt.

Bei Verstopfungen arbeiten die Nerven und Muskeln des Darms nicht mehr ganz so zielstrebig auf ein Ziel hin. Meistens funktionieren Verdauung und Transport noch normal schnell – nur ganz am Ende vom Dickdarm ist man sich nicht mehr einig, ob das unbedingt sofort rausmuss oder nicht.

Ein viel besserer Parameter für Verstopfungen ist nicht,

wie oft man auf die Toilette geht, sondern *wie hart* es ist, auf die Toilette zu gehen. Eigentlich sollen wir eine famos entspannte Zeit auf dem stillen Örtchen verbringen – wenn dem nicht so ist, kann das zu großem Unbehagen führen. Es gibt Verstopfungen auf unterschiedlichsten Levels, vorübergehende Verstopfungen bei Reisen, wenn man krank ist, oder während Stressphasen, aber auch hartnäckigere Verstopfungen, die zum Dauerproblem tendieren.

Fast jeder Zweite kennt Verstopfungen auf Reisen. Vor allem in den ersten Tagen kommt man einfach nicht richtig zu Potte. Das kann zwar ganz verschiedene Gründe haben, aber meist läuft es auf eines hinaus: Der Darm ist ein Gewohnheitstier. Die Darmnerven merken, welche Dinge wir gerne essen und zu welchen Zeiten in etwa. Sie wissen, wie viel wir uns bewegen und wie viel Wasser wir trinken. Sie merken, wann es Tag und Nacht ist und wann wir auf die Toilette gehen. Wenn alles gut läuft, arbeiten sie munter und aktivieren die Darmmuskeln zum Verdauen.

Wenn wir wegfahren, denken wir an vieles: Wir nehmen unsere Schlüssel mit, machen den Herd aus und haben ein Buch oder Musik dabei, um unser Gehirn bei Laune zu halten. Nur eines vergessen wir fast immer: Unser Darm-Gewohnheitstierchen fährt mit und wird plötzlich völlig im Stich gelassen.

Es gibt den ganzen Tag abgepackte Brote, seltsames Flugzeugessen oder neuartige Gewürze. Zur eigentlichen Mittagspausenzeit stehen wir im Stau oder am Ticketschalter. Wir trinken nicht so viel wie sonst, aus Angst, zu oft aufs Klo zu müssen, und Flugzeugluft trocknet uns zusätzlich aus. Als wäre das nicht schon genug, bekommen wir auch noch einen saftigen Tag-Nacht-Jetlag-Verdreher.

Die Nerven des Darms merken diese Ausnahmesituation. Sie sind irritiert und halten erst einmal inne, bis ihnen signalisiert wird, dass es weitergehen kann. Selbst wenn der Darm während eines so verwirrenden Tages seine Arbeit getan hat und sich erfolgreich zum Klogang meldet, setzen wir oft noch einen drauf und unterdrücken ihn einfach, weil es gerade schlecht passt. Wenn wir ehrlich sind, ist es oft nur wegen dem »Nicht-mein-Klo-Syndrom«. Wer darunter leidet, vertraut sein Geschäft nicht so gerne fremden Toiletten an. Am härtesten sind dann die öffentlichen Toiletten. Wir suchen sie oft nur mit einer Extraportion Ansporn auf, bauen eine aufwendige »Sesselskulptur« aus Klopapier und halten gefühlte zehn Meter Abstand von der Schüssel. Bei starkem Nicht-mein-Klo-Syndrom hilft auch das nicht. Man kann sich nicht genug entspannen, um die Arbeit des Gewohnheitstierchens zu vollenden. So kann ein Urlaub oder eine Geschäftsreise ziemlich unangenehm werden.

Mit drei kleinen Kniffen können Menschen mit kurzen oder milden Verstopfungsphasen ihren Darm wieder so ermutigen, dass er sich wieder entängstigt und an die Arbeit geht:

1. Es gibt etwas zu essen, was unsere Darmwand ein bisschen anstupst und zur Arbeit motiviert: Ballaststoffe. Sie werden nicht im Dünndarm verdaut und können so im Dickdarm freundlich an die Wände klopfen und Bescheid sagen, dass jemand da ist, der weitertransportiert werden möchte. Die besten Ergebnisse liefern Flohsamenschalen und die etwas netter schmeckenden Pflaumen. Beide beinhalten nicht nur Ballaststoffe, sondern auch Wirkstoffe, die mehr Flüssigkeit in den Darm ziehen – dadurch wird das Ganze geschmeidiger. Es dauert etwa zwei bis drei Tage, bis man die volle Wirkung merkt. Man kann also entweder einen Tag vor der Reise damit beginnen oder am ersten Urlaubstag – je nachdem, wie man sich am sichersten fühlt. Für einen Koffer ohne Pflaumenfach dürfen es auch mal Ballaststoffe in Tabletten- oder Pulverform aus der Apotheke oder Drogerie sein. Dreißig Gramm Ballast-

stoff wiegen gar nicht so viel, wie der Name denken lässt – und doch ist das schon eine völlig ausreichende Menge pro Tag.

Wer sich selbst schlaumachen möchte, dem sei Folgendes an die Hand gegeben: Ballaststoffe, die sich nicht im Wasser lösen, regen lebhaftere Bewegungen an, verursachen aber auch öfter Bauchweh. Wasserlösliche Ballaststoffe sind nicht so stark in ihrer Bewegungsförderung, aber machen den Nahrungsbrei geschmeidiger und sind verträglicher. Die Natur entwirft das schon ganz geschickt: Die Schale von Pflanzen beinhaltet oft große Mengen wasserunlöslicher Ballaststoffe, während das Fruchtfleisch mehr wasserlösliche Anteile bereitstellt.

Ballaststoffe bringen wenig, wenn man nicht genug trinkt: Ohne Wasser sind sie nur feste Klumpen. Mit Wasser quellen sie auf zu Spielbällen. Dann hat die gelangweilte Darmmuskulatur auch etwas zu tun, während das Hirn auf den Flugzeugbildschirmen Filme guckt.

2. Viel trinken muss nur, wer wirklich Wasser braucht. Trinkt man schon genug, bewirkt man keine Besserung, wenn man noch mehr trinkt. Ist aber im Körper zu wenig Flüssigkeit vorhanden, ist das anders: Dann zieht der Darm mehr Wasser aus dem Nahrungsbrei. Das wiederum macht den Stuhlgang härter. Kleine Kinder verdampfen bei hohem Fieber oft so viel Körperwasser, dass ihre Verdauung dadurch ins Stocken kommt. Wer lange im Flugzeug sitzt, verliert ähnlich viel Flüssigkeit. Man muss dafür nicht mal schwitzen, es reicht schon eine sehr trockene Umgebungsluft, die unser Körperwasser ganz unauffällig aufnimmt. Man merkt das manchmal erst an einer trockenen Nase. In solchen Fällen sollte man versuchen, mehr zu trinken als gewohnt, um auf den üblichen Pegel zu kommen.
3. Tu dir keinen Zwang an. Wenn man aufs Klo muss, sollte man wirklich gehen. Vor allem, wenn man mit seinem Darm klare

Zeiten abgemacht hat. Wer immer morgens auf die Toilette geht und auf Reisen zur selben Zeit den Drang unterdrückt, verletzt ein stilles Abkommen. Der Darm möchte seine Arbeit nur plangerecht abwickeln. Sogar wenn man nur ein paar Mal hintereinander Verdauungsbrei zurück in die Warteschleife schickt, trainiert man damit die Nerven und Muskeln in die Rückwärtsrichtung. Als Resultat kann es immer schwerer werden, die Richtung wieder umzukehren. Noch dazu ist in der Warteschleife mehr Zeit, um Wasser zu entziehen. Das kann das kommende Geschäft immer härter machen. Den Stuhldrang zu unterdrücken kann nach ein paar Tagen zu Verstopfungen führen. Wer also noch einen einwöchigen Campingurlaub vor sich hat: Überwinde die Angst vor dem Plumpsklo, bevor es zu spät ist!

4. Probiotika und Präbiotika – lebende, gute Bakterien und ihr Lieblingsessen können einem müden Darm neues Leben einhauchen. Hier kann man in der Apotheke nachfragen oder ein bisschen im Buch nach vorne blättern.
5. Extra-Spaziergänge? Das ist nicht unbedingt erfolgreich. Wenn man sich plötzlich weniger bewegt als sonst, kann es zu einem trägeren Darm kommen – das ist richtig. Bewegt man sich allerdings wie immer, bewirkt ein Spaziergang mehr oder weniger auch kein Verdauungsnirwana. In Studien zeigt erst stark beanspruchender Sport wieder eine messbare Wirkung auf die Darmbewegung. Wer also nicht vorhat, sich auszupowern, muss sich – zumindest für einen erfolgreichen Klogang – nicht unbedingt zum Pflichtspaziergang zwingen.

Wer sich für Unkonventionelles interessiert, kann das Schaukelhocken ausprobieren: Man sitzt auf der Toilette und beugt den Oberkörper vor bis zu den Oberschenkeln und bewegt ihn dann wieder zurück in die aufrechte Sitzhaltung. Das wiederholt man

ein paar Mal, und dann sollte es klappen. Auf der Toilette wird man nicht gesehen und hat einen Moment Zeit – perfekte Voraussetzung für so ein ungewöhnliches Experiment.

Wenn Alltagstipps und Schaukeln nichts bewirken:

Bei hartnäckigeren Verstopfungen sind die Nerven des Darms nicht nur verwirrt oder schmollen, sondern sie brauchen auch ein bisschen mehr Unterstützung von uns. Wer schon alle kleinen Tipps probiert hat, aber immer noch nicht pfeifend von der Toilette hüpft, darf in einer anderen Trickkiste kramen. Das sollte allerdings nur derjenige, der den Grund für seine Verstopfung kennt. Wer nicht genau weiß, woher das Ganze kommt, kann auch nicht richtig helfen.

Man sollte immer zum Arzt, wenn eine Verstopfung ganz plötzlich kommt oder ungewöhnlich lange dauert. Vielleicht versteckt sich hinter allem ein unerkannter Diabetes oder ein Schilddrüsenproblem, oder wir sind geborene Langsam-Transportierer.

Abführmittel

Bei Abführmitteln ist das Ziel klar formuliert: wahre Prachthaufen. Und zwar solche, die selbst den schüchternsten Darm wieder aus der Reserve locken. Es gibt verschiedene Sorten von Abführmitteln, die unterschiedlich funktionieren. Für alle hoffnungslos verstopft Reisenden, Langsam-Transportierer, Campingtoiletten-Verweigerer oder Hämorrhoiden-Hindernis-Überwinder kommen wir jetzt zu dieser Trickkiste.

Ein Prachthaufen durch Osmose

... ist wohlgeformt und nicht zu hart. Osmose ist das Gerechtigkeitsgefühl des Wassers. Wenn ein Wasser mehr Salz, Zucker

o. Ä. hat als ein anderes Wasser, strömt das ärmere Wasser zum reicheren Wasser dazu. So haben beide gleich viel und leben in Frieden miteinander. Dasselbe Prinzip lässt auch schlappen Salat wieder frisch werden – man legt ihn einfach eine halbe Stunde in eine Schüssel mit Wasser und holt ihn knackiger wieder heraus. Das Wasser strömt in den Salat, weil der Salat mehr Salze, Zucker etc. enthält als das pure Wasser in der Schüssel.

Osmotische Abführmittel nutzen diese ausgleichende Gerechtigkeit. Sie beinhalten bestimmte Salze, Zucker oder winzige Molekülketten, die bis in den Dickdarm gelangen. Auf ihrem Weg holen sie allerlei Wasser dazu und machen den Toilettengang so geschmeidig wie möglich. Übertreibt man das Ganze, wird zu viel Wasser gezogen. Durchfall ist ein sicheres Zeichen dafür, dass man zu viel Abführmittel eingenommen hat.

Bei osmotischen Abführmitteln kann man sich entscheiden, ob man als »Wasser-Ziehmittel« Zucker, Salze oder kleine Molekülketten nehmen möchte. Die Salze, wie Glaubersalz, sind eher grob zu uns. Ihre Wirkung tritt sehr plötzlich ein – und bei häufigerer Einnahme bringen sie den Salzhaushalt unseres Körpers durcheinander.

Der bekannteste Abführzucker ist die Lactulose. Sie besitzt einen praktischen Doppeleffekt: Neben der Wasserrekrutierung füttert Lactulose auch Darmbakterien. Diese kleinen Wesen können mit anpacken, indem sie zum Beispiel weichmachende Stoffe herstellen oder die Darmwand zur Bewegung motivieren. Als Nebenwirkung kann allerdings genau das unangenehm sein – überfütterte oder falsche Bakterien können Gase herstellen und zu Bauchweh und Blähungen führen.

Lactulose entsteht aus dem Milchzucker, Laktose zum Beispiel bei starker Erwärmung von Milch. Pasteurisierte Milch wird kurz erhitzt und enthält deshalb schon mal mehr Lactulose als rohe Milch. Ultrahocherhitzte Milch enthält wiederum mehr als pasteurisierte und so weiter. Es gibt aber auch nicht-milchige Abführzucker, zum Beispiel Sorbit. Sorbit ist in einigen Obstsorten enthalten – etwa in Pflaumen, Birnen oder Äpfel. Das ist einer der Gründe für das verdauungsfördernde Image von Pflaumen und für die Warnung, dass zu viel frischer Apfelsaft Durchfall verursacht. Weil Menschen Sorbit wie Lactulose kaum ins Blut aufnehmen, wird es oft als Zuckeraustauschstoff benutzt. Dann heißt es E420 und ist zum Beispiel bei zuckerfreien Hustenbonbons der Grund für den Hinweis: »Kann bei übermäßigem Verzehr abführend wirken.« In einigen Studien hat Sorbit denselben Effekt wie Lactulose, aber zeigt insgesamt weniger Nebenwirkungen (eben keine unangenehmen Blähungen).

Die kleinen Molekülketten sind von allen Abführmitteln am verträglichsten. Sie heißen so, wie Molekülketten gerne mal genannt werden – zum Beispiel Polyethylenglykol, kurz PEG. Sie bringen den Salzhaushalt nicht so durcheinander wie Salze und verursachen auch kaum Blähungen wie Zucker. Die Kettenlänge steckt oft schon im Namen: PEG3350 ist so viele Atome lang, dass es ein Molekulargewicht von 3350 hat. Das ist viel besser als PEG150 – denn hier sind die Ketten so kurz, dass wir sie ungewollt im Darm aufnehmen könnten. Gefährlich wäre das nicht unbedingt, aber irritierend für den Darm, denn Polyethylenglykol gehört definitiv nicht zu unserem Speiseplan.

Kurze Ketten wie PEG150 gibt es deshalb nicht in Abführmitteln – aber zum Beispiel in Hautcremes. Hier gehen sie einer sehr verwandten Beschäftigung nach: Sie helfen, die Haut geschmeidiger zu machen. Dass sie Schaden verursachen, ist unwahrscheinlich, aber noch nicht ausdiskutiert. Abführmittel wie PEG enthalten ausschließlich die unverdaulichen Ketten und können so über lange Zeit ohne Probleme genommen werden – hier muss man nach den neusten Studien keine Angst vor Abhängigkeit oder Dauerschäden haben. Einige Forschungsergebnisse legen sogar nahe, dass sie die Schutzbarriere des Darms verbessern.

Osmotische Abführmittel wirken nicht nur durch Feuchtigkeit, sondern auch durch Masse. Je mehr Feuchtigkeit, wohlernährte Darmflorabakterien oder Molekülketten in so einem Darm befindlich sind, desto stärker wird der Darm angeregt, sich zu bewegen. Das ist das Prinzip des peristaltischen Reflexes.

Ein Prachthaufen durch Kotgleiter

... klingt nach einer fabelhaften Freizeitaktivität: Kotgleiten – das Paragliding des Dickdarms. Der Erfinder der Vaseline, Robert Chesebrough, schwor auf einen Löffel Vaseline täglich. Vaseline zu essen dürfte einen ähnlichen Effekt haben wie die Einnahme anderer fetthaltiger Kotgleiter – in einer unverdaulichen Fett-Überdosis umhüllen sie das Transportgut und helfen so beim einfacheren Abtransport. Robert Chesebrough wurde 96 Jahre alt, was erstaunlich ist, denn wer täglich fettige Gleitmittel isst, verliert dadurch zu viele fettlösliche Vitamine. Diese werden nämlich ebenfalls eingemantelt und abtransportiert. Dadurch entsteht ein Mangel, der zu Krankheiten führt – vor allem, wenn man es zu oft macht und übertreibt. Vaseline gehört nicht zu den offiziellen Kotgleitern (und sollte auch wirklich nicht gegessen werden) – die allbekannten Kotgleiter wie Paraffinöl sind allerdings auch keine überzeugendere Dauerlösung. Sie können als Übergangslösung sinnvoll sein – zum Beispiel bei unangenehmen, kleinen Wunden oder Hämorrhoiden am Darmausgang. In so einem Fall ist es sogar gut, für weicheren Kot zu sorgen, damit man am Ende keine Schmerzen hat oder etwas kaputtmacht. Dafür eignen sich allerdings auch gelbildende Ballaststoffe aus der Apotheke, die deutlich verträglicher und ungefährlicher sind.

Ein Prachthaufen durch Hydragoga

... entsteht durch massives Ankurbeln des Darms. Diese Abführmittel sind für Verstopfte mit sehr schüchternen, langsam agierenden Darmnerven. Ob das auf einen zutrifft, kann man durch verschiedene Tests herausfinden – einer davon beinhaltet das Schlucken von kleinen medizinischen Kügelchen, die ein Arzt mit einem Röntgenapparat bei ihrer Wanderung durch den Darm fotografiert. Wenn nach einer gewissen Zeit immer noch die meisten Kugeln überall verstreut sind und sich nicht brav am Darmausgang versammelt haben, dann sind Hydragoga angesagt.

Hydragoga setzen sich auf ein paar der Rezeptoren, die der Darm neugierig in die Gegend streckt. Diese geben daraufhin Signale an den Darm: Kein Wasser mehr aus dem Nahrungsbrei rauslassen, mehr Wasser von außen dazuholen, Muskeln – macht mal hin! Wassertransporter und Nervenzellen werden von clever gebauten Hydragoga, plump gesagt, herumkommandiert. Wenn osmotische Abführmittel nicht anregend und geschmeidig genug sind, braucht so ein schüchterner Darm ein paar klare Ansagen. Am Abend geschluckt, kann das Ganze über Nacht sacken, und

am nächsten Morgen reagiert der Darm darauf. Wer es schnell braucht, kann die Kommandos der Hydragoga per Expressbotenzäpfchen direkt dem Dickdarm mitteilen. Dann ist die Nachricht meist innerhalb einer Stunde angekommen.

Zur Kommandotruppe gehören nicht nur Chemiekeulen, sondern auch Pflanzen. Aloe vera oder Senna funktionieren sehr ähnlich. Allerdings haben sie aufregendere Nebenwirkungen – wer gerne mal seinen Darm von innen schwarz färben möchte, ist herzlich eingeladen. Die Verfärbung ist nicht gefährlich und geht auch wieder zurück.

Allerdings haben einige Wissenschaftler auch Nervenschäden durch den Genuss von zu viel Hydragoga oder Aloe vera beschrieben, die weniger lustig sein dürften, wenn sie wirklich davon ausgelöst wurden. Der Grund ist: Nerven, die zu viel herumkommandiert wurden, sind irgendwann überreizt. Dann ziehen sie sich zurück, wie Schnecken, denen man an die Fühler stupst. Man sollte deshalb diese Medikamente bei dauerhaften Problemen nicht häufiger als jeden zweiten bis dritten Tag einnehmen.

Ein Prachthaufen durch Prokinetika

... ist der neuste Schrei – in zweierlei Hinsicht. Diese Medikamente können den Darm nur in dem verstärken, was er sowieso tut, und keine ungewollten Bewegungen befehlen. Sie funktionieren im Prinzip so wie Lautsprecher. Für viele Wissenschaftler spannend ist, dass diese Medikamente isoliert helfen können. Manche funktionieren nur an einem einzigen Rezeptor oder werden gar nicht erst in den Blutkreislauf aufgenommen. Allerdings ist die Wirkungsweise vieler Substanzen noch im Teststadium, oder die entsprechenden Mittel kommen gerade erst

---

Abb.: *Hydragoga regen den Vorwärtstransport im Darm an.*

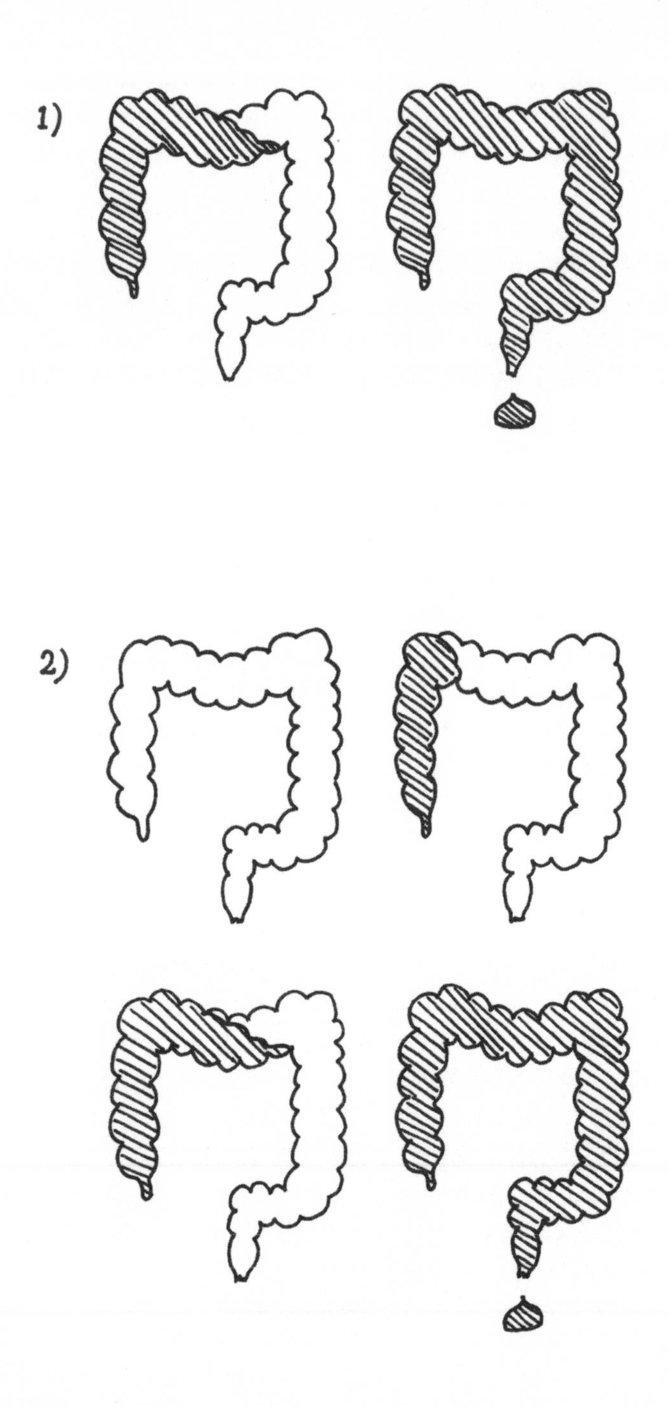
1)
2)

auf den Markt. Wer also nicht notgedrungen etwas Neues ausprobieren will, ist mit Altbewährtem auf der erprobteren Seite.

Die Drei-Tage-Regel

Viele Ärzte verschreiben Abführmittel, ohne die Drei-Tage-Regel zu erklären. Dabei geht das recht schnell und hilft gut: Der Dickdarm hat drei Teile, den aufsteigenden, den waagrechten und den absteigenden Dickdarm. Wenn wir auf die Toilette gehen, entleeren wir meist den letzten Teil. Bis zum nächsten Tag wird dieser wieder aufgefüllt, und das Spiel beginnt von vorne. Wenn wir stark wirkende Abführmittel einnehmen, dann kann es passieren, dass wir den kompletten Dickdarm entleeren, also alle drei Teile. Bis der Dickdarm dann wieder ausreichend gefüllt ist, kann das gerne mal drei Tage dauern.

Wer die Drei-Tage-Regel nicht kennt, wird in dieser Zeit schon wieder nervös. Immer noch kein Stuhlgang? Schon der dritte Tag? Und dann - schwups - landet die nächste Tablette oder das nächste Pulver im Mund. Das ist ein unnötiger Teufelskreis. Nach einem Abführmittel darf man dem Darm auch mal zwei Tage Ruhe gönnen. Erst die Zeit ab dem dritten Tag zählt wieder. Wer sicher zu den Langsam-Transportierern gehört, darf auch nach zwei Tagen wieder nachhelfen.

Abb.: *1. Normalzustand: Ein Drittel des Dickdarms entleert sich und füllt sich bis zum nächsten Tag.*
2. Nach Abführmitteln: Der gesamte Dickdarm entleert sich, und es kann drei Tage dauern, bis er wieder gefüllt ist.

Gehirn und Darm

Das ist eine Seescheide.

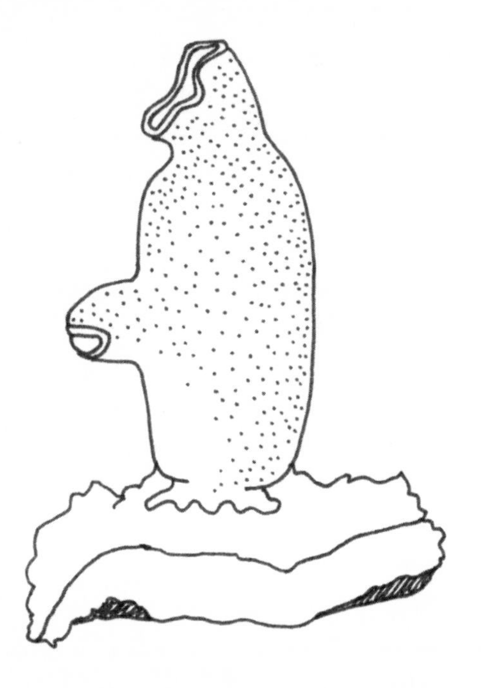

Sie kann uns ihre Sicht auf die Notwendigkeit eines Gehirns erläutern. Die Seescheide gehört wie wir Menschen zu den Chordatieren. Sie hat ein bisschen Hirn und eine Art Rückenmark. Über das Rückenmark schickt das Hirn seine Befehle runter an den Körper und bekommt dafür vom Körper interessante Neuigkeiten zurück. Beim Menschen bekommt es zum Beispiel von den Augen das Abbild eines Straßenschildes gesendet, bei der

Seescheide von den Augen, ob ein Fisch den Weg kreuzt. Beim Menschen von Hautsensoren die Information, wie die Temperatur draußen so ist, bei der Seescheide von Hautsensoren die Information, wie die Wassertemperatur in tieferen Schichten so ist. Beim Menschen, ob das Essen hier empfehlenswert ist – bei der Seescheide ... auch.

Mit diesen Informationen ausgestattet, navigiert die junge Seescheide durch den großen Ozean. Sie sucht einen Ort, der ihr besonders gut gefällt. Sobald sie einen Felsen gefunden hat, der ihr sicher erscheint, wohltemperiert ist und sich in nahrhafter Umgebung befindet, wird sie sesshaft. Die Seescheide ist nämlich ein sessiles Tier – sprich: Hat sie sich einmal niedergelassen, bleibt sie an dieser Stelle, egal, was kommt. Das Erste, was die Seescheide in ihrer neuen Heimat tut, ist Folgendes: Sie isst ihr Gehirn auf. Wieso auch nicht? Leben und Seescheide sein kann man auch so.

Daniel Wolpert ist nicht nur ein vielfach ausgezeichneter Ingenieur und Mediziner, sondern auch ein Wissenschaftler, der die Einstellung der Seescheide sehr aussagekräftig findet. Seine These lautet: Der einzige Grund, ein Gehirn zu haben, ist Bewegung. Das klingt im ersten Moment so banal, dass man empört aufschreien möchte. Vielleicht halten wir aber nur die falschen Dinge für banal.

Bewegung ist das Außergewöhnlichste, was wir Lebewesen jemals zustande gebracht haben. Es gibt keinen anderen Grund, Muskeln zu haben, keinen anderen Grund, Nerven an diesen Muskeln zu haben, und vermutlich keinen anderen Grund, ein Gehirn zu haben. Alles, was jemals die Menschheitsgeschichte verändert hat, war nur möglich, weil wir uns bewegen können. Bewegung ist eben nicht nur das Laufen oder das Werfen eines Balles, Bewegung ist auch ein Gesichtsausdruck, das Artikulieren von Wörtern oder das Umsetzen von Plänen. Unser Gehirn koordiniert seine Sinne und kreiert Erfahrung, um Bewegung zu verursachen. Bewegungen des Mundes, der Hände, Bewegung über viele Kilometer hinweg oder Bewegung über wenige Millimeter. Manchmal können wir die Welt auch dadurch beeinflussen, dass wir Bewegung unterdrücken. Ist man allerdings ein Baum und hat keine Wahl zwischen zwei Optionen, braucht man auch kein Gehirn.

Die gemeine Seescheide braucht kein Gehirn mehr, wenn sie fest an einem Ort etabliert ist. Die Zeit des Bewegens ist dann vorbei, das Gehirn somit nicht mehr nötig. Denken *ohne* Bewegung bringt weniger, als ein Mundloch für Plankton zu besitzen. Letzteres beeinflusst wenigstens in kleinem Maße das Gleichgewicht der Welt ein bisschen.

Wir Menschen sind sehr stolz auf unser besonders komplexes Gehirn. Das Nachdenken über Grundgesetze, Philosophie, Physik oder Religion ist eine Spitzenleistung und kann sehr durchdachte Bewegungen auslösen. Es ist eindrucksvoll, dass unser Gehirn so etwas schafft. Mit der Zeit ist unsere Bewunderung aber ausgeufert. Wir schieben dem Kopf plötzlich unser komplettes Lebenserlebnis zu – Wohlgefühl, Freude oder Zufriedenheit denken wir uns im Gehirn. Bei Unsicherheit, Angst oder Depressionen schämt man sich für einen scheinbar kaputten Lebenscomputer im Oberstübchen. Das Philosophieren oder Forschen über Physik ist und bleibt eine Kopfangelegenheit – aber unser »Ich« ist mehr als das.

Diese Lektion lehrt uns ausgerechnet der Darm. Ein Organ, das für kleine braune Häufchen und Pupstöne in unterschiedlichen Trompetenvariationen bekannt ist. Genau dieses Organ sorgt in der Forschung derzeit für ein Umdenken – man beginnt die absolute Führungsstellung des Gehirns vorsichtig zu hinterfragen. Der Darm hat nicht nur unfassbar viele Nerven, sondern – im Vergleich zum Restkörper – auch unfassbar andersartige

Nerven. Er besitzt einen ganzen Fuhrpark an verschiedenen Signalstoffen, Nerven-Isolationsmaterialien und Verschaltungsarten. Es gibt nur ein Organ, das ebenfalls eine so große Vielfalt besitzt – das Gehirn. Das Nerven-Netzwerk des Darms wird deshalb auch Darmhirn genannt, eben weil es so groß ist und chemisch ähnlich komplex. Wäre der Darm nur dafür zuständig, Nahrung zu transportieren und uns von Zeit zu Zeit zum Rülpsen zu bringen, wäre ein so ausgetüfteltes Nervensystem eine seltsame Energieverschwendung – kein Körper würde solche Neuronennetze für ein simples Pupsrohr bauen. Es muss mehr dahinterstecken.

Wir Menschen wissen eigentlich schon seit Urzeiten, was die Forschung erst langsam entdeckt: Unser Bauchgefühl hat einen großen Anteil daran, wie es uns geht. Wir »haben Schiss« oder »die Hosen voll«, wenn wir ängstlich sind. »Kommen nicht zu Potte«, wenn wir etwas nicht hinkriegen. Wir »schlucken Enttäuschung herunter«, müssen Niederlagen erst einmal »verdauen« und eine gemeine Bemerkung »stößt uns sauer auf«. Sind wir verliebt, haben wir »Schmetterlinge im Bauch«. Unser »Ich« besteht aus Kopf und Bauch – mittlerweile nicht mehr nur auf sprachlicher Ebene, sondern immer öfter auch im Labor.

Wie der Darm das Hirn beeinflusst

Wenn Wissenschaftler Gefühle erforschen, versuchen sie erst einmal irgendetwas zu messen. Sie vergeben Punkte je nach Selbstmordneigung, messen Hormonspiegel, wenn es um Liebe geht, oder testen Tabletten gegen Angst. Das sieht für Außenstehende oft nicht besonders romantisch aus. In Frankfurt gab es sogar eine Studie, bei der die Wissenschaftler aufwendige Hirnscans anfertigten, während eine studentische Hilfskraft den Probanden die Genitalien mit einer Zahnbürste kitzelte. Durch

Experimente wie dieses findet man heraus, in welchen Hirnbereichen Signale aus bestimmten Körperregionen ankommen. Das hilft dabei, eine Karte des Gehirns zu erstellen.

So wissen wir mittlerweile, dass Signale der Genitalien oben mittig, knapp unter dem Scheitel ankommen. Angst entsteht im Inneren des Gehirns, sozusagen zwischen den beiden Ohren. Für das Formen von Wörtern ist ein Bereich zuständig, der etwas oberhalb der Schläfe sitzt. Moralische Gedanken entstehen hinter der Stirn und so weiter und so fort. Um die Beziehung zwischen Darm und Hirn besser zu verstehen, muss man ihre Kommunikationswege ablaufen. Wie kommen die Signale vom Bauch zum Kopf, und was können sie dort bewirken.

Signale aus dem Darm können in verschiedene Hirnbereiche gelangen, aber nicht in alle. Niemals kommen sie zum Beispiel in der Sehrinde im Hinterkopf an. Wäre dem so, würden wir Bilder oder Effekte von dem sehen, was im Darm passiert. Wohin sie allerdings kommen können, ist die Insula, das limbische System, der präfrontale Cortex, die Amygdala, der Hippocampus oder auch der anteriore cinguläre Cortex. Neurowissenschaftler werden jetzt verletzt aufschreien, wenn ich die Zuständigkeiten dieser Bereiche grob so zusammenfasse: »Ich«-Gefühl, Gefühlsverarbeitung, Moral, Angstempfinden, Gedächtnis und Motivation. Das bedeutet nicht, dass unser Darm unsere moralischen Gedanken steuert – es räumt ihm aber die Möglichkeit ein, diese zu beeinflussen. Im Labor muss man sich über Versuche Stück für Stück herantasten, um solche Möglichkeiten genauer zu überprüfen.

Die schwimmende Maus ist eines der rührendsten Experimente aus der Motivations- und Depressionsforschung. Eine Maus wird in ein kleines Wasserbecken gesetzt. Sie kommt mit

---

Abb.: *Aktivierte Hirnregionen beim Sehen, beim Angsthaben, beim Wörterbilden, beim Moralempfinden und bei stimulierten Genitalien.*

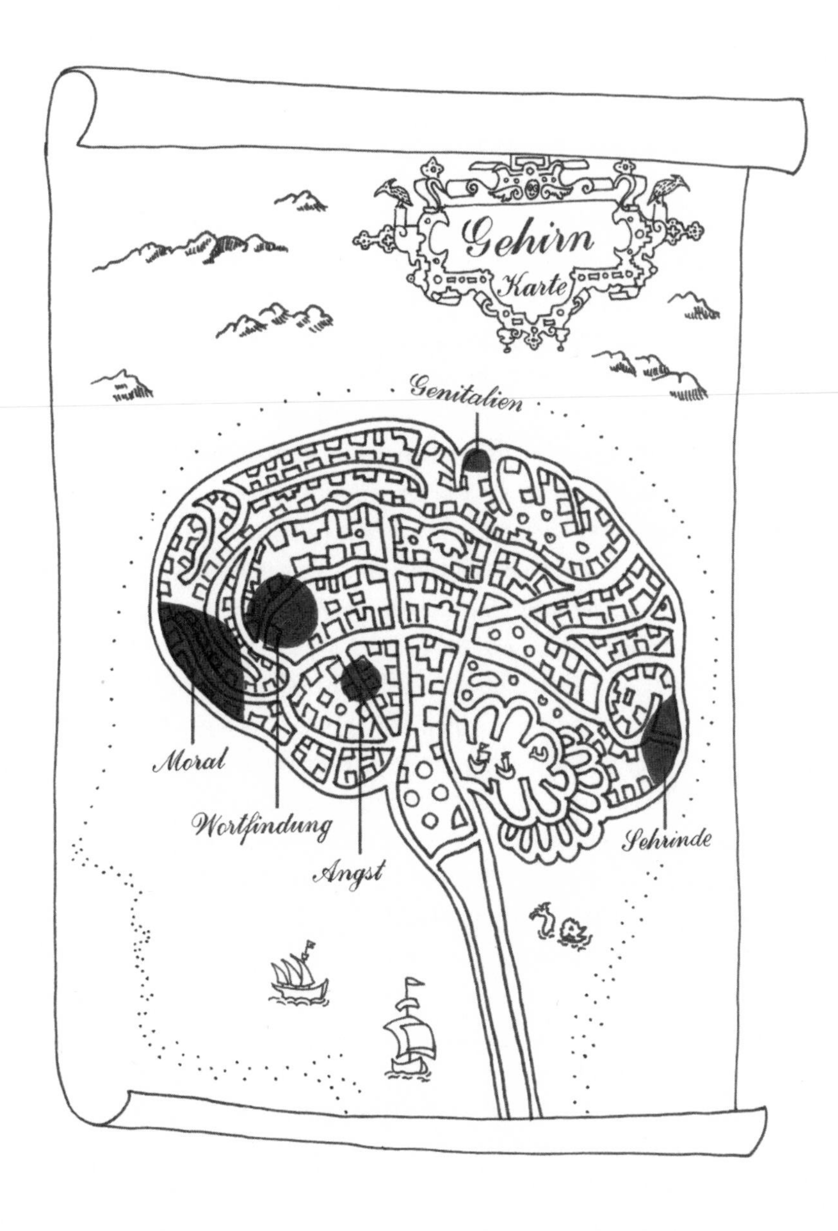
Gehirn
Karte
Genitalien
Moral
Wortfindung
Angst
Sehrinde

den Füßchen nicht auf den Boden, also paddelt sie herum, denn sie will wieder an Land. Die Frage dabei ist: Wie lange wird die Maus für ihren Wunsch schwimmen? Im Grunde ist das eine Ursituation des Lebens. Wie sehr suchen wir nach etwas, das unserer Meinung nach da sein müsste? Das kann etwas Konkretes wie Boden unter den Füßen sein, ein Schulabschluss oder auch etwas Abstraktes wie Befriedigung und Freude.

Mäuse mit depressiven Eigenschaften schwimmen nicht sehr lange. Sie verharren immer wieder regungslos. In ihren Gehirnen können hemmende Signale scheinbar sehr viel besser durchgestellt werden als motivierende und antreibende Impulse. Außerdem reagieren sie stärker auf Stress. Normalerweise kann man neuartige Antidepressiva an solchen Mäusen untersuchen – schwimmen sie nach der Einnahme länger, ist das ein interessanter Hinweis, dass eine Substanz funktionieren könnte.

Die Forscher aus dem Team des irischen Wissenschaftlers John Cryan gingen noch einen Schritt weiter. Sie fütterten die Hälfte ihrer Mäuse mit einem Bakterium, das dafür bekannt ist, den Darm zu pflegen: *Lactobazillus rhamnosus JB-1*. Dieser Gedanke, das Verhalten der Mäuse über den Bauch zu ändern, war 2011 noch sehr neuartig. Die Mäuse mit dem so aufgepimptem Darm schwammen tatsächlich nicht nur länger und hoffnungsvoller, in ihrem Blut ließen sich auch weniger Stresshormone nachweisen. Außerdem schnitten sie in Gedächtnis- und Lerntests deutlich besser ab als ihre Artgenossen. Durchtrennten die Wissenschaftler aber den sogenannten Nervus Vagus, gab es keinen Unterschied mehr zwischen den Mäusegruppen.

Dieser Nerv ist der wichtigste und schnellste Weg vom Darm zum Hirn. Er läuft durch das Zwerchfell, zwischen Lunge und Herz an der Speiseröhre hoch, durch den Hals bis in das Hirn. In einem Versuch an Menschen konnte man feststellen, dass sich die Probanden wahlweise wohl fühlten oder Angst bekamen, wenn der Nerv mit bestimmten Frequenzen stimuliert wurde. Seit 2010 ist in Europa sogar eine Therapie bei Depressionen zugelassen, die darauf beruht, den *Vagus*-Nerv so zu reizen, dass es den Patienten dadurch bessergeht. Der Nerv funktioniert also ein bisschen wie eine Telefonleitung zur Kopfzentrale, über die ein Außendienstmitarbeiter seine Eindrücke mitteilt.

Das Gehirn braucht diese Informationen, um sich ein Bild davon machen zu können, wie es im Körper so zugeht. Denn es ist so isoliert und geschützt wie sonst kein anderes Organ. Es sitzt in einem knöchernen Schädel, ist umhüllt von einer dicken Gehirnhaut und filtert jeden Tropfen Blut noch einmal durch, bevor er die Hirnbereiche durchströmen darf. Der Darm dagegen befindet sich mitten im Getümmel. Er kennt alle Moleküle aus unserem letzten Essen, fängt herumschwirrende Hormone neugierig im Blut ab, fragt die Immunzellen nach ihrem Tag oder lauscht andächtig dem Surren der Darmbakterien. Er kann dem Gehirn Dinge über uns erzählen, von denen es sonst niemals eine Ahnung hätte.

All diese Informationen sammelt der Darm nicht nur mit Hilfe eines beachtlichen Nervensystems, sondern auch auf einer riesigen Fläche. Das macht ihn zum größten sensorischen Organ des Körpers. Augen, Ohren, Nase oder Haut sind nichts dagegen. Ihre Informationen gelangen ins Bewusstsein und werden dazu benutzt, um auf die Umwelt reagieren zu können. Sie sind damit so etwas wie Einparkhilfen, wenn es um unser Leben geht. Der Darm dagegen ist eine riesige Matrix – er empfindet unser Innenleben und arbeitet im Unterbewusstsein.

Darm und Hirn arbeiten schon sehr früh zusammen. Die beiden entwerfen einen großen Teil unserer ersten Gefühlswelt als Säuglinge. Wir lieben wohlige Sattheit, verzweifeln über Hunger und quälen uns quengelnd mit Blähungen herum. Vertraute Personen füttern, wickeln und machen Bäuerchen mit uns. Als Babys besteht unser »Ich« stark fühlbar aus Darm und Hirn. Wenn wir älter werden, erfahren wir die Welt immer mehr mit allen Sinnen. Wir weinen dann nicht mehr lauthals, wenn im Restaurant das Essen schlecht ist. Die Verbindung von Darm zu Hirn ist allerdings nicht plötzlich weg, sondern nur deutlich verfeinert. Ein Darm, der sich nicht gut fühlt, könnte uns jetzt subtiler aufs Gemüt drücken, und ein gesunder, wohlernährter Darm unsere Stimmung diskreter verbessern.

Die erste Studie über die Auswirkung von Darmpflege auf gesunde menschliche Hirne wurde 2013 veröffentlicht – zwei Jahre nach der Mäusestudie. Die Versuchsleiter waren davon ausgegangen, dass bei Menschen kein sichtbarer Effekt auftreten würde. Ihre Ergebnisse überraschten nicht nur sie selbst, sondern auch die restliche Forscherwelt. Nach der vierwöchigen Einnahme von einem Mix aus bestimmten Bakterien waren einige Hirnareale deutlich verändert, darunter vor allem Bereiche für Gefühls- und Schmerzverarbeitung.

Von gereizten Därmen, Stress und Depressionen

Nicht jede unzerkaute Erbse darf im Gehirn mitmischen. Der gesunde Darm leitet kleine unwichtige Verdauungssignale nicht über den *Vagus* zum Gehirn weiter, sondern verarbeitet sie mit seinem eigenen Hirn – dafür hat er ja eins. Wenn ihm allerdings etwas wichtig vorkommt, kann er es für nötig halten, das Gehirn miteinzubeziehen.

Das Gehirn stellt auch nicht gleich jede Information zum Bewusstsein durch. Wenn der *Vagus*-Nerv Informationen zu den extrem wichtigen Orten im Kopf bringen will, muss er sozusagen am Türsteher des Gehirns vorbei. Das ist der Thalamus. Melden die Augen ihm zum zwanzigsten Mal, dass im Wohnzimmer immer noch dieselben Gardinen hängen, weist der Thalamus diese

Information ab – sie ist für das Bewusstsein nicht wirklich wichtig. Die Meldung über *neue* Vorhänge würde beispielsweise wieder durchgelassen. Nicht bei jedem Thalamus, aber bei den meisten.

Eine unzerkaute Erbse schafft es nicht über die Schwelle von Darm und Hirn. Bei anderen Reizen sieht das wieder anders aus. So gelangen Meldungen aus dem Bauch bis in den Kopf und können dort zum Beispiel das »Brechzentrum« über einen merkwürdig hohen Alkoholgehalt informieren, dem »Schmerzzentrum« von starken Blähungen berichten oder das Auftauchen von unguten Krankheitserregern dem Sachbearbeiter »Unwohlsein« melden. Diese Reize kommen durch, weil die darmeigene Schwelle und der hirneigene Türsteher sie wichtig finden. Das gilt nicht nur für unangenehme Informationen. Manche Signale können uns auch am Weihnachtsabend satt und zufrieden auf

der Couch einschlafen lassen. Bei einigen können wir ganz bewusst sagen, dass sie vom Bauch kommen; andere werden in unbewussteren Hirnbereichen verarbeitet und können daher nicht so zugeordnet werden.

Bei Menschen mit einem gereizten Darm kann die Verbindung vom Darm zum Hirn sehr belastend sein. Das sieht man auch auf Hirnscans. In einem Experiment wurde Probanden ein kleiner Ballon innerhalb des Darms aufgeblasen, während gleichzeitig Bilder der Hirnaktivität erstellt wurden. Bei beschwerdefreien Testpersonen bekam man ein normales Hirnbild ohne auffallende Gefühlskomponenten. Bei den Reizdarm-Patienten dagegen löste das Ausdehnen des Ballons eine deutliche Aktivität in einem emotionalen Hirnbereich aus, in dem sonst unangenehme Gefühle verarbeitet werden. Der gleiche Reiz konnte bei diesen Probanden also beide Schwellen überwinden. Die Patienten fühlten sich schlecht, obwohl sie gar nichts Schlimmes getan hatten.

Beim Reizdarm-Syndrom spürt man häufig ein unangenehmes Drücken oder Gluckern im Bauch und tendiert zu Durchfall oder Verstopfungen. Betroffene leiden überdurchschnittlich häufig auch unter Angstzuständen oder Depressionen. Experimente wie die der Ballon-Studie zeigen, dass Unwohlsein und schlechte Gefühle über die Darm-Hirn-Achse entstehen könnten – wenn die Schwelle des Darms abgesenkt ist oder das Hirn die Information unbedingt haben will.

Mögliche Ursachen für einen solchen Zustand können über einen längeren Zeitraum andauernde winzige (sogenannte Mikro-)Entzündungen, eine ungute Darmflora oder unentdeckte Nahrungsmittel-Unverträglichkeiten sein. Einige Ärzte betrachten Reizdarm-Patienten trotz aktueller Forschungsergebnisse allerdings immer noch als »Hypochonder« oder Simulanten – weil sich bei Untersuchungen keine sichtbaren Schäden im Darm finden lassen.

Das ist bei anderen Darmerkrankungen anders. Während akuter Phasen sind bei Menschen mit einer chronischen Entzündung im Bauch wie *Morbus Crohn* oder *Colitis ulcerosa* im Darm tatsächlich echte Wunden festzustellen. Bei diesen Patienten liegt das Problem nicht darin, dass schon kleine Reize aus dem Darm in das Gehirn gelangen. Bei ihnen halten die Schwellen so etwas noch auf. Es ist die erkrankte Darmschleimhaut, die für die Beschwerden sorgt. Ähnlich wie die Reizdarmpatienten sind aber auch unter diesen Betroffenen höhere Raten an Depressionen und Angstzuständen zu verzeichnen.

Momentan gibt es nur wenige, aber dafür sehr gute Forscherteams, die an der Stärkung von Darm- und Hirnschwelle forschen. Das ist nicht nur für Patienten mit Darmproblemen von Bedeutung, sondern für alle Menschen. Stress ist vermutlich einer der wichtigsten Reize, die Hirn und Darm miteinander besprechen. Wenn unser Gehirn ein großes Problem (wie Zeitdruck oder Ärger) fühlt, dann will es dieses Problem lösen. Dafür braucht es Energie. Die leiht es sich vor allem vom Darm. Der Darm bekommt über sogenannte sympathische Nervenfasern mitgeteilt, dass hier gerade eine Notsituation herrscht und er ausnahmsweise gehorchen muss. Er spart kollegialerweise Energie beim Verdauen ein, produziert weniger Schleimstoffe und fährt seine eigene Durchblutung herunter.

Dieses System ist allerdings nicht für die Daueranwendung gebaut. Wenn das Gehirn permanent Ausnahmesituationen meldet, nutzt es die Gutmütigkeit des Darms aus. In so einem Moment muss der Darm auch mal unschöne Signale zum Gehirn schicken – sonst ginge es ja immer so weiter. Wir können uns dann abgeschlagener fühlen oder unter Appetitlosigkeit, Unwohlsein oder Durchfall leiden. Wie beim emotionalen Erbrechen in einer aufregenden Situation wird der Darm auch hier Nahrung los, um mit dem Energieentzug durch das Gehirn fertig zu werden. Mit dem Unterschied, dass echte Stressphasen sehr viel länger andauern können. Wenn der Darm zu lange herhalten muss, ist das für ihn ungesund. Fehlende Durchblutung und ein dünnerer Schleimschutzmantel schwächen die Darmwände. Die darin hausenden Immunzellen schütten dann besonders viele Signalstoffe aus, die das Darmhirn immer stärker sensibilisieren und so die erste Schwelle herabsetzen. Stressphasen bedeuten geliehene Energie – man sollte nie zu viele Schulden machen, sondern versuchen, möglichst gut zu haushalten.

Eine Theorie von Bakterienforschern ist außerdem: Stress ist unhygienisch. Unter den veränderten Lebensbedingungen im Darm überleben nämlich andere Bakterien als zu entspannten Zeiten. Stress verändert sozusagen das Wetter im Bauch. Herbe Gesellen, die mit den Turbulenzen wunderbar klarkommen, vermehren sich dann besonders erfolgreich – sie verbreiten nach Feierabend aber nicht unbedingt die beste Stimmung. Damit wären wir nicht einfach nur Opfer unserer Darmbakterien und ihrer Wirkung auf unser Gemüt, sondern praktisch eigene Gärtner der Welt im Bauch. Das hieße außerdem, dass unser Darm imstande ist, uns auch über die akute Stressphase hinaus die ungute Stimmung spüren zu lassen.

Die Gefühle von unten, und besonders solche mit üblem Nachgeschmack, bringen das Hirn dazu, das nächste Mal sehr genau zu überlegen, ob es einen Vortrag vor dem Büro halten will, das viel zu scharfe Chili trotzdem isst oder vielleicht lieber nicht. So könnte auch die Rolle des Darms bei »Bauchentscheidungen« sein: Seine Gefühle in einer ähnlichen Situation werden gespeichert und notfalls zu Rate gezogen. Wenn auch gute Lektionen so verstärkt werden könnten, dann ginge Liebe tatsächlich durch den Magen – und zwar schnurstracks zum Darm.

Dass unser Bauch nicht nur bei Gefühlen oder bei gewissen (Bauch-)Entscheidungen mitmischen könnte, sondern eventuell

auch unser Verhalten beeinflusst, ist eine interessante Hypothese, an deren Untermauerung verschiedene Wissenschaftler arbeiten. Das Team um Stephen Collins ging mit einem Experiment sehr weit. Probanden waren Mäuse aus zwei verschiedenen Stämmen, deren Verhalten genau untersucht ist. Tiere aus dem BALB/c-Stamm sind ängstlicher und handeln schüchterner als Artgenossen aus dem NIH-SWISS-Stamm, die erkundungsfreudiger und mutiger sind. Die Wissenschaftler gaben den Tieren einen Mix aus drei verschiedenen Antibiotika, die nur im Darm wirken, und löschten dort jegliche Bakterienlandschaft aus. Im Anschluss flößten sie den Tieren typische Darmbakterien des jeweils anderen Stammes ein. In Verhaltenstests waren die Rollen auf einmal vertauscht – die BALB/c-Mäuse wurden mutiger, die NIH-SWISS-Mäuse ängstlicher. Ein Beleg dafür, dass der Darm zumindest das Verhalten von Mäusen beeinflussen kann. Auf den Menschen übertragen lässt sich das noch nicht. Hierzu fehlt uns noch sehr viel Wissen über die verschiedenen Bakterien, das Darmhirn und die Darm-Hirn-Achse.

Bis dahin können wir die Kenntnisse nutzen, die wir bereits gesammelt haben. Das fängt bei kleinen Dingen an, wie unseren täglichen Mahlzeiten, und heißt zum Beispiel auch: keine Belastung, keine Hektik beim Essen. Mahlzeiten sollten stressfreie Zonen sein ohne Schimpfen, ohne Sätze wie »Du bleibst so lange am Tisch sitzen, bis du aufgegessen hast«, ohne Hin- und Hergezappe am Fernseher. Das gilt vor allem für kleine Kinder, bei denen sich das Darmhirn parallel mit dem Kopfhirn entwickelt, aber eben auch noch für Erwachsene – je früher man damit anfängt, desto besser. Jeglicher Stress aktiviert Nerven, die unsere Verdauung hemmen – dadurch holen wir nicht nur weniger Energie aus dem Essen, sondern brauchen dafür auch länger und belasten unseren Darm.

Wir können mit diesem Wissen spielen und herumexperimentieren. Es gibt Reisekaugummis und Mittel gegen Übelkeit, die Nerven im Darm betäuben. Ängstliche Gefühle verschwinden dann oft gleichzeitig mit der Übelkeit. Wenn unerklärliche Grummellaunen oder Angst aber tatsächlich auch sonst (ohne Übelkeit) aus dem Darm kommen können, könnte man diese dann etwa auch mit solchen Mitteln loswerden? Sozusagen, indem man einen besorgten Darm für kurze Zeit betäubt? Alkohol erreicht nicht zuerst die Nerven im Kopf, sondern die im Darm – wie viel von der Entspannung durch das »eine Glas Wein« am Abend kommt von einem ruhiggestellten Hirn im Bauch? Welche Bakterien sind in den verschiedenen Joghurtsorten im Supermarkt? Tut mir ein *Lactobacillus reuteri* besser als ein *Bifidobacterium animalis*? Ein Forscherteam aus China konnte mittlerweile sogar im Labor zeigen, dass *Lactobacillus reuteri* imstande ist, Schmerzsensoren im Darm zu hemmen.

Lactobacillus plantarum und *Bifidobacterium infantis* können mittlerweile schon zur Schmerzbehandlung beim Reizdarm-Syndrom empfohlen werden. Wer heute unter einer niedrigen Schmerzschwelle des Darms leidet, nimmt oft einfach Mittelchen gegen Durchfall oder gegen Verstopfungen oder krampflösende Substanzen. Damit werden Auslöser gemildert, das eigentliche Problem wird aber nicht beseitigt. Wer auch durch das Weglassen eventuell unverträglicher Lebensmittel oder durch den Wiederaufbau der Darmflora keine Besserung erfährt, muss das Übel am Schopf packen: an den Nervenschwellen. Es gibt bislang wenige Maßnahmen, die sich hierbei in Studien als hilfreich erwiesen haben – die Hypnotherapie ist eine solche.

Wirklich gute Psychotherapien funktionieren wie Krankengymnastik für unsere Nerven. Sie lockern Verspannungen und bringen uns gesunde Bewegungsalternativen bei – auf neuronaler Ebene. Weil Hirnnerven kompliziertere Gesellen sind als Muskeln, muss man als Trainer auch abgefahrene Übungen draufhaben. Hypnotherapeuten arbeiten oft mit Gedankenreisen oder Vorstellungskraft. Damit sollen Schmerzsignale abgemildert und die Wahrnehmung bestimmter Reize umgearbeitet werden. Wie beim Training von Muskeln können auch bestimmte Nerven stärker werden, wenn man sie öfter benutzt. Man wird dabei nicht hypnotisiert wie im Fernsehen. Das würde sogar gegen die Regeln verstoßen, denn bei dieser Therapieform soll der Patient selbst die Kontrolle behalten. Bei der Suche nach einem Therapeuten sollte man allerdings darauf achten, einen seriösen Anbieter zu finden. Eine gute Anlaufstelle ist hier das Milton-Erickson-Institut in Heidelberg, das ausgebildete Therapeuten vermittelt.

Bei Reizdarm-Patienten hat die Hypnotherapie gute Erfolge gebracht. Viele benötigen deutlich weniger Medikamente, einige sogar gar keine mehr. Vor allem bei betroffenen Kindern ist diese Therapieform mit einer Reduktion der Schmerzen um etwa 90 Prozent weitaus erfolgreicher als Medikamente, die es im Durchschnitt nur auf 40 Prozent schaffen. Es gibt sogar Krankenhäuser, in denen spezifische, bauchbezogene Konzepte angeboten werden, wie im Klinikum Saarbrücken.

Wer neben einer Darmkrankheit auch sehr stark unter Angstzuständen und Depressionen leidet, bekommt vom Arzt oft die Empfehlung, Antidepressiva zu nehmen. Selten wird aber erklärt, warum. Das hat einen einfachen Grund: Kein Arzt oder Wissenschaftler weiß das. Erst als man in Studien feststellte, dass diese Medikamente stimmungsaufhellende Wirkung haben, fing man an, die Mechanismen dahinter zu suchen. Eine klare Antwort haben wir bis heute nicht. Über Jahrzehnte wurde vermutet, dass der Effekt durch die Verstärkung des »Glückshormons« Serotonin zustande kommt. Die neuere Depressionsforschung nimmt auch andere Beobachtungen unter die Lupe: Unsere Nerven könnten durch die Einnahme wieder plastisch werden.

Plastizität beschreibt bei Nerven die Fähigkeit, sich zu ändern. Pubertät ist für ein heranwachsendes Gehirn deshalb so verwirrend, weil die Nerven unglaublich plastisch sind – vieles ist nicht festgelegt, alles kann, nichts muss, es gibt eine Menge Umhergefunke. Bis etwa zum 25. Lebensjahr schließt man diesen Prozess ab. Jetzt reagieren bestimmte Nerven nach eingeübten Mustern. Was sich bewährt hat, behält man bei, was nicht so toll war, eher nicht. So verschwinden nicht nur unerklärliche Wut- und Lachanfälle, sondern auch die Poster an der Zimmerwand. Es ist dann schwieriger, sich ruckartig zu verändern, man ist aber eben auch auf angenehmere Weise stabil. Allerdings können sich auch unangenehme Denkmuster festsetzen wie »Ich bin nichts wert« oder »Alles, was ich tue, scheitert«, auch das nervöse Hochgefunke eines besorgten Darms könnte sich so stabil im Kopf verankern. Wenn Antidepressiva die Plastizität erhöhen, könnten solche Muster wieder aufgelockert werden. Das ergibt dann am meisten Sinn, wenn eine gute Psychotherapie begleitend stattfindet. Sie kann die Gefahr verringern, wieder in den alten Trott zu verfallen.

Die Nebenwirkungen marktüblicher Antidepressiva wie beispielsweise Prozac erzählen uns außerdem etwas Wichtiges über das »Glückshormon« Serotonin. Jeder Vierte erlebt typische Effekte wie Übelkeit, eine Phase mit Durchfall und nach längerer Einnahme Verstopfungen. Das liegt daran, dass unser Darmhirn genau die gleichen Nervenrezeptoren besitzt wie das Kopfhirn. Antidepressiva behandeln also immer automatisch beide. Der amerikanische Forscher Dr. Michael Gershon geht noch einen Gedankenschritt weiter. Er fragt sich, ob bei manchen Menschen auch solche Antidepressiva anschlagen könnten, die nur am Darm wirken und gar nicht mehr in das Gehirn gelangen?

Eine völlig abwegige Idee ist das nicht – 95 Prozent unseres körpereigenen Serotonins wird schließlich in Darmzellen produziert. Dort erleichtert es den Nerven die Muskelbewegungen enorm und dient als wichtiges Signalmolekül. Verändert man die Wirkungen hier, könnten also auch ganz andere Meldungen an das Gehirn abgeschickt werden. Das wäre vor allem dann interessant, wenn Menschen auf einmal von starken Depressionen heimgesucht werden, obwohl ihr Leben an sich ganz in Ordnung ist. Vielleicht muss nur ihr Bauch auf die Couch – und der Kopf ist gar nicht schuld daran?

Jeder, der unter ängstlichen oder depressiven Stimmungen leidet, sollte sich daran erinnern, dass auch ein gebeutelter Bauch ungute Gefühle auslösen kann. Manchmal völlig zu Recht – sei es nach zu viel Stress oder wegen einer unentdeckten Nahrungsmittelunverträglichkeit. Wir sollten die Schuld nicht nur in unserem Gehirn oder bei Ereignissen in unserem Leben suchen, denn … wir sind mehr als das.

Wo das Ich entsteht

Grummelige Stimmungen, Freude, Unsicherheit, Wohlbefinden oder Sorgen kommen nicht nur isoliert aus dem Schädel. Wir sind Menschen mit Armen und Beinen, Geschlechtsorganen, Herz, Lungen und Darm. Die Verkopfung unserer Wissenschaft hat uns lange blind dafür gemacht, dass auch unser Ich mehr als das Gehirn ist. Die Forschung am Darm hat in letzter Zeit einiges dazu beigetragen, den Spruch »Ich denke, also bin ich« vorsichtig zu hinterfragen.

Einer der interessantesten Hirnbereiche, zu denen Informationen aus dem Darm gelangen können, ist die Insula. Die Insula ist das Forschungsgebiet eines der genialsten Köpfe unserer Zeit: Bud Craig. Er hat über zwanzig Jahre mit einer schier unmenschlichen Geduld Nerven eingefärbt und ihre Verläufe ins Hirn verfolgt. Irgendwann kam er aus seinem Labor und hielt einen einstündigen Vortrag über folgende Hypothese: Die Insula ist der Ort, an dem unser Ich entsteht.

Hier der erste Teil: Die Insula bekommt Gefühlsinformationen aus dem gesamten Körper. Jede Information ist wie ein Pixel – die Insula setzt aus vielen Pixeln ein Bild zusammen. Dieses Bild ist wichtig, denn es ergibt eine Landkarte der Gefühle. Wenn wir also gerade auf einem Stuhl sitzen, merken wir die plattgedrückte Popohaut, stellen vielleicht fest, dass uns kalt ist oder wir Hunger haben. All das zusammen ergibt einen hungrigen, frierenden Menschen, der auf einem harten Stuhl sitzt. Das Gesamtbild dieser Gefühle finden wir vielleicht nicht fabelhaft, aber auch nicht furchtbar, eher so lala.

Teil zwei: Die Aufgabe unseres Gehirns ist laut Daniel Wolpert Bewegung – egal, ob man als Seescheide einen schönen Unterwasserfelsen sucht oder als Mensch ein möglichst gutes Leben. Bewegungen haben die Absicht, etwas zu bewirken. Mit der Karte der Insula kann das Gehirn sinnvolle Bewegungen planen. Wenn das Ich fröstelnd und hungrig herumsitzt, ist das eine gute Motivation für andere Hirnbereiche, etwas daran zu ändern. Man kann anfangen zu zittern oder aufstehen und zum Kühlschrank gehen. Eines der höchsten Ziele unserer Bewegungen ist es, uns immer wieder zu einem gesunden Gleichgewicht zu bewegen – sei es von kalt zu warm, von unglücklich zu glücklich oder von müde zu wach.

Dritter Teil: Auch das Gehirn ist nur ein Organ. Wenn die Insula also ein Bild vom Körper erstellt, schließt das unser Oberstübchen mit ein. Hier gibt es ein paar beachtenswerte Einrichtungen wie Bereiche für soziales Mitgefühl, Moral und Logik. Soziale Hirnbereiche mögen es vielleicht nicht, wenn man Streit mit dem Partner hat, logische Bereiche verzweifeln an einem schweren Rätsel. Um das »Ich«-Bild der Insula sinnvoll zu erstellen, fließen vermutlich auch Wahrnehmungen der Umwelt oder Erfahrungen aus der Vergangenheit mit ein. Wir merken dann nicht nur Kälte, sondern können gleich in einem Kontext fühlen: »Komisch, dieses Kältegefühl. Ich bin doch in einem voll beheizten Raum. Hm. Vielleicht werde ich krank?« Oder auch: »Okay, vielleicht sollte ich bei diesen Temperaturen nicht mehr nackt im Wintergarten herumspringen.« Wir können auf diese Art sehr viel komplexer auf das Erstgefühl »Kälte« reagieren als andere Tiere.

Je mehr Informationen wir verbinden, desto klügere Bewegungen können wir machen. Vermutlich gibt es hier sogar eine Hierarchie der Organe. Was besonders wichtig für unser gesundes Gleichgewicht ist, bekommt dann ein größeres Mitspracherecht in der Insula. Gehirn und Darm hätten hier durch ihre vielseitigen Qualifikationen schon mal gute Plätze sicher – wenn nicht sogar die besten.

Die Insula kreiert also ein kleines Bild von unserem gesamten fühlenden Körper. Dieses Bild können wir dann mit unserem komplexen Hirn bereichern. Nach Bud Craig wird etwa alle vierzig Sekunden ein so aufwendiges Bild erstellt. Hintereinander ergeben diese Bilder eine Art Film. Der Film unseres Ichs, unser Leben.

Das Gehirn steuert sicher einen großen Teil dazu bei, aber nicht alles. Es ist keine üble Idee, René Descartes ein wenig zu ergänzen: »Ich fühle, daraufhin denke ich, also bin ich.«

3

DIE WELT DER MIKROBEN

Wenn man aus dem Weltall auf die Erde schaut, sieht man uns Menschen nicht. Die Erde erkennt man – sie ist ein runder leuchtender Punkt neben anderen leuchtenden Punkten auf dunklem Hintergrund. Geht man näher heran, sieht man, dass wir Menschen an ganz unterschiedlichen Orten auf der Erde leben. Nachts leuchten unsere Städte als kleine helle Punkte. Manche Völker leben in Gebieten mit großen Städten, andere überall verteilt auf dem Land. Wir leben in kühlen nordischen Gefilden, aber auch im Regenwald oder an den Rändern von Wüsten. Wir sind überall, auch wenn man uns aus dem Weltall nicht sehen kann.

Schaut man sich uns Menschen näher an, stellt man fest, dass jeder von uns wie eine eigene Welt ist. Die Stirn ist eine luftige kleine Wiese, der Ellbogen ein trockenes Ödland, die Augen sind salzige Seen, und der Darm ist der abgefahrenste, riesigste Wald mit den unfassbarsten Kreaturen. So wie wir Menschen den Planeten bewohnen, werden auch wir besiedelt. Unter dem Mikroskop kann man unsere Bewohner – die Bakterien – gut erkennen. Sie sehen dann aus wie kleine leuchtende Punkte vor dunklem Hintergrund.

Jahrhundertelang haben wir uns mit der großen Welt beschäftigt. Wir haben sie vermessen, Pflanzen und Tiere erforscht und über das Leben philosophiert. Wir haben riesige Maschinen gebaut und sind zum Mond geflogen. Wer heute neue Kontinente und Völker entdecken will, muss die kleine Welt erkunden, die sich in uns selbst befindet. Unser Darm ist dabei der faszinierendste Kontinent. Nirgendwo leben so viele Spezies und Familien wie hier. Die Forschung fängt gerade erst an, wirklich loszulegen. Es entsteht eine Art neue *»Bubble«* – vergleichbar mit der Entschlüsselung unseres Genoms – mit vielen Hoffnungen und neuen Erkenntnissen. Diese Bubble könnte platzen oder Vorbote zu mehr sein.

Erst seit 2007 arbeitet man an einer Bakterienkarte. Dafür werden viele, viele Menschen an allen möglichen Stellen mit Wattestäbchen abgetupft. An drei Stellen im Mund, unter den Achseln, auf der Stirn ... Es werden Stuhlproben analysiert und Genitalabstriche ausgewertet. Orte, die bislang als keimfrei galten, stellen sich plötzlich als besiedelt heraus – zum Beispiel die Lunge. Der Darm ist in Sachen Bakterienatlas die absolute Königsdisziplin. Von den Mikrobiota – also der Gesamtheit aller Mikroorganismen, die auf uns herumwuseln – befinden sich 99 Prozent im Darm. Nicht etwa, weil es sonst kaum welche an anderen Stellen gibt, sondern weil es im Darm einfach so unfassbar viele sind.

Der Mensch als Ökosystem

Wir kennen Bakterien als kleine Lebewesen, die aus nur einer Zelle bestehen. Manche leben in kochenden Wasserquellen in Island, andere auf einer kalten Hundeschnauze. Einige brauchen Sauerstoff, um Energie herzustellen, und »atmen« ähnlich wie Menschen. Wieder andere sterben an der frischen Luft; sie beziehen ihre Energie nicht aus Sauerstoff, sondern aus Metallatomen oder Säuren – das kann ziemlich interessant riechen. Fast alles, was an einem Menschen riechbar ist, sind Bakterien. Vom wohligen Hautgeruch einer Person, die man liebt, bis zum Mundgeruch des frivolen Nachbarshunds – all das entsteht durch die emsige Mikrobenwelt auf uns.

Wir schauen sportlichen Athleten gerne beim Surfen zu, denken beim Niesen aber keine Sekunde daran, was für ein unglaubliches Action-Surf-Szenario gerade in unserer Nasenflora abgeht. Wir schwitzen hart beim Sport – aber niemand bemerkt die Freude der Bakterien über den sommerlichen Klimawandel in unseren Turnschuhen. Wir essen klammheimlich ein winziges Stück Torte, denken, keiner hat's gesehen, und in unserem Bauch brüllt es laut: »TOOOORTEEEE«. Um all die Neuigkeiten aus dem Mikrobenreich eines einzelnen Menschen sachgerecht wiederzugeben, bräuchte es einen großen internationalen Nachrichtendienst. Wenn wir uns also tagsüber langweilen, tun wir das, während auf uns und in uns die spannendsten Dinge passieren.

Langsam wächst das Bewusstsein, dass die allermeisten Bakterien harmlos und sogar hilfreich sind. Ein paar Fakten sind wissenschaftlich schon bekannt. Unsere Darmmikrobiota wiegt bis zu 2 Kilo und beherbergt rund 100 Billionen Bakterien. In einem Gramm Kot sind mehr Bakterien als Menschen auf der Erde. Bekannt ist außerdem, dass die Mikrobengemeinschaft unverdauliches Essen für uns aufknackt, unseren Darm mit Energie versorgt, Vitamine herstellt, Gifte oder Medikamente abbaut und unser Immunsystem trainiert. Verschiedene Bakterien stellen unterschiedliche Stoffe her: Säure, Gase, Fette – Bakterien sind kleine Produzenten. Wir wissen, dass unsere Blutgruppen durch Darmbakterien zustande kommen oder dass man von üblen Gesellen Durchfall bekommt.

Nicht bekannt ist, was das alles für den Einzelnen bedeutet! Wir merken ziemlich schnell, ob wir uns Durchfallbakterien eingefangen haben. Aber merken wir auch etwas von der täglichen Arbeit der vielen Millionen, Milliarden, Billionen anderen Winzigwesen in unserem Körper? Spielt es vielleicht auch eine Rolle, wer genau uns da besiedelt? Bei Übergewicht, Mangelernährung, Nervenkrankheiten, Depressionen oder chronischen Darmproblemen stößt man auf veränderte Bakterienverhältnisse im Darm. Mit anderen Worten: Wenn etwas schiefläuft bei unseren Mikroben, laufen wir vielleicht auch schiefer.

Vielleicht hat jemand bessere Nerven, weil er einen beachtlichen Bestand an Vitamin-B-produzierenden Bakterien besitzt. Ein anderer kann aus Versehen angeknabbertes Schimmelbrot besser wegstecken oder wird viel schneller dick durch etwas übermütig zufütternde Moppelbakterien. Die Forschung fängt an, den Menschen als Ökosystem zu begreifen. Noch geht die Mikrobiotaforschung zur Grundschule und hat eine Zahnlücke.

Als man Bakterien noch nicht gut kannte, zählte man sie zu den Pflanzen – daher der Begriff »Darmflora«. Eigentlich ist der Begriff »Flora« also nicht ganz korrekt, aber er ist schön an-

---

Abb.: *Die Bakteriendichte in verschiedenen Darmabschnitten.*

schaulich. Ähnlich wie Pflanzen haben Bakterien unterschiedliche Eigenschaften, wenn es um ihren Wohnort, ihre Nahrung oder den Grad ihrer Giftigkeit geht. Wissenschaftlich korrekt sagt man Mikrobiota (= kleine Leben) oder auch Mikrobiom zu unserer Mikrobensammlung und ihren Genen.

Generell kann man sagen, dass in den oberen Abschnitten des Verdauungsschlauchs weniger und in den unteren Abschnitten wie Dickdarm und Rektum sehr, sehr viele Bakterien sitzen. Manche bevorzugen den Dünndarm, andere leben ausschließlich im Dickdarm. Es gibt große Fans des Blinddarms, brave Schleimhauthocker und etwas frechere Kollegen, die sich ganz nah an unsere Darmzellen setzen.

Es ist nicht immer leicht, die Darmmikroben im Einzelnen kennenzulernen. Sie lassen sich nicht so einfach aus ihrer Welt mitnehmen. Setzt man sie im Labor auf Nährböden, um sie zu beobachten, machen sie einfach nicht mit. Hautkeime würden munter das Laborfutter essen und zu kleinen Bakterienbergen heranwachsen – bei Darmkeimen läuft das nicht. Über die Hälfte der Bakterien aus unserem Verdauungsschlauch sind einfach zu sehr an uns gewöhnt, als dass sie außerhalb überleben könnten. Unser Darm ist ihre Welt. Dort sind sie geschützt vor Sauerstoff, sie mögen feuchte Wärme und schätzen das vorgekostete Essen.

Vor zehn Jahren hätten viele Wissenschaftler vermutlich noch behauptet, dass es einen festen Bestand an Darmbakterien gibt, der bei allen Menschen ungefähr gleich ist. Wenn sie Kot auf einen Nährboden ausstrichen, fanden sie beispielsweise immer E.coli-Bakterien. So einfach war das. Heute können wir mit Geräten ein Gramm Kot molekular abtasten. Dadurch findet man genetische Überreste von vielen Milliarden Bakterien. Wir wissen mittlerweile, dass E.coli weniger als ein Prozent der Wesen im Darm ausmacht. Es gibt in unseren Därmen mehr als tausend verschiedene Bakterienspezies. Dazu kommen außerdem Minderheiten aus dem Reich der Viren und Hefen, sowie Pilze und diverse Einzeller.

Unser Immunsystem wäre die erste Instanz, die etwas an dieser massiven Besiedelung auszusetzen hätte. Auf seiner Agenda steht ziemlich weit oben: Körper gegen Fremdes verteidigen. Manchmal bekriegt das Immunsystem schon kleine Pollen, die versehentlich in unsere Nase eingebogen sind. Allergiker reagieren darauf mit einer laufenden Nase und roten Augen. Wie kann da gleichzeitig ein bakterielles Woodstock in unseren Eingeweiden abgefeiert werden?

Das Immunsystem und unsere Bakterien

Jeden Tag könnten wir mehrere Male sterben. Wir bekommen Krebs, beginnen zu schimmeln, werden von Bakterien angeknabbert oder von Viren infiziert. Jeden Tag wird uns mehrere Male das Leben gerettet. Seltsam wachsende Zellen werden abgetötet, Pilzsporen werden eliminiert, Bakterien zerlöchert und Viren durchgeschnitten. Diesen angenehmen Service erledigt unser Immunsystem mit sehr vielen kleinen Zellen. Es verfügt über Experten zur Erkennung von Fremdem, über Auftragskiller, Hutmacher und Streitschlichter. Sie alle arbeiten Hand in Hand und machen das bemerkenswert gut.

Der größte Teil unseres Immunsystems (etwa 80 Prozent) sitzt im Darm. Und das aus gutem Grund. Hier steht nämlich die Hauptbühne für dieses bakterielle Woodstock, und das sollte man unbedingt mal gesehen haben als Immunsystem. Die Bakterien sitzen in einem abgesteckten Reservoir – der Darmschleimhaut – und rücken nicht bedrohlich nahe an unsere Zellen. Das Immunsystem kann hier mit ihnen spielen, ohne dass sie gefährlich für den Körper werden. So können unsere Abwehrzellen viele neue Arten kennenlernen.

Trifft eine Immunzelle zu einem späteren Zeitpunkt außerhalb des Darms auf ein bekanntes Bakterium, kann sie schneller reagieren. Das Immunsystem muss im Darm wahnsinnig aufmerksam sein – es muss dauernd seinen Verteidigungsinstinkt unterdrücken, um die vielen Bakterien dort am Leben zu lassen. Gleichzeitig muss es zu gefährliche Wesen in der Masse erkennen und aussortieren. Wenn wir zu jedem unserer Darmbakterien

»Hi« sagen würden, kämen wir mit etwa 3 Millionen Jahren ganz gut hin. Unser Immunsystem sagt nicht nur »Hi«, es sagt eben auch noch »Du bist ganz okay« oder »Du gefällst mir tot besser«.

Außerdem – und das klingt im ersten Moment vielleicht etwas befremdlich – muss es zwischen den Bakterienzellen und den eigenen, menschlichen Zellen unterscheiden können. Das ist nicht immer ganz einfach. Auf der Oberfläche mancher Bakterien befinden sich nämlich Strukturen, die denen unserer kleinen Körperzellen ähneln. Bei Bakterien, die Scharlach-Angina verursachen, sollte man deshalb nicht zu lange mit Antibiotika warten. Wird die Krankheit nicht rechtzeitig bekämpft, kann das verwirrte Immunsystem versehentlich Gelenke oder andere Organe misstrauisch angreifen. Es hält dann beispielsweise unser Knie für einen miesen Halsweh-Verursacher, der sich da unten versteckt hat. Das passiert nur in seltenen Fällen – aber es kann passieren.

Einen ähnlichen Effekt haben Wissenschaftler bei dem oft im Jugendalter auftretenden Diabetes beobachtet. Hier zerstört das Immunsystem die eigenen Insulin produzierenden Zellen. Eine mögliche Ursache könnte ein Kommunikationsproblem mit unseren Darmbakterien sein. Vielleicht bilden sie schlecht aus, oder das Immunsystem versteht sie einfach nur falsch.

Eigentlich hat der Körper gegen solche Kommunikationsprobleme und Verwechslungsunfälle ein sehr rigoroses System eingerichtet. Bevor eine Immunzelle ins Blut gelassen wird, muss sie das härteste Bootcamp absolvieren, das für Zellen existiert. Sie muss unter anderem einen langen Weg zurücklegen, auf dem ihr dauernd körpereigene Strukturen präsentiert werden. Wenn die Immunzelle sich nicht ganz sicher ist, ob das Präsentierte körpereigen oder -fremd ist, bleibt sie stehen und pikst kurz mal mit dem Finger daran herum. Das war dann eine fatale Fehlentscheidung. Diese Immunzelle wird niemals im Blut ankommen.

Immunzellen werden also schon im Bootcamp aussortiert, wenn sie eigenes Gewebe angreifen. In ihrem Trainingslager im Darm lernen sie, tolerant gegenüber Fremden beziehungsweise besser auf Fremdes vorbereitet zu sein. Dieses System funktioniert ziemlich gut, und meistens gibt es keine Zwischenfälle.

Eine Übung ist jedoch besonders knifflig: Was tun, wenn *fremde* Dinge das Immunsystem an Bakterien erinnern – obwohl es keine Bakterien sind? Rote Blutkörperchen zum Beispiel tragen auf ihrer Oberfläche bakterienähnliche Proteine. Eigentlich würde unser Immunsystem unser Blut angreifen, wenn es nicht im Bootcamp gelernt hätte, dass unser eigenes Blut nicht angetastet werden darf. Haben unsere Blutkörperchen selbst Blutgruppenmerkmal A auf der Oberfläche, tolerieren wir auch Blut von fremden Menschen der Gruppe A. Bei einem Motorradunfall oder einer Geburt mit viel Blutverlust kann es schon mal nötig sein, Blutspenden in die eigenen Adern laufen zu lassen.

Wir können kein Blut von jemandem erhalten, der andere dieser Blutgruppenmerkmale auf der Oberfläche hat. Unser Immunsystem würde sofort an Bakterien erinnert, und da diese nichts in unserem Blut zu suchen haben, würde es die fremden Blutkörperchen in aller Feindschaft zerklumpen. Ohne diese Kampfbereitschaft – trainiert durch unsere Darmbakterien – hätten wir keine »Blutgruppen« und könnten munter fremdes Blut an jeden verteilen. Bei neugeborenen Babys mit nur wenigen Darmkeimen funktioniert das auch noch so. Ihnen könnte man theoretisch jede Blutgruppe geben ohne Gegenreaktion. (Weil Antikörper der Mutter in das Blut des Kindes gelangen, benutzt man im Krankenhaus sicherheitshalber die mütterliche Blutgruppe.) Sobald sich Immunsystem und Darmflora ansatzweise

---

Abb.: *Passen Antikörper auf fremde Blutzellen, verklumpen diese. Blutgruppe B besitzt Antikörper gegen Blutgruppe A.*

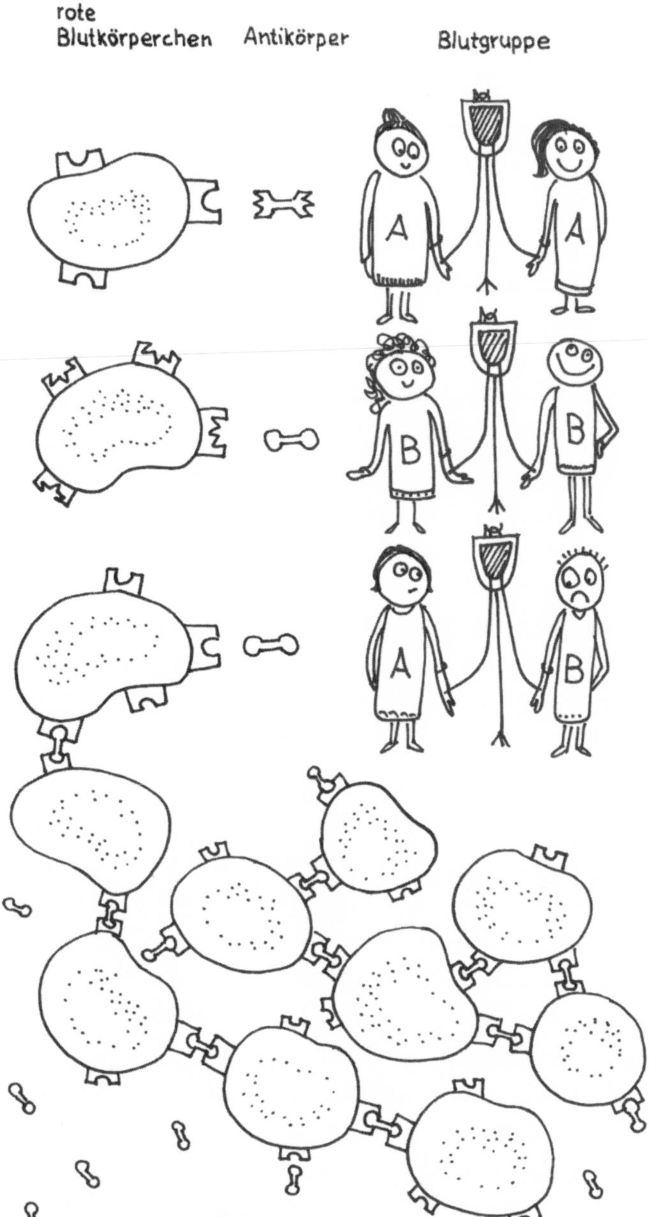

rote Blutkörperchen | Antikörper | Blutgruppe

A A

B B

A B

entwickelt haben, darf man nur noch Blut aus derselben Blutgruppe erhalten.

Die Blutgruppenentstehung ist nur eines von vielen immunologischen Phänomenen, das von Bakterien verursacht wird. Vermutlich kennen wir die meisten noch gar nicht. Vieles, was Bakterien so tun, geht eher in Richtung »Fine-Tuning«. Es gibt pro Bakteriensorte ganz unterschiedliche Wirkungen auf das Immunsystem. Bei einigen Arten konnte man feststellen, dass sie unser Immunsystem toleranter machen. Indem sie beispielsweise dafür sorgen, dass mehr friedlich-vermittelnde Immunzellen gebildet werden, oder wie Cortison und andere entzündungshemmende Medikamente auf unsere Zellen einwirken. Das Immunsystem wird so milder und weniger kampflustig. Das ist vermutlich ein ganz guter Schachzug dieser Kleinstlebewesen – denn so ist auch ihre Chance höher, im Darm geduldet zu werden.

Dass gerade im Dünndarm von jungen Wirbeltieren (inklusive uns Menschen) Bakterien gefunden wurden, die das Immunsystem anstacheln, lässt Raum für Vermutungen. Könnte es sein, dass uns diese Anstachler helfen, die Bakteriendichte im Dünndarm niedriger zu halten? Der Dünndarm wäre dann ein Gebiet geringerer Bakterientoleranz und hätte beim Verdauen erst mal seine Ruhe. Die Anstachler selbst halten sich nicht etwa brav in der Schleimhaut auf, sondern haften fest an den Dünndarmzotten. Eine ähnliche Vorliebe haben Krankheitserreger wie gefährliche Versionen von E.coli. Wenn diese sich im Dünndarm ansiedeln wollen und ihre Plätze schon von den Anstachlern besetzt sind, müssen sie wohl oder übel wieder gehen.

Diesen Effekt nennt man Kolonisationsschutz. Die meisten unserer Darmmikroben schützen uns allein dadurch, dass sie keinen Platz für bösartige Bakterien lassen. Die Dünndarm-Anstachler gehören übrigens zu jenen Kandidaten, die wir immer noch nicht außerhalb des Darms anzüchten können. Können wir ausschließen, dass sie uns nicht vielleicht sogar schaden? Nein. Vielleicht schaden sie manchen Menschen, indem sie das Immunsystem überreizen. Fragen gibt es hier viele.

Für erste Antworten gibt es die keimfreien Mäuse aus Laboratorien in New York. Sie sind die saubersten Lebewesen der Welt. Keimfreie Kaiserschnittgeburten, sagrotanreine Gehege und dampfsterilisierte Nahrung. Desinfizierte Tiere wie sie kann es in der Natur nicht geben. Wer mit den Mäusen arbeiten möchte, muss ultimativ achtsam sein, denn bereits in ungefilterter Luft können Keime herumfliegen. Dank dieser Mäuse konnten Forscher dabei zugucken, was passiert, wenn ein Immunsystem völlig arbeitslos ist. Was geht in einem Darm ohne Mikroben vor? Wie reagiert das untrainierte Immunsystem auf Krankheitserreger? Wo kann man den Unterschied mit bloßem Auge erkennen?

Jeder, der schon einmal mit solchen Tieren zu tun hatte, würde sagen: Keimfreie Mäuse sind merkwürdig. Sie sind oft hyperaktiv und verhalten sich auffallend unvorsichtig für Mäuse. Sie essen mehr als ihre normal besiedelten Kollegen und brauchen länger beim Verdauen. Sie haben riesige Blinddärme, verkümmert-unzottige Darmschläuche mit wenig Blutgefäßen und weniger Immunzellen. Relativ ungefährliche Krankheitserreger können sie leicht umhauen.

Flößt man ihnen Darmbakteriencocktails anderer Mäuse ein, kann man Erstaunliches beobachten. Bekommen sie Bakterien von Typ-2-Diabetikern, entwickeln sie kurze Zeit später selbst die ersten Probleme beim Zuckerstoffwechsel. Bekommen keimfreie Mäuse Darmbakterien übergewichtiger Menschen, werden sie viel eher selbst übergewichtig, als wenn sie die Keimlandschaft Normalgewichtiger erhalten. Man kann ihnen aber auch einzelne Bakterien verabreichen und beobachten, was die so draufhaben. Manche Bakterien können im Alleingang die meisten Auswirkungen der Keimfreiheit wieder rückgängig machen – sie kurbeln das Immunsystem hoch, schrumpfen den Blinddarm auf Normalgröße und normalisieren das Essverhalten. Andere tun nichts. Wieder andere entfalten ihre Wirkung ausschließlich in Zusammenarbeit mit Kollegen anderer Bakterienfamilien.

Studien an diesen Mäusen haben uns ein gutes Stück weitergebracht. Wir können mittlerweile vermuten: Ähnlich wie uns die große Welt beeinflusst, in der wir leben, beeinflusst uns auch die kleine Welt, die in uns lebt. Umso spannender ist, dass sie bei jedem Menschen etwas anders aussieht.

Die Entwicklung der Darmflora

Als Babys in der Gebärmutter sind wir in der Regel völlig keimfrei. Neun Monate lang berührt uns niemand außer unserer Mutter. Unsere Nahrung wird vorverdaut, unser Sauerstoff vorgeatmet. So filtern mütterliche Lunge und Darm alles, bevor es zu uns kommt. Wir essen und atmen durch ihr Blut, das durch ihr Immunsystem keimfrei gehalten wird. Wir sind ummantelt von der Fruchtblase und umschlossen von einer muskulären Gebärmutter, die wiederum durch einen dicken Pfropfen zugekorkt ist wie ein großer Tonkrug. So kann uns kein Parasit, kein Virus, kein Bakterium, kein Pilz und schon gar kein anderer Mensch antasten. Wir sind sauberer als ein Operationstisch nach Desinfektionsmittelflutung.

Dieser Zustand ist außergewöhnlich. Wir werden nie wieder in unserem Leben so behütet und so alleine sein. Wären wir außerhalb der Gebärmutter dazu angelegt, keimfrei zu sein, wären wir anders gebaut. So aber hat jedes größere Lebewesen mindestens ein anderes Lebewesen, das ihm hilft und als Gegenleistung auf ihm wohnen darf. Deswegen haben wir Zellen, deren Oberfläche sich sehr gut zum Andocken von Bakterien eignet, und Bakterien, die sich über Jahrtausende mit uns mitentwickelt haben.

Sobald die schützende Fruchtblase irgendwo undicht ist, geht die Besiedlung los. Waren wir eben noch Wesen aus 100 Prozent menschlichen Zellen, besiedeln uns bald schon so viele Kleinstlebewesen, dass wir zellenmäßig nur noch zu 10 Prozent Mensch und zu 90 Prozent Mikrobe sind. Da unsere menschlichen Zellen wesentlich größer sind als die unserer neuen Mit-

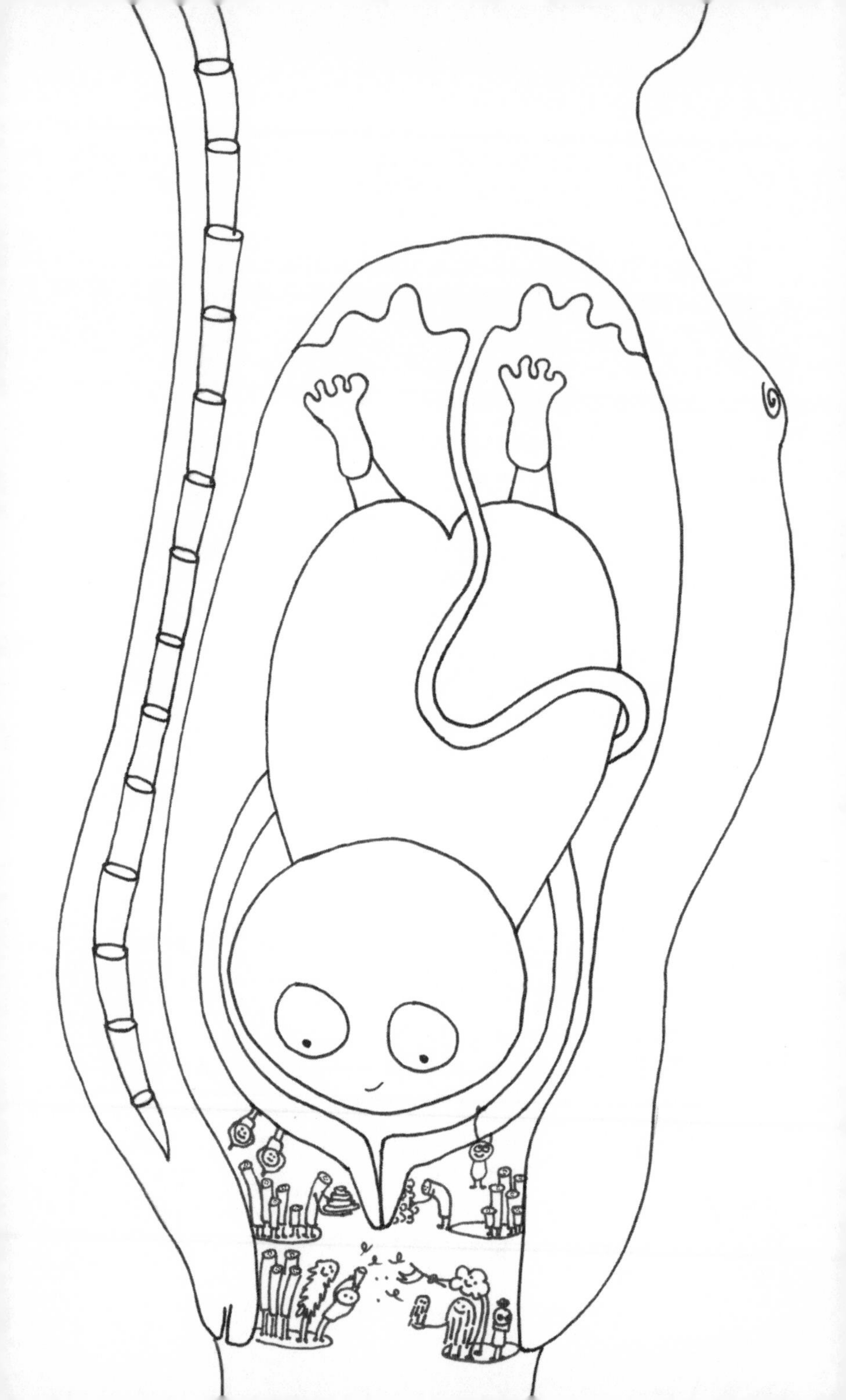

bewohner, sieht man das nur nicht. Bevor wir unserer Mutter das erste Mal in die Augen blicken, haben sich die Bewohner ihrer Körperhöhlen erst mal unsere Augen angesehen. Zunächst lernen wir die vaginale Schutzflora kennen – ein Volk, das wie eine Armee dazu da ist, ein sehr wichtiges Gebiet zu verteidigen. Dafür stellt es zum Beispiel Säuren her, die andere Bakterien verscheuchen, und hält so den Weg zur Gebärmutter von Zentimeter zu Zentimeter sauberer.

Während die Nasenlochflora noch etwa 900 verschiedene Bakteriensorten bietet, wird im Geburtskanal streng aussortiert. Übrig bleibt der hilfreiche Mantel aus Bakterien, der sich schützend um den sauberen Babykörper legt. Die Hälfte dieser Bakterien besteht aus nur einer Sorte: Laktobazillen. Sie stellen besonders gerne Milchsäure her. Logisch, dass hier auch nur leben kann, was durch die sauren Sicherheitskontrollen kommt.

Geht alles gut, muss man sich als Kind bei der Geburt nur noch entscheiden, wohin man mit dem Kopf gucken möchte. Es gibt zwei attraktive Möglichkeiten: Richtung Hintern oder weg davon. Danach folgt allerlei Hautkontakt, bis man meist von einer fremden Person in Plastikhandschuhen angefasst und in irgendetwas eingewickelt wird.

Jetzt befinden sich die Gründerväter unserer ersten mikrobiellen Besiedlung in uns und auf uns: hauptsächlich mütterliche Vaginal- und Darmflora, dazu Hautkeime und wahlweise noch, was das Krankenhaus selbst so im Repertoire hat. Das ist ein recht guter Mix für den Anfang. Die Säure-Armee schützt vor schlechten Eindringlingen, andere beginnen schon mal das Immunsystem zu trainieren, und die ersten unverdaulichen Bestandteile der Muttermilch werden von helfenden Keimen für uns zerlegt.

Manche dieser Bakterien benötigen knapp zwanzig Minuten, um die nächste Generation zu gründen. Wofür wir Menschen zwanzig Jahre und mehr brauchen, das passiert hier in einem Bruchteil der Zeit – einem Bruchteil so winzig wie die Bewohner selbst. Während unser erstes Darmbakterium seine Ururururenkel an sich vorbeischwimmen sieht, liegen wir gerade mal zwei Stunden in den Armen unserer Eltern.

Trotz dieser rasanten Bevölkerungsentwicklung wird es noch ungefähr drei Jahre dauern, bis sich in den darmigen Gefilden eine passende Flora eingependelt hat. Bis dahin spielen sich in unserem Bauch dramatische Machtwechsel und große Bakterienschlachten ab. Einige Völker, die wir irgendwie in den Mund bekommen, breiten sich rasant in unserem Bauch aus und verschwinden genauso schnell wieder. Andere werden ein Leben lang bei uns bleiben. Wer sich ansiedelt, hängt zum Teil von uns ab: Mal lutschen wir an unserer Mutter herum, dann knabbern wir an einem Stuhlbein, und zwischendurch geben wir der Autoscheibe oder dem Nachbarshund warme Dampfküsschen. Alles, was es auf diese Weise in unseren Mund schafft, könnte kurze Zeit später sein Imperium in unserer Darmwelt aufbauen. Ob es sich durchsetzen wird, ist unklar. Ob es gute oder schlechte Absichten haben wird, auch. Wir sammeln unser Schicksal sozusagen mit dem Mund – die Stuhlprobe zeigt, was hinten dabei rauskommt. Es ist ein Spiel mit vielen Unbekannten.

Ein paar Dinge helfen uns dabei, allem voran unsere Mutter. Egal, wie viele Dampfküsschen an Scheiben verteilt werden – wer oft an seiner Mama knutscheln darf, wird von ihren Mikroben gut geschützt. Auch durch das Stillen fördert sie ganz bestimmte Darmflorakeime, beispielsweise muttermilch-liebende *Bifido*-Bakterien. Diese Bakterien formen durch ihre frühe Besiedlung spätere Körperfunktionen mit, wie das Immunsystem oder den Stoffwechsel. Wenn ein Kind im ersten Lebensjahr zu wenige *Bifido*-Bakterien im Darm hat, ist später die Wahrscheinlichkeit höher, übergewichtig zu werden, als wenn es viele hat.

Unter den vielen verschiedenen Bakterienarten gibt es gute und weniger gute. Beim Stillen kann man das Gleichgewicht hin zu den guten verschieben und so zum Beispiel das Risiko auf Gluten-Unverträglichkeit verringern. Die ersten Darmbakterien von Babys bereiten den Darm auf seine »erwachseneren« Bakterien vor, indem sie Sauerstoff und Elektronen aus dem Darm entfernen. Sobald die Luft frei von Sauerstoff ist, können sich typischere Mikroben dort niederlassen.

Muttermilch kann so viel, dass man sich als einigermaßen wohlernährte Mutter entspannt zurücklehnen kann, wenn es um gesunde Kindsernährung geht. Misst man die enthaltenen Nährstoffe und vergleicht sie mit ausgerechneten Bedarfswerten von Kindern, ist die Muttermilch der Streber unter den Nahrungsergänzungsmitteln. Sie hat alles, sie weiß alles, sie kann alles. Und als ob der Nährstoffgehalt nicht schon gut genug wäre, kriegt sie noch ein Extrasternchen, weil sie das Kind zusätzlich mit einem Stück Immunsystem der Mutter versorgt. Im Sekret der Muttermilch sind Antikörper, die zu schädliche Bakterienbekanntschaften (z. B. durch das Ablutschen von Haustieren) abfangen können.

Nach dem Abstillen erfährt die Bakterienwelt des Babys eine erste Revolution. Denn plötzlich ändert sich die komplette Nahrungszusammensetzung. Clevererweise hat die Natur die typischen Erstsiedlerkeime so ausgestattet, dass diejenigen, die Muttermilch mögen, auch schon die Gene für einfache Kohlenhydrate wie Reis im Gepäck haben. Tischt man dem Säugling aber gleich so komplexe pflanzliche Dinge wie Erbsen auf, schafft das die Baby-Flora nicht alleine. Es müssen neue Sorten an Mitverdauern her. Diese Bakterien können je nach Ernährung auch Eigenschaften dazugewinnen oder abgeben. Afrikanische Kinder haben Bakterien, die allerlei Werkzeuge herstellen können, um auch die faserigste, pflanzenreichste Nahrung aufzuspalten. Mikroben europäischer Kinder verzichten eher auf diese harte Arbeit; das können sie auch guten Gewissens tun, denn sie essen vor allem pürierte Breichen und etwas Fleisch.

Bakterien können aber nicht nur bei Bedarf bestimmte Werkzeuge herstellen, manchmal leihen sie sich auch welche: In der japanischen (Darm-)Bevölkerung tauschten sich Darmbakterien mit Meeresbakterien aus. Sie borgten sich von ihren Meereskollegen ein Gen aus, das ihnen beim Aufspalten der Meeresalgen hilft, die zum Beispiel um Sushi gewickelt werden. Wie unser Darmvolk zusammengesetzt ist, kann also auch zu einem guten Teil davon abhängen, welche Werkzeuge für die Aufspaltung unserer Nahrung nötig sind.

Sinnvolle Darmbakterien können wir über Generationen weitergeben. Wer als Europäer schon einmal nach einem »All you can eat«-Sushi-Buffet Verstopfungen hatte, wird nachvollziehen können, dass es nett wäre, wenn irgendwo in seiner Familie auch japanische Algen-Verarbeiter-Bakterien vorgekommen wären. Es ist aber gar nicht so einfach, sich und seinen Kindern ein paar Sushi-Verdau-Helfer einzuflößen. Bakterien müssen auch gerne dort leben, wo sie arbeiten sollen.

Wenn ein Mikroorganismus besonders gut zu unserem Darm passt, heißt das: Er mag die Architektur der Darmzellen, kommt mit dem Klima gut zurecht, und ihm schmeckt, was es zu essen gibt. Alle drei Faktoren sind von Mensch zu Mensch unterschiedlich. Unsere Gene entwerfen unseren Körper mit – aber sie sind nicht die Chefarchitekten, wenn es um die Mikroben-Aufstellung geht. Eineiige Zwillinge haben zwar dieselben Gene, nicht aber eine identische Bakterienzusammensetzung. Sie haben noch nicht einmal wesentlich mehr Gemeinsamkeiten als andere Geschwisterpaare. Unser Lebensstil, zufällige Bekanntschaften, Krankheiten oder Hobbys tragen mit dazu bei, wie die kleine Welt im eigenen Bauch aussieht.

Auf dem Weg zu unserer relativ ausgereiften Darmflora in unserem dritten Lebensjahr, nehmen wir allerlei in den Mund, einiges können wir gut brauchen, und es passt zu uns. So akquirieren wir immer mehr Kleinstlebewesen, bis wir von einigen hundert verschiedenen Bakterienspezies langsam auf über viele Hunderte Sorten Darmbewohner anwachsen. Für einen Zoo wäre das ein ganz schönes Angebot, das wir da mal so nebenbei aus dem Ärmel schütteln.

Dass unsere allerersten Bauchvölker wichtige Grundbausteine für die Zukunft unseres gesamten Körpers legen, ist mittlerweile allgemein anerkannt. Studien zeigen hier vor allem, wie wichtig unsere ersten bakteriensammelnden Lebenswochen für das Immunsystem sind. Schon drei Wochen nach unserer Geburt kann man anhand der Stoffwechselprodukte unserer Darmbakterien voraussagen, ob wir ein erhöhtes Risiko für Allergien, Asthma oder Neurodermitis haben. Wie kann es passieren, dass wir so früh Bakterien sammeln, die uns eher schaden als nutzen?

Ein gutes Drittel der Kinder in westlichen Industrienationen wird elegant per Kaiserschnitt in die Welt gehoben. Kein enges Gequetsche durch den Geburtskanal, keine unschönen Nebeneffekte wie »Dammriss« oder »Nachgeburt« – eigentlich klingt das nach einer feinen Welt. Kaiserschnittkinder kommen in ihren ersten Lebensmomenten größtenteils mit der Haut anderer Menschen in Kontakt. Ihre Darmflora müssen sie daraufhin irgendwie zusammenklauben, denn sie ergibt sich nicht zwingend aus den spezifischen Keimen der Mutter. Es kann auch gerne mal ein bisschen rechter Daumen von Krankenschwester Susi sein, ein bisschen vom Blumengeschäft-Mitarbeiter, der Papa den Strauß in die Hand gedrückt hat, oder ein bisschen von Opas Hund. Plötzlich können Dinge eine Rolle spielen wie die Motivation der unterbezahlten Krankenhaus-Putzkraft. Hat sie

Telefone, Tische und Badezimmerarmaturen liebevoll oder lustlos abgewischt?

Unsere Hautflora ist nicht so streng reguliert wie die Geburtskanalgefilde und wesentlich stärker der Außenwelt ausgesetzt. Was auch immer sich dort sammelt, könnte eventuell bald im Babydarm sitzen. Krankheitserreger – aber auch weniger auffällige Gestalten, die das junge Immunsystem mit ulkigen Methoden trainieren. Bei Kindern, die per Kaiserschnitt geboren werden, dauert es Monate oder länger, bis sie normale Darmbakterien haben. Dreiviertel der Neugeborenen, die sich typische Krankenhauskeime einfangen, sind Kaiserschnittbabys. Sie haben außerdem ein erhöhtes Risiko, Allergien oder Asthma zu entwickeln. Laut einer amerikanischen Studie kann das Schlucken von bestimmten Laktobazillen das Allergierisiko bei diesen Kindern wieder senken. Bei normal entbundenen Säuglingen allerdings nicht. Sie sind sozusagen schon während der Geburt in den Probiotika-Zaubertrunk gefallen.

Ab dem siebten Lebensjahr kann man kaum noch Unterschiede ausmachen zwischen der Darmflora normal entbundener Kinder oder der von Kaiserschnittbabys. Die frühen Phasen, in denen das Immunsystem und der Stoffwechsel beeinflusst werden, sind dann allerdings schon vorbei. Nicht nur eine Kaiserschnittgeburt kann ungute Anfangszusammensetzungen im Darm kreieren – schlechte Ernährung, unnötiger Einsatz von Antibiotika, zu viel Sauberkeit oder zu viele Begegnungen mit unguten Keimen können auch ihren Anteil haben. Man sollte sich hiervon allerdings nicht verrückt machen lassen. Wir Menschen sind so riesige Lebewesen, wir können nicht alles mikrobig Kleine kontrollieren.

Die Darmbewohner eines Erwachsenen

In Sachen Mikrobiota gilt man als erwachsen, wenn man etwa drei Jahre alt ist. Erwachsen sein heißt in einem Darm: wissen, wie man funktioniert und was man mag. Von jetzt an befinden sich bestimmte Darmmikroben auf einer gigantischen Reiseexpedition durch unser Leben. Die Route geben wir vor: mit dem, was wir essen, ob wir Stress haben, in die Pubertät kommen, krank sind oder altern.

Wer auf Facebook Bilder von seinem Abendessen hochlädt und sich wundert, dass Freunde das tolle Foto nicht kommentieren, hat sich einfach nur ans falsche Zielpublikum gewendet. Gäbe es Mikroben-Facebook, würde ein Millionenpublikum beim Anblick des Bildes begeistert applaudieren oder schaudern. Täglich wechselnde Möglichkeiten bieten sich an: Mal sind praktische Milchverdauer im Käsebrot, mal ein Haufen Salmonellen im köstlichen Tiramisu. Manchmal verändern wir unsere Darmflora, und manchmal verändert sie uns. Wir sind ihr Wetter und ihre Jahreszeiten. Sie können uns pflegen oder vergiften.

Wir wissen bei Erwachsenen nur ansatzweise, was die bauchige Bakteriengemeinschaft alles bewegen kann. Bei Bienen ist das besser erforscht. Bienen mit vielseitigeren Darmbakterien haben sich in der Evolution durchgesetzt. Von ihren fleischfressenden Wespenvorfahren konnten sie sich nur deshalb weiterentwickeln, weil sie neuartige Darmmikroben aufsammelten, die Energie aus pflanzlichen Pollen herausholten. So wurden diese Tiere Vegetarier. Bei Nahrungsknappheit sorgen gute Bakterien für Sicherheit: Eine Biene kann in Notsituationen auch fremden

Nektar aus weit entfernten Gegenden verdauen. Einseitige Verwerter kommen da längst nicht so weit. In Krisenlagen stellt sich dann heraus, wer eine gute Mikroben-Armee hat. Bienen mit gut ausgestatteten Darmfloren trotzen manchen Parasitenplagen besser als andere. Darmbakterien sind hier ein unfassbar wichtiger Faktor, wenn es um das Überleben geht.

Leider können wir diese Ergebnisse nicht einfach auf den Menschen übertragen. Menschen sind Wirbeltiere und haben Facebook. Hier muss man noch mal ganz von vorne anfangen. Wissenschaftler, die sich mit unseren Darmbakterien beschäftigen, müssen eine noch fast unbekannte neue Welt verstehen und in Bezug zu der großen Welt setzen. Sie müssen wissen, wer da wie in unserem Darm wohnt.

Also noch mal – und jetzt genauer: Wer sind sie???

In der Biologie ordnet man gerne. Das funktioniert beim eigenen Schreibtisch genauso wie bei unserer Erde. Zuerst einmal wird alles in zwei große Schubladen gepackt: Lebendiges kommt in die eine, Nicht-Lebendiges in die andere. Dann wird weiter unterteilt. Alles Lebendige wird in drei Bereiche aufgeteilt: *Eukaryoten*, *Archaeen* und Bakterien. Von allen dreien findet man auch Vertreter im Darm. Ich verspreche nicht zu viel, wenn ich sage: Jeder der drei hat einen gewissen Charme.

Eukaryoten bestehen aus den größten und komplexesten Zellen. Sie können mehrzellig und ziemlich groß werden. Ein Wal ist ein *Eukaryot*. Menschen sind *Eukaryoten*. Ameisen übrigens auch, obwohl sie schon viel kleiner sind. *Eukaryoten* lassen sich nach der modernen Biologie in sechs Untergruppen aufteilen: amöbig kriechende Wesen, Wesen mit »Scheinfüßchen« (also ohne echte Füße), Pflanzenartige, Einzeller mit Mundgruben, Algige und *Opisthokonta*.

Falls der Begriff *Opisthokonta* (griechisch für »Hinterpolige«) nicht bekannt ist: Das sind alle Tiere, inklusive Menschen, aber auch Pilze. Wenn man also einer Ameise auf der Straße begegnet, darf man biologisch korrekt seinem *Opisthokonta*-Kollegen zuwinken. Die häufigsten *Eukaryoten* im Darm sind Hefen, die im Übrigen auch zu den *Opisthokonta* gehören. Wir kennen sie zum Beispiel aus dem Hefeteig, es gibt aber noch viele andere Hefen.

Archaeen sind irgendwie so ein Zwischending. Keine richtigen Eukaryoten, aber auch keine Bakterien. Ihre Zellen sind klein und komplex. Um dem etwas verwaschenen Image etwas entgegenzusetzen, könnte man sagen: *Archaeen* sind echt krass. Sie stehen auf die Extreme im Leben. Es gibt *Hyperthermophile*, die sich bei über 100 °C richtig wohl fühlen und oft bei Vulkanen abhängen. *Acidophile*, die in hochkonzentrierten Säuren umherschippern. *Barophile*, die großen Druck auf ihre Zellwände mögen wie auf dem Meeresgrund. Und *Halophile*, die am besten in stark versalzten Gewässern klarkommen (das Tote Meer finden sie prima). Die wenigen, die sich auf ein Leben im relativ unextremen Labor einlassen, sind meist die kälteliebenden *Archaeen*. Sie mögen die -80 °C-Gefrierschränke. In unserem Darm kommt oft eine *Archaeen*-Art vor, die vom Abfall anderer Darmbakterien lebt und leuchten kann.

Und damit zurück zum Hauptthema. Bakterien machen mehr als 90 Prozent der Darmwesen aus. Wenn wir Bakterien ordnen, teilen wir sie in etwas mehr als zwanzig Stämme ein. Diese Gruppen haben manchmal so viele Gemeinsamkeiten wie ein Mensch und ein Einzeller mit Mundgrube. Nämlich wenige. Die meisten Darmbewohner kommen größtenteils aus fünf Stämmen: hauptsächlich *Bacteroideten* und *Firmicuten*, zusätzlich *Actino*bakterien, *Proteobacteria* und *Verrucomicrobia*. Innerhalb dieser Stämme gibt es verschiedene Ober- und Untereinteilungen, bis man irgendwann vor einer Bakterienfamilie steht. Innerhalb dieser Familie ist man sich relativ ähnlich. Man isst dieselben Dinge, sieht relativ gleich aus, hat ähnliche Freunde

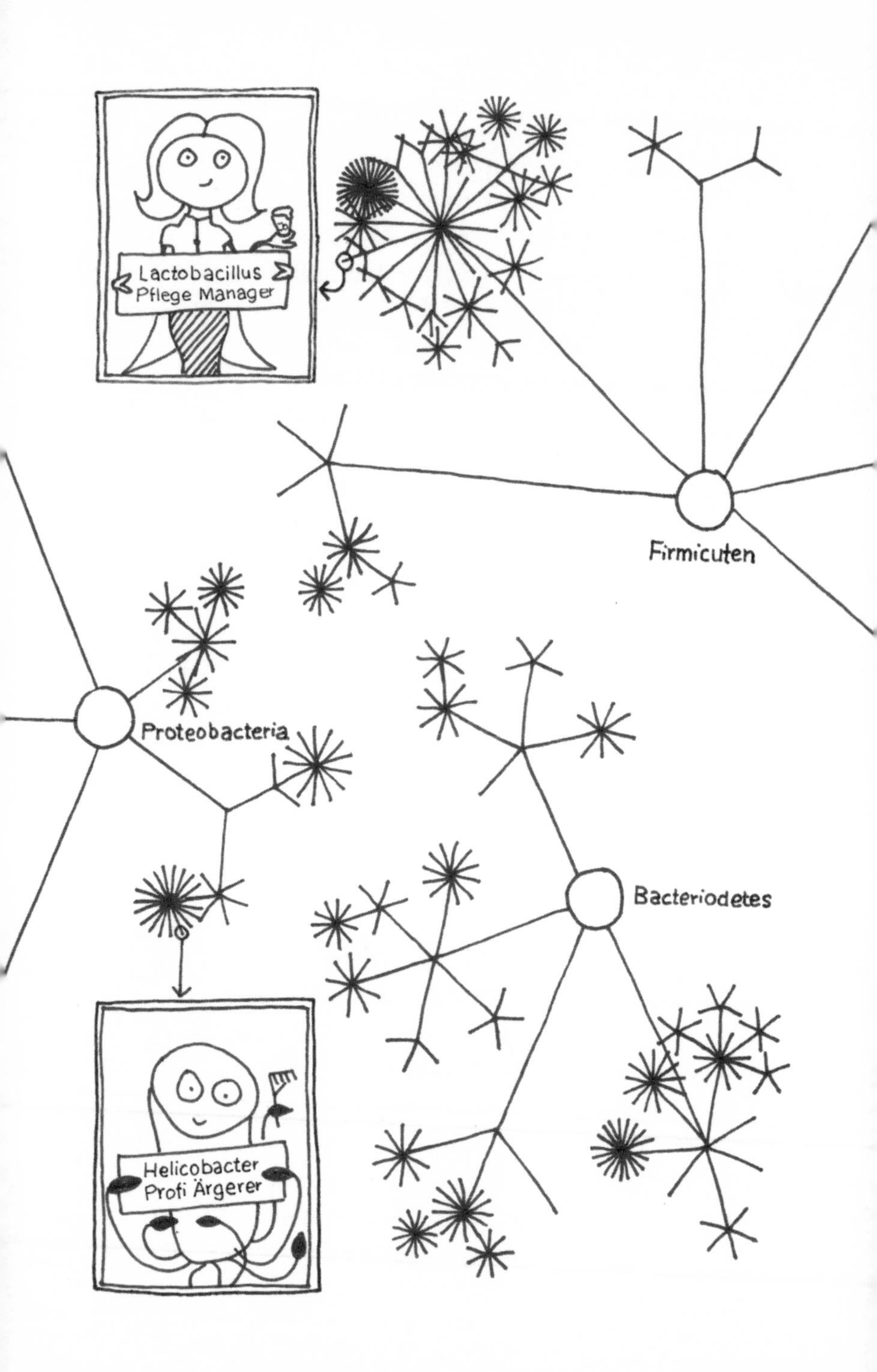
Lactobacillus
Pflege Manager
Firmicuten
Proteobacteria
Bacteriodetes
Helicobacter
Profi Ärgerer

und Fähigkeiten. Die einzelnen Familienmitglieder haben dann so eindrucksvolle Namen wie *Bacteroides uniformis, Lactobacillus acidophilus* oder *Helicobacter pylori.* Das Königreich der Bakterien ist riesengroß.

Wenn man bei Menschen nach einzelnen Bakterien sucht, entdeckt man immer wieder völlig unbekannte Arten. Oder auch bekannte Arten an unerwarteten Plätzen. Einige Forscher aus den USA untersuchten im Jahre 2011 aus Spaß Bauchnabelfloren. Im Bauchnabel eines Probanden fanden sie Bakterien, die man bis dahin nur aus dem Meer vor Japan kannte. Dabei war der Betreffende selbst noch nie in Asien gewesen. Globalisierung passiert nicht nur, wenn aus Tante Emma McDonald's wird, sondern dringt bis zu unseren Bauchnäbeln vor. Täglich fliegen Milliarden und Abermilliarden ausländische Mikroorganismen, ohne einen Cent zu bezahlen, um die Welt.

Jeder Mensch hat seine ganz eigene Sammlung aus Bakterien. Man könnte von uns sogar einen bakteriellen Fingerabdruck nehmen. Würde man dann einen Hund abtupfen und dessen Bakteriengene analysieren, könnte man mit großer Sicherheit das passende Herrchen dazu finden. Funktioniert genauso mit Computertastaturen. Alles, was wir oft berühren, trägt unsere Mikrobenhandschrift. Jeder hat irgendwelche abgefahrenen Sammelstücke, die kaum jemand anderes hat.

So einzigartig sieht es allerdings auch in unseren Därmen aus! Wie sollen Mediziner da wissen, was gut oder schlecht ist? Für die Forschung sind solche Einzigartigkeiten problematisch. Wenn sich die Frage stellt: Welchen Einfluss haben Darmbakterien auf die Gesundheit? Dann wollen wir nicht hören: »Also, Herr Mayer hat ein abgefahrenes Asiatisches und ganz viel ulkige

---

Abb.: *Grober Ausschnitt der drei wichtigsten Bakterienstämme und ihren Untergruppen.* Lactobacilli *gehören beispielsweise zu den Firmicuten.*

Sorten hiervon.« Wir wollen Muster erkennen und daraus Wissen ableiten.

Wenn sich Wissenschaftler mehr als tausend unterschiedliche Bakterienfamilien aus Därmen ansehen, stehen sie daher vor der Frage: Reicht es, grob Stämme zu definieren, oder muss man letztlich jedes uniformierte *Bacteroides*-Bakterium einzeln angucken? E.coli und sein böser Zwilling EHEC gehören beispielsweise zur selben Familie. Die Unterschiede sind verschwindend gering – spürbar sind sie trotzdem: E.coli ist ein harmloser Darmbewohner, EHEC verursacht schlimme Blutungen und starken Durchfall. Es macht nicht immer Sinn, Stämme oder Familien zu erforschen, wenn man wissen will, welchen Schaden Bakterien im Einzelnen anrichten können.

Die Gene unserer Bakterien

Gene sind Möglichkeiten. Gene sind Informationen. Gene können einem dominant etwas aufzwingen oder aber eine Fähigkeit anbieten. Vor allem sind Gene Pläne. Sie können nichts, solange sie nicht gelesen und verwendet werden. Um manche dieser Pläne kommt man nicht herum – sie entscheiden darüber, ob man ein Mensch oder ein Bakterium ist. Andere kann man lange aufschieben (wie Altersflecken), und wieder andere hat man vielleicht, aber sie werden nicht Realität, zum Beispiel große Brüste. Für den einen ist das gut, für den anderen schade.

Alle unsere Darmbakterien zusammen haben 150 Mal mehr Gene als ein Mensch. Diese riesige Gensammlung nennt man Mikrobiom. Wenn wir uns 150 verschiedene Lebewesen aussuchen könnten, deren genetische Baupläne wir gerne hätten, was würden wir nehmen? Einige würden an die Kraft eines Löwen, die Flügel der Vögel, das Hörvermögen von Fledermäusen oder die praktischen Campinghäuser der Schnecken denken.

Es gibt nicht nur optische Gründe, warum es praktischer ist, sich Bakteriengene anzueignen. Sie lassen sich bequem über den Mund aufnehmen, entfalten ihre Fähigkeiten im Darm und passen sich dabei auch noch an unser Leben an. Niemand braucht dauernd ein Schnecken-Campinghaus, niemand braucht dauernd Muttermilch-Verdauungshilfen. Letztere verschwinden nach dem Abstillen langsam. Es ist noch nicht möglich, alle Darmbakteriengene auf einmal anzugucken. Einzelne Gene kann man allerdings ganz gezielt suchen, wenn man sie kennt. Wir können zeigen: Es gibt bei Babys mehr Gene zum Verdauen von Muttermilch als bei Erwachsenen. Im Darm von übergewichtigen Menschen findet man oft mehr bakterielle Gene für den Abbau von Kohlenhydraten, bei älteren weniger Bakteriengene gegen Stress, in Tokio können sie Seealgen zerlegen und in Pforzheim eher nicht. Unsere Darmbakterien geben grobe Auskunft darüber, wer wir sind: jung, moppelig oder asiatisch.

Die Gene unserer Darmbakterien geben auch Auskunft darüber, was wir können. Das Schmerzmittel Paracetamol kann für manche Menschen giftiger sein als für andere: Einige Darmbakterien stellen einen Stoff her, der die Leber beim Entgiften der Schmerztablette beeinflusst. Ob man bedenkenlos bei Kopfweh Tabletten schlucken kann oder nicht, wird unter anderem im Bauch entschieden.

Ähnliche Vorsicht ist geboten bei allgemeinen Ernährungstipps: Die Schutzwirkung von Soja vor Prostata-Krebs, Gefäßerkrankungen oder Knochenproblemen ist mittlerweile belegt. Mehr als 50 Prozent der Asiaten profitieren davon. Unter der westlichen Bevölkerung findet man die Wirkung nur bei 25 bis 30 Prozent. Genetische Unterschiede erklären das nicht. Bestimmte Bakterien machen den Unterschied: Sie kommen eher in asiatischen Därmen vor und kitzeln aus Tofu & Co. die gesündesten Essenzen heraus.

Für die Wissenschaft ist es großartig, wenn sie einzelne Bakteriengene findet, die für diese Schutzwirkung verantwortlich sind. Die Frage: »Wie beeinflussen Darmbakterien unsere Gesundheit?«, haben sie in diesem einen Fall schon beantwortet. Allerdings wollen wir mehr – wir wollen das große Ganze verstehen. Wenn wir alle bis jetzt bekannten Bakteriengene auf einmal angucken, treten einzelne Gengrüppchen für die Verarbeitung von Schmerzmitteln oder Sojaprodukten in den Hintergrund. Am Ende überwiegen die Gemeinsamkeiten: Jedes Mikrobiom beinhaltet viele Gene für den Abbau von Kohlenhydraten, Proteinen oder für die Herstellung von Vitaminen.

Ein Bakterium hat in der Regel ein paar tausend Gene, pro Darm gibt es bis zu hundert Billionen Bakterien. Erste Auswertungen von unseren bakteriellen Gensammlungen lassen sich nicht in Balken- oder Tortendiagrammen darstellen – die ersten Diagramme der Mikrobiomforscher sehen aus wie moderne Kunst.

Die Wissenschaft hat mit dem Mikrobiom ein Problem, das die Generation Google gerade auch hat. Wir stellen eine Frage, und sechs Millionen Quellen antworten uns gleichzeitig. Da sagt man nicht einfach: »Jetzt bitte noch mal jeder einzeln.« Wir müssen kluge Bündel packen, deftig aussortieren und wichtige Muster erkennen. Ein erster Schritt in diese Richtung war die Entdeckung von drei *Enterotypen* im Jahr 2011.

Heidelberger Forscher hatten damals die Bakterienlandschaft mit der neusten Technik untersucht. Man erwartete das gewohnte Bild: chaotische Mischungen aus allen möglichen Bakterien und ein großer Batzen unbekannter Spezies. Das Ergebnis war überraschend. Trotz Vielfalt gibt es eine Ordnung. Eine von drei Bakterienfamilien stellte jeweils die Mehrheit im Reich der Bakterien. Dadurch wirkt das Riesenkuddelmuddel aus mehr als tausend Familien plötzlich viel aufgeräumter.

Die drei Darmtypen

Zu welchem der drei Darmtypen man gehört, hängt davon ab, welche Bakterienfamilie den größten Teil in der Bevölkerung ausmacht. Zur Wahl stehen Familien mit den schönen Namen *Bacteroides*, *Prevotella* oder *Ruminococcus*. Forscher fanden diese sogenannten *Enterotypen* bei Asiaten, Amerikanern und Europäern, egal, ob man alt oder jung war, männlich oder weiblich. Durch die Zugehörigkeit zu einem Darmtypen ist es zukünftig vielleicht möglich, auf eine ganze Reihe von Eigenschaften zu schließen: wie Soja-Verwertung, starke Nerven oder das Risiko, an bestimmten Krankheiten zu leiden.

Vertreter der traditionellen chinesischen Medizin besuchten damals das Institut in Heidelberg. Sie sahen eine Möglichkeit, ihre uralten Lehren mit moderner Medizin zu verknüpfen. In der klassischen chinesischen Medizin wird der Mensch seit jeher in drei Gruppen eingeteilt – je nachdem, wie er auf bestimmte Heilpflanzen wie etwa Ingwer anspricht. Die Bakterienfamilien unseres Körpers haben unterschiedliche Eigenschaften. Sie spalten Nahrung auf verschiedene Weise auf, stellen diverse Stoffe her und entgiften bestimmte Gifte. Außerdem könnten sie die Darmflora dadurch beeinflussen, dass sie jeweils andere Bakterien fördern oder bekriegen.

Bacteroides

Bacteroides sind die bekannteste Darmfamilie und bilden oft die größte Fraktion. Sie sind die Meister der Kohlenhydrataufspaltung und besitzen eine riesige Sammlung an genetischen Bauplänen, mit denen sie bei Bedarf jedes Aufspaltungsenzym herstellen können. Ob wir ein Steak essen, einen großen Salat oder betrunken an einer Bastmatte kauen – *Bacteroides* checken sofort, welche Enzyme sie brauchen. Egal, was kommt, sie sind dafür gewappnet, daraus Energie zu machen.

Durch ihre Fähigkeit, aus allem das Maximum herauszuholen und an uns weiterzugeben, sind sie unter Verdacht geraten, uns leichter Gewicht ansetzen zu lassen als andere. Tatsächlich scheinen *Bacteroides* Fleisch und gesättigte Fettsäuren zu mögen. In Därmen von Menschen, die gerne viel Wurst und Co. essen, kommen sie häufiger vor. Machen sie nun fett, oder kommen sie durch Fett? Diese Frage ist noch unbeantwortet. Wer *Bacteroides* beherbergt, hat vermutlich auch ein Faible für ihre Kollegen: die *Parabacteroides*. Die sind ebenfalls besonders geschickt dabei, möglichst viele Kalorien an uns weiterzugeben.

Dieser *Enterotyp* fällt unter anderem auch dadurch auf, dass er besonders viel Biotin produzieren kann. Andere Begriffe für Biotin sind auch Vitamin B7 oder Vitamin H. Vitamin H wurde es in den dreißiger Jahren getauft, weil es eine Hautkrankheit *heilen* kann, die durch den Verzehr von zu viel rohem Eiweiß auftritt. H wie »Heilen« ist vielleicht nicht besonders kreativ, aber irgendwie kann man es sich trotzdem immer merken.

Vitamin H neutralisiert einen Giftstoff, der sich in rohen Eiern befindet: Avidin. Die Hautkrankheit kommt nur deshalb zustande, weil man zu wenig Vitamin H hat. Zu wenig Vitamin H hat man, weil es damit beschäftigt ist, das Avidin zu neutralisieren. Der Genuss von rohem Eiweiß verursacht also Vitamin-H-Mangel, der dann wiederum zu einer Hautkrankheit führen kann.

Ich weiß nicht, wer damals so viel rohe Eier gegessen hat, dass man diesen Zusammenhang überhaupt erkennen konnte. Wer in Zukunft so viel Avidin essen könnte, dass es eng wird mit dem Vitamin H, lässt sich schon eher beantworten: Schweine, die sich blöderweise in ein Feld mit Genmais verirrt haben. Um den Mais weniger anfällig für Schädlinge zu machen, hat man ihn mit Genen versetzt, mit deren Hilfe er Avidin herstellen kann. Verzehren Schädlinge oder naive Schweine den Mais, vergiften sie sich damit. Sobald man diesen Mais allerdings kocht, ist er in Sachen Avidin so genießbar wie gut durchgekochte Frühstückseier.

Dass unsere Darmmikroben einiges an Vitamin H herstellen können, weiß man auch deshalb, weil manche Leute mehr davon ausscheiden, als sie aufgenommen haben. Da keine menschliche Zelle es produzieren kann, bleiben nur noch unsere Bakterien als heimliche Fabrikanten übrig. Wir brauchen es nicht nur für »schöne Haut, glänzende Haare und feste Nägel«, wie das so manche Tablettenpackung im Drogeriemarkt nahelegt. Biotin ist an elementar wichtigen Stoffwechselprozessen beteiligt: Wir stellen damit Kohlenhydrate und Fette für unseren Körper her und bauen Proteine ab.

Ein Mangel an Biotin kann neben Störungen von Haut, Haaren und Nägeln beispielsweise auch depressive Stimmung, Schläfrigkeit, Infektanfälligkeit, Nervenstörungen und erhöhte Cholesterinwerte hervorrufen. Hier ein dickes ACHTUNG: Die Liste von Symptomen bei Vitaminmangel ist bei jedem Vitamin beeindruckend. Man kann sich ziemlich sicher immer angesprochen fühlen. Wichtig ist: Man kann auch mal einen Schnupfen haben und ein bisschen lethargisch sein, ohne gleich unter Biotinmangel zu leiden. Und man hat natürlich eher hohe Cholesterinwerte durch den Genuss von einer großen Portion Speck als nach einem leicht glibberigen Frühstücksei mit Avidin.

Wer allerdings zu einer Risikogruppe gehört, darf an Biotinmangel denken. Dazu zählt, wer über einen längeren Zeitraum Antibiotika einnimmt, zu viel Alkohol trinkt, wem ein Stück Dünndarm entnommen wurde, wer auf Dialyse angewiesen ist oder bestimmte Medikamente nehmen muss. Diese Menschen brauchen mehr Biotin, als sie über das Essen aufnehmen können. Eine »gesunde« Risikogruppe sind Schwangere: Babys ziehen Biotin wie alte Kühlschränke Strom.

Es ist noch in keiner Studie genau untersucht worden, in welchem Maß unsere Darmbakterien uns Biotin parat stellen. Wir wissen, dass sie es produzieren und bakterienfeindliche Substanzen, wie Antibiotika, zu einem Mangel führen können. Ob jemand mit dem *Enterotyp Prevotella* eher zu Biotinmangel neigt als ein *Bacteroides*-Besiedelter, wäre ein ziemlich spannendes Forschungsprojekt. Da wir allerdings erst seit 2011 von *Enterotypen* wissen, gibt es sicher noch ein paar Fragen, die vorher beantwortet werden wollen.

Bacteroides sind nicht nur dadurch so erfolgreich, dass sie einen guten »Output« haben, sie arbeiten auch Hand in Hand mit anderen zusammen. Es gibt Spezies, die sich allein dadurch im Darm halten, dass sie den Müll von *Bacteroides* wegräumen. *Bacteroides* können in einem aufgeräumten Umfeld besser arbeiten, und die Müllabfuhrwesen haben eine sichere Einkommensquelle. Eine Ebene weiter kommen die Komposter – sie verwerten den Müll nicht nur, sie stellen außerdem noch Produkte daraus her, die *Bacteroides* wieder benutzen können. Bei einigen Stoffwechselwegen schlüpfen *Bacteroides* aber auch selbst in die Rolle des Komposters: Brauchen sie mal ein Kohlenstoffatom, um irgendetwas umzubauen, greifen sie einfach in die Luft im Darm und holen es sich. Dabei werden sie immer fündig: Bei unserem Stoffwechsel fällt Kohlenstoff als Abfall an.

Prevotella

Die *Prevotella*-Familie ist oft das Gegenteil von den *Bacteroides*. Studien zufolge kommt sie häufiger bei Vegetariern vor, aber auch bei Menschen, die es mit dem Fleischkonsum nicht übertreiben, oder auch bei absoluten Fleischliebhabern. Was wir essen ist eben nicht der einzige Faktor, der bei der Besiedlung unseres Darms eine Rolle spielt. Dazu gleich mehr.

Auch die *Prevotella* haben bakterielle Kollegen, mit denen sie besonders gerne arbeiten: die *Desulfovibrionales*. Die haben oft lange Propellerfäden, mit denen sie sich fortbewegen können, und sind ebenso wie *Prevotella* gut darin, unsere Schleimhaut nach brauchbaren Proteinen zu durchforsten. Diese Proteine können sie dann essen oder wer weiß was damit bauen. Beim Arbeiten der *Prevotella* fallen Schwefelverbindungen an. Den Geruch kennt man von gekochten Eiern. Würden die *Desulfovibrionales* nicht umherpropellern und schnell aufsammeln, was anfällt, stünden *Prevotella* bald irritiert in ihrem eigenen Schwefelsumpf herum. Ungesund ist dieses Gas übrigens nicht. Unsere Nase mag es nur vorsichtshalber nicht, weil es in tausendfacher Konzentration langsam gefährlich würde ...

Ebenfalls schwefelhaltig und von einem interessanten Geruch begleitet ist das typische Vitamin dieses *Enterotyps*: *Thiamin*, oder auch Vitamin B1, eines der bekanntesten und wichtigsten Vitamine überhaupt. Unser Hirn braucht es nicht nur, um die Nervenzellen gut zu ernähren, sondern auch, um sie von außen mit einem elektrisch-isolierenden Fettmantel einzuhüllen. *Thiamin*-Mangel ist deshalb eine der möglichen Ursachen für zittrige Muskeln und Vergesslichkeit.

Menschen mit einem sehr starken Vitamin-B1-Mangel bekommen die Krankheit Beriberi. Sie wurde im asiatischen Raum schon 500 n. Chr. beschrieben. Beriberi heißt übersetzt »ich kann nicht, ich kann nicht« – gemeint ist, dass die Betroffenen aufgrund der geschädigten Nerven und des Muskelschwunds nicht mehr gerade laufen können. Inzwischen weiß man, dass polierter Reis kein Vitamin B1 enthält; bei sehr einseitiger Ernährung kann Vitamin-B1-Mangel innerhalb von wenigen Wochen zu ersten Symptomen führen.

Außer den Nerven- und Gedächtnisstörungen kann man bei einem weniger gravierenden Mangel leichter gereizt sein, häufig Kopfschmerzen oder Konzentrationsprobleme haben; im fortgeschrittenen Fall kann man zu Ödemen und Herzschwäche neigen. Aber auch hier gilt: Diese Probleme können sehr viele Ursachen haben. Sie sind eher bedenklich, wenn sie auffallend oft oder stark vorkommen, und sie beruhen selten ausschließlich auf Vitaminmangel.

Mangelsymptome helfen eher zu verstehen, woran die Vitamine generell beteiligt sind. Wer sich nicht ausschließlich von poliertem Reis oder Alkohol ernährt, ist in den allermeisten Fällen ganz gut versorgt. Dass unsere Darmbakterien uns bei unserer Versorgung unterstützen können, macht sie zu viel mehr als nur einem Haufen herumpropellernder Schwefelpupser – und das ist das Spannende.

Ruminococcus

An dieser Familie scheiden sich die Geister, zumindest die der Wissenschaftler. Einige, die die Existenz der *Enterotypen* selbst nachgeprüft haben, konnten nur *Prevotella* und *Bacteroides* finden, aber keine *Ruminococcus*-Gruppe. Andere schwören auf diese dritte, und wieder andere meinen, es gebe auch eine vierte, fünfte usw. Gruppe aus anderen Bakterienfamilien. So etwas kann einem ganz schön die Kaffeepause auf einem Kongress versauen.

Einigen wir uns darauf: Es könnte sein, dass diese Gruppe existiert. Vorgeschlagenes Lieblingsessen: pflanzliche Zellwand. Eventuelle Kollegen: *Akkermansia*-Bakterien, die Schleim abbauen und Zucker ziemlich schnell in sich aufsaugen. Als Substanz produzieren *Ruminococcen* Häm. Das braucht man im Körper zum Beispiel, wenn man Blut herstellt.

Einer, der Probleme bei der Hämproduktion hatte, war vermutlich Graf Dracula. In seiner Heimat Rumänien kennt man einen genetischen Defekt, der so aussieht: Unverträglichkeit von Knoblauch und Sonnenlicht sowie die Produktion von rotem Urin. Der rote Urin kommt daher, dass die Blutproduktion nicht funktioniert und der Betroffene unfertige Zwischenprodukte auspinkelt. Die Schlussfolgerung damals war allerdings: Wer rot pinkelt, hat vorher Blut getrunken. Heute werden Menschen mit dieser Krankheit behandelt und nicht Hauptdarsteller in einer Gruselgeschichte.

Auch wenn es keine *Ruminococcus*-Gruppe geben sollte, diese Bakterien kommen trotzdem in unseren Därmen vor. Deshalb schadet es nicht, dass wir jetzt schon mal etwas mehr über sie wissen – und über Dracula und die Urin-Nuancen. Mäuse ohne jegliche Darmbakterien haben beispielsweise Probleme bei der Hämbildung; dass hierfür Bakterien wichtig sind, ist also kein völliger Irrsinn.

Jetzt haben wir die kleine Welt der Darmmikroben besser kennengelernt. Ihre Gene sind ein riesiger Pool ausgeliehener Fähigkeiten. Sie helfen uns damit beim Verdauen, stellen Vitamine her und andere nützliche Stoffe. Wir beginnen *Enterotyp*-Bündel zu packen und nach Mustern zu suchen. Wir tun das aus einem Grund: 100 Billionen kleine Lebewesen sitzen in unserem Bauch, und es liegt nahe, dass das nicht spurlos an uns vorbeigeht. Gehen wir einen Schritt weiter zu spürbaren Effekten und schauen uns genauer an, wie diese Darmbakterien bei unserem Stoffwechsel mitmischen, welche uns guttun und welche Schaden anrichten.

Die Rolle der Darmflora

Manchmal erzählen wir unseren Kindern große Lügen. Weil sie sehr schön sind, wie die vom bärtigen Mann, der einmal im Jahr allen Kindern etwas schenkt und dazu mit seinen aufgetunten Rentieren durch die Luft fliegt. Oder die vom Osterhasen, der im Garten Eier versteckt. Manchmal merken wir gar nicht, wenn wir nicht die Wahrheit sagen. Wie bei dem typischen Fütterritual: »Ein Löffel für die Tante. Ein Löffel für den Onkel. Einen für die Mama, einen für die Oma ...« Würde man sein Baby wissenschaftlich korrekt beim Füttern unterhalten wollen, müsste man sagen: »Ein Löffel für dich, Baby. Ein geringer Teil des nächsten Löffels für deine *Bacteroides*-Bakterien. Ein ebenfalls geringer Teil für deine *Prevotella*-Bakterien. Und dann noch ein ganz winziger Teil für einige andere Mikroorganismen, die gerade in deinem Bauch sitzen und auf ihr Essen warten.« Man könnte auch noch den mitfütternden Mikrokollegen im Bauch einen freundlichen Gruß ausrichten. *Bacteroides* und Co. helfen beim Ernähren unseres Babys nämlich fleißig mit. Und das nicht nur im Säuglingsalter. Auch der erwachsene Mensch wird von seinen Darmbakterien häppchenweise zurückgefüttert. Darmbakterien bearbeiten Nahrungsmittel, die wir sonst nicht aufspalten könnten, und teilen die Überbleibsel mit uns.

Die Überlegung, ob Darmbakterien unseren Stoffwechsel insgesamt beeinflussen und so auch unser Gewicht mitregulieren, ist gerade mal ein paar Jahre alt. Zuerst zum Basiskonzept: Wenn Bakterien bei uns mitessen, dann klauen sie nichts von uns. Darmbakterien halten sich kaum dort im Dünndarm auf, wo wir selbst unsere Nahrung aufspalten und absorbieren. Die höchsten Bakterienkonzentrationen sind dort, wo das Verdauen schon beinahe vorüber ist und nur noch das Unverdaute durchtransportiert wird. Je näher man vom Dünndarm zum Darmausgang kommt, umso mehr Bakterien befinden sich pro Quadratzentimeter auf der Darmschleimhaut. Diese Verteilung soll auch so bleiben, dafür sorgt unser Darm. Ist das Gleichgewicht gestört, und die Bakterien wandern übermütig und in großer Zahl in den Dünndarm, nennt man das »bacterial overgrowth«, also bakterielle Überbesiedlung. Symptome und Folgen dieses noch relativ unerforschten Krankheitsbildes können starke Blähungen, Bauchschmerzen, Gelenkschmerzen, Darmentzündungen oder auch Nährstoffmangel und Blutarmut sein.

Bei Widerkäuern wie Kühen ist das genau andersherum organisiert. Diese doch recht großen Tiere halten sich ziemlich gut dafür, dass sie lediglich Gras und andere Pflanzen verspeisen. Kein anderes Tier würde Veganer-Witze über sie reißen. Ihr Geheimnis? Kühe haben ihre Bakterien sehr weit oben im Verdauungsschlauch sitzen. Sie versuchen noch nicht mal zuerst selbst zu verdauen, sondern übergeben die komplizierten pflanzlichen Kohlenhydrate gleich *Bacteroides* und Co. Diese bereiten daraus ein leicht verdauliches Festmahl.

Wenn man seine Bakterien so weit oben im Verdauungsschlauch sitzen hat, ist das praktisch. Bakterien sind proteinreich – also essenstechnisch gesehen kleine Steaks. Wenn sie im Kuhmagen ausgedient haben, rutschen sie abwärts und werden dort verdaut. Die Kuh hat damit eine großartige Proteinquelle: winzige Mikrobensteaks aus eigener Zucht. Unsere Darmbakterien sitzen für diesen praktischen Steak-Service zu weit hinten im Darm – wir scheiden sie unverdaut aus.

Nagetiere tragen ihre Mikroben auch so weit hinten wie wir, lassen sich die Bakterienproteine aber nur ungerne entgehen.

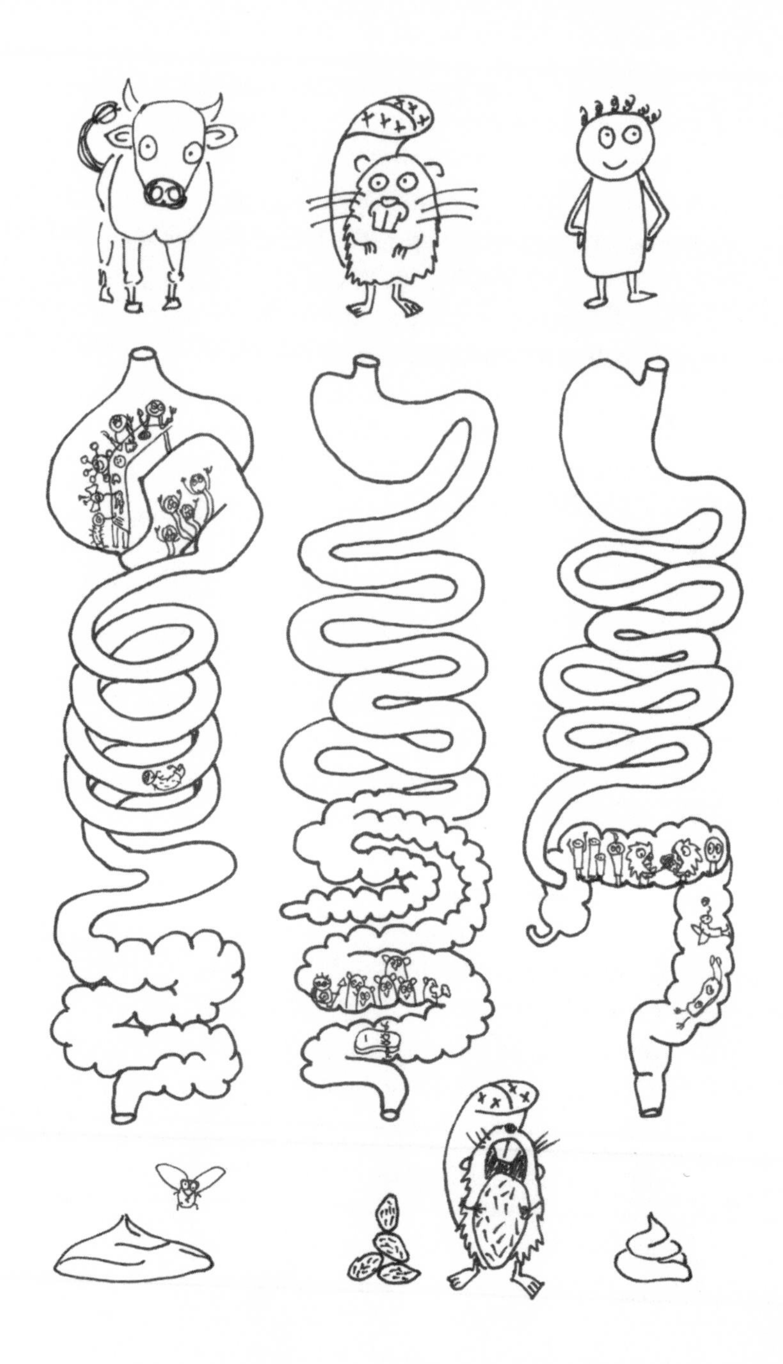

Sie essen daher einfach ihren Kot. Wir tun das nicht und gehen stattdessen in den Supermarkt und kaufen Fleisch oder Tofu – als Ausgleich dafür, dass wir die proteinreichen Bakterien im Dickdarm nicht verwerten können. Von ihrer Arbeit profitieren wir allerdings auch, selbst wenn wir sie nicht verdauen: Bakterien stellen so kleine Nährstoffe her, dass wir diese durch unsere Darmzellen aufnehmen können.

Das können sie im Übrigen auch schon außerhalb des Darmes tun. Joghurt ist nichts anderes als von Bakterien vorverdaute Milch. Der Milchzucker (Laktose) wird zu großen Teilen aufgespalten und zu Milchsäure (Laktat) und kleineren Zuckermolekülen umgewandelt. Das macht Joghurt insgesamt saurer und süßer als Milch. Die neugebildete Säure hat noch einen weiteren Effekt: Durch sie gerinnt das Milcheiweiß, und das macht die Milch fester. Deshalb hat Joghurt auch eine andere Konsistenz. Vorverdaute Milch (Joghurt) spart unserem Körper Arbeit – wir müssen nur noch weiterverdauen.

Dabei ist es klug, wenn wir solche Bakterien vorverdauen lassen, die besonders gesunde Endprodukte herstellen. Joghurthersteller mit milder Achtsamkeit setzen daher oft Bakterien ein, die mehr »rechtsdrehende« Milchsäure herstellen als »linksdrehende«. Linksdrehende Milchsäure ist ein Molekül, das genau spiegelverkehrt ist zum rechtsdrehenden Milchsäuremolekül. Das ist für unsere menschlichen Verdauungsenzyme wie eine Linkshänder-Schere für routinierte Rechtshänder: schwer bekömmlich. Deshalb greift man im Supermarkt besser zu dem Joghurt, auf dessen Inhaltsliste so etwas steht wie: »... enthält vorwiegend rechtsdrehende Milchsäure«.

Bakterien zerlegen unser Essen nicht einfach nur, sie stellen dabei auch ganz neue Stoffe her. Ein Weißkohl zum Beispiel hat weniger Vitamine als das Sauerkraut, das später aus ihm wird – Bakterien stellen die zusätzlichen Vitamine her. Im Käse sind

Bakterien und Pilze für Geschmack, cremige Substanz und Käselöcher verantwortlich. Und in Lyoner oder Salami werden oft sogenannte Starterkulturen hineingegeben. Starterkulturen ist das Wort für: »Wir trauen es uns kaum zu sagen, aber die Bakterien (vor allem *Staphylokokken*) machen es erst köstlich.« An Wein oder Wodka schätzen wir ein Stoffwechsel-Endprodukt von Hefen namens Alkohol. Die Arbeit der Kleinstlebewesen endet aber bei weitem nicht im Weinfass. Fast alles, was ein Weinverkoster Ihnen erzählt, findet sich so nicht in der Weinflasche. Verzögerte Geschmäcke wie der »Abgang vom Wein« sind deshalb verzögert, weil Bakterien für ihre Arbeit Zeit brauchen. Sie sitzen auf dem hinteren Bereich unserer Zunge und bauen schon dort das Essen und Trinken um. Was dabei von ihnen freigesetzt wird, gibt einen Nachgeschmack. Jeder Gourmet-Weinkenner wird ein bisschen anders schmecken – abhängig von den individuellen Zungenbakterien. Trotzdem nett, dass er uns von seinen Mikroben erzählt. Wer tut das heutzutage schon so stolz?

In unserem Mund lebt etwa ein Zehntausendstel der Bakterien, die es im Darm gibt, und trotzdem schmecken wir ihre Arbeit schon. Unser Verdauungsschlauch kann sehr dankbar dafür sein, dass er ein so großes Volk mit den unterschiedlichsten Fähigkeiten besitzt. Während einfache Glucose oder Fruchtzucker an sich noch gut verdaulich ist, machen viele Därme bei Laktose, also Milchzucker, schon schlapp. Ihre Besitzer leiden dann unter Laktose-Unverträglichkeit. Bei komplizierten pflanzlichen Kohlenhydraten wäre ein Darm völlig aufgeschmissen, müsste er für jedes davon das passende Aufspalte-Enzym parat haben. Unsere Mikroben sind Experten für diese Substanzen. Wir geben ihnen Unterkunft und Essensreste – und sie beschäftigen sich mit dem Kram, der zu kompliziert für uns ist.

Westliche Ernährung besteht zu 90 Prozent aus der Nahrung, die man isst, und zu 10 Prozent aus dem, was unsere Bakterien uns täglich füttern. Nach neun Mittagessen geht der nächste Hauptgang sozusagen aufs Haus. Erwachsenenfütterung ist eine Hauptbeschäftigung für manche unserer Bakterien. Dabei ist es überhaupt nicht egal, was wir essen – und auch nicht egal, welche Bakterien uns füttern. Anders formuliert: Wenn es um das Thema Gewicht geht, sollte man nicht nur an fette Kalorien denken, sondern auch an die Bakterienwelt, die immer mit am Essenstisch sitzt.

Wie können Bakterien dick machen? Drei Hypothesen

1.

Die Darmflora beinhaltet zu viele Moppelbakterien. Moppelbakterien sind effiziente Kohlenhydrat-Aufspalter. Nehmen die Moppelbakterien überhand, haben wir ein Problem. Schlanke Mäuse scheiden einen bestimmten Teil unverdaulicher Kalorien aus – ihre dicken Kollegen deutlich weniger. Ihre Moppel-Darmflora holt aus demselben Essen das letzte Fitzelchen heraus und füttert es frohgemut Herrn/Frau Maus. Auf den Menschen übertragen, kann das heißen: Manche kriegen lästige Fettpolster, obwohl sie nicht mehr essen als andere – ihre Darmflora holt eventuell einfach mehr aus dem Essen heraus.

Wie ist das möglich? Aus unverdaulichen Kohlenhydraten können Bakterien verschiedene Fettsäuren herstellen: gemüseliebende Bakterien machen eher Fettsäuren für Darm und Leber, andere Bakterien produzieren Fettsäuren, die auch noch den Rest unseres Körpers mitfüttern. Eine Banane kann deshalb weniger dick machen als ein halber Schokoriegel mit derselben Kalorienanzahl – pflanzliche Kohlenhydrate erregen eher die Aufmerksamkeit der Lokalversorger als die der Ganzkörper-Fütterer.

Bei Studien mit übergewichtigen Menschen hat man festgestellt, dass in ihrer Darmflora insgesamt weniger Vielfalt herrscht und bestimmte Bakteriengruppen überwiegen, die vor allem Kohlenhydrate verstoffwechseln. Damit man erfolgreich übergewichtig wird, müssen aber noch ein paar andere Faktoren gegeben sein. Bei Experimenten mit Labormäusen wogen einige 60 Prozent mehr als zu Beginn. So etwas schaffen »Fütterer« alleine nicht. Man zog deshalb einen anderen Marker für starkes Übergewicht heran: Entzündung.

2.

Bei Problemen mit dem Stoffwechsel wie Übergewicht, Diabetes und hohen Blutfettwerten kann man meistens leicht erhöhte Entzündungsmarker im Blut finden. Die Werte sind nicht so hoch, dass man sie behandeln müsste wie etwa bei einer großen Wunde oder einer Blutvergiftung. Man nennt das Phänomen deshalb »subklinische Entzündung«. Wenn es jemanden gibt, der sich mit Entzündungen auskennt, dann Bakterien. Auf ihrer Oberfläche befindet sich ein Signalstoff, der dem Körper sagt: »Entzünde dich!«

Bei Wunden ist dieser Mechanismus hilfreich: Durch die Entzündung werden die Bakterien ausgeschwemmt und bekämpft. Solange Bakterien in ihrer Schleimhaut im Darm bleiben, interessiert der Signalstoff niemanden. Unter unguten Bakterienkombinationen und bei zu fettiger Nahrung kommt zu viel davon ins Blut. Unser Körper begibt sich in einen leichten Entzündungsmodus. Ein paar Fettreserven für harte Zeiten können da nicht schaden.

Signalstoffe der Bakterien können auch an anderen Organen andocken und den Stoffwechsel beeinflussen: In Nagetieren und Menschen binden sie an der Leber oder dem Fettgewebe selber und fördern, dass hier Fett eingelagert wird. Interessant ist auch die Wirkung an der Schilddrüse – bakterielle Entzündungsstoffe erschweren dort die Arbeit, so dass weniger Schilddrüsenhormone gebildet werden können. Dadurch wird die Fettverbrennung träger.

Anders als starke Infekte, die den Körper auszehren und dünner werden lassen, macht die subklinische Entzündung dick. Um dem Ganzen noch eins draufzusetzen: Nicht nur Bakterien können subklinische Entzündung verursachen – hormonelles Ungleichgewicht, zu viel Östrogene, Vitamin-D-Mangel oder auch zu viel glutenhaltiges Essen wurden ebenfalls als mögliche Ursachen beobachtet.

3.

Achtung: abgefahren! Eine 2013 postulierte Hypothese lautet: Darmbakterien können den Appetit ihrer Besitzer beeinflussen. Grob gesagt: Heißhungerattacken um 22 Uhr auf mit Schokolade überzogene Karamellbomben und hinterher noch eine Tüte Salzbrezeln entspringen nicht immer demselben Organ, das unsere Steuererklärung ausrechnet. Nicht im Hirn, sondern in unserem Bauch sitzt eine Bakterienfraktion, die nach Hamburgern schmachtet, wenn sie die letzten drei Tage von einer Diät heimgesucht wurde. Irgendwie macht sie das auf besonders charmante Art und Weise, denn wir können ihr kaum einen Wunsch abschlagen.

Um diese Hypothese zu verstehen, muss man sich in die Materie »Essen« hineindenken. Wenn wir die Wahl zwischen verschiedenen Gerichten haben, entscheiden wir meistens nach Lust und Laune. Wie viel wir anschließend davon essen, wird vom Sattheitsgefühl bestimmt. Bakterien haben theoretisch Mittel und Wege beides zu beeinflussen: Lust und Sattheit. Dass sie auch ein Wörtchen mitreden, wenn es um unseren Appetit geht, kann man, wie gesagt, momentan nur vermuten. Ganz doof wäre es allerdings nicht – was und wie viel wir essen, kann in ihrer Welt Leben oder Tod bedeuten. In drei Milliarden Jahren Ko-Evolution hatten auch einfache Bakterien Zeit, sich optimal auf ihre Menschenwelt einzustellen.

Um Lust auf bestimmtes Essen zu erzeugen, muss man in das Gehirn gelangen. Und das ist schwer. Das Gehirn ist eingepackt in eine feste Hirnhaut. Noch viel dichter als diese Haut sind Mäntel, die um alle Gefäße gelegt sind, die das Gehirn durchziehen. Durch diesen Wust kommen nur purer Zucker und Mineralstoffe und alles, was so klein und fettlöslich ist wie ein neuronaler Signalstoff. Nikotin zum Beispiel darf rein und Belohnungsgefühle oder entspannte Wachheit auslösen.

Bakterien können solche kleinen Dinge herstellen, die trotz der Blutgefäßmäntel in das Hirn gelangen. Zum Beispiel *Tyrosin* und *Tryptophan*. Diese beiden Aminosäuren werden in Hirnzellen zu Dopamin und Serotonin umgewandelt. Dopamin? Na, hallo, wenn da nicht das Stichwort »Belohnungszentrum« aufkommt. Serotonin? Hat man auch schon mal gehört. Zu wenig davon bei Depression. Es kann zufrieden und schläfrig machen. Jetzt bitte einmal an das letzte große Weihnachtsessen denken. Auch zufrieden, träge und schläfrig auf dem Sofa dahingeschlummert?

Die Theorie ist also: Unsere Bakterien belohnen uns, wenn sie eine ordentliche Ladung Essen bekommen haben. Das ist angenehm und macht Lust auf bestimmte Mahlzeiten. Nicht nur pur durch ihre Stoffe, sondern auch dadurch, dass sie unsere eigenen Transmitter ankurbeln. Dieses Prinzip gilt auch bei der Sattheit.

In mehreren Studien konnte man zeigen, dass unsere eigenen Sattheits-Signalstoffe deutlich stärker ansteigen, wenn wir bakteriengerecht essen. Bakteriengerecht bedeutet: Dinge zu uns zu nehmen, die unverdaut im Dickdarm ankommen und dort von den Bakterien gegessen werden können. Nudeln und Toastbrot gehören überraschenderweise nicht dazu ;-) Mehr dazu auf Seite 263 (unter *Präbiotika*).

Sattheit wird generell von zwei Seiten signalisiert: einmal vom Gehirn und außerdem vom restlichen Körper. Hier kann schon viel schiefgehen: Gene für Sattheit können bei übergewichtigen Menschen fehlerhaft sein; sie schaffen es einfach nicht, ein Sattheitsgefühl hervorzurufen. Nach der Theorie des »egoistischen Gehirns« bekommt das Gehirn nicht genug von der Nahrung ab und entscheidet deshalb, dass es noch nicht satt ist. Aber nicht nur Körpergewebe und Denkorgan sind von unserem Essen abhängig – auch unsere Mikroben wollen ernährt werden. Sie wirken verhältnismäßig klein und unbedeutend – 2 Kilo Bakterien in einem Darm. Was haben die schon zu melden?

Wenn wir uns überlegen, wie viele Funktionen unsere Darmflora hat, scheint es einleuchtend, dass auch sie ihre Wünsche äußern kann. Ihre Bakterien sind schließlich wichtigste Trainer des Immunsystems, Verdauungshelfer, Hersteller von Vitaminen und Meister bei der Entgiftung von Schimmelbrot oder Medikamenten. Die Liste ist natürlich noch länger – die Aussage sollte aber hier schon klar sein: Ein Mitspracherecht bei der Sattheit dürfte drin sein.

Unklar ist noch, ob bestimmte Bakterien unterschiedliche Gelüste äußern. Wer eine lange Zeit keine Süßigkeiten isst, vermisst sie irgendwann nicht mehr so sehr. Wurde da etwa die Schoko- und Gummibärchenlobby ausgehungert? Wir können hier nur mutmaßen.

Vor allem darf man sich den Körper nicht als zweidimensionales Effekt-Wirkungs-Gebilde vorstellen. Hirn, Restkörper, Bakterien und Nahrungsbestandteile interagieren vierdimensional. Alle Achsen besser zu verstehen bringt uns sicher am meisten weiter. An den Bakterien können wir allerdings schon besser rumschrauben als an unserem Gehirn oder unseren Genen – und das macht sie so spannend. Was Bakterien uns füttern, ist nicht nur interessant für Bauchspeck und Oberschenkel-Pölsterchen; sie spielen zum Beispiel mit, wenn es um Blutfettwerte wie Cholesterin und Co. geht. In dieser Erkenntnis liegt einige Brisanz: Übergewicht und hoher Cholesterinspiegel sind mit den großen Gesundheitsproblemen unserer Zeit verknüpft: Bluthochdruck, Arteriosklerose und Diabetes.

Cholesterin und Darmbakterien

Der Zusammenhang von Bakterien und Cholesterin wurde erstmals in den siebziger Jahren entdeckt. Amerikanische Forscher hatten Massai-Krieger in Afrika untersucht und sich über ihre niedrigen Cholesterinspiegel gewundert, denn: Diese Krieger aßen praktisch nichts außer Fleisch und tranken Milch wie Wasser. Dieses Übermaß an tierischem Fett führte allerdings nicht zu hohen Blutfettwerten. Die Wissenschaftler vermuteten einen geheimnisvollen Milchstoff, der den Cholesterinspiegel niedrig halten könnte.

In der Folgezeit unternahmen sie alles, um diesen Milchstoff zu finden. Neben Kuh- wurden auch Kamel- und Rattenmilch getestet. Mal klappte es, den Cholesterinspiegel zu senken, mal nicht. Mit diesem Ergebnis konnten die Forscher nichts anfangen. In einem anderen Versuch wurde den Massai statt Milch ein pflanzlicher Ersatz (Coffeemate) mit hohem Cholesterinzusatz verabreicht – der Cholesterinspiegel der Probanden stieg trotzdem nicht. Dies sahen Wissenschaftler als die Wiederlegung ihrer Milch-Hypothese an.

Dabei hatten sie fein säuberlich notiert, dass die Massai ihre Milch oft »geronnen« tranken. Dass es aber bestimmte Bakterien braucht, um Milch gerinnen zu lassen, daran dachte niemand. Es wäre auch eine logische Erklärung des Coffeemate-Versuchs gewesen. Vorher angesiedelte Bakterien können im Darm schließlich auch weiterleben, wenn man auf pflanzliche Ersatzmilch mit Cholesterin umsteigt. Selbst als Massai ihre Cholesterinspiegel um 18 Prozent senkten, wenn sie »geronnene« statt normaler Milch tranken, suchte man noch immer den mysteriösen Milchstoff. Blinder Fleiß ohne Erfolg.

Diese Studien an den Massai würden heutigen Ansprüchen nicht mehr genügen. Die Versuchsgruppen waren sehr klein. Massai laufen täglich etwa 13 Stunden und durchleben jedes Jahr auch Monate des Fastens – man kann sie nicht einfach mit Fleisch essenden Europäern vergleichen. Allerdings wurden die Ergebnisse dieser Studien Jahrzehnte später wiederentdeckt. Von Forschern, die mittlerweile ein Bakterien-Bewusstsein hatten. Cholesterinsenkende Bakterien? Warum nicht mal im Labor ausprobieren: einen Kolben mit Nährstoffbrühe, bei angenehmen 37 °C, Cholesterin rein und Bakterien dazu – et voilà. Das verwendete Bakterium war *Lactobacillus fermentus*, und das beigefügte Cholesterin war … weg. Zumindest ein beachtlich großer Teil davon.

Experimente können sehr unterschiedlich ausgehen – je nachdem, ob man sie in einem Glaskolben oder in *Opisthokonta* durchführt. Es ist dann eine Achterbahnfahrt der Gefühle, wenn ich in wissenschaftlichen Artikeln Sätze lese wie: »Das Bakterium L. plantarum Lp91 kann hohe Cholesterinspiegel und andere Blutfettwerte deutlich senken, steigert das gute HDL und führt zu deutlich geringeren Arteriosklerose-Raten, *wie man erfolgreich an 112 syrischen Goldhamstern zeigen konnte.*« Noch nie war ich von syrischen Goldhamstern so enttäuscht. Versuche an Tieren sind der erste Weg, Experimente im lebenden System zu testen. Stünde da »wie man erfolgreich an 112 übergewichtigen Amerikanern zeigen konnte«, wäre die Sache wesentlich eindrucksvoller.

Ein solches Ergebnis ist trotzdem viel wert. Studien an Mäusen, Ratten und Schweinen haben für manche Bakterienarten so gute Ergebnisse gezeigt, dass man es sinnvoll fand, sie auch an Menschen durchzuführen. Ihnen wurden regelmäßig Bakterien eingeflößt, und nach gewisser Zeit wurde ihr Cholesterinspiegel gemessen. Die dafür benutzten Bakterienarten, die Mengen, die Dauer oder auch die Art der Einnahme waren oft völlig unterschiedlich. Mal waren die Studien erfolgreich, mal nicht. Darüber hinaus wusste niemand de facto, ob überhaupt genug der verabreichten Bakterien die Magensäure überlebten, um den Cholesterinspiegel zu beeinflussen.

Wirklich schöne Studien gibt es erst seit wenigen Jahren. 2011 nahmen 114 Kanadier für eine Studie zwei Mal täglich speziell angefertigten Joghurt zu sich. Das beigefügte Bakterium war *Lactobacillus reuteri* – in einer besonders verdauungsresistenten Form. Innerhalb von sechs Wochen sank das schlechte LDL-Cholesterin durchschnittlich um 8,91 Prozent. Das ist etwa die Hälfte des Effekts, der durch die Einnahme eines milden Cholesterin-Medikaments erreicht wird – nur ohne Nebenwirkungen. In anderen Studien konnten mit anderen Bakterienstämmen Cholesterinwerte sogar um 11 bis 30 Prozent gesenkt werden. Es fehlen noch Folgestudien, um die erfolgreichen Ergebnisse zu überprüfen.

Es gibt mehrere hundert Bakterienkandidaten, die man in Zukunft ausprobieren könnte. Um sie herauszufiltern, muss man sich fragen: Welche Fähigkeiten muss so ein Bakterium haben – oder besser gesagt: welche Gene? Der Hauptkandidat dafür sind zurzeit BSH-Gene. BSH steht für »Bile Salt Hydroxylase«.

Das bedeutet: Bakterien mit diesen Genen können Gallensalze umbauen. Was haben Gallensalze mit Cholesterin zu tun? Die Antwort steckt im Namen. Cholesterin besteht aus den Wortbausteinen »Chol« für Galle und »stereos« für fest. Als man Cholesterin das erste Mal entdeckte, fand man es in Gallensteinen. Die Galle ist in unserem Körper das Transportmittel für Fette und Cholesterin. Durch BSH können Bakterien Galle so bearbeiten, dass sie schlechter funktioniert. Das gelöste Cholesterin und das Fett in der Galle werden bei der Verdauung dann auch nicht mehr aufgenommen und wandern, plump gesagt, ins Klo. Für Bakterien ist dieser Mechanismus hilfreich. Sie entkräften damit die Galle, die ihre Zellmembran angreifen kann, und schützen sich dadurch, bis sie es endlich in den Dickdarm geschafft haben. Es gibt aber auch noch eine Handvoll anderer Mechanismen, wie Bakterien mit Cholesterin umgehen: Sie können es direkt aufnehmen und in ihre eigenen Zellwände einbauen; sie können es zu einem neuen Stoff umwandeln oder Organe manipulieren, die Cholesterin herstellen. Das meiste Cholesterin wird in der Leber und im Darm hergestellt: Hier können kleine Botenstoffe von Bakterien die Arbeit mitregulieren.

Jetzt sollte man ein bisschen vorsichtig sein und erst mal fragen: Will der Körper sein Cholesterin denn immer ausscheiden? Er stellt 70 bis 95 Prozent unseres Cholesterins selber her – und das ist viel Arbeit! Dank der einseitigen Medienpräsenz könnte man meinen, Cholesterin wäre per se schlecht. Das ist ziemlich falsch. *Zu viel* Cholesterin ist nicht so dufte, *zu wenig* aber auch nicht. Ohne Cholesterin hätten wir keine Sexualhormone, instabile Zellen und kein Vitamin D. Fett und Cholesterin ist nicht nur ein Thema für Oma Heide, die so gerne Törtchen und Würstle nascht. Es geht uns alle an. Zu wenig Cholesterin wird in Studien assoziiert mit Gedächtnisproblemen, Depression und aggressivem Verhalten.

Cholesterin ist der fabelhafte Grundstoff, mit dem wichtige Dinge gebaut werden können. Zu viel davon ist tatsächlich schädlich – es kommt eben auf das richtige Gleichgewicht an. Unsere Bakterien wären nicht unsere Bakterien, wenn sie uns dabei nicht helfen könnten. Manche Bakterien stellen mehr sogenanntes *Propionat* her, das die Cholesterinbildung hemmt. Andere produzieren mehr *Acetat*, das die Cholesterinbildung antreibt.

Hätten wir das gedacht? Dass wir in einem Kapitel, das mit kleinen, leuchtenden Bakterienpunkten anfängt, irgendwann bei Worten wie »Lust und Sattheit« oder »Cholesterin« ankommen? Ich fasse zusammen: Bakterien füttern uns mit, machen Stoffe verdaulicher und stellen eigene Stoffe her. Einige Wissenschaftler vertreten mittlerweile die Theorie, dass unsere Darm-Mikrobiota als ein Organ gesehen werden kann. Genauso wie die anderen Organe unseres Körpers hat es einen Ursprung, entwickelt sich mit uns, besteht aus einem Haufen Zellen und ist ständig verbunden mit seinen Organkollegen.

Übeltäter – schlechte Bakterien und Parasiten

Es gibt Gutes und Schlechtes in der Welt – auch in der unserer Mikroben. Das Schlechte hat meistens eine Gemeinsamkeit: Es will eigentlich nur das Beste … für sich selbst.

Salmonellen mit Hüten

Beim Aufschlagen von Eiern überkommt den mutigen Küchenpionier manchmal eine Art Urangst vor einer rohen Bedrohung: Salmonellen! Jeder kennt wohl eine oder zwei Personen, denen das nicht ganz durchgebratene Hähnchen oder das Naschen von rohem Teig unendliche Arien aus Durchfall und Erbrechen beschert hat.

Salmonellen können auf unerwarteten Wegen an unser Essen kommen. Einige gelangen zum Beispiel durch die Globalisierung an Hühnerfleisch und Eier. Das funktioniert so: Futtergetreide für Hühner bekommt man selten so günstig wie aus Afrika. Also lassen wir es einfliegen. In Afrika gibt es aber mehr freilaufende Schildkröten und Echsen als in Deutschland. Salmonellen reisen deshalb mit dem Getreide zusammen zu uns. Warum? Diese Bakterien sind normale Bestandteile der Darmflora bei Reptilien. Während also die Schildkröte entspannt ihren Haufen in das deutsch-outgesourcte Getreide setzt, ist der afrikanische Bauer schon auf dem Weg zum Ernten. Nach einer spannenden Flugreise mit atemberaubendem Ausblick kommt das Getreide samt Panzertierhäufchen-Bakterien in deutschen Zuchtbetrieben an und wird von einem hungrigen Huhn gegessen. Bei Hühnern sind Salmonellen nicht Bestandteil der natürlichen Darmflora, sondern oftmals Krankheitserreger.

So gelangen sie in den Darm der Tiere, können sich dort vermehren und werden dann vom Huhn ausgeschieden. Da Hühner nur ein Loch für jegliche Exportartikel aus ihrem Körper haben, kommt das Ei zwangsläufig mit den Salmonellen aus dem Hühnerkot in Kontakt. Deshalb sind Salmonellen zunächst nur auf der Schale von Eiern; sie kommen erst in ein Ei hinein, wenn die Schale irgendwo kaputt ist.

Aber wie kommen Salmonellen jetzt noch vom Darm in das Hühnerfleisch? Das ist eine unschöne Angelegenheit. Billig gefütterte Hühner werden in der Regel zu großen Schlachtbetrieben gefahren. Dort werden sie nach dem Töten und Entfernen des Kopfes durch große Wasserbecken gezogen. Diese Becken sind dann sozusagen Salmonellen-Wellness-Gebiet inklusive Darmeinlauf für das Huhn. In einem Betrieb, in dem täglich 200 000 Hühner geschlachtet werden, reicht eine Ladung Billigfutter-Hühner aus, um den Rest der Kollegen reich mit Salmonellen zu beschenken. Solche Hühner landen später gerne als günstige Tiefkühlware in Discountern. Wenn man sie schön heiß brät oder kocht, sind alle Salmonellen hinüber und können einem völlig egal sein.

Gut durchgegartes Fleisch ist in den meisten Fällen nicht der Grund einer Salmonelleninfektion. Problematisch wird es erst, wenn man das Tiefkühlhähnchen gemütlich im Spülbecken oder dem Salatsieb auftauen lässt. Bakterien lassen sich nämlich super einfrieren und dann wieder auftauen. Die riesige Bakterienbibliothek in unserem Labor besteht aus einer Sammlung kurioser Patientenkeime, die locker Temperaturen von −80 °C überstanden hat und auch nach dem Auftauen fröhlich weiterlebt. Erst bei Hitze gehen sie kaputt – schon zehn Minuten bei 75 °C reichen aus, um alle Salmonellen auszuknocken. Deshalb wird einem auch nicht das aufmerksam durchgebratene Hähnchen zum Verhängnis, sondern der in derselben Spüle kurz abgelegte Salat.

Dass wir regelmäßig mit der Darmflora unserer Nutztiere in Kontakt kommen, merken wir also erst, wenn mal völlig fremde Durchfallbakterien dabei sind. Alles andere ist sozusagen Alltag, irgendwoher müssen wir unsere Bakterien ja auch beziehen. Wenn man brav bei ländlichen Bio-Eiern mit Futter aus eigenem Anbau bleibt, ist man tendenziell etwas sicherer vor gefährlicheren Bakterien – außer der Bauer selbst isst gerne Discounter-Huhn.

Hat es wirklich mal nicht hingehauen mit der Huhnzubereitung, essen wir nebst Hühnermuskelzellen auch noch ein paar Salmonellenzellen. Es braucht zwischen 10 000 und einer Million von diesen Einzellern, um uns außer Gefecht zu setzen. Eine Million dieser Bakterien sind so groß wie das Fünftel eines Salzkorns. Wie schafft dieses winzige Soldatenheer, uns als riesigen Koloss mit einem Volumen von etwa 600 000 000 Salzkörnern zur Kloschüssel zu bewegen? Das ist, als würde ein einzelnes Haar von Obama über alle Amerikaner regieren.

Salmonellen verdoppeln sich sehr viel schneller als Haare – das ist Punkt eins. Sobald Temperaturen von über 10 °C herrschen, erwacht die Salmonelle aus dem Winterschlaf und wächst fleißig. Sie hat viele filigrane Schwimmarme, mit denen sie umherfährt, bis sie an der Darmhaut andockt und sich dort festhängt. Von dort dringt sie in unsere Zellen ein, diese entzünden sich und schleusen jede Menge Flüssigkeit aus den Zellen in den Darm, um diesen Erreger so schnell wie möglich auszuspülen.

Von zufälliger Einnahme bis wasserreicher Ausschleusung vergehen wenige Stunden bis ein paar Tage. Ist man nicht zu klein, zu alt oder zu geschwächt, dann funktioniert so eine Selbstausspülung gut, Antibiotika würden mehr schaden als nutzen. Dennoch sollte man seinen Darm unterstützen und alles tun, um die Salmonellen fies auszugrenzen. Weder nach dem Toilettengang noch nach einer vollgekotzten Plastiktüte darf man sie an der Hand nehmen und ihnen das Leben da draußen zeigen. Man muss sie eiskalt knallheiß mit Seife und Wasser abspülen und ihnen damit klarmachen: Es liegt nicht an dir, es liegt an mir – ich komme mit deiner Anhänglichkeit einfach nicht zurecht.

Salmonellen sind die häufigsten Übeltäter, wenn man sich durch Essen etwas einfängt. Es gibt sie nicht nur auf Hühnerprodukten, allerdings tummeln sie sich dort besonders gerne. Es gibt verschiedene Sorten von ihnen. Wenn wir in unserem Labor Stuhlproben von Patienten bekommen, können wir diese mit unterschiedlichen Antikörpern testen. Bindet ein Antikörper die Salmonellen, klumpen sie zu großen Brocken zusammen. Das kann man mit bloßem Auge sehen.

Passiert das, kann man sogar sagen: Der Antikörper gegen die Kotz-Brech-Salmonelle Nummer XY reagiert sehr stark, also ist es wohl eine Kotz-Brech-Salmonelle XY. Das ist der gleiche Mechanismus, der auch in unserem Körper passiert. Unser Immunsystem lernt ein paar neue Salmonellen kennen und sagt sich: »Hey, dazu hast du doch irgendwo vielleicht noch einen passenden Hut.« Dann geht es los und sucht in seinen Kleiderschränken den passenden Hut, rückt den noch etwas zurecht und beauftragt dann einen Hutmacher, der für eine Million Salmonellen die richtigen Hüte anfertigt. Wenn alle Salmonellen so einen Hut aufhaben, schauen sie nicht mehr gefährlich aus, sondern lächerlich. Sie sind dann zu schwer, um noch wendig umherschwirren zu können, und sehen auch nicht mehr genug, um noch irgendwas gezielt anzugreifen. Die Antikörper im Labor sind dann sozusagen eine kleine Auswahl verschiedener Hüte. Wenn einer passt, sinken die nun schwer behüteten Bakterien in Klumpen ab, und man kann – je nach Hut – sagen, welche Salmonellensorte in der Stuhlprobe vorkam.

Wenn man sein Immunsystem gar nicht erst auf Hutsuche schicken möchte und auch nicht unbedingt der größte Fan von Brechdurchfall ist, dann gibt es ein paar einfache Regeln.

Regel Nummer eins: Plastikbretter, denn die kann man besser waschen, und Bakterien überleben in ihren Rillen nicht so gut wie in Holz.

Regel Nummer zwei: Alles, was in Kontakt mit rohem Fleisch oder Eierschale kommt, sollte heiß und gründlich abgewaschen werden: Bretter und Hände, Besteck, Schwämme oder Salatsiebe.

Regel Nummer drei: Fleisch oder eiige Nahrung – wenn möglich – gut durcherhitzen. Beim romantischen Dinner aufzustehen, um das Tiramisu zur Sicherheit noch mal in die Mikrowelle zu schieben, wäre hier ein etwas drastischer Move. Bei solchen Gerichten ist es einfach nur wichtig, frische und gute Eier zu kaufen und diese immer unter 10 °C zu lagern.

Regel Nummer vier: Denke außerhalb der Küche. Wer schon mal seinen Leguan gefüttert hat und kurz danach sich selbst und wiederum kurz danach die Kloschüssel, erinnert sich vielleicht an meine Worte: Salmonellen sind normale Darmflora-Bakterien bei Reptilien.

Helicobacter – das älteste »Haustier« der Menschheit

Thor Heyerdahl war ein ruhiger Mann mit klaren Ansichten. Er beobachtete Meeresströmungen und Winde, interessierte sich für alte Angelhaken oder Kleidung aus Baumrinde. All das zusammen brachte ihn zu der Überzeugung, dass Polynesien von Seglern aus Südamerika und Südostasien besiedelt worden sei. Per Floß könnten sie durch die Strömungen dorthin gelangt sein, lautete seine These. Niemand hielt es damals für möglich, dass ein einfaches Floß 8000 Kilometer auf dem Pazifik überstehen könnte. Thor Heyerdahl hielt sich nicht damit auf, andere stundenlang mit Argumenten zu bekehren. Er ging nach Südamerika, baute ein altertümliches Floß aus Bäumen, nahm ein paar Kokosnüsse und Dosenananas mit und fuhr nach Polynesien. Vier Monate später konnte er guten Gewissens sagen: »Aha! Es ist also möglich.«

Dreißig Jahre später startete ein anderer Wissenschaftler eine ähnlich aufregende Expedition. Allerdings begab er sich dafür nicht auf die Weltmeere, sondern in ein kleines Labor mit

Neonröhren an der Decke. Dort nahm Barry Marshall ein Gefäß mit etwas Flüssigkeit in die Hand, setzte es an den Mund und schluckte den Inhalt mutig hinunter. Sein Kollege John Warren beobachtete ihn dabei gespannt. Barry Marshall bekam nach einigen Tagen eine Magenentzündung und sagte voller Stolz: »Aha! Es ist also möglich.«

Wiederum dreißig Jahre später verknüpften Wissenschaftler aus Berlin und Irland die Forschungsgebiete der beiden unterschiedlichen Männer. Der Magenkeim von Marshall sollte Auskunft über die Erstbesiedlung von Polynesien geben. Diesmal segelte niemand, und niemand trank etwas. Diesmal bat man einige Wüsten-Ureinwohner und neuguineische Highlander um etwas Mageninhalt.

Es ist eine Geschichte über die Widerlegung von Paradigmen, die Hingabe an die eigene Forschung, einen Winzling mit Propeller und eine hungrige große Katze.

Das Bakterium *Helicobacter pylori* lebt im Magen der halben Menschheit. Diese Erkenntnis ist relativ neu und wurde zunächst belächelt. Warum sollte ein Lebewesen an einem so lebensfeindlichen Ort leben? In einer Höhle voller Säure und zersetzender Enzymen? *Helicobacter pylori* ist davon nicht beeindruckt. Das Bakterium hat zwei Strategien entwickelt, um genau in dieser unwirtlichen Gegend famos zurechtzukommen.

Erstens ist eines seiner Stoffwechselprodukte so basisch, dass es die Säure in direkter Nähe neutralisieren kann. Zweitens schlüpft es einfach unter die Schleimhaut, mit der sich die Magenwand selbst vor ihrer Säure schützt. Diese Schleimhaut, die normalerweise eine gelartige Konsistenz hat, kann *Helicobacter* flüssiger machen und sich dann geschmeidig in ihr fortbewegen. Es hat lange Proteinfäden, die es dafür wie einen Propeller umherwirbelt.

Marshall und Warren waren der Ansicht, dass *Helicobacter*

Magenentzündungen und -geschwüre verursachte. Bis dahin war die anerkannte Lehrmeinung, dass derartige Magenprobleme eine psychosomatische Ursache (zum Beispiel Stress) hätten oder von einer fehlerhaften Magensäuresekretion kämen. Marshall und Warren mussten also nicht nur mit dem Vorurteil aufräumen, dass im sauren Magen gar nichts leben könne, sondern auch noch belegen, dass ein winziges Bakterium Krankheiten außerhalb des normalen Infektgeschehens auslösen könnte. Bis dahin kannte man Bakterien nur als Verursacher von infizierten Wunden, Fieber oder Erkältungen.

Nachdem der völlig gesunde Marshall durch das wissentliche Schlucken von *Helicobacter*-Bakterien eine Magenentzündung bekommen hatte, von der er sich durch Antibiotika wieder befreien konnte, dauerte es fast zehn Jahre, bis ihre Entdeckung von der Wissenschaftswelt akzeptiert wurde. Heute gehört es zur Standarduntersuchung, einen Patienten mit Magenproblemen auf diesen Keim zu testen. Dazu trinkt man eine bestimmte Flüssigkeit, und wenn *Helicobacter* im Magen sitzen, zerspalten sie die Inhaltsstoffe der Flüssigkeit, und man atmet ein markiertes geruchloses Gas aus, das eine Maschine detektiert. Trinken, warten, atmen. Ein relativ einfacher Test.

Was die beiden Forscher nicht ahnen konnten: Sie hatten nicht nur die Ursache einer Krankheit entdeckt, sondern auch eines der ältesten »Haustiere der Menschheit«. *Helicobacter*-Bakterien leben seit mehr als 50 000 Jahren in uns Menschen, und sie haben sich parallel mit uns entwickelt. Als sich unsere Vorfahren auf die Völkerwanderung begaben, reisten ihre *Helicobacter*-Keime mit und bildeten ebenfalls neue Populationen. So gibt es mittlerweile drei afrikanische, zwei asiatische und einen europäischen Typ dieser Bakterien. Je weiter und je dauerhafter sich die Bevölkerungsgruppen voneinander entfernten, desto stärker unterschieden sich auch ihre Magenkeime.

Mit der Sklavenverschleppung gelangte der afrikanische Typ nach Amerika. In Nordindien beherbergen Buddhisten und Muslime zwei unterschiedliche Stämme. Familien in Industrieländern haben oft familieneigene *Helicobacter*, während Gesellschaften mit engerem Kontakt untereinander – in Ländern wie Afrika etwa – auch kommunale *Helicobacter* besitzen.

Nicht jeder, der *Helicobacter* im Magen hat, bekommt davon Probleme (in Deutschland wäre das sonst fast jeder Dritte). Aber die meisten Magenprobleme kommen vom *Helicobacter*. Das liegt daran, dass *Helicobacter* unterschiedlich gefährlich sein können. Es gibt zwei bekannte Merkmale, die für die angriffslustige Variante verantwortlich sind: Das eine heißt »cagA« und ist eine Art winzige Spritze, über die das Bakterium bestimmte Stoffe in unsere Zellen spritzen kann. Das andere Merkmal wird »VacA« genannt. Es stachelt die Magenzellen permanent an und bringt sie so dazu, schneller kaputtzugehen. Die Wahrscheinlichkeit, Magenprobleme zu bekommen, ist sehr viel höher, wenn ein *Helicobacter* die kleine Spritze oder das Anstachel-Gen hat. Hat er das nicht, propellert *Helicobacter* sehr viel harmloser umher.

Trotz großer Gemeinsamkeiten ist jeder *Helicobacter*-Keim so einzigartig wie der Mensch, der ihn trägt. Das Bakterium passt sich immer seinem Träger an und verändert sich mit ihm. Diese Fähigkeit von *Helicobacter* kann man sich auch zunutze machen, wenn man nachverfolgen will, wer wen damit angesteckt hat. Großkatzen haben einen katzeneigenen *Helicobacter*. Er heißt *Helicobacter acinonychis*. Da er dem menschlichen *Helicobacter* in vielen Dingen so ähnlich ist, fragte man sich bald, wer damals wohl wen gefressen hat. Der Urmensch den Tiger oder der Tiger den Urmensch?

Anhand der Gene konnte man sehen, dass im Katzenerreger vor allem Gene inaktiviert worden waren, die ihm sonst geholfen hätten, sich gut am menschlichen Magen festzuhalten – nicht andersherum. Beim Verspeisen des Urmenschen hatte die Großkatze seinerzeit auch dessen Magenkeim mitgegessen. Weil dieser von ein paar Zähnen nicht zerquetscht wird und sich gut anpassen konnte, hat das Katzentier sich und seinen Nachfahren einen *Helicobacter* eingehandelt. Wenigstens etwas Gerechtigkeit.

Aber was ist *Helicobacter* denn nun – gut oder schlecht?

Helicobacter ist schlecht

Da der Keim sich in unserer Schleimhaut einnistet und dort chaotisch umherwirbelt, schwächt er diese Schutzbarriere. Mit der Folge, dass die aggressive Magensäure nicht nur unser Essen verdaut, sondern teilweise auch ein bisschen die eigenen Zellen. Wenn er dann noch zusätzlich über die winzige Spritze oder das Anstachel-Gen verfügt, gibt er unseren Magenzellen damit den Rest. Etwa jeder Fünfte, der dieses Bakterium hat, bekommt dadurch kleine Läsionen in der Magenwand. Dreiviertel aller Geschwüre im Magen und beinahe alle Geschwüre im Dünndarm entstehen nach einer Infektion mit *Helicobacter pylori*. Kann man den Keim durch Antibiotika loswerden, verschwinden auch die Magenprobleme. Eine Alternative zu Antibiotika könnte bald ein konzentrierter Extrakt aus Broccoli werden – *Sulforaphan*. Diese Substanz kann das Enzym blockieren, mit dem *Helicobacter* die Magensäure neutralisiert. Wer es statt Antibiotika ausprobieren möchte, sollte auf gute Qualität achten und von seinem Arzt nachprüfen lassen, ob der *Helicobacter* nach zweiwöchiger Einnahme tatsächlich verschwunden ist.

Ein Dauerreiz ist nie besonders gut. Das kennt man von Insektenstichen – wenn es immer juckt, dann verliert man irgendwann die Geduld und kratzt die eigene Haut kaputt, damit es endlich aufhört. In etwa dasselbe passiert in den Magenzellen: Bei einer chronischen Entzündung werden dauernd Zellen gereizt, bis sie sich selber abbauen. Bei älteren Menschen kann dies auch dazu führen, dass sie immer weniger Appetit haben.

Im Magen gibt es Stammzellen, die fleißig Nachschub herstellen, um den Verlust schnell zu ersetzen. Wenn diese Nachschubhersteller überlastet sind, machen sie mehr Fehler und können so irgendwann Krebszellen werden. Es scheint auf den ersten Blick nicht weiter dramatisch, wenn man sich die Zahlen ansieht: Etwa ein Prozent der *Helicobacter*-Träger bekommt Magenkrebs. Wenn man sich aber in Erinnerung ruft, dass die Hälfte aller Menschen diesen Keim in sich trägt, dann ist ein Prozent eine verdammt große Zahl. Die Chance, ohne *Helicobacter* Magenkrebs zu bekommen, ist um das Vierzigfache niedriger als mit.

Für die Entdeckung des Zusammenhangs von *Helicobacter pylori* und Entzündungen, Geschwüren und Krebs wurden Marshall und Warren 2005 mit dem Nobelpreis ausgezeichnet. Vom Bakteriencocktail bis zum Siegercocktail hat es zwanzig Jahre gedauert.

Noch mehr Zeit verging, bis *Helicobacter* und Parkinson zusammengebracht wurden. Obwohl Ärzte schon in den sechziger Jahren gehäuft Magenprobleme bei ihren Parkinson-Patienten feststellten, war ihnen damals nicht klar, was Magen und zitternde Hände verbinden könnte. Erst eine Untersuchung von verschiedenen Bevölkerungsgruppen auf der Insel Guam brachte mehr Licht ins Dunkel.

Auf Guam gibt es in manchen Gebieten eine erstaunliche Häufung von parkinsonartigen Symptomen bei der Bevölkerung. Die Betroffenen haben zitternde Hände, ihre Mimik ist schwächer, sie bewegen sich langsamer. Man fand heraus, dass die besonders hohen Erkrankungsquoten dort vorkamen, wo die

Menschen Palmfarnsamen aßen. Diese Samen haben Inhaltsstoffe, die giftig für Nervenzellen sind. Einen fast identischen Stoff kann *Helicobacter pylori* herstellen. Gab man Mäusen einen Extrakt des Bakteriums – ohne sie mit lebenden Bakterien zu infizieren –, zeigten sie ähnliche Symptome wie die Palmfarn essenden Guamer. Auch hier gilt: Längst nicht jedes *Helicobacter*-Bakterium stellt dieses Gift her, aber es ist sicher nicht gut, wenn es dies tut.

Unterm Strich manipuliert *Helicobacter* an unseren Schutzbarrieren, kann unsere Zellen reizen und kaputtmachen, Gifte herstellen und so unseren gesamten Körper schädigen. Wie konnte unser Körper diesem Keim nur so viele Jahrtausende relativ unbewaffnet gegenüberstehen? Warum werden diese Bakterien von unserem Immunsystem so lange und ausgiebig toleriert?

Helicobacter ist gut

In einer der größten Studien zu *Helicobacter* und seinen Auswirkungen kam man zu folgendem Schluss: Vor allem der als gefährlich geltende Stamm mit der winzigen Spritze interagiert mit unserem Körper auch sehr vorteilhaft. Nach über zwölf Jahren Beobachtungszeit mit mehr als 10 000 Probanden konnte man sagen, dass bei den Besitzern dieses *Helicobacter*-Typs zwar eine erhöhte Wahrscheinlichkeit für Magenkrebs vorlag – die Gefahr, an Lungenkrebs oder einem Schlaganfall zu sterben, aber deutlich vermindert war. Und zwar um die Hälfte im Vergleich zu den übrigen Testteilnehmern.

Die Vermutung, dass ein so lange tolerierter Keim nicht nur schlecht sein könne, war auch schon vor dieser Studie laut geworden. In Experimenten mit Mäusen hatte man zeigen können, dass *Helicobacter* in der Mäusekindheit für einen verlässlichen

Schutz vor Asthma sorgte. Gab man ein Antibiotikum, verschwand der Schutz, und die Mäusekinder konnten wieder Asthma entwickeln. Wenn man erwachsenen Mäusen das Bakterium einflößte, war der Schutz noch da, allerdings geringer ausgeprägt. Nun kann man sagen: Mäuse sind nicht Menschen – allerdings passte diese Beobachtung ganz gut zu den generellen Trends, die man vor allem in Industrieländern sehen konnte: Krankheiten wie Asthma, Allergien, Diabetes oder Neurodermitis nahmen zu, während die *Helicobacter*-Raten gleichzeitig absanken. Diese Beobachtung ist bei weitem kein Beweis dafür, dass *Helicobacter* der allein rettende Asthma-Verhinderer ist – er könnte daran aber mitbeteiligt sein.

Man stellte deshalb folgende These auf: Dieses Bakterium bringt unserem Immunsystem wichtige Coolness bei. *Helicobacter* dockt in unserem Magen an und sorgt dafür, dass sehr viele sogenannte regulatorische T-Zellen hergestellt werden. Regulatorische T-Zellen sind Immunzellen, die bei einer plötzlich aggressiven Nachtclub-Stimmung ihrem angetrunkenen Freund, dem Immunsystem, die Hand auf die Schulter legen und sagen: »Ich regel das.« Vermutlich heißen sie nicht deshalb so, aber das ist an sich ihre Funktion.

Während das aufgebrachte Immunsystem noch schreit: »Verschwinde, du Pollen-Dings aus meiner Lunge, du Arsch!«, und eine Kampfansage mit dicken roten Augen und laufender Nase macht, sagt die regulatorische T-Zelle: »Komm, Immunsystem, das war jetzt echt etwas zu hart. Das Pollen-Ding ist doch auch nur auf der Suche nach seiner Blüte, die es bestäuben will. Da ist es aus Versehen hier gelandet. Das ist doch eher doof für das Pollenkorn. Hier findet es ja echt keine Blume.« Je mehr man von diesen korrekten Zellen hat, desto gechillter ist auch das eigene Immunsystem.

Werden in einer Maus durch *Helicobacter* besonders viel

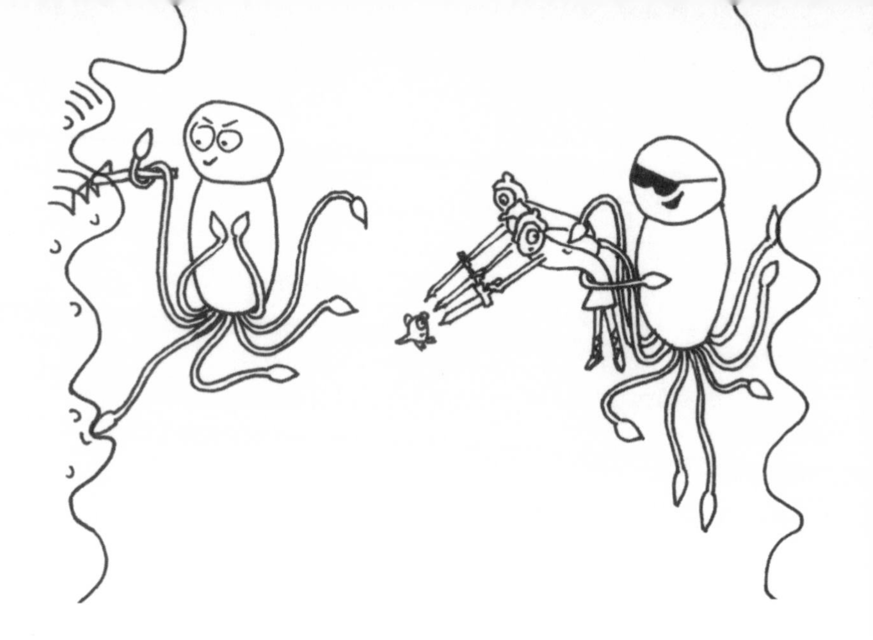

dieser regelnden Zellen hergestellt, kann man das Asthma einer anderen Maus allein dadurch bessern, dass man ihr nur diese Zellen überträgt. Mit Sicherheit ein einfacheres Verfahren, als den Mäusen den Gebrauch winziger Asthma-Sprays näherbringen zu wollen.

Auch Hautekzeme treten bei Menschen mit *Helicobacter pylori* ein gutes Drittel seltener auf. Entzündliche Darmkrankheiten, Autoimmunprozesse oder chronische Entzündungen könnten unter anderem deshalb ein Trend unserer Zeit sein, weil wir unwissentlich auslöschen, was uns jahrtausendelang geschützt hat.

Helicobacter ist beides

Helicobacter pylori sind Bakterien mit vielen Fähigkeiten. Man kann sie nicht einfach in gut oder schlecht einteilen. Es hängt immer davon ab, was genau der Keim in uns treibt. Stellt er gefährliche Gifte her, oder interagiert er schützend mit unserem Körper? Wie reagieren wir auf den Keim? Sind unsere Zellen dauernd gereizt, oder stellen wir so viel Magenschleim her, dass er für das Bakterium und uns selbst reicht? Welche Rolle spielen Magenschleimhautreizer wie Schmerzmittel, Rauchen, Alkohol, Kaffee oder Dauerstress? Ist es die Kombination, die letztlich erst Magenbeschwerden auslöst, weil unser Haustier solche Sachen nicht mag?

Die Weltgesundheitsorganisation empfiehlt, dass man bei Magenproblemen gut beraten ist, sich des potentiellen Verursachers zu entledigen. Wenn in der Familie Magenkrebs, bestimmte Lymphome oder Parkinson vorkommen, sollte man *Helicobacter* ebenfalls ausladen.

Thor Heyerdahl starb 2003 im Alter von 88 Jahren in Italien. Ein paar Jahre später, und er hätte miterlebt, wie durch das Untersuchen von *Helicobacter*-Stämmen seine Theorie der Besiedlung von Polynesien bestätigt wurde: In zwei Wellen eroberten zwei asiatische *Helicobacter*-Stämme die Neue Welt – und zwar tatsächlich über die Südostasienroute. Seine Südamerika-These wurde damit allerdings noch nicht bewiesen. Aber wer weiß, welches Bakterium wir noch kennenlernen werden, bis Thor Heyerdahls Theorie auch auf mikrobiologischen Segeltouren abgefahren sein wird.

Toxoplasmen – angstlose Katzenpassagiere

Eine 32-jährige Frau ritzt sich mit einer Rasierklinge aus dem Discounter einmal über die Innenseite ihres Handgelenks. Es ist dieser Reiz, der sie dazu bringt.

Ein fünfzigjähriger Rennautofanatiker rast volle Kanne gegen einen Baum. Er stirbt.

Eine Ratte legt sich in die Küche, direkt neben den Futternapf der Katze und drapiert sich als köstliche Mahlzeit.

Was haben die drei gemeinsam?

Sie hören nicht nur auf diese inneren Signale, die im Interesse unseres großen Zellverbandes eigentlich nur das Beste für uns wollen. Es gibt bei diesen drei noch andere Interessen als die ihrer eigenen Körper. Interessen, die irgendwann einmal aus einem Katzendarm gekommen sein könnten.

Katzendärme sind die Heimat für *Toxoplasma gondii*. Dieses winzige Wesen besteht aus nur einer einzigen Zelle, zählt aber schon zu den Tieren. Im Vergleich zu Bakterien fällt auf, dass die Erbinformation dieser Kreaturen wesentlich komplexer aufgebaut ist. Außerdem hat es andere Zellwände und vermutlich ein etwas aufregenderes Leben.

Toxoplasmen vermehren sich in Katzendärmen. Die Katze ist ihr »Wirt«, und alle anderen Tiere, die den Toxoplasmen nur eine kurze Zeit als Taxi zur nächsten Katze dienen, nennt man »Zwischenwirte«. Eine Katze kann nur einmal in ihrem Leben Toxoplasmen bekommen und ist auch nur während dieser Zeit gefährlich für uns. Ältere Katzen haben ihre Toxoplasmeninfektion meist schon hinter sich und können uns dann nichts mehr anhaben. Während einer frischen Infektion sind Toxoplasmen im Kot der Tiere und nach rund zwei Tagen in der Katzenbox herangereift und startklar für die nächste Katze. Kommt keine des Weges, sondern nur ein pflichtbewusst Kot schaufelndes Katzenbesitzer-Säugetier, nehmen die winzigen Urtierchen dann eben dieses. Die Tierchen aus dem Katzenkot können bis zu fünf Jahre auf einen neuen Wirt warten. Es muss also nicht unbedingt einen Katzenbesitzer treffen – Katzen und andere Tiere bewegen sich durch Gärten, Gemüsefelder oder werden ab und zu getötet. Eine der Hauptquellen, sich Toxoplasmen einzufangen, ist rohes Essen. Die Wahrscheinlichkeit, selbst Toxoplasmen zu haben, ist in Prozenten etwa so groß wie das eigene Lebensalter. Circa ein Drittel aller Menschen auf dieser Welt beherbergen sie.

Toxoplasma gondii zählen zu den Parasiten, weil sie nicht einfach irgendwo auf einem kleinen Stück Erde leben und Gewässer und Pflanzen anzapfen, sondern auf kleinen Stücken Lebewesen leben. Wir Menschen nennen das dann Parasiten, weil wir im Gegenzug nichts zurückbekommen. Zumindest nichts Positives im Sinne von Miete oder Zuneigung. Im Gegenteil: Sie können uns zum Teil schaden, indem sie eine Art »Menschen-Umweltverschmutzung« betreiben.

Sie haben bei erwachsenen, gesunden Menschen keine allzu großen Auswirkungen. Manche Menschen merken ein paar grippeartige Symptome, die meisten merken nichts. Toxoplasmen ziehen nach der akuten Infektion in winzige Apartments in unseren Geweben und begeben sich in eine Art Winterschlaf. Sie lassen uns für den Rest unseres Lebens zwar nicht mehr alleine, sind aber recht ruhige Untermieter. Wenn wir diesen Vorgang einmal mitgemacht haben, können wir nie wieder eine frische Infektion bekommen. Wir sind sozusagen schon vermietet.

Dramatisch kann eine Infektion allerdings bei Schwangeren verlaufen. Die Parasiten können durch das Blut bis zum Kind gelangen. Das Immunsystem kennt sie noch nicht und ist nicht schnell genug beim Abfangen. Das muss nicht immer passieren, aber wenn es geschieht, kann es zu starken Schäden bis hin zu einer Fehlgeburt führen. Wenn man die Infektion früh genug aufspürt, kann man Medikamente verabreichen. Da allerdings die wenigsten Menschen etwas davon mitbekommen, stehen die Chancen nicht allzu gut. Zumal in Deutschland der Toxoplasma-Scan nicht zum Standardprotokoll bei den Schwangerschaftsuntersuchungen gehört. Falls Ihr Frauenarzt bei der ersten Aufklärung merkwürdige Dinge fragt wie: »Haben Sie eine Katze?«, sollten Sie also nicht irritiert über den vermeintlichen Small Talk sein, sondern dankbar für einen gut ausgebildeten Fachmann an Ihrer Seite.

Toxoplasmen sind der Grund, warum Katzenklos täglich gereinigt werden sollten, wenn eine Schwangere zugegen ist (und nicht von der Schwangeren selbst!), warum rohes Fleisch tabu ist und es gut ist, Obst und Gemüse abzuwaschen. Andere Menschen mit Toxoplasmen können uns nicht anstecken. Nur die frischen Zöglinge aus dem zufällig gerade infizierten Katzendarm sind dazu in der Lage. Sie sind allerdings, wie schon gesagt, lange Zeit haltbar – auch an Katzenbesitzerhänden. Das gute, alte Händewaschen ist hier mal wieder Gold wert.

So weit, so gut. Alles in allem scheinen die Toxoplasmen also irrelevante bis unnette Kerlchen zu sein, sofern man nicht gerade schwanger ist. Jahrelang schenkte man ihnen auch kaum Beachtung – bis die angstlosen Ratten von Joanne Webster alles veränderten. Joanne Webster forschte in den Neunzigern an der Universität Oxford. Sie führte ein einfaches, aber geniales Experiment durch: Sie platzierte vier Boxen in einem kleinen Gehege. In jeder dieser Boxen befand sich in einer Ecke ein Schälchen mit einer bestimmten Flüssigkeit: Rattenurin, Wasser, Kaninchenurin oder Katzenurin. Auch wenn Ratten noch nie in ihrem Leben eine Katze gesehen haben, meiden sie Katzenurin. Es ist ein biologisches Programm, das ihnen sagt: »Wenn da einer hingepinkelt hat, der dich essen will, dann gehst du da nicht hin.« Außerdem gibt es noch einen weiteren Merksatz unter Nagern, der in etwa so klingt: »Wenn dich jemand in ein merkwürdiges Gehege mit Urinboxen setzt, sei skeptisch.« Normalerweise verhalten sich alle Ratten gleich: Sie erkunden kurz die seltsame Umwelt und ziehen sich dann in eine Box mit ungefährlicherem Urin zurück.

Bei Websters Versuch gab es allerdings Ausnahmen: Ratten, die sich auf einmal völlig anders verhielten. Sie erkundeten risikofreudig das gesamte Gehege, liefen entgegen aller angeborenen Instinkte weit in die Katzenurinbox hinein und blieben dort gerne auch mal ein Weilchen. Über längere Beobachtungszeiträume konnte Webster sogar feststellen, dass sie diese Box den anderen Boxen vorzogen. Nichts schien sie so sehr zu interessieren wie aufgemischtes Katzenpipi.

Ein Geruch, der als Todesgefahr gespeichert war, wurde plötzlich als anziehend und interessant empfunden. Die Tiere wurden enthemmte Fans des eigenen Verderbens. Webster kannte den einzigen Unterschied zu normalen Ratten – die auffälligen Nager waren mit Toxoplasmen infiziert. Ein unfassbar cleverer Coup der Parasiten. Sie brachten die Ratten dazu, ihrem Hauptwirt, der Katze, praktisch in den Mund zu laufen.

Dieser Versuch erregte so viel Aufsehen unter Wissenschaftlern, dass einige Labore auf der Welt ihn nachstellten. Sie wollten wissen, ob hier alles mit rechten Dingen zugegangen war und ihre laboreigenen Ratten nach einer Infektion ein ähnliches Verhalten zeigen würden. Sie taten es, und das Experiment gilt seither als lupenrein. Man fand außerdem heraus, dass ausschließlich die Angst vor Katzen beseitigt war – Hundeurin erschreckte die Versuchsschnüffler immer noch gewaltig.

Die Ergebnisse lösten heftige Diskussionen aus: Wie können winzige Parasiten das Verhalten von kleinen Säugetieren in so drastischem Maße beeinflussen? Sterben oder nicht sterben – das ist doch eine gewaltige Frage, die ein moderner Organismus möglichst ohne Parasit im Entscheidungsgremium beantworten können sollte. Oder etwa nicht?

Vom kleinen Säugetier zum großen (= Mensch) war es dann nicht mehr weit. Würde man auch unter uns Kandidaten finden, die sich durch falsche Reflexe, Reaktionen oder Angstlosigkeit in ungute Situationen bringen und einer Art »Katzenfuttertrieb« verfallen. Ein Ansatz war es, Menschen, die in Verkehrsunfälle verwickelt waren, Blut abzunehmen. Man wollte wissen: Sind unter den unglücklichen Straßenmanövrierern mehr Toxoplasma-Träger als im nicht verunfallten Rest der Gesellschaft?

Die Antwort lautet: Ja. Die Wahrscheinlichkeit, in einen Verkehrsunfall zu geraten, ist erhöht, wenn man Toxoplasmen-Träger ist – vor allem dann, wenn die Infektion recht aktiv ist und nicht unbemerkt vor sich hin schlummert. Nicht nur drei kleinere Studien, sondern auch eine großangelegte bestätigten dieses Ergebnis. Bei der größten Studie nahm man 3890 Rekruten in Tschechien Blut ab, das man auf Toxoplasmen testete. In den nächsten Jahren wurden alle Verkehrsunfälle der Rekruten ausgewertet. Starke Toxoplasmen-Infektionen gepaart mit einer bestimmten Blutgruppe (Rhesus negativ) waren die Hauptrisikofaktoren. Blutgruppen können bei Parasitenbefall tatsächlich eine Rolle spielen. Manche Gruppen sind besser vor den Auswirkungen einer Infektion geschützt als andere.

Aber wie passt jetzt unsere Frau mit der Rasierklinge dazu? Wieso erschrickt sie nicht bei dem Anblick ihres Blutes? Warum schmerzt das Durchtrennen von Haut, Gewebe und Nerven nicht, sondern fühlt sich erfrischend an? Wie könnte Schmerz zum Chili des sonst so faden Alltagseintopfs werden?

Für diese Fragen gibt es verschiedene Erklärungsansätze – einer davon sind Toxoplasmen. Infizieren wir uns mit ihnen, wird vom Immunsystem ein Enzym (IDO) aktiviert, um uns vor den Parasiten zu schützen. Es baut dann vermehrt einen Stoff ab, den die Eindringlinge gerne essen, und drängt sie in eine inaktivere Schlummerphase. Leider ist dieser Stoff auch eine Zutat, um Serotonin herzustellen. (Wir erinnern uns: Ein Mangel kann zu Depressionen oder auch Angststörungen führen.)

Fehlt im Gehirn Serotonin, weil IDO dem Parasiten alles vor der Nase wegschnappt, kann unsere Laune dadurch verschlechtert werden. Außerdem können angeknabberte Vorläuferstoffe des Serotonins an bestimmte Rezeptoren im Gehirn passen und dort zum Beispiel Antriebslosigkeit auslösen. Diese Rezeptoren sind dieselben, die man auch mit Schmerzmitteln anpeilt – das Resultat ist gleichgültige Sediertheit. Will man aus diesem Zustand heraus und wieder etwas fühlen, braucht es vielleicht heftigere Maßnahmen.

Unser Körper ist ein kluger Körper. Er wiegt Nutzen und Risiko ab: Wenn ein Parasit im Hirn bekämpft werden soll, ist man eben mal schlechter gelaunt. Die Aktivierung von IDO ist meist so ein Kompromiss. Der Körper benutzt dieses Enzym ab und zu auch, um den eigenen Zellen das Futter wegzuschnappen. Während der Schwangerschaft ist IDO auch stärker aktiviert – aber nur direkt an der Kontaktstelle zum Kind. Dort schnappt es den Immunzellen das Essen weg. Diese sind dadurch weniger kraftvoll – und deshalb milder gegenüber dem halbfremden Menschenkind.

Würde Antriebslosigkeit, die durch IDO ausgelöst wurde, ausreichen, um einen Selbstmord zu begehen? Oder anders gefragt: Was braucht es denn, dass man einen Selbstmord in Betracht zieht? Wo müsste ein Parasit ansetzen, um die natürliche Angst vor Selbstschaden auszuschalten?

Angst wird einem Teil des Gehirns zugeschrieben, den man Amygdala nennt. Es gibt Fasern, die vom Auge direkt zur Amygdala laufen. So kann man beim Anblick einer Spinne sofort Angst empfinden. Sogar wenn durch eine Hinterkopfverletzung das Sehzentrum im Gehirn zerstört wurde und man deshalb blind ist. Man »sieht« die Spinne dann nicht mehr, aber »empfindet« sie noch. Unsere Amygdala ist also wesentlich an der Entstehung der Angst beteiligt. Schädigt man sie, können Menschen furchtlos werden.

Wenn man Zwischenwirte von Toxoplasmen untersucht, stellt man fest, dass sich die Apartments mit den schlummernden Winzlingen meist in Muskeln und im Hirn befinden. Im Hirn sind sie – in absteigender Häufigkeit – an genau drei Stellen zu entdecken: in der Amygdala, dem Riechzentrum und dem Hirnbereich direkt hinter der Stirn. Die Amygdala ist, wie gesagt, für die Angstwahrnehmung zuständig, das Riechzentrum könnte auch bei Ratten für das Gefallen an Katzenurin sorgen. Der dritte Hirnbereich ist etwas komplexer.

Dieser Teil des Gehirns kreiert jede Sekunde Möglichkeiten. Stellt man einem verkabelten Probanden Fragen zu Glauben, Persönlichkeit und Moral oder stellt ihn vor hohe kognitive Anforderungen, sieht man auf Hirnscans muntere Aktivität in dieser Region. Eine Theorie aus der Hirnforschung lautet, dass hier jede Sekunde viele Entwürfe gezeichnet werden. »Ich könnte an die Religion glauben, die meine Eltern mir vorleben. Ich könnte während der Konferenz anfangen, den Tisch vor mir abzulecken. Ich könnte ein Buch lesen und Tee dazu trinken. Ich könnte diesen Hund lustig bekleiden. Ich könnte vor laufender Kamera ein Lied singen. Ich könnte jetzt 150 km/h fahren. Ich könnte diese Rasierklinge nehmen.« Jede Sekunde Hunderte Möglichkeiten – welche auch immer gewinnt, wird ausgeführt.

Sich hier als engagierter Parasit niederzulassen macht durchaus Sinn. Von hier aus könnte es vielleicht sogar möglich sein, selbstzerstörerische Tendenzen zu unterstützen – so dass diese Impulse weniger unterdrückt werden bei der Handlungsauswahl.

Die Forschung wäre nicht »die Forschung«, wenn sie Joanne Websters schönes Experiment nicht an Menschen wiederholt hätte. Diesmal also Menschen, die an verschiedenen Tierurinen schnuppern mussten. Männer und Frauen mit einer Toxoplasmose-Infektion beurteilten den Geruch des Katzenpipis anders als parasitenfreie Versuchsteilnehmer. Männer mochten ihn deutlich mehr, Frauen weniger.

Riechen ist einer der fundamentalsten Sinne. Anders als Schmecken, Hören oder Sehen werden Geruchseindrücke auf dem Weg zum Bewusstsein nicht kontrolliert. Merkwürdigerweise kann man alle Sinneseindrücke träumen, nur nicht den Geruch. Träume sind immer geruchlos. Dass Gefühle durch Gerüche entstehen können, das wissen neben den Toxoplasmen auch Trüffelschweine sehr gut. Trüffel riechen nämlich wie ein unglaublich heißes Trüffelschweinmännchen – und wenn sich das unter der Erde versteckt hält, dann buddeln die weiblichen Suchschweine so liebestrunken herum, bis sie ... ihrem Herrchen oder Frauchen den enttäuschend unerotischen Pilz liefern. Ich finde, der hohe Trüffelpreis erscheint mehr als fair, wenn man sich überlegt, wie frustrierend die Suche für so eine Sau sein muss. Fakt ist jedenfalls: Riechen kann Anziehung verursachen.

Auf diesen Effekt setzen auch gewisse Läden. Im Fachjargon heißt das »Geruchsmarketing«. Eine amerikanische Kleidermarke verwendet sogar Sexualpheromone. In Frankfurt sieht man regelmäßig Teenie-Schlangen vor dem abgedunkelten und betörenden Duft versprühenden Geschäft stehen. Wäre die Einkaufsstraße näher an einem Gebiet mit frei laufenden Schweinen, wären hier ein paar unterhaltsame Szenarien denkbar.

Wenn ein anderes Lebewesen uns also Gerüche verändert wahrnehmen lässt, könnte es dann nicht auch ganz andere Sinneseindrücke erzeugen?

Es gibt eine Krankheit, bei der das Hauptsymptom fälschlich erzeugte Sinneseindrücke sind: Schizophrenie. Die Betroffenen haben dann beispielsweise das Gefühl, dass ihnen Ameisen den Rücken hochklettern, obwohl weit und breit keine Krabbeltierchen zu sehen sind. Sie hören Stimmen, befolgen deren Befehle und können darüber hinaus sehr antriebslos sein. Ein halbes bis ein Prozent der Menschen ist schizophren.

Das Krankheitsbild ist in weiten Teilen unklar. Die meisten irgendwie funktionierenden Medikamente setzen darauf, dass man im Gehirn einen bestimmten Signalstoff abbaut, von dem zu viel vorhanden ist: Dopamin. Toxoplasmen haben Gene, die im Hirn bei der Dopaminherstellung mitmischen. Nicht alle an Schizophrenie Erkrankten sind Parasitenträger – es kann also nicht die einzige Ursache sein –, aber unter den Betroffenen sind etwa doppelt so viele Toxoplasmen-Träger wie in der Vergleichsgruppe ohne Schizophrenie.

Toxoplasma gondii könnte uns also theoretisch über Angst-, Geruchs- und Verhaltenszentren im Gehirn beeinflussen. Höhere Wahrscheinlichkeiten für Unfälle, Selbstmordversuche oder Schizophrenie sprechen dafür, dass die Infektion nicht an allen von uns spurlos vorbeigeht. Bis solche Entdeckungen Konsequenzen in unserem medizinischen Alltag haben, wird es noch Zeit brauchen. Vermutungen müssen sicher belegt, und Therapiemöglichkeiten besser erforscht werden. Diese zeitraubende Absicherung der Wissenschaft kann Leben kosten – Antibiotika kamen erst einige Jahrzehnte nach ihrer eigentlichen Entdeckung in unsere Apotheken. Sie kann aber auch Leben retten – Contergan oder Asbest hätte gerne noch etwas länger ausgetestet werden können.

Toxoplasmen können uns mehr beeinflussen, als wir es vor einigen Jahren noch geglaubt haben. Und sie haben damit eine neue Ära eingeläutet. Eine Ära, in der sogar ein plumpes Stück Katzenkot zeigen kann, was unser Leben so alles mitbestimmt. Eine Zeit, in der wir langsam begreifen, wie verknüpft wir mit unserem Essen, unseren Tieren und der winzigen Welt sind, die auf uns lebt.

Ist es gruselig? Vielleicht ein bisschen. Aber ist es nicht auch spannend, dass wir Schritt für Schritt Prozesse entschlüsseln, die wir bisher nur als Schicksal hinnehmen konnten? Wir können die Risiken in unserem Leben so mit beiden Händen packen. Manchmal reicht dafür schon eine Katzenkloschaufel, durchgebratenes Fleisch und gewaschenes Obst und Gemüse.

Madenwürmer

Es gibt kleine weiße Würmer, die gerne in unserem Darm wohnen möchten. Jahrhundertelang haben sie ihr Verhalten auf uns abgestimmt. Jeder zweite Mensch hat mindestens einmal im Leben diese Würmer zu Gast. Manche merken es gar nicht, bei anderen ist es eine nervige Plage, über die man kaum redet. Wenn man im richtigen Moment guckt, kann man sehen, wie sie uns aus unserem Anus heraus zuwinken. Sie sind ein bis anderthalb Zentimeter groß, weiß und haben teilweise ein spitzes Ende. Irgendwie erinnern sie ein kleines bisschen an Flugzeugkondensstreifen im Himmel, außer dass sie nicht immer länger werden. Jeder, der einen Mund und einen Finger hat, kann diese Madenwürmer kriegen. Finger- und Mundlose sind hier also endlich mal im Vorteil.

Zäumen wir das madige Geschehen von hinten auf. Die »schwangere« Madenfrau möchte ihren Eiern eine sichere Zukunft bieten. Und das ist gar nicht leicht. Ein Madenei muss vom Menschen verschluckt werden, dann im Dünndarm schlüpfen, damit es im Dickdarm als erwachsener Wurm ankommt. Jetzt sitzt so eine ausgewachsene Madenfrau aber in den hinteren Darmgebieten – die Verdauungsrichtung ist komplett gegen sie – und fragt sich, wie sie bloß zurück zum Mund kommen soll. Hier greift die vermutlich einzige Intelligenz, die wir bei so einem Wesen feststellen: die Intelligenz der Anpassung. Ob daher der Begriff »Arschkriecher« gekommen ist, lasse ich mal dahingestellt sein.

Madenwürmer-Weibchen wissen, wann wir ruhig werden,

uns horizontal hinlegen und keine Lust haben, noch mal aufzustehen. Genau dann brechen sie auf zum Anus. Sie legen ihre Eier in die vielen kleinen Anusfalten und krabbeln dann so lange wild umher, bis es uns juckt. Dann schlüpfen sie schnell zurück in den Darm, denn aus Erfahrung wissen sie: Jetzt kommt die Hand und erledigt den Rest. Unter der Decke wird sie in Richtung Hintern geschoben, direkt ins Fadenkreuz der Juckattacke. Dieselben Nervenbahnen, die den Juckreiz weitergegeben haben, melden jetzt: Bitte kratzen! Wir kommen dieser Aufforderung nach und sorgen dafür, dass die Nachfahren der Madenwürmer so per Schnellexpress in mundnahe Gegenden befördert werden.

Wann haben wir am wenigsten Interesse, uns nach Pokratzen die Hände zu waschen? Wenn wir von alldem gar nichts mitkriegen, weil wir schlafen oder eben auch viel zu müde sind, um noch mal aufzustehen. Zur Madenwurm-Eier-Leg-Zeit eben. Ist klar, was der nächste Traum von »Finger in Schokotorte tunken« bedeutet? Eier Richtung Heimat. Wer jetzt »Iiiih« denkt, hat vielleicht vergessen, dass wir auch Hühnereier runterschlucken. Nur sind die eben viel größer, und wir kochen sie meist vorher.

Lebewesen, die ohne Einladung in unseren Darm einziehen und von dort aus ihre Familienplanung vollziehen, stehen wir kritisch gegenüber. Man traut sich auch nicht so richtig, mit anderen darüber zu reden. Fast als wäre man ein schlechter Hausherr – der kein Machtwort sprechen kann und bei dem deshalb alle möglichen Fremden unterkommen, ohne zu fragen. Das ist bei den Madenwürmern allerdings ein bisschen anders: Sie sind Gäste, die uns morgens zum Frühsport wecken und ihrem Hausherren danach eine das Immunsystem stimulierende Massage verpassen. Sie essen uns außerdem kaum etwas weg.

Es ist nicht gut, sie immer zu haben – aber einmal im Leben kann man das mitmachen. Wissenschaftler vermuten, dass »Madenwurmbefall von Kindern« sie im späteren Leben vor zu heftigem Asthma oder auch Diabetes schützen kann. Insofern: »Welcome Mr & Mrs Madenwurm«. Aber bitte die Gastfreundlichkeit nicht überstrapazieren! Denn drei Dinge können bei einem unkontrollierten Wurmbefall passieren, die wenig Spaß machen:

1. Wenn man nicht gut schlafen kann, ist man tagsüber unkonzentriert, hibbelig oder auch empfindlicher als sonst.
2. Was die Würmer nicht wollen – und wir auch nicht –, ist, dass sie sich verirren. Wenn die Würmer nicht da bleiben, wo sie hingehören, müssen sie weg. Wer will schon einen Madenwurm, der so eine schlechte Orientierung hat?
3. Empfindliche Därme oder extrem herumturnende Würmer neigen zur Reizung. Darauf gibt es die verschiedensten Arten zu reagieren – nicht aufs Klo, oft aufs Klo, Bauchweh, Kopfweh, übel oder auch gar nichts von allem.

Fühlt sich ein Wurmgastgeber bei einem der eben genannten Punkte angesprochen, heißt es, ab zum Arzt! Hier wird es dann zu einer Verwendung von Tesafilm kommen, die nicht im Bastelbuch steht. Je nach Charme des Arztes, wird das in etwa so formuliert: »Pobacken auseinanderspreizen, Tesa auf und um den Anus herum aufkleben und dann abziehen. In die Praxis bringen. Und Janine im Sprechzimmer geben. Tschüss.«

Wurmeier sind auch nur kleine Kugeln, die an Tesafilm gut kleben. Hätte man an Ostern einen riesigen Magneten, der alle Eier aus dem Garten anzieht, würde man eine Menge Zeit sparen. Da die Wurmeier um ein Vielfaches kleiner sind als Ostereier, macht es Sinn, diese Suche etwas zu verkürzen. Wichtig ist, dass die ganze Aktion morgens passiert – denn da sind die meisten

Eier bereits abgelegt. Und gar nicht gut ist, wenn man den kompletten Madenwurmgarten vor der Eiersuche überflutet oder sauberfegt. Also – das Erste, was diese Zone am Morgen berührt, ist der Tesastreifen.

Unter dem Mikroskop sieht ein Arzt dann ovale Eier. Je nachdem, ob sie schon zu Larven reifen, haben sie in der Mitte einen Streifen. Dann wird ein Medikament verschrieben, und die Apothekerin hilft im Kampf gegen störende Dauergäste. So ein typischer Medikamentenwirkstoff, nennen wir ihn einfach mal Mebendazol, hat einen Hintergedanken, den wir alle aus dem Kindergarten kennen: Wurm stört meinen Darm, also störe ich Wurms Darm zurück.

Das Medikament macht sich auf den Weg von unserem Mund bis zum Enddarm und trifft dabei auf unsere abtrünnig gewordenen Hausbesetzer. Diese haben auch Münder und ebenso Därme, also nimmt das Medikament hier noch mal denselben Weg: von Mund zu Enddarm. Im Würmerdarm wirkt Mebendazol sehr viel schädlicher als bei uns. Es setzt die Würmer auf eine drastische Diät, so dass sie keinen Zucker mehr bekommen. Würmer brauchen aber Zucker zum Leben, also wird diese Diät wohl die letzte sein. Ein bisschen funktioniert das Ganze so, wie wenn man uneingeladenen Dauergästen nichts mehr zu essen macht.

Madenwürmereier leben lange. Wenn man Würmer hat und die Hände nicht ganz vom Mund weghalten kann, sollte man zumindest versuchen, die Eierzahl in der Umgebung so niedrig wie möglich zu halten. Bettlaken und Unterwäsche täglich wechseln und bei mindestens 60 Grad waschen, Hände waschen, starkes Jucken vielleicht durch Salben statt durch Fingerattacken lindern. Meine Mutter schwört darauf, dass die Würmer durch eine täglich runtergeschluckte Knoblauchzehe verschwinden. Studien dazu habe ich nirgendwo gefunden, aber die gibt es auch nicht zu Jackenanzieh-Temperaturen, und da hat meine Mutter auch immer recht. Wenn alles nicht klappt, nicht verzweifeln, zweite Runde Arzt einläuten und sich darüber freuen, dass man einen so beliebten Darm hat.

Von Sauberkeit und guten Bakterien

Wir wollen uns vor Schlechtem schützen. Kaum jemand hätte freiwillig gerne Salmonellen oder einen gemeinen *Helicobacter*. Auch wenn wir sie noch nicht alle kennen – wir wollen jetzt schon keine Moppelbakterien, Diabetes-Auslöser oder traurig machende Mikroben. Unser wichtigster Schutz ist Sauberkeit. Wir sind vorsichtig bei rohem Essen, küssen nicht jede fremde Person, die wir treffen, und waschen Krankheitserreger heiß weg. Doch Sauberkeit ist nicht immer das, wofür wir sie halten.

Sauberkeit in einem Darm kann man sich in etwa so vorstellen wie Sauberkeit in einem Wald. Selbst die ambitionierteste Putzperson würde hier keinen Wischmopp austesten. Ein Wald ist sauber, wenn ein Gleichgewicht nützlicher Pflanzen herrscht. Dabei kann man nachhelfen: Man kann neue Pflanzen dazusetzen und hoffen, dass sie anwachsen. Außerdem kann man sich wertvolle Lieblingspflanzen aussuchen und sie so pflegen, dass sie sich vermehren und größer werden. Manchmal gibt es fiese Schädlinge. Dann muss gut abgewogen werden. Geht gar nichts mehr, kommen die Chemiekeulen zum Einsatz. Pestizide wirken wahre Wunder gegen Schädlinge – aber man sollte sie nicht gleich wie Deo benutzen.

Kluge Sauberkeit beginnt schon in unserem Alltag – worauf sollten wir wirklich achten, und was ist übertriebene Hygiene? Mitten in unserem Körper säubern dann vor allem drei Instrumente: Mit Antibiotika können wir akute Krankheitserreger fernhalten, Produkte wie Prä- und Probiotika fördern das Gute. »Pro bios« bedeutet »für das Leben«. Probiotika sind lebendige

Bakterien, die wir essen und die uns gesunder machen können. »Pre bios« heißt übersetzt: »vor dem Leben« – Präbiotika sind Nahrungsmittel, die den Dickdarm erreichen und dort gute Bakterien füttern, so dass diese besser wachsen als die schlechten. »Anti bios«, heißt »gegen das Leben«. Antibiotika töten Bakterien ab und können uns so retten, wenn wir uns schlechte Bakterien eingefangen haben.

Sauberkeit im Alltag

Sauberkeit ist faszinierend, denn sie findet größtenteils im Kopf statt. Ein Pfefferminzbonbon schmeckt frisch, geputzte Fenster sind klar, und geduscht in ein neubezogenes Bett zu steigen ist himmlisch. Wir riechen gern an Sauberem. Wir streichen gerne über glattpolierte Oberflächen. Wir entspannen bei dem Gedanken, sicher vor einer unsichtbaren Keimwelt zu sein, wenn wir Desinfektionsmittel benutzen.

Vor 130 Jahren entdeckte man in Europa, dass Bakterien Tuberkulose auslösen. Es war das erste Mal, dass man Bakterien öffentlich zur Kenntnis nahm – und zwar als schlecht, gefährlich und vor allem unsichtbar. Bald wurden in Europa neue Regeln eingeführt: Kranke wurden isoliert, damit sie ihre Keime nicht weitergaben; Spuckverbote an Schulen wurden eingeführt; enge Berührung wurde verpönt, und es galt, den »Kommunismus des Handtuchs« zu vermeiden! Außerdem sollte man »Küssen auf das erotisch Unvermeidliche« beschränken. Diese Gebote klingen zwar ulkig, aber sie haben sich tief in unserer Gesellschaftsordnung verankert: Spucken gilt seither als unfein, Handtücher oder Zahnbürsten teilt man nicht mehr einfach so, und wir sind körperlich distanzierter als andere Kulturen.

Einer tödlichen Krankheit zu entgehen, indem man in der Schule nicht mehr auf den Boden spuckt, schien eine feine Sache.

Es wurde eine Regel, die sich ins Gehirn einbrannte. Man ächtete den, der sich nicht daran hielt und alle anderen dadurch in Gefahr brachte. Diese Ächtung lehrte man seine Kinder, und das Spucken bekam ein schlechtes Image. Sauberkeit zu pflegen wurde anerkannt, man bemühte sich um Ordnung in einem Leben voller Chaos. Die Firma Henkel formulierte das so: »Schmutz ist Materie am falschen Ort.«

Während große Bäder zur Körperpflege bis dahin reichen Menschen vorbehalten waren, forderten deutsche Hautärzte zu Beginn des 20. Jahrhunderts: »Jedem Deutschen wöchentlich ein Bad!« Damals gab es Gesundheitskampagnen von großen Firmen, die Badeanlagen für ihre Mitarbeiter bauten und kostenlos Seife und Handtücher ausgaben. Erst 1950 hatte sich das wöchentliche Bad langsam durchgesetzt. Die Durchschnittsfamilie nahm samstags ein Bad – im selben Badewasser nacheinander –, und in manchen Familien durfte der hart arbeitende Vati zuerst in die Wanne. Früher ging es bei Sauberkeit um die Beseitigung von schlechtem Geruch oder sichtbarem Dreck, mit der Zeit wurde diese Vorstellung immer abstrakter. Ein wöchentliches Familienbad können wir uns jetzt schlichtweg nicht mehr vorstellen. Wir kaufen heutzutage sogar Desinfektionsmittel, um etwas wegzuputzen, das wir nicht mal sehen können. Es sieht vorher genauso aus wie nachher – und trotzdem ist es uns das Geld wert.

Zeitungen und Nachrichten erzählen uns von gefährlichen Grippeviren, multiresistenten Keimen oder EHEC-Skandalen. Alles unsichtbare Gefahren, vor denen wir uns schützen wollen. Der eine isst in der EHEC-Krisenzeit weniger Salat, der andere googelt »Ganzkörperdesinfektionsduschen«. Menschen gehen mit Angst unterschiedlich um. Das zu verurteilen wäre ein bisschen einfach – viel eher sollte man verstehen, woher diese Angst kommt.

Bei der Angsthygiene geht es darum, alles wegzuputzen oder abzutöten. Wir wissen nicht genau, was, aber denken eben an das Schlechte. De facto putzen wir dabei aber alles weg: Schlechtes und Gutes. Diese Art der Sauberkeit kann noch nicht die richtige sein. Je höher die Hygienestandards in einem Land sind, desto mehr Allergien und Autoimmunkrankheiten gibt es dort. Je steriler ein einzelner Haushalt ist, desto eher haben dessen Bewohner Allergien und Autoimmunkrankheiten. Vor dreißig Jahren war etwa jeder Zehnte gegen etwas allergisch – heute ist es jeder Dritte. Gleichzeitig ist die Anzahl der Infektionen seitdem nicht deutlich gesunken. Clevere Hygiene sieht anders aus – die Forschung an den Bakterien dieser Welt läutet ein neues Verständnis von Sauberkeit ein. Es geht dabei nicht mehr nur um das Abtöten von Gefährlichem.

Mehr als 95 Prozent aller Bakterien auf dieser Welt tun uns nichts. Viele helfen uns sehr. Desinfektion hat im normalen Haushalt nichts zu suchen – außer jemand in der Familie ist krank oder der Hund hat auf den Wohnzimmerboden gekackt. Wenn auch noch ein kranker Hund auf den Boden gekackt hat, dann sind der Kreativität keine Grenzen gesetzt: Dampfreiniger, Sagrotan-Flutung, kleine Flammenwerfer … so etwas kann auch Spaß machen. Wenn der Boden voller Schuhabdrücke ist, dann reicht allerdings Wasser und ein Tropfen Reinigungsmittel. Die beiden reduzieren die Bodenbakterien bereits um bis zu 90 Prozent. Die normale Fußbodenbevölkerung hat so die Chance, wieder zurückzukehren – vom schlechten Rest ist dafür einfach zu wenig übrig.

Beim Saubermachen sollte es darum gehen, weniger Bakterien zu haben – nicht gar keine. Auch schlechte Bakterien können gut für uns sein, solange unser Körper sie zum Trainieren benutzen kann. Ein paar tausend Salmonellen in unserer Spüle sind für unser Immunsystem Sightseeing. Erst wenn die Salmonellen zu viel werden, wird es gefährlich. Zu viel werden Bakterien dann, wenn sie perfekte Bedingungen dafür vorfinden: geschützten Raum, feuchte Wärme und ab und zu leckeres Essen. Um sie in Schach zu halten, gibt es vier sinnvolle Haushaltstechniken: verdünnen, Temperatur, trocknen und reinigen.

Das Verdünnen

Die Technik des Verdünnens nutzen wir auch im Labor. Wir verdünnen Bakterien mit Flüssigkeit und geben Wachsmottenlarven unterschiedlich konzentrierte Bakterientropfen. Wachsmottenlarven verfärben sich, wenn sie krank werden. So kann man gut sehen, ab wann bestimmte Bakterien krank machen – manche schon ab 1000, andere erst ab 10 Millionen pro Tropfen.

Verdünnen im Haushalt ist beispielsweise auch das Abwaschen von Gemüse und Obst. Die meisten Bakterien aus dem Erdboden werden so runtergedünnt, bis sie uns nicht mehr schaden können. In Korea gibt man zu dem Wasser noch etwas Essig dazu, um es den Bakterien durch Säure ungemütlich zu machen. Auch das Lüften von Zimmern gehört zur Verdünnungstechnik.

Wenn man Geschirr, Besteck oder Bretter schön unter Wasser verdünnt, dann noch mal mit dem Schwamm drüberwischt und zur Seite stellt, hätte man sie genauso gut mit der Zunge ablecken können. Küchenschwämme sind schön warm, feucht und voller Nahrung – perfekt für jede Mikrobe, die vorbeikommt. Jeder, der einen Küchenschwamm unter dem Mikroskop anguckt, möchte sich eine halbe Stunde auf dem Boden zusammenkrümmen und hin- und herschaukeln.

Küchenschwämme sind nur für groben Dreck – danach sollte man Besteck oder Teller unter fließendem Wasser kurz abspülen. Das gilt genauso für dauerfeuchte Küchenhandtücher.

Sie dienen eher der gleichmäßigen Bakterienverteilung als dem Abtrocknen. Schwämme und Tücher müssen gut ausgewrungen werden und zwischendurch trocknen – ansonsten sind sie die perfekt nahrhaft-feuchten Wirtshäuser für Bakterien.

Das Trocknen

Auf trockenen Oberflächen können sich Bakterien nicht vermehren, einige sterben sogar ab. Ein gewischter Boden ist nach dem Trocknen am saubersten. Trockenere Achseln durch Deo sind ungemütlicher für Bakterien – das vermindert Geruch. Trocknen ist eine feine Sache. Wenn wir Lebensmittel richtig trocknen, sind sie lange haltbar, ohne zu vergammeln. Das sieht man bei vielen Getreideprodukten wie Nudeln, Müsli oder Knäckebrot, bei Obst (wie Rosinen), bei Bohnen oder Linsen und bei Fleisch.

Die Temperatur

In der Natur wird einmal im Jahr ordentlich durchgekühlt: Der Winter ist – bakteriell gesehen – eine Art Putzprogramm. Für unseren Alltag ist das Kühlen von Lebensmitteln sehr wichtig. Ein Kühlschrank beinhaltet so viel Essen, dass er auch bei niedrigen Temperaturen ein Bakterienparadies ist. Am besten kühlt man ihn auf maximal 5 °C.

Bei den meisten Waschgängen reicht das Prinzip des Verdünnens völlig aus – bei feuchten Küchentüchern, vielen Unterhosen oder Wäsche von Kranken dürfen es gerne auch mal die 60+ °C sein. Über 40 °C sterben die meisten E.coli-Bakterien, bei 70 °C entledigt man sich auch hartnäckiger Salmonellen.

»Reinigen« bedeutet, einen Film aus Fett und Eiweiß von Oberflächen abzulösen. Alle Bakterien, die sich darin oder darunter eingemantelt haben, entfernt man dadurch ebenfalls. Meistens nimmt man dazu Wasser und Reinigungsmittel. Reinigen ist das Mittel der Wahl bei allen Wohnräumen, Küche und Bad.

Man kann dieses Verfahren auf die absolute Spitze treiben. Das macht Sinn bei der Herstellung von Medikamenten, die Patienten direkt in die Adern laufen (wie Infusionslösungen) – hier darf nicht ein einziges Bakterium drin sein. Die pharmakologischen Labore machten das zum Beispiel mit Jod, weil es sublimieren kann. Sublimieren bedeutet, dass ein fester Jodkristall bei Wärme zu Dampf wird – ohne davor noch kurz flüssig zu sein. Man heizt also Jod auf, so dass der komplette Raum in einem blauen Dampf verschwindet.

Bis jetzt klingt das noch nach dem Dampf-Staubsauger-Prinzip, aber da geht noch mehr: Jod kann auch resublimieren. Dazu kühlt man das Zimmer wieder ab, und der komplette Dampf kristallisiert sofort aus. Auf allen Oberflächen und sogar mitten in der Luft bilden sich Millionen kleiner Kristalle, schließen alle Mikroben darin ein und fallen eingesperrt zu Boden. Arbeiter kommen durch mehrere Luft- und Desinfektionsschleusen, kleiden sich in keimfreie Ganzkörpermäntel und können so die Jodkristalle auffegen.

Wir benutzen prinzipiell dasselbe System, wenn wir uns die Hände eincremen: Wir schließen die Mikroben in einen Fettfilm ein und halten sie dort fest. Wenn wir den Film abwaschen, werden wir auch die Bakterien wieder los. Bei dem natürlichen Fettmantel, den die Haut produziert, reicht oft Wasser ohne Seife.

Abb.: *Bakterien in Jod-Kristallen*

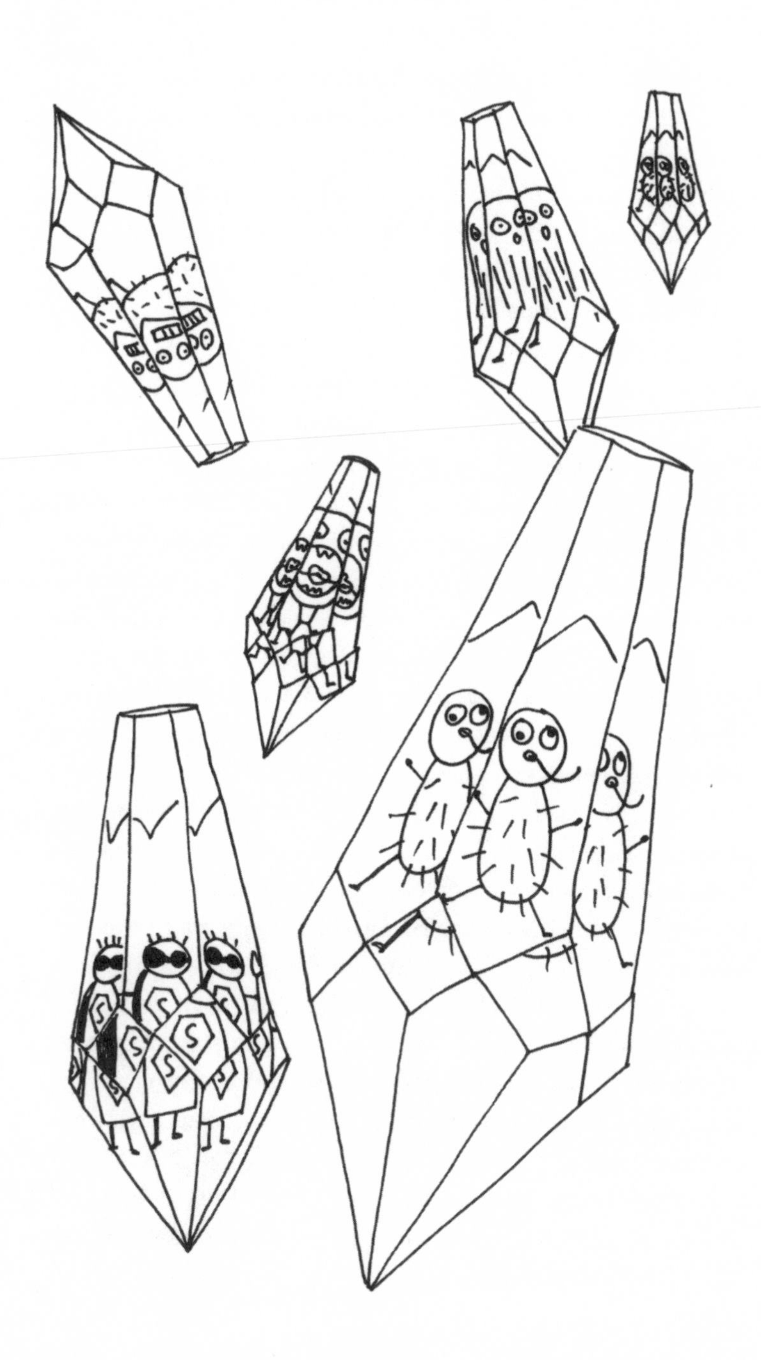

Der Fettfilm ist dann nicht völlig demoliert und kann seine Arbeit nach dem Waschen schneller wieder aufnehmen. Zu häufiges Waschen ist Unsinn – das gilt fürs Händewaschen wie auch beim Duschen. Spült man den schützenden Fettfilm zu oft ab, setzt man seine Haut wehrlos der Umgebung aus. Wenn dann stinkende Bakterien Einzug finden, riechen wir beim Schwitzen stärker. Ein Teufelskreis.

Neue Methoden

Ein Team aus Gent versucht sich derzeit an einer ganz neuen Methode. Die Forscher bekämpfen Schweißgeruch mit Bakterien. Sie desinfizieren Achseln, beschmieren sie mit geruchslosen Bakterien und schauen auf die Uhr. Nach ein paar Minuten kann die Versuchsperson ihr Hemd wieder anziehen und nach Hause gehen. Dann werden die Versuchspersonen immer mal wieder ins Labor eingeladen, und es wird von Experten an ihnen gerochen. Die ersten Ergebnisse sind ziemlich gut – bei vielen können geruchsneutrale Bakterien die stinkenden vertreiben.

Dieselbe Methode wendet man derzeit auch bei miefenden öffentlichen Toiletten in Düren an. Eine Firma hat einen Bakterienmix, den man wie ein Reinigungsmittel zum Putzen verwenden kann. Der geruchsneutrale Bakterienmix kann sich ausbreiten und nimmt den Stinkern den Platz weg. Die Idee, Sanitäranlagen mit Bakterien zu reinigen, ist genial, aber leider verraten die Hersteller die Zusammensetzung nicht, was es schwermacht, das Produkt wissenschaftlich zu beurteilen. Die Stadt Düren scheint mit diesem Experiment jedenfalls ganz gut gefahren zu sein.

Diese neuen Bakterienkonzepte zeigen eines sehr schön: Sauberkeit bedeutet nicht, alles Bakterielle auszulöschen. Sauberkeit ist ein gesundes Gleichgewicht aus genügend guten

Bakterien und wenigen schlechten. Das bedeutet: kluger Schutz vor wahren Gefahren und manchmal das gezielte Ausbreiten von Gutem. Wenn man sich das vor Augen hält, kann man auch wieder alten Weisheiten zustimmen – wie denen der amerikanischen Autorin Suellen Hoy: »*From the perspective of a middle-class American woman (also a seasoned traveler) who has weighed the evidence, it is certainly better to be clean than dirty.*«

Antibiotika

Antibiotika töten gefährliche Krankheitserreger sehr zuverlässig ab. Und deren Familie. Und deren Freunde. Und deren Bekannte. Und ferne Bekannte von den Bekannten. Das macht sie zu den besten Waffen gegen gefährliche Bakterien – und zu den gefährlichsten Waffen gegen die besten Bakterien. Wer stellt die meisten Antibiotika her? Bakterien. Hä?

Antibiotika sind die Waffen, mit denen feindliche Pilze und Bakterien sich gegenseitig bekämpfen.

Seitdem Forscher das herausgefunden haben, wird in Pharmaunternehmen Massen-Bakterienhaltung betrieben. In riesigen Flüssigkeitsbehältern (mit bis zu 100 000 Litern Fassungsvolumen) wachsen so unfassbar viele Bakterien, dass man es in Zahlen kaum ausdrücken kann. Sie stellen Antibiotika her, wir reinigen diese auf und pressen den Stoff in Tabletten. Das Produkt kommt gut an – vor allem in den USA: Bei einer Studie über die Auswirkung von Antibiotika auf die Darmflora fanden sich im gesamten Bezirk von San Francisco und den umliegenden Ortschaften nur zwei Personen, die in den vergangenen beiden Jahren keine Antibiotika eingenommen hatten. Jeder vierte Deutsche nimmt durchschnittlich einmal im Jahr ein Antibiotikum. Der häufigste Grund sind »Erkältungen«. Jedem Mikrobiologen versetzt diese Aussage einen Stich ins Herz. Erkältungen entstehen oft gar nicht wegen Bakterien, sondern wegen Viren! Antibiotika haben drei Funktionsweisen: Bakterien kaputtlöchern, Bakterien vergiften und Bakterien zeugungsunfähig machen. Für Viren sind diese Medikamente schlichtweg nicht zuständig.

Bei vielen Erkältungen bringen Antibiotika daher gar nichts. Wenn es einem nach der Einnahme trotzdem bessergeht, liegt es am Placebo-Effekt oder an der Arbeit unseres eigenen Immunsystems. Man tötet allerdings durch die unsinnige Einnahme viele hilfreiche Bakterien und schadet sich dadurch. Um dem vorzubeugen, kann man bei unklaren Infekten den Hausarzt bitten, einen *Procalcitonin*-Test zu machen. Dieser Test zeigt an, ob Bakterien oder Viren schuld an der Erkältung sind. Er kostet 25 Euro und wird von den meisten Krankenkassen nicht bezahlt. Vor allem wenn kleine Kinder unter einem unklaren Infekt leiden, sollte man diese Option in Erwägung ziehen.

Wenn es wirklich angebracht ist, Antibiotika zu nehmen, dann nur zu. Die Nachteile werden dann sicher von den Vorteilen aufgewogen – zum Beispiel, wenn man an einer schweren Lungenentzündung erkrankt ist oder als Kind ohne Folgeschäden einen besonders fiesen Infekt überwinden will. Hier kann eine kleine Tablette Leben retten. Antibiotika sorgen dafür, dass sich die Bakterien nicht weiter vermehren. Das Immunsystem tötet dann alle restlichen Krankheitserreger ab, und es geht uns schnell wieder gut. Dafür zahlen wir zwar einen Preis – aber alles in allem ist das ein sehr kluges Geschäft.

Die häufigste Nebenwirkung ist Durchfall. Wer keinen Durchfall kriegt, merkt vielleicht beim morgendlichen Gang auf die Toilette, dass er deutlich größere Portionen zustande bekommt. Ganz uncharmant und geradeheraus: Das ist eine große Portion toter Darmbakterien. Die Antibiotika-Tablette fliegt nicht vom Mund zur erkälteten Nase, sondern rutscht direkt in den Magen und von dort aus in den Darm. Bevor es von hier aus ins Blut und dann – unter anderem auch – zur Nase geht, wird die Mikrobensammlung im Darm erst mal zerlöchert, vergiftet und zeugungsunfähig gemacht. Das Ergebnis ist ein beeindruckendes Schlachtfeld, das man beim nächsten Gang aufs Klo besichtigen kann.

Antibiotika können unsere Darmflora deutlich verändern. Die Vielfalt unserer Darmmikroben nimmt durch sie ab, und ihre Fähigkeiten können sich verändern – zum Beispiel, wie viel Cholesterin aufgenommen werden kann, ob Vitamine (wie das hautfreundliche Vitamin H) hergestellt werden oder welche Nahrung verwertet wird. Besonders starke Veränderungen der Darmflora haben in ersten Studien aus Harvard und New York die Antibiotika Metronidazol und Gentamycin gezeigt.

Heikel sind Antibiotika für kleine Kinder und ältere Patienten. Ihre Darmflora ist ohnehin sehr viel unstabiler und erholt sich im Anschluss an die Behandlung schlechter. Studien aus Schweden konnten zeigen, dass bei Kindern noch zwei Monate nach Antibiotika-Einnahme deutliche Veränderungen in der Darmflora festzustellen waren: Es gab mehr potentiell schlechte Bakterien und weniger gute wie Bifidobakterien oder Lactobazillen. Die verwendeten Antibiotika waren Ampicillin und Gentamycin. Es wurden nur neun Kinder untersucht, was das Ganze nicht besonders aussagekräftig macht – allerdings ist dies die einzige Studie ihrer Art. Man muss sie also vorsichtig zur Kenntnis nehmen.

Eine neuere Studie an Rentnern aus Irland zeigte eine deutliche Zweiteilung: Manche Darmlandschaften erholten sich nach Antibiotika-Einnahme sehr gut, andere blieben dauerhaft verändert. Die Ursachen dafür sind noch völlig unklar. Die Fähigkeit, sich nach heftigen Erlebnissen wieder stabil zusammenzurappeln, nennt man beim Darm genauso wie in der Psychologie »Resilienz«.

Die Untersuchungen zu den langfristigen Folgen kann man noch immer beinahe an einer Hand abzählen – und das, obwohl wir Antibiotika seit mehr als fünfzig Jahren nutzen. Der Grund ist die Technik: Die nötigen Geräte für solche Studien sind erst ein paar Jahre alt. Der einzige Effekt, der mittlerweile sicher nachgewiesen ist, ist die Resistenzbildung. Selbst zwei Jahre nach der Einnahme von Antibiotika sitzen im Darm noch üble Bakterien, die ihren Ururur-...-Urenkeln vom Krieg erzählen.

Sie haben dem Antibiotikum getrotzt und überlebt. Und das aus gutem Grund. Sie entwickelten damals Resistenztechniken, indem sie zum Beispiel kleine Pumpen in ihre Zellwände einbauten. Damit pumpten sie das Antibiotikum aus sich heraus wie die Feuerwehr das Wasser aus einem überfluteten Keller. Manche Bakterien verkleiden sich, so dass Antibiotika ihre Wände nicht erkennen und damit nicht mehr durchlöchern können. Wieder andere nutzen ihre Fähigkeit, Dinge aufzuspal-

ten – sie bauen sich Werkzeuge, um auch Antibiotika zerlegen zu können.

Das Ding ist: Antibiotika töten selten alle Bakterien. Sie töten gewisse Gemeinschaften – je nachdem, welches Gift sie benutzen. Es gibt immer auch Bakterien, die überleben oder zu erfahrenen Kämpfern werden. Wird man mal sehr krank, können genau diese Kämpfer Probleme machen: Je mehr Resistenzen sie entwickelt haben, desto schwerer bekommt man sie dann noch mit Antibiotika in den Griff.

Jedes Jahr sterben in Europa viele tausend Menschen durch Bakterien, die so viele Resistenzen haben, dass kein Medikament mehr wirkt. Ist das Immunsystem nach einer Operation geschwächt, oder sind die resistenten Keime nach langen Antibiotika-Therapien in absoluter Überzahl, dann wird es gefährlich. Neue Medikamente werden kaum entwickelt, denn dieser Geschäftsbereich ist schlichtweg kein richtiger Geldbringer für Pharmafirmen.

Wer sich aus unnötigen Antibiotika-Darmkriegen raushalten möchte, ist mit diesen vier Punkten gut beraten:

1. Nicht unnötig Antibiotika einnehmen. Und wenn man sie mal nehmen muss, bitte lange genug. Lange genug deshalb, weil nicht so geschickte Resistenzkämpfer irgendwann aufgeben und plattgemacht werden können. So bleiben am Ende nur die Bakterien übrig, die sowieso übriggeblieben wären. Dem Rest aber hat man wenigstens den Garaus gemacht.
2. Bio-Fleisch. Die Resistenzen sind von Land zu Land unterschiedlich. Schockierend oft stehen sie in engem Zusammenhang mit den Antibiotika aus der Tierhaltung großer Schlachtbetriebe. In Ländern wie Indien oder Spanien wird praktisch gar nicht kontrolliert, wie viele Antibiotika die Tiere bekommen. Damit züchten sie riesige Resistenzzoos in den Därmen heran. Dort gibt es dann auch bei Menschen deutlich

mehr unbehandelbare Infektionen als in anderen Regionen. In Deutschland haben wir wenigstens Regeln, aber selbst diese sind lächerlich ungenau. So verdienen viele Tierärzte ihr Geld mit semilegalem »Antibiotika-Handel«.

Erst 2006 hat die EU verboten, Antibiotika als »Leistungssteigerer« in Tierfutter zu mischen. Leistungssteigerung bedeutet hier unter anderem: die Leistung eines Tiers, in einem dreckig-überfüllten Stall nicht an Infektionen zu sterben. Diese Leistung steigert man super mit Antibiotika. Tiere aus Bio-Ställen dürfen nur festgelegte Mengen Antibiotika bekommen – werden diese überschritten, verkauft man die Ware als »normales« Fleisch, ohne Biosiegel. Wenn möglich, sollte man lieber ein paar Euro mehr ausgeben – gegen Resistenzzoos und für den Frieden im Darm. Man wird es nicht direkt merken, aber investiert in eine sicherere Zukunft.

3. Obst und Gemüse gut waschen. Das hat auch mit der Tierhaltung zu tun. Denn der Kot unserer Tiere wird gerne als Dünger benutzt. Die Gülle kommt aufs Feld. Obst und Gemüse werden in Deutschland nicht auf Antibiotika-Rückstände getestet – auf resistente Darmbakterien schon gar nicht. In Milch, bei Eiern und Fleisch werden zumindest bestimmte Grenzwerte kontrolliert. Also lieber einmal zu viel waschen als einmal zu wenig. Schon geringe Mengen Antibiotika können bei Bakterien Resistenzen fördern.
4. Augen auf im Urlaub. Jeder vierte Urlauber bringt hochresistente Keime mit nach Hause. Die meisten verschwinden nach ein paar Monaten wieder, manche lauern aber auch länger bei uns herum. Besondere Vorsicht ist in bakteriellen Problemländern wie Indien geboten. In Asien und dem Mittleren Osten sollte man sehr auf häufiges Händewaschen achten, Obst und Gemüse gründlich säubern, zur Not mit abgekochtem

Wasser – Südeuropa ist auch nicht ganz ohne. »Cook it, peal it or leave it« – gilt nicht nur als Schutz vor Durchfall, sondern auch als Schutz vor ungewollten Resistenz-Souvenirs für sich und die Familie.

Gibt es Alternativen zu Antibiotika?

Pflanzen (Pilze wie der Penicillin-Pilz sind keine Pflanzen, sondern zählen zu den Lebewesen) stellen Antibiotika her, die seit Jahrhunderten funktionieren, ohne Resistenzen zu verursachen. Wenn Pflanzen abknicken oder löchrig werden, müssen an der betroffenen Stelle mikrobenfeindliche Stoffe hergestellt werden – sonst wäre die Pflanze im Handumdrehen ein Festmahl für die Bakterien aus ihrem Umfeld. Bei gerade beginnenden Erkältungen, Harnwegsinfekten oder Entzündungen in Mund- und Rachenraum kann man in der Apotheke pflanzliche Antibiotika in konzentrierter Form kaufen. Es gibt zum Beispiel Produkte mit Senf- oder Rettichöl, Kamille- oder Salbeiextrakten. Sie können teilweise nicht nur Bakterien, sondern auch Viren reduzieren. So hat unser Immunsystem weniger zu tun und eine bessere Chance, die Übeltäter zu vertreiben.

Bei einer heftigen Krankheit oder einer, die sich ohne spürbare Besserung hinzieht, sind solche pflanzlichen Mittel keine Lösung. Sie können dann sogar Schaden anrichten, weil man zu lange auf den Einsatz deftiger Antibiotika verzichtet. In den letzten Jahren haben Herz- und Ohrschäden bei Kindern infolge einer Infektion deutlich zugenommen. Häufig passiert das, wenn Eltern ihre Kinder eigentlich nur vor zu viel Antibiotika schützen wollen. Diese Entscheidung kann aber eben auch fatale Folgen haben. Ein gut ausgebildeter Arzt dreht einem nicht gleich bei allem Antibiotika an – aber sagt auch deutlich, wenn es nötig wird.

Mit Antibiotika werden Machtspielchen ausgetragen: Wir rüsten damit im großen Stil gegen gefährliche Bakterien auf – und die rüsten mit noch gefährlicheren Resistenzen zurück. Unsere Medikamentenforscher müssten dann eigentlich wieder nachrüsten. Jeder von uns geht einen Handel ein, wenn er diese Medikamente schluckt. Wir opfern unsere guten Bakterien, in der Hoffnung, das Schlechte zu bekämpfen. Bei einer kleinen Erkältung ist das mitunter ein schlechter Tausch, bei ernsten Krankheiten ein lohnendes Geschäft.

Es gibt noch keinen Artenschutz für Darmbakterien. Wir können mit Sicherheit sagen, dass wir seit der Entdeckung von Antibiotika viele Familienerbstücke vernichtet haben. Der neuentstandene Platz im Darm sollte möglichst gut besetzt werden – dafür gibt es die Probiotika. Sie helfen dem Darm dabei, nach dem Abwenden wahrer Gefahren wieder zu einem gesunden Gleichgewicht zurückzufinden.

Probiotika

Jeden Tag schlucken wir viele Milliarden lebende Bakterien. Sie sind an rohem Essen, einige überleben auch das Kochen, wir nuckeln unbewusst an unseren Fingern, schlucken unsere Mundbakterien hinunter oder küssen uns durch die Bakterienlandschaft anderer. Ein kleiner Teil von ihnen überlebt selbst die starke Magensäure und das attackierende Verdauungsprocedere und landet tatsächlich noch lebend im Dickdarm.

Den größten Teil dieser Bakterien kennt niemand – vermutlich tun sie uns nichts, oder sie tun irgendetwas Gutes, das wir noch nicht herausgefunden haben. Einige wenige sind Krankheitserreger, können uns aber in der Regel nicht schaden, weil es zu wenige auf einmal sind. Nur ein Bruchteil dieser Bakterien ist von uns komplett durchgecheckt und von offizieller Stelle als

»gut« deklariert worden. Diese Bakterien dürfen sich Probiotika nennen.

Im Supermarkt steht man dann vor dem Kühlregal und liest das Wort »probiotisch« auf einer Packung Joghurt. Wir haben nicht wirklich eine Ahnung, was genau sich dahinter verbirgt oder wie es wirkt – aber viele von uns haben noch die Werbespots dazu im Kopf: Das Immunsystem wird gestärkt, und die verstopfte Tante wird wieder flott zu Potte gebracht, weshalb sie das Produkt ihrem Umfeld weiterempfiehlt. Das ist fein. Dafür gebe ich auch gerne einen Euro mehr aus. Und schwups hat man Probiotika im Einkaufswagen, dann im Kühlschrank und schließlich im Mund.

Menschen essen seit jeher probiotische Bakterien. Ohne sie gäbe es uns nicht. Das mussten auch einige Südamerikaner feststellen: Sie brachten schwangere Frauen zum Nordpol, die dort ihre Kinder entbinden sollten. Der Hintergedanke war, die Ölreserven dort später legitim anzapfen zu können, wenn man von »Dort-Geborenen« die rechtliche Erlaubnis dazu bekam. Das Ergebnis: Die Babys starben – spätestens auf dem Weg zurück. Der Nordpol ist so kalt und keimfrei, dass sie schlichtweg nicht genug Bakterien abbekamen. Schon die normal warmen Bedingungen und Keime auf dem Rückweg brachten die Säuglinge um.

Helfende Bakterien sind wichtige Teile unseres Lebens und immer um und auf uns. Unsere Vorfahren wussten das nicht, aber machten vieles intuitiv richtig: Sie schützten ihr Essen vor schlechten Fäulnisbakterien, indem sie es den guten Bakterien anvertrauten. Zum Beispiel, indem sie es mit deren Hilfe haltbar machten. In jeder Kultur der Welt gibt es traditionelle Gerichte, die durch hilfreiche Mikroben entstehen. In Deutschland sind das zum Beispiel Sauerkraut, eingelegte Gurken oder Sauerteigbrot. Crème fraîche aus Frankreich, löchriger Käse aus der

Schweiz, Salami und Oliven aus Italien, Ayran aus der Türkei – all das gäbe es ohne Mikroben nicht.

Aus Asien kommen unfassbar viele solcher Speisen: Sojasauce, Kombucha-Getränke, Miso-Suppe, das koreanische Kimchi, Lassi aus Indien sowie Fufu aus Afrika ... die Liste ließe sich endlos fortsetzen. Diese Nahrungsmittel werden von Bakterien bearbeitet, man nennt sie dann »fermentiert«. Dabei fallen oft Säuren an, die den Joghurt oder das Gemüse saurer schmecken lassen. Durch die Säure und die vielen guten Bakterien wird das Essen vor gefährlichen Bakterien geschützt. Fermentation ist die älteste und gesündeste Technik, um Essen haltbar zu machen.

So unterschiedlich wie die vielen Gerichte waren früher auch die dafür zuständigen Bakterienkulturen. In der Sauermilch einer pfälzischen Familie fanden sich andere als im Ayran einer anatolischen Familie. In südlichen Ländern nutzte man Bakterien, die gerne bei hohen Temperaturen arbeiteten, in nordischen Gegenden Bakterien mit Hang zur Zimmertemperatur.

Joghurt, Sauermilch oder andere fermentierte Produkte entstanden durch Zufall. Jemand hatte die Milch draußen stehengelassen, Bakterien gelangten in den Behälter (entweder direkt von der Kuh oder beim Melken aus der Luft), die Milch dickte ein, und fertig war das neue Lebensmittel. War ein besonders leckerer Joghurtkeim in die Milch gehüpft, gab man einen Löffel des daraus entstandenen Joghurts in die nächste Portion Milch und ließ diese Bakterien dadurch noch mehr Joghurt machen. Im Gegensatz zu heutigen Joghurtprodukten war früher allerdings ein großes Team aus vielen verschiedenen Bakterien am Werk – und nicht nur ausgewählte Sorten.

Die Vielfalt der Bakterien in fermentierten Lebensmitteln hat stark abgenommen. Durch die Industrialisierung wurden auch Herstellungsprozesse genormt, mit einzeln ausgewählten Bakterien aus Laboratorien. Milch wird heutzutage nach dem

Melken kurz erhitzt, um eventuelle Krankheitserreger abzutöten. Dabei sterben allerdings auch potentielle Joghurtbakterien. Deshalb kann man unsere heutige Supermarktmilch auch nicht einfach stehenlassen, in der Hoffnung, dass daraus irgendwann Joghurt wird.

Viele der früher bakterienreichen Lebensmittel werden heute nicht mehr mit Bakterien, sondern mit Essig haltbar gemacht – zum Beispiel die meisten sauren Gurken. Manches wird mit Bakterien fermentiert, aber danach wieder keimfrei erhitzt wie das meiste Supermarkt-Sauerkraut. Frischkost-Sauerkraut bekommt man oft nur noch in Reformhäusern.

Die Wissenschaftswelt ahnte schon seit Anfang des 20. Jahrhunderts, wie wichtig gute Bakterien für uns sind. Damals trat Ilja Metchnikoff auf die Joghurt-Bühne. Er war Nobelpreisträger und beobachtete bulgarische Bergbauern. Sie wurden oft über hundert Jahre alt, und das mit auffällig guter Laune. Metchnikoff vermutete, dass ihr Geheimnis in den Lederbeuteln lag, mit denen sie die Milch ihrer Kühe transportierten. Die Bauern legten lange Wegstrecken zurück, so dass die Milch zu Sauermilch oder Joghurt geworden war, bis sie zu Hause ankamen. Er war überzeugt davon, dass die regelmäßige Einnahme dieses Bakterienproduktes dafür verantwortlich war. In seinem Buch *The Prolongation of Life* (deutsch: *Die Verlängerung des Lebens*) vertrat er die Meinung, dass wir durch gute Bakterien länger und besser leben könnten. Ab jetzt waren Bakterien nicht mehr nur anonyme Joghurtbestandteile, sondern auch wichtige Gesundheitsverursacher. Seine Erkenntnis kam allerdings zu einem ungünstigen Zeitpunkt. Kurz zuvor waren Bakterien als Krankheitsverursacher entdeckt worden. Der Mikrobiologe Stamen Grigorov fand zwar 1905 das von Metchnikoff beschriebene Joghurtbakterium, *Lactobacillus bulgaricus*, beschäftigte sich allerdings bald darauf mit der Bekämpfung von Tuberkulose. Durch die hilfreiche Wirkung von Antibiotika seit etwa 1940 war das Ding für die meisten gebongt: je weniger Bakterien, desto besser.

Dass Ilja Metchnikoffs Überlegung und Grigorovs Bakterium dann doch Einzug in unsere Supermärkte fanden, haben wir Babys zu verdanken. Mütter, die ihre Babys nicht stillen konnten, hatten mit Milchpulver oft ein Problem: Ihre Kinder bekamen häufiger Durchfall. Die Milchpulverindustrie war darüber recht verwundert, weil die Inhaltsstoffe denen echter Muttermilch glichen. Was könnte da noch fehlen? Bakterien! Solche, die gerne auf milchigen Nippeln sitzen, und solche, die im Darm von gestillten Kindern besonders zahlreich vorkommen: Bifidobakterien und Lactobazillen. Sie spalten Milchzucker (Laktose) und stellen Milchsäure (Laktat) her, deshalb gehören sie zu den Milchsäurebakterien. Ein japanischer Forscher stellte mit *Lactobacillus casei Shirota*-Bakterien einen Joghurt her, den Mütter zunächst nur in der Apotheke erhielten. Gab man den Babys täglich etwas davon, hatten sie weniger Durchfall. Man fand in der industriellen Forschung wieder zurück zu Metchnikoffs Perspektive – mit Baby-Bakterien und bescheideneren Ansprüchen.

Normaler Joghurt beinhaltet meistens *Lactobacillus bulgaricus*. Allerdings ist es nicht unbedingt exakt dieselbe Sorte wie die der bulgarischen Bergbauern. Die von Stamen Grigorov entdeckte Art wird heute genauer *Lactobacillus helveticus spp. bulgaricus* bezeichnet. Die Bakterien sind nicht besonders verdauungsresistent und kommen nur zu einem kleinen Teil lebendig im Darm an. Das ist für einige Effekte auf das Immunsystem auch gar nicht so wichtig – den Immunzellen genügt oft schon der Anblick einiger leerer Bakterienhüllen, um sich für ihre Arbeit zu motivieren.

Probiotischer Joghurt enthält Bakterien, die von der Forschung zum Baby-Durchfall inspiriert wurden: Sie sollen nach Möglichkeit lebendig im Dickdarm ankommen. Bakterien, die der Verdauung trotzen können, sind zum Beispiel *Lactobacillus rhamnosus, Lactobacillus acidophilus* oder der bereits erwähnte *Lactobacillus casei Shirota*. So ein lebendiges Bakterium kann theoretisch mehr ausrichten da unten im Darm. Es gibt auch Studien, die ihre Wirkung belegen, aber sie reichen der Europäischen Behörde für Lebensmittelsicherheit nicht aus. Tadaa-mäßige Slogans wie bei Yakult oder Actimel und Co. dürfen seither nicht mehr verwendet werden.

Dazu kommt außerdem, dass man nicht immer zu 100 Prozent sicher sein kann, dass auch genug probiotische Bakterien im Darm ankommen. Eine Lücke in der Kühlkette oder ein besonders sauer oder langsam verdauender Mensch lässt die Bakterien möglicherweise schon früh alt aussehen. Schlimm ist das natürlich nicht, aber besser als ein normaler Joghurt ist ein probiotischer dann vielleicht auch nicht mehr. Um im riesigen Darm-Ökosystem etwas zu reißen, sollten sich etwa eine Milliarde Bakterien (10^9) munter auf den Weg machen.

Fazit: Jeder Joghurt kann eine gute Sache sein, wobei nicht jeder Milcheiweiß oder viel tierisches Fett verträgt. Die gute Nachricht: Es gibt eine Probiotika-Welt außerhalb von Joghurt. Hier experimentieren Forscher in ihren Laboren mit ausgewählten Bakterien. Sie geben Bakterien direkt auf Darmzellen in Petrischalen, füttern Mäuse mit Mikrobencocktails oder lassen Menschen Kapseln voller lebendiger Kleinstlebewesen schlucken. In der Probiotika-Forschung haben wir mittlerweile grob drei Arbeitsfelder beobachtet, in denen unsere guten Bakterien bezaubernde Fähigkeiten an den Tag legen.

1. Massage und Balsam

Viele probiotische Bakterien kümmern sich gut um unseren Darm. Sie haben Gene, um kleine Fettsäuren wie *Butyrat* herzustellen. Damit können sie die Darmzotten einbalsamieren und pflegen. Gepflegte Darmzotten sind viel stabiler und werden größer als ungepflegte. Je größer sie sind, desto besser können wir Nahrung, Mineralstoffe oder Vitamine aufnehmen. Je stabiler sie sind, desto weniger Müll lassen sie durch. Das Ergebnis: Unser Körper bekommt viele Nährstoffe und weniger Schadstoffe serviert.

2. Sicherheitsservice

Gute Bakterien verteidigen unseren Darm – er ist schließlich ihre Heimat, und sie geben ihr Revier nicht freiwillig an schlechte Bakterien ab. Dafür sitzen sie manchmal genau dort, wo Krankheitserreger uns gerne infizieren. Kommt dann ein schlechtes Bakterium an, sitzen sie schon dick grinsend auf seinem Lieblingsplatz, legen ihre Handtasche auf den Beifahrersitz und lassen ungemütlich wenig Platz. Ist dieses Signal nicht deutlich genug, ist das auch kein Problem: Sicherheitsservice-Bakterien können noch mehr Tricks. Sie stellen beispielsweise kleine Mengen Antibiotika und Abwehrstoffe her, mit denen sie im nächsten Umfeld fremde Bakterien vertreiben. Oder sie nutzen verschiedene Säuren: Durch sie wird nicht nur Joghurt oder Sauerkraut vor Fäulnisbakterien geschützt; auch unser Darm wird durch Säure zu einem ungemütlicheren Umfeld für schlechte Keime. Eine weitere Möglichkeit ist das Wegessen (wer Geschwister hat, kennt das vielleicht). Manche probiotische Bakterien scheinen den schlechten Bakterien gerne das Essen vor der Nase wegzuschnappen. Irgendwann haben Bösewichte dann auch keinen Bock mehr und geben auf.

3. Gute Berater und Trainer

Last but not least sind Bakterien die besten Experten in Bakterienangelegenheiten. Wenn sie mit unserem Darm und seinen Immunzellen zusammenarbeiten, bekommen wir von ihnen wichtige Insiderinformationen und eine gute Beratung: Wie sehen die verschiedenen Bakterienhüllen aus? Wie viel Schutzschleim soll gebildet werden? Wie viel bakterielle Abwehrstoffe (*Defensine*) sollen die Darmzellen produzieren? Soll das Immunsystem aktiver auf fremde Stoffe reagieren oder entspannt Neues akzeptieren?

Ein gesunder Darm besitzt viele probiotische Bakterien. Wir profitieren von ihren Fähigkeiten jeden Tag und jede Sekunde. Manchmal können unsere Bakteriengemeinschaften allerdings angegriffen sein. Das kann durch Antibiotika, schlechte Ernährung, Krankheiten, Stressphasen und, und, und passieren. Unsere Därme sind dann weniger gut gepflegt, sind weniger beschützend und beratend. In solchen Fällen ist es gut, dass manche Ergebnisse der Laborforschung auch ihren Weg in Apotheken finden. Hier kann man lebendige Bakterien abholen und sich so bakterielle Leiharbeiter für harte Zeiten besorgen.

Gut gegen Durchfall – die Nummer 1 unter den Einsatzgebieten von Probiotika. Bei Darmgrippen oder Durchfall wegen Antibiotika-Einnahme helfen verschiedene Bakterien aus der Apotheke, den Durchfall abzumildern und durchschnittlich um einen Tag zu verkürzen. Gleichzeitig haben sie kaum Nebenwirkungen – anders als die meisten anderen Durchfallmedikamente. Das macht sie besonders wertvoll für kleine Kinder oder ältere Menschen. Bei Darmerkrankungen wie Colitis ulcerosa oder Reizdarm können Probiotika Durchfall- und Entzündungsschübe hinauszögern.

Gut für das Immunsystem. Für Menschen, die öfter krank werden, kann es empfehlenswert sein, verschiedene Probiotika auszutesten – vor allem in der Erkältungszeit. Wem das zu teuer ist, der kann auch täglich einen Becher Joghurt essen, denn für einige milde Effekte müssen die Bakterien ja nicht unbedingt lebendig sein. In einigen Studien ist vor allem für ältere Menschen

und stark geforderte Athleten belegt, dass sie weniger heftig oder seltener erkältet sind, wenn sie regelmäßig Probiotika einnehmen.

Ein möglicher Schutz vor Allergien. Dieser Effekt ist nicht so gut belegt wie die Wirkung von Probiotika bei Durchfall oder Immunschwäche. Für Eltern mit Kindern, die ein erhöhtes Risiko auf Allergien und Neurodermitis haben, sind Probiotika trotzdem eine gute Option. Viele Studien zeigen einen deutlichen Schutz. In einigen konnte dieser Effekt nicht nachgewiesen werden, aber es wurden auch oft verschiedene Bakterien für die jeweiligen Studien verwendet. Hier würde ich persönlich auf das »Lieber einmal zu viel«-Prinzip setzen. Probiotika schaden allergiegefährdeten Kindern in keinem Fall. Bei bereits bestehenden Allergien oder Neurodermitis konnten die Symptome in manchen Studien gemildert werden.

Neben gut erforschten Bereichen wie Durchfall, Darmerkrankungen und Immunsystem gibt es aktuelle Forschungsfelder, die in letzter Zeit vielversprechende Ergebnisse zeigten. So zum Beispiel bei Verdauungsbeschwerden, Reisedurchfall, Laktose-Unverträglichkeit, Übergewicht, entzündlichen Gelenkbeschwerden oder auch Diabetes.

Will man Probiotika bei einem dieser Probleme (zum Beispiel bei Verstopfung oder Blähungen) ausprobieren, kann die Apothekerin kein Präparat empfehlen, bei dem die erwünschte Wirkung einwandfrei belegt ist. Die Pharmazie ist hier nicht weiter als die Forschung: Man muss selbst ein bisschen herumprobieren, bis man ein Bakterium findet, das hilft. Einfach auf der Verpackung lesen, was man gerade ausprobiert, und wenn nach vier Wochen nichts anders ist – vielleicht noch einer oder zwei anderen Bakterienarten eine Chance geben. Manche Gastroenterologen können Auskunft darüber geben, welche Bakterien sich lohnen könnten.

Bei allen Probiotika gelten dieselben Regeln: Man muss sie etwa vier Wochen lang regelmäßig nehmen und vor dem Mindesthaltbarkeitsdatum aufbrauchen (sonst leben nicht genug, um im riesigen Darm-Ökosystem etwas zu bewirken). Vor dem Erwerb von probiotischen Produkten sollte man sich auf jeden Fall informieren, ob sie auch für die jeweiligen Beschwerden gedacht sind. Bakterien haben verschiedene Gene – manche sind bessere Immunsystem-Berater und andere kampflustiger, wenn es um die Vertreibung des Durchfallerregers geht.

Die am besten untersuchten Probiotika sind bis dato Milchsäurebakterien (Lactobazillen und Bifidobakterien) und *Sacharomyces boulardii.* Letzteres ist eine Hefe, die hier nicht ganz die Aufmerksamkeit bekommt, die sie eigentlich verdient. Sie ist eben kein Bakterium, und deshalb liebe ich sie weniger. Als Hefe hat sie allerdings einen unschlagbaren Vorteil: Antibiotika können ihr nichts.

Wenn wir also während Antibiotika-Einnahmen alles Bakterielle ausräuchern, kann *Saccharomyces* sich gemütlich niederlassen. So schützt sie vor unguten Opportunisten und kann außerdem Giftstoffe binden. Sie hat allerdings auch mehr Nebenwirkungen als bakterielle Probiotika – einige Menschen vertragen Hefen nicht und bekommen beispielsweise Ausschläge davon.

Dass wir neben einer, zwei Hefen fast nur Milchsäurebakterien als Probiotika kennen, zeigt, dass wir in diesem Bereich noch völlig am Anfang stehen! Denn Lactobazillen kommen normalerweise eher weniger in der Darmflora Erwachsener vor, und Bifidobakterien dürften wohl kaum die einzigen Gesundheitsverursacher sein, die man im Dickdarm so antreffen kann. Es gibt bislang nur eine weitere genauso gut erforschte Probiotika-Bakterienart: *E.coli Nissle 1917.*

Diese *E.coli*-Art wurde aus dem Kot eines Kriegsheimkehrers isoliert: Alle seine Kameraden hatten im Balkankrieg einen schlimmen Durchfall bekommen – nur er nicht. Seitdem konnten viele Studien belegen, dass dieses Bakterium bei Durchfall, Darmerkrankungen und einem schwachen Immunsystem helfen kann. Während der Soldat schon lange nicht mehr lebt, vermehren wir heute noch sein talentiertes *E.coli* in medizinischen Labors, bringen es abgepackt in die Regale von Apotheken und lassen es in Därmen anderer Menschen Gutes tun.

Die Wirkung aller Probiotika ist momentan noch von einer Sache begrenzt: Wir verabreichen einzeln ausgewählte Bakterien aus einem Labor. Sobald man die Probiotika nicht mehr täglich einnimmt, verschwinden sie meist wieder aus unserem Darm. Jeder Darm ist anders, es gibt feste Mannschaften, die sich gegenseitig helfen oder anfeinden – wer da von oben neu dazupurzelt, hat erst mal nicht viel zu sagen bei der Platzverteilung. Probiotika funktionieren deshalb zurzeit eher wie eine Pflegekur für den Darm. Setzt man sie ab, muss die eigene Flora die Arbeit weiterführen. Für langfristigere Ergebnisse liebäugelt man seit kurzem mit der Team-Mix-Strategie: mehrere Bakterien auf einmal, die sich gegenseitig helfen, auf unbekanntem Terrain Fuß zu fassen. Sie übernehmen die Müllentsorgung füreinander oder stellen Futter für ihre Kollegen her.

Auf dieses Prinzip setzen schon manche Produkte aus Apotheken, Drogerien oder Supermärkten mit einem Mix altbekannter Milchsäure-Kollegen. Diese können so tatsächlich effektiver arbeiten. Der Gedanke, dass man diese Bakterien dadurch dauerhaft im Darm ansiedeln könnte, ist schön, aber funktioniert bisher noch weniger gut … wohlgesonnen ausgedrückt.

Zieht man die Team-Mix-Strategie allerdings knallhart durch, sind die Ergebnisse tatsächlich beeindruckend. So zum Beispiel bei der Therapie von *Clostridium difficile*-Infektionen. *Clostridium difficile* sind Bakterien, die Antibiotika gut überleben und danach den ganzen frei gewordenen Platz im Darm überwuchern können. Die Betroffenen haben manchmal mehrere Jahre lang blutige und schleimige Durchfälle, die sie trotz weiterer Antibiotika oder Probiotika-Präparate nicht mehr in den Griff bekommen. So etwas ist nicht nur körperlich anstrengend – sondern zum Verzweifeln.

In solchen Notsituationen müssen Ärzte wirklich kreativ werden. Einige mutige Mediziner transplantieren zurzeit einfach eingeschworene Bakterienteams mit allen möglichen echten Darmbakterien von gesunden Menschen. Das geht glücklicherweise relativ einfach (in der Tiermedizin heilt man so seit Jahrzehnten erfolgreich viele Krankheiten): Man braucht nur gesunden Kot inklusive der Bakterien, und das war's. Team-Mix-Absolut heißt hier also »Stuhltransplantation«. Bei medizinischen Stuhltransplantationen bekommt man den Kot nicht einfach pur, sondern aufgereinigt. Von hinten oder von vorne ist dann auch egal.

Die Erfolgsquote bei schwerem, bislang unheilbarem *Clostridium difficile*-Durchfall beträgt in fast allen Studien etwa 90 Prozent. Es gibt wenige Medikamente, die eine so hohe Erfolgsquote haben. Das Verfahren darf trotz der guten Ergebnisse momentan nur bei wirklich hoffnungslosen Fällen angewandt werden. Man kann nämlich noch nicht abschätzen, ob man eventuell Krankheiten anderer oder potentiell schädliche Keime mitüberträgt. Einige Firmen sind auch schon dabei, künstliche Transplantate mit einer Garantie auf »Schadensfreiheit« zusammenzustellen. Wenn das klappt, dürfte es das Ganze etwas vorantreiben.

In der Transplantation von guten Bakterien, die dann auch dauerhaft anwachsen, liegt wohl das größte Potential der Probiotika. Das Verpflanzen hat sogar schon bei drastischen Fällen von Diabetes zu guten ersten Ergebnissen geführt. Zurzeit wird auch getestet, ob dadurch der Ausbruch von Diabetes Typ1 verhindert werden kann.

Wie man von Stuhlgang auf Diabetes kommt, mag für manche ein großer Sprung sein. Eigentlich ist es aber gar nicht so abwegig: Man transplantiert eben nicht einfach nur verteidigende Bakterien, sondern ein Mikrobenorgan, das den Stoffwechsel und das Immunsystem mitreguliert. Wir kennen über 60 Prozent dieser Darmbakterien noch gar nicht. Das Erkunden von eventuell probiotisch wirkenden Arten ist aufwendig, so wie früher die Suche nach medizinisch wirksamen Kräutern. Nur diesmal lebt unsere Medizin mit uns. Jeder Tag und jede Mahlzeit beeinflussen auch das große Mikrobenorgan – positiv wie negativ.

Präbiotika

Bei den Präbiotika geht es genau darum: durch bestimmtes Essen gute Bakterien fördern. Präbiotika sind so viel alltagstauglicher als Probiotika. Für sie muss nur eine Voraussetzung gegeben sein: Irgendwo im eigenen Darm müssen gute Bakterien sein. Diese kann man dann mit präbiotischem Essen fördern und gibt ihnen so immer mehr Macht gegenüber den schlechten.

Weil Bakterien viel kleiner sind als wir, sehen sie Essen aus einer ganz anderen Perspektive. Jedes Körnchen wird da zu einem unfassbaren Event, ein Kometbrocken voller Köstlichkeit. Alles, was wir nicht im Dünndarm aufnehmen können, nennen wir »Ballaststoffe«. Dabei sind sie gar keine unnötigen Lasten, zumindest nicht für unsere Bakterien im Dickdarm. Sie lieben Ballaststoffe. Nicht alle Sorten, aber manche. Einige Bakterien mögen unverdaute Spargelfasern, andere bevorzugen unverdaute Fleischfasern.

Einigen Ärzten ist mitunter gar nicht klar, warum sie ihren Patienten empfehlen, mehr Ballaststoffe zu essen. Sie verordnen damit eine ausgiebige Bakterienfütterung, die uns zugutekommt. Endlich gibt es genug zu essen für die Darmmikroben, damit sie Vitamine und gesunde Fettsäuren herstellen oder das Immunsystem mal wieder anständig trainieren. In unserem Dickdarm sitzen allerdings auch immer Krankheitserreger. Sie können aus bestimmtem Essen Stoffe produzieren wie Indol, Phenole oder Ammoniak. Das sind die Dinge im Chemieschrank mit den Warnsymbolen.

Präbiotika setzen genau hier an: Sie sind Ballaststoffe, die nur von netten Bakterien gegessen werden können. Gäbe es so etwas für Menschen, wäre die Kantine ein Ort der Offenbarungen! Haushaltszucker ist zum Beispiel kein Präbiotikum, weil ihn auch Kariesbakterien mögen. Schlechte Bakterien können Präbiotika nicht oder kaum verwerten und daraus also auch nichts Schlimmes herstellen. Die guten Bakterien werden gleichzeitig immer kräftiger und erobern mehr und mehr Revier.

Wir essen allerdings oft nur wenige Ballaststoffe – geschweige denn Präbiotika. Von den 30 Gramm Ballaststoffen, die wir täglich essen sollten, kommen die meisten Europäer nur auf etwa die Hälfte. Das ist so wenig, dass ein harter Konkurrenzkampf im Darm entsteht, und hierbei können auch fiese Bakterien die Oberhand gewinnen.

Dabei ist es gar nicht so schwer, sich und seinen besten Mikroben etwas Gutes zu tun. Die meisten haben ohnehin irgendein präbiotisches Lieblingsgericht, das sie ohne Probleme öfter essen würden. Meine Oma hat immer Kartoffelsalat im Kühlschrank, mein Papa macht einen grandiosen Chicorée-Salat mit Mandarinen (Tipp: Chicorée kurz mit warmem Wasser abspü-

---

Abb.: *Artischocke, Spargel, Chicorée, grüne Banane, Topinambur, Knoblauch, Zwiebel, Pastinak, Schwarzwurzel, Weizen (Vollkorn), Roggen, Hafer, Lauch*

len, dann ist er nicht mehr bitter, nur noch knackig), und meine Schwester liebt Spargel oder Schwarzwurzelgemüse in einer feinen Sahnesoße.

Das wären nur ein paar Gerichte, die Bifidobakterien oder Lactobazillen auch ziemlich gut schmecken. Wir wissen mittlerweile, dass sie Liliengewächse mögen, *Compositae*-Pflanzen oder auch resistente Stärke. Liliengewächse sind nicht nur Lauch oder Spargel, sondern auch Zwiebeln und Knoblauch. Zu den *Compositae* gehören neben Chicorée auch Schwarzwurzeln, Topinambur und Artischocken.

Resistente Stärke bildet sich beispielsweise, wenn man Kartoffeln oder Reis kocht und anschließend abkühlen lässt. Dabei kristallisiert die Stärke aus und wird verdauungsrobuster. Vom »robusten« Kartoffelsalat oder dem kaltem Sushi-Reis kommt mehr unversehrt bei den Mikroben an. Wer noch kein präbiotisches Leibgericht hat, sollte sich mal durchprobieren. Wer diese Gerichte dann regelmäßig isst, wird ein lustiges Phänomen feststellen: Man bekommt ab und zu richtigen Heißhunger auf solche Mahlzeiten.

Wer sich größtenteils von ballaststoffarmen Dingen ernährt wie Nudeln, weißes Brot oder Pizza, sollte nicht allzu plötzlich auf große Portionen ballaststoffreicher Gerichte umsteigen. Das überwältigt die ausgezehrte Bakteriengemeinschaft: Sie drehen dann völlig am Rad und verstoffwechseln alles über-euphorisch. Folge: Man pupst sich ins Nirwana. Ballaststoffe also langsam steigern und auch dann nicht auf übertrieben hohe Mengen. Essen ist schließlich immer noch in erster Linie für uns und erst in zweiter Linie für unsere Dickdarmbewohner.

Sich ins Nirwana pupsen ist keine angenehme Sache: Viel Gas bläht unseren Darm unangenehm auf. Ein bisschen Pupsen ist allerdings gesunde Pflicht. Wir sind Lebewesen, in unserem Bauch lebt eine kleine Welt, die munter arbeitet und viele Dinge produziert. So wie die Erde unsere Abgase toleriert, sollten wir auch die unserer Mikroben freundlich weiterleiten. Lustig klingen darf das, komisch riechen muss es nicht unbedingt. Bifidobakterien oder Lactobazillen verbreiten zum Beispiel keine unangenehmen Gerüche. Wer nie pupsen muss, lässt seine Darmbakterien verhungern und ist kein guter Mikrobengastgeber.

Wer es ganz gezielt will, kann sich direkt pure Präbiotika aus der Drogerie oder Apotheke holen. Aus Chicorée isoliert man hierfür zum Beispiel das Präbiotikum *Inulin*, aus Milch GOS (*Galacto-Oligo-Saccharide*). Diese Stoffe sind auf ihre gesunde Wirkung getestet und ernähren ziemlich effektiv nur bestimmte Bifidobakterien und Lactobazillen.

Präbiotika sind bei weitem nicht so gut erforscht wie Probiotika – allerdings gibt es schon ein paar ganz solide Einsatzgebiete. Präbiotika fördern gute Bakterien so, dass weniger Gifte im Darm entstehen. Besonders wenn jemand Probleme mit der Leber hat, kann er Schadstoffe von schlechten Bakterien nicht mehr so gut entschärfen und bekommt dies manchmal deutlich zu spüren. Bakteriengifte haben verschiedene Wirkungen, die von Müdigkeit über Zittern bis zum Koma reichen. Im Krankenhaus gibt man in solchen Fällen oft hochkonzentrierte Präbiotika. In der Regel gehen die Probleme wieder zurück.

Aber auch für Otto Normal mit quietschfideler Leber spielen Bakteriengifte eine Rolle. Sie entstehen zum Beispiel, wenn die wenigen Ballaststoffe alle schon am Anfang des Dickdarms aufgebraucht wurden und sich Bakterien am Darmende auf unverdaute Proteine stürzen. Bakterien und Fleisch sind manchmal keine gute Kombi – das kennen wir vom Gammelfleisch-Skandal. Zu viele dieser Fleischgifte schädigen den Dickdarm und können im schlimmsten Fall Krebs auslösen. Darmkrebs kommt überdurchschnittlich oft genau hier vor: am Ende des Darms. Deshalb werden Präbiotika vor allem für die Darmkrebsprävention getestet. Erste Studien sind vielversprechend.

Präbiotika wie GOS sind spannend, weil sie von unserem Körper auch selbst hergestellt werden. In Muttermilch befinden sich 90 Prozent GOS und 10 Prozent andere unverdauliche Ballaststoffe. Bei Kühen machen GOS nur 10 Prozent der Milch-Ballaststoffe aus. Irgendetwas scheint hierbei also gerade für menschliche Babys wichtig zu sein. Bekommen Babys Milchpulver mit ein klein bisschen GOS-Pulver darin, ähneln ihre Darmbakterien denen von normal gestillten Babys. Einige Studien legen nahe, dass sie auch weniger Allergien und Neurodermitis entwickelten als andere Milchpulver-Säuglinge. Seit 2005 ist GOS-Zugabe in Milchpulver erlaubt – aber keine Pflicht.

Das Interesse an GOS ist seither angestiegen und mittlerweile konnte noch ein weiterer Effekt im Labor gezeigt werden: GOS docken direkt an Darmzellen an – vor allem dort, wo sich sonst gerne Krankheitserreger festklammern. Dadurch funktionieren sie wie kleine Schutzschilde. Schlechte Bakterien können sich nicht gut festhalten und rutschen im besten Fall einfach an ihnen ab. Nach diesen Entdeckungen werden jetzt auch die ersten Studien zur Vorbeugung von Reisedurchfall mit GOS ins Rollen gebracht.

Inulin wird schon länger erforscht als GOS. Es wird bei der Nahrungsmittelherstellung manchmal als Zucker- oder Fettersatz benutzt, weil es ein bisschen süß und gelartig ist. Präbiotika sind meistens bestimmte Zucker, die in Ketten verbunden sind. Wenn wir Zucker sagen, meinen wir oft ein bestimmtes Molekül aus der Zuckerrübe – dabei gibt es über hundert verschiedene Zuckerarten. Hätten wir uns für die Fließbandzuckergewinnung aus Chicorée entschieden, wären Süßigkeiten keine Karies erzeugenden Sünden. »Süß« ist nicht per se ungesund, wir essen nur völlig einseitig die ungesunde Variante.

Oft ist uns nicht ganz geheuer, wenn Produkte als »zuckerfrei« oder »weniger fett« angepriesen werden. Süßstoffe wie Aspartam scheinen krebserregend zu sein, andere Süßstoffe aus typischen »light«-Produkten werden in der Schweinemast verwendet, um die Tiere dicker zu kriegen. Die Skepsis ist also durchaus berechtigt. Ein Produkt, das Inulin als Zucker- und Fettersatz enthält, kann allerdings gesünder sein als eines mit der vollen Ladung tierischem Fett und Zuckerzusatz. Es lohnt sich also bei Light-Produkten genau auf das Etikett zu schauen, denn bei manchen können wir uns tatsächlich mit gutem Gewissen belohnen, und unsere Darmbakterien dürfen mitnaschen.

Inulin bindet nicht so gut an unsere Zellen wie GOS. Vor Reisedurchfall schützte es in einer sehr großen, gut angelegten Studie nicht – allerdings gaben die Inulin nehmenden Probanden an, dass sie sich deutlich wohler fühlten. Bei der Kontrollgruppe, die nur ein Placebo bekam, gab es diesen Wohlfühleffekt nicht. Man kann es in verschiedenen Längen produzieren, das ist super für eine besonders schöne Verteilung der guten Bakterien. Kurze Inulinketten werden am Anfang des Dickdarms von den Bakterien verspeist, längere Ketten eher am Ende.

Dieser sogenannte ITF_{MIX} mit verschiedenen Längen hat da gute Ergebnisse, wo mehr Fläche = besseres Ergebnis bedeutet. Bei der Aufnahme von Calcium zum Beispiel: Hier braucht man Bakterien, die es überall durch die Darmwand schleusen. ITF_{MIX} konnte bei jungen Mädchen in einem Experiment die Calciumaufnahme um bis zu 20 Prozent verbessern. Das ist gut für die Knochen und kann so vor Osteoporose (schwache Knochen) im Alter schützen.

Calcium ist deswegen so ein schönes Beispiel, weil es gut zeigt, wie weit man mit Präbiotika gehen kann: Erstens muss man trotzdem noch genug Calcium zu sich nehmen, um überhaupt einen Effekt zu haben, und zweitens bringen Präbiotika nichts, wenn andere Organe das Problem sind. In den Wechseljahren bekommen viele Frauen schwächere Knochen. Hier haben die Eierstöcke ihre große Midlife-Crisis. Sie müssen sich von der Hormonproduktion verabschieden und langsam lernen, die Entspanntheit des Rentnerdaseins zu genießen. Die Hormone fehlen den Knochen! Hier kann auch kein Präbiotikum das Ding mehr reißen, wenn es um Osteoporose geht.

Unterschätzen sollte man das Ganze allerdings auch nicht. Kaum etwas beeinflusst die Darmbakterien so sehr wie unsere Nahrung. Präbiotika sind die mächtigsten Werkzeuge, um gute Bakterien zu fördern – und zwar solche, die schon in unserem Darm sind und dort auch bleiben. Vor allem präbiotische Gewohnheitstiere wie meine kartoffelsalatsüchtige Oma fördern, ohne es zu wissen, die besten Teile ihres Mikrobenorgans. Ihr zweites Lieblingsessen ist übrigens Lauchgemüse. Wenn früher alle im Haus krank waren, brachte sie grinsend Suppe vorbei und spielte ein paar Lieder auf dem Klavier. Der Anteil ihrer Mikroben daran ist noch unbekannt – unlogisch ist er aber nicht.

Wir merken uns: Gute Bakterien tun gut. Wir sollten sie so ernähren, dass sie möglichst große Teile des Dickdarms bevölkern können. Dazu reichen keine Nudeln oder weißes Brot, die in Fabriken aus weißem Mehlbrei aufs Fließband gepresst werden. Es müssen manchmal schon richtige Ballaststoffe dabei sein aus echten Gemüsefasern oder Fruchtfleisch. Diese können auch süß schmecken und lecker sein – ob aus frischen Spargeln, Sushi-Reis oder pur isoliert aus der Apotheke. Das kommt bei unseren Bakterien an, und sie danken uns mit guter Arbeit.

Unter dem Mikroskop sehen wir die Bakterien nur als helle Punkte auf dunklem Hintergrund. Doch zusammen ergeben sie mehr: Jeder Einzelne von uns hat ein Volk. Die meisten sitzen brav in der Schleimhaut und trainieren Immunzellen, balsamieren unsere Darmzotten, essen, was wir nicht brauchen, oder stellen Vitamine für uns her. Andere sitzen nah an den Darmzellen, piksen diese auch mal oder stellen Gifte her. Wenn Gutes und Schlechtes in einem richtigen Verhältnis steht, kann uns das Schlechte abhärten, während das Gute uns pflegt und gesund hält.

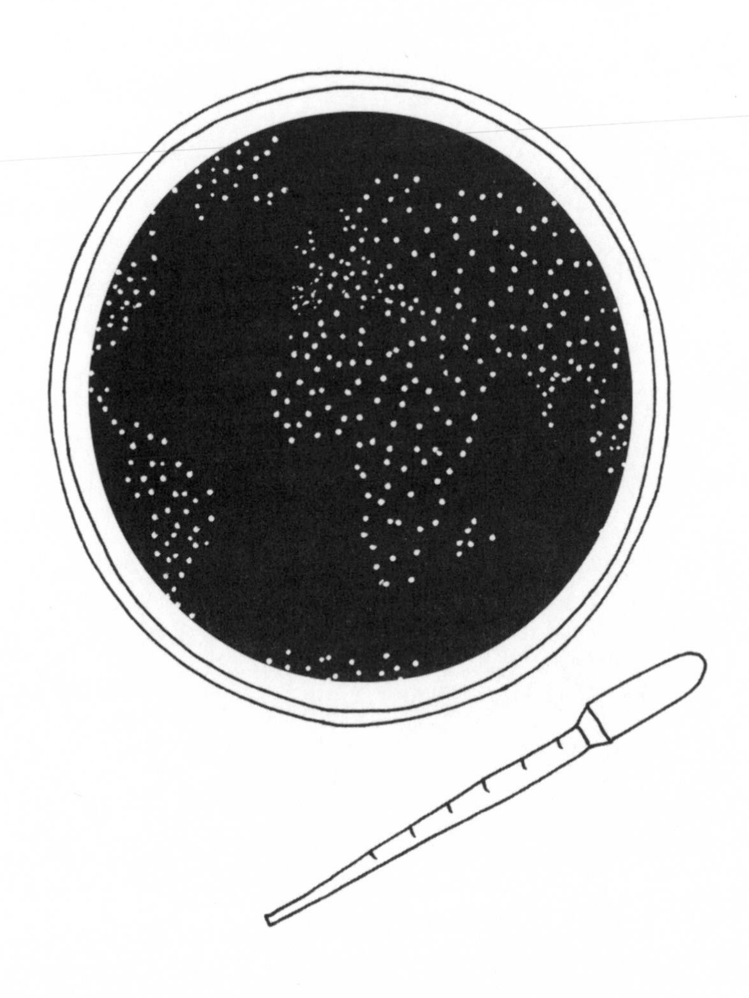

Dank

Dieses Buch gäbe es nicht ohne meine Schwester Jill. Ohne deinen freien, rationalen und neugierigen Geist wäre ich oft steckengeblieben in einer Welt, in der Gehorsam und Konformität einfacher sind als Mut und der Wille zu effizienten Fehlern. Obwohl du selbst viel zu tun hast, warst du immer da, um meine Texte mit mir durchzugehen und mich auf neue Ideen zu bringen. Du hast mir beigebracht, wie man kreativ arbeitet. Wenn ich mich schlecht fühle, dann erinnere ich mich, dass wir aus demselben Holz sind und jede von uns ihren Stift auf andere Weise einsetzt. Ich danke Ambrosius, der mich unter seinem Arm vor zu viel Arbeit versteckt. Ich danke meiner Familie und meinem Patenonkel, weil sie mich umschließen wie der Wald einen Baum und auch in windigen Zeiten auf dem Boden halten. Ich danke Ji-Won, weil sie mich während der Arbeit an diesem Buch so oft durchgefüttert hat – mit Essen und ihrer fabelhaften Art. Anne-Claire und Anne danke ich für ihre Hilfe bei den kniffeligsten Fragen!

Ich danke Michaela und Bettina, durch deren scharfe Sinne dieses Buchprojekt überhaupt erst zustande gekommen ist. Ohne mein Studium hätte ich das nötige Wissen nicht gehabt, deshalb danke ich allen guten Professoren und dem deutschen Staat, der meine Uni bezahlt. Allen Menschen, die ihre Arbeit in dieses Buch gesteckt haben – über die Pressereferenten, Verlagsvertreter, die Hersteller, Setzer, das Marketing, die Korrekturleser, Buchhändler, Postboten bis hin zum gerade dies Lesenden: vielen Dank!

Wichtigste Quellen

Angegeben sind vor allem Quellen zu Inhalten, die nicht in Standardlehrbüchern zu finden sind.

Kapitel 1

Bandani, A. R.: »Effect of Plant a-Amylase Inhibitors on Sunn Pest, Eurygaster Integriceps Puton (Hemiptera: Scutelleridae), Alpha-Amylase Activity«. In: *Commun Agric Appl Biol Sci.* 2005; 70 (4): S. 869–873.

Baugh, R. F. et al.: »Clinical Practice Guideline: Tonsillectomy in Children«. In: *Otolaryngol Head Neck Surg.* 2011 January; 144 (Suppl. 1): S. 1–30.

Bengmark, S.: »Integrative Medicine and Human Health – The Role of Pre-, Pro- and Synbiotics«. In: *Clin Transl Med.* 2012 May 28; 1 (1): S. 6.

Bernardo, D. et al.: »Is Gliadin Really Safe for Non-Coeliac Individuals? Production of Interleukin 15 in Biopsy Culture from Non-Coeliac Individuals Challenged with Gliadin Peptides«. In: *Gut.* 2007 June; 56 (6): S. 889 f.

Bodinier, M. et al.: »Intestinal Translocation Capabilities of Wheat Allergens Using the Caco-2 Cell Line«. In: *J Agric Food Chem.* 2007 May 30; 55 (11): S. 4576–4583.

Bollinger, R. et al.: »Biofilms in the Large Bowel Suggest an Apparent Function of the Human Vermiform Appendix«. In: *J Theor Biol.* 2007 December 21; 249 (4): S. 826–831.

Catassi, C. et al.: »Non-Celiac Gluten Sensitivity: The New Frontier of Gluten Related Disorders«. In: *Nutrients.* 2013 September 26; 5 (10): S. 3839–3853.

Kim, B. H.; Gadd, G. M.: *Bacterial Physiology and Metabolism*. Cambridge: Cambridge University Press, 2008.

Klauser, A. G. et al.: »Behavioral Modification of Colonic Function. Can Constipation Be Learned?«. In: *Dig Dis Sci.* 1990 October; 35 (10): S. 1271–1275.

Lammers, K. M. et al.: »Gliadin Induces an Increase in Intestinal Permeability and Zonulin Release by Binding to the Chemokine Receptor CXCR3«. In: *Gastroenterology*. 2008 July; 135 (1): S. 194–204.

Ledochowski, M. et al.: »Fructose- and Sorbitol-Reduced Diet Improves Mood and Gastrointestinal Disturbances in Fructose Malabsorbers«. In: *Scand J Gastroenterol.* 2000 October; 35 (10): S. 1048–1052.

Lewis, S. J.; Heaton, K. W.: »Stool Form Scale as a Useful Guide to Intestinal Transit Time«. In: *Scand J Gastroenterol.* 1997 September; 32 (9): S. 920–924.

Martín-Peláez, S. et al.: »Health Effects of Olive Oil Polyphenols: Recent Advances and Possibilities for the Use of Health Claims«. In: *Mol. Nutr. Food Res.* 2013; 57 (5): S. 760–771.

Paul, S.: *Paläopower – Das Wissen der Evolution nutzen für Ernährung, Gesundheit und Genuss*. München: C. H. Beck-Verlag, 2013 (2. Auflage).

Sikirov, D.: »Etiology and Pathogenesis of Diverticulosis Coli: A New Approach«. In: *Med Hypotheses*. 1988 May; 26 (1): S. 17–20.

Sikirov, D.: »Comparison of Straining During Defecation in Three Positions: Results and Implications for Human Health«. In: *Dig Dis Sci.* 2003 July; 48 (7): S. 1201–1205.

Thorleifsdottir, R. H. et al.: »Improvement of Psoriasis after Tonsillectomy Is Associated with a Decrease in the Frequency of Circulating T Cells That Recognize Streptococcal Determinants and Homologous Skin Determinants«. In: *J Immunol.* 2012; 188 (10): S. 5160–5165.

Varea, V. et al.: »Malabsorption of Carbohydrates and Depression in Children and Adolescents«. In: *J Pediatr Gastroenterol Nutr.* 2005 May; 40 (5): S. 561–565.

Wisner, A. et al.: »Human Opiorphin, a Natural Antinociceptive Modulator of Opioid-Dependent Pathways«. In: *Proc Natl Acad Sci USA*. 2006 November 21; 103 (47): S. 17 979–17 984.

Kapitel 2

Agiulera, M. et al.: »Stress and Antibiotics Alter Luminal and Wall-adhered Microbiota and Enhance the Local Expression of Visceral Sensory-Related Systems in Mice«. In: *Neurogastroenterol Motil.* 2013 August; 25 (8): S. e515–e529.

Bercik, P. et al.: »The Intestinal Microbiota Affect Central Levels of Brain-Derived Neurotropic Factor and Behavior in Mice«. In: *Gastroenterology*. 2011 August; 141 (2): S. 599–609.

Bravo, J. A. et al.: »Ingestion of *Lactobacillus* Strain Regulates Emotional Behavior and Central GABA Receptor Expression in a Mouse via the Vagus Nerve«. In: *Proc Natl Acad Sci USA*. 2011 September 20; 108 (38): S. 16 050–16 055.

Bubenzer, R. H.; Kaden, M.: auf www.sodbrennen-welt.de, (abgerufen im Oktober 2013).

Castrén, E.: »Neuronal Network Plasticity and Recovery from Depression«. In: *JAMA Psychiatry*. 2013; 70 (9): S. 983–989.

Craig, A. D.: »How Do You Feel – Now? The Anterior Insula and Human Awareness«. In: *Nat Rev Neurosci.* 2009 January; 10 (1): S. 59–70.

Enck, P. et al.: »Therapy Options in Irritable Bowel Syndrome«. In: *Eur J Gastroenterol Hepatol.* 2010 December; 22 (12): S. 1402–1411.

Furness, J. B. et al.: »The Intestine as a Sensory Organ: Neural, Endocrine, and Immune Responses«. In: *Am J Physiol Gastrointest Liver Physiol.* 1999; 277 (5): S. G922–G928.

Huerta-Franco, M. R. et al.: »Effect of Psychological Stress on Gastric Motility Assessed by Electrical Bio-Impedance«. In: *World J Gastroenterol.* 2012 September 28; 18 (36): S. 5027–5033.

Kell, C. A. et al.: »The Sensory Cortical Representation of the Human Penis: Revisiting Somatotopy in the Male Homunculus«. In: *J Neurosci.* 2005 June 22; 25 (25): S. 5984–5987.

Keller, J. et al.: »S3-Leitlinie der Deutschen Gesellschaft für Verdauungs- und Stoffwechselkrankheiten (DGVS) und der Deutschen Gesellschaft für Neurogastroenterologie und Motilität (DGNM) zu Definition, Pathophysiologie, Diagnostik und Therapie intestinaler Motilitätsstörungen«. In: *Z Gastroenterol.* 2011; 49: S. 374–390.

Keywood, C. et al.: »A Proof of Concept Study Evaluating the Effect of ADX10059, a Metabotropic Glutamate Receptor-5 Negative Allosteric Modulator, on Acid Exposure and Symptoms in Gastro-Oesophageal Reflux Disease«. In: *Gut.* 2009 September; 58 (9): S. 1192–1199.

Krammer, H. et al.: »Tabuthema Obstipation: Welche Rolle spielen Lebensgewohnheiten, Ernährung, Prä- und Probiotika sowie Laxanzien?«. In: *Aktuelle Ernährungsmedizin.* 2009; 34 (1): S. 38–46.

Layer, P. et al.: »S3-Leitlinie Reizdarmsyndrom: Definition, Pathophysiologie, Diagnostik und Therapie. Gemeinsame Leitlinie der Deutschen Gesellschaft für Verdauungs- und Stoffwechselkrankheiten (DGVS) und der Deutschen Gesellschaft für Neurogastroenterologie und Motilität (DGNM)«. In: *Z Gastroenterol.* 2011; 49: S. 237–293.

Ma, X. et al.: »Lactobacillus Reuteri Ingestion Prevents Hyperexcitability of Colonic DRG Neurons Induced by Noxious Stimuli«. In: *Am J Physiol Gastrointest Liver Physiol.* 2009 April; 296 (4): S. G868–G875.

Mayer, E. A.: »Gut Feelings: The Emerging Biology of Gut-Brain Communication«. In: *Nat Rev Neurosci.* 2011 July 13; 12 (8): S. 453–466.

Mayer, E. A. et al.: »Brain Imaging Approaches to the Study of Functional GI Disorders: A Rome Working Team Report«. In: *Neurogastroenterol Motil.* 2009 June; 21 (6): S. 579–596.

Moser, G. (Hrsg.): *Psychosomatik in der Gastroenterologie und Hepatologie.* Wien; New York: Springer, 2007.

Naliboff, B. D. et al.: »Evidence for Two Distinct Perceptual Alterations in Irritable Bowel Syndrome«. In: *Gut.* 1997 October; 41 (4): S. 505–512.

Palatty, P. L. et al.: »Ginger in the Prevention of Nausea and Vomiting: A Review«. In: *Crit Rev Food Sci Nutr.* 2013; 53 (7): S. 659–669.

Reveiller, M. et al.: »Bile Exposure Inhibits Expression of Squamous Differentiation Genes in Human Esophageal Epithelial Cells«. In: *Ann Surg.* 2012 June; 255 (6): S. 1113–1120.

Revenstorf, D.: *Expertise zur wissenschaftlichen Evidenz der Hypnotherapie.* Tübingen, 2003; unter http://www.meg-tuebingen.de/downloads/Expertise.pdf (abgerufen im Oktober 2013).

Simons, C. C. et al.: »Bowel Movement and Constipation Frequencies and the Risk of Colorectal Cancer Among Men in the Netherlands Cohort Study on Diet and Cancer«. In: *Am J Epidemiol.* 2010 December 15; 172 (12): S. 1404–1414.

Streitberger, K. et al.: »Acupuncture Compared to Placebo-Acupuncture for Postoperative Nausea and Vomiting Prophylaxis: A Randomised Placebo-Controlled Patient and Observer Blind Trial«. In: *Anaesthesia.* 2004 Februar; 59 (2): S. 142–149.

Tillisch, K. et al.: »Consumption of Fermented Milk Product with Probiotic Modulates Brain Activity«. In: *Gastroenterology.* 2013 June; 144 (7): S. 1394–1401.

Kapitel 3

Aggarwal, J. et al.: »Probiotics and their Effects on Metabolic Diseases: An Update«. In: *J Clin Diagn Res.* 2013 January; 7 (1): S. 173–177.

Arnold, I. C. et al.: »*Helicobacter Pylori* Infection Prevents Allergic Asthma in Mouse Models through the Induction of Regulatory T Cells«. In: *J Clin Invest.* 2011 August; 121 (8): S. 3088–3093.

Arumugam, M. et al.: »Enterotypes of the Human Gut Microbiome«. In: *Nature.* 2011 May 12; 474 (7353); 1: S. 174–180.

Bäckhed, F.: »Addressing the Gut Microbiome and Implications for Obesity«. In: *International Dairy Journal.* 2010; 20 (4): S. 259–261.

Balakrishnan, M.; Floch, M. H.: »Prebiotics, Probiotics and Digestive Health«. In: *Curr Opin Clin Nutr Metab Care.* 2012 November; 15 (6): S. 580–585.

Barros, F. C.: »Cesarean Section and Risk of Obesity in Childhood, Adolescence, and Early Adulthood: Evidence from 3 Brazilian Birth Cohorts«. In: *Am J Clin Nutr.* 2012; 95 (2): S. 465–70.

Bartolomeo, F. Di.: »Prebiotics to Fight Diseases: Reality or Fiction?«. In: *Phytother Res.* 2013 October; 27 (10): S. 1457–1473.
Bischoff, S. C.; Köchling, K.: »Pro- und Präbiotika«. In: *Zeitschrift für Stoffwechselforschung, klinische Ernährung und Diätik.* 2012; 37: S. 287–304.
Borody, T. J. et al.: »Fecal Microbiota Transplantation: Indications, Methods, Evidence, and Future Directions«. In: *Curr Gastroenterol Rep.* 2013; 15 (8): S. 337.
Bräunig, J.: *Verbrauchertipps zu Lebensmittelhygiene, Reinigung und Desinfektion.* Berlin: Bundesinstitut für Risikobewertung, 2005.
Brede, C.: *Das Instrument der Sauberkeit. Die Entwicklung der Massenproduktion von Feinseifen in Deutschland 1850 bis 2000.* Münster et al.: Waxmann, 2005.
Bundesregierung: »Antwort der Bundesregierung auf die Kleine Anfrage der Abgeordneten Friedrich Ostendorff, Bärbel Höhn, Nicole Maisch, weiterer Abgeordneter und der Fraktion BÜNDNIS 90/DIE GRÜNEN – Drucksache 17/10017. Daten zur Antibiotikavergabe in Nutztierhaltungen und zum Eintrag von Antibiotika und multiresistenten Keimen in die Umwelt. Drucksache 17/10313, 17. Juli 2012, unter http://dip21.bundestag.de/dip21/btd/17/103/1710313.pdf (abgerufen im Oktober 2013).
Caporaso, J. G. et al.: »Moving Pictures of the Human Microbiome«. In: *Genome Biol.* 2011; 12 (5): S. R50.
Carvalho, B. M.; Saad, M. J.: »Influence of Gut Microbiota on Subclinical Inflammation and Insulin Resistance«. In: *Mediators Inflamm.* 2013; 2013: 986734.
Charalampopoulos, D.; Rastall, R. A.: »Prebiotics in Foods«. In: *Current Opinion in Biotechnology.* 2012, 23 (2): S. 187–191.
Chen, Y. et al.: »Association Between Helicobacter Pylori and Mortality in the NHANES III Study«. In: *Gut.* 2013 September; 62 (9): S. 1262–1269.
Devaraj, S. et al.: »The Human Gut Microbiome and Body Metabolism: Implications for Obesity and Diabetes«. In: *Clin Chem.* 2013 April; 59 (4): S. 617–628.
Dominguez-Bello, M. G. et al.: »Development of the Human Gastroin-

testinal Microbiota and Insights from High-throughput Sequencing«. In: *Gastroenterology*. 2011 May; 140 (6): S. 1713–1719.

Douglas, L. C.; Sanders, M. E.: »Probiotics and Prebiotics in Dietetics Practice«. In: *J Am Diet Assoc*. 2008 March; 108 (3): S. 510–521.

Eppinger, M. et al.: »Who Ate Whom? Adaptive Helicobacter Genomic Changes That Accompanied a Host Jump from Early Humans to Large Felines«. In: *PLoS Genet*. 2006 July; 2 (7): S. e120.

Fahey, J. W. et al.: »Urease from Helicobacter Pylori Is Inactivated by Sulforaphane and Other Isothiocyanates«. In: *Biochem Biophys Res Commun*. 2013 May 24; 435 (1): S. 1–7.

Flegr, J.: »Influence of Latent Toxoplasma Infection on Human Personality, Physiology and Morphology: Pros and Cons of the Toxoplasma–Human Model in Studying the Manipulation Hypothesis«. In: *J Exp Biol*. 2013 January 1; 216 (Pt. 1): S. 127–133.

Flegr, J. et al.: »Increased Incidence of Traffic Accidents in Toxoplasma-Infected Military Drivers and Protective Effect RhD Molecule Revealed by a Large-Scale Prospective Cohort Study«. In: *BMC Infect Dis*. 2009 May 26; 9: S. 72.

Flint, H. J.: »Obesity and the Gut Microbiota«. In. *J Clin Gastroenterol*. 2011 November; 45 (Suppl.): S. 128–132.

Fouhy, F. et al.: »High-Throughput Sequencing Reveals the Incomplete, Short-Term Recovery of Infant Gut Microbiota following Parenteral Antibiotic Treatment with Ampicillin and Gentamicin«. In: *Antimicrob Agents Chemother*. 2012 November; 56 (11): S. 5811–5820.

Fuhrer, A. et al.: »Milk Sialyllactose Influences Colitis in Mice Through Selective Intestinal Bacterial Colonization«. In: *J Exp Med*. 2010 December 20; 207 (13): S. 2843–2854.

Gale, E. A. M.: »A Missing Link in the Hygiene Hypothesis?«. In: *Diabetologia*. 2002; 45 (4): S. 588–594.

Ganal, S. C. et al.: »Priming of Natural Killer Cells by Non-mucosal Mononuclear Phagocytes Requires Instructive Signals from the Commensal Microbiota«. In: *Immunity*. 2012 July 27; 37 (1): S: 171–186.

Gibney, M. J., Burstyn, P. G.: »Milk, Serum Cholesterol, and the Maasai – A Hypothesis«. In: *Atherosclerosis*. 1980; 35 (3): S. 339–343.

Gleeson, M. et al.: »Daily Probiotic's (Lactobacillus Sasei Shirota) Reduction of Infection Incidence in Athletes«. In: *Int J Sport Nutr Exerc Metab.* 2011 February; 21 (1): S. 55–64.

Goldin, B. R.; Gorbach, S. L.: »Clinical Indications for Probiotics: An Overview«. In: *Clinical Infectious Diseases.* 2008; 46 (Suppl. 2): S. S96–S100.

Gorkiewicz, G.: »Contribution of the Physiological Gut Microflora to Health and Disease«. In: *J Gastroenterol Hepatol Erkr.* 2009; 7 (1): S. 15–18.

Grewe, K.: *Prävalenz von Salmonella ssp. in der primären Geflügelproduktion und Broilerschlachtung – Salmonelleneintrag bei Schlachtgeflügel während des Schlachtprozesses.* Hannover: Tierärztliche Hochschule Hannover, 2011.

Guseo, A.: »The Parkinson Puzzle«. In: *Orv Hetil.* 2012 December 30; 153 (52): S. 2060–2069.

Herbarth, O. et al.: »Helicobacter Pylori Colonisation and Eczema«. In: *Journal of Epidemiology and Community Health.* 2007; 61 (7): S. 638–640.

Hullar, M. A.; Lampe, J. W.: »The Gut Microbiome and Obesity«. In: *Nestle Nutr Inst Workshop Ser.* 2012; 73: S. 67–79.

Jernberg, C. et al.: »Long-Term Impacts of Antibiotic Exposure on the Human Intestinal Microbiota«. In: *Microbiology.* 2010 November; 156 (Pt. 11): S. 3216–3223.

Jin, C.; Flavell, R. A.: »Innate Sensors of Pathogen and Stress: Linking Inflammation to Obesity«. In: *J Allergy Clin Immunol.* 2013 August; 132 (2): S. 287–94.

Jirillo, E. et al.: »Healthy Effects Exerted by Prebiotics, Probiotics, and Symbiotics with Special Reference to Their Impact on the Immune System«. In: *Int J Vitam Nutr Res.* 2012 June; 82 (3): S. 200–208.

Jones, M. L. et al.: »Cholesterol-Lowering Efficacy of a Microencapsulated Bile Salt Hydrolase-Active Lactobacillus Reuteri NCIMB 30242 Yoghurt Formulation in Hypercholesterolaemic Adults«. In: *British Journal of Nutrition.* 2012; 107 (10): S. 1505–1513.

Jumpertz, R. et al.: »Energy-Balance Studies Reveal Associations Between Gut Microbes, Caloric Load, and Nutrient Absorption in Humans«. In: *Am J Clin Nutr*. 2011; 94 (1): S. 58–65.

Katz, S. E.: *The Art of Fermentation: An In-Depth Exploration of Essential Concepts and Processes from Around the World*. Chelsea: Chelsea Green Publishing, 2012.

Katz, S. E.: *Wild Fermentation: The Flavor, Nutrition, and Craft of Live-Culture Foods Reclaiming Domesticity from a Consumer Culture*. Chelsea: Chelsea Green Publishing, 2011.

Kountouras, J. et al.: »Helicobacter Pylori Infection and Parkinson's Disease: Apoptosis as an Underlying Common Contributor«. In: *Eur J Neurol*. 2012 June; 19 (6): S. e56.

Krznarica, Željko et al.: »Gut Microbiota and Obesity«. In: *Dig Dis*. 2012; 30: S. 196–200.

Kumar, M. et al.: »Cholesterol-Lowering Probiotics as Potential Biotherapeutics for Metabolic Diseases«. In: *Exp Diabetes Res*. 2012; 2012: 902917.

Macfarlane, G. T. et al.: »Bacterial Metabolism and Health-Related Effects of Galactooligosaccharides and Other Prebiotics«. In: *J Appl Microbiol*. 2008 February; 104 (2): S. 305–344.

Mann, G. V. et al.: »Atherosclerosis in the Masai«. In: *American Journal of Epidemiology*. 1972; 95 (1): S. 26-37.

Marshall, B. J.: »Unidentified Curved Bacillus on Gastric Epithelium in Active Chronic Gastritis«. In: *Lancet*. 1983 June 4; 1 (8336): S. 1273 ff.

Martinson, V. G. et al.: »A Simple and Distinctive Microbiota Associated with Honey Bees and Bumble Bees«. In: *Mol Ecol*. 2011 February; 20 (3): S. 619–628.

Matamoros, S. et al.: »Development of Intestinal Microbiota in Infants and its Impact on Health«. In: *Trends Microbiol*. 2013 April; 21 (4): S. 167–173.

Moodley, Y. et al.: »The Peopling of the Pacific from a Bacterial Perspective«. In: *Science*. 2009 January 23; 323 (5913): S. 527–530.

Mori, K. et al.: »Does the Gut Microbiota Trigger Hashimoto's Thyroiditis?«. In: *Discov Med*. 2012 November; 14 (78): S. 321–326.

Musso, G. et al.: »Gut Microbiota as a Regulator of Energy Homeostasis and Ectopic Fat Deposition: Mechanisms and Implications for Metabolic Disorders«. In: *Current Opinion in Lipidology*. 2010; 21 (1): S. 76–83.

Nagpal, R. et al.: »Probiotics, their Health Benefits and Applications for Developing Healthier Foods: A Review«. In: *FEMS Microbiol Lett.* 2012 September; 334 (1): S. 1–15.

Nakamura, Y. K.; Omaye, S. T.: »Metabolic Diseases and Pro- and Prebiotics: Mechanistic Insights«. In: *Nutr Metab (Lond).* 2012 June 19; 9 (1): S. 60.

Nicola, J. P. et al.: »Functional Toll-like Receptor 4 Conferring Lipopolysaccharide Responsiveness is Expressed in Thyroid Cells«. In: *Endocrinology*. 2009 January; 150 (1): S. 500–508.

Nielsen, H. H. et al.: »Treatment for Helicobacter Pylori Infection and Risk of Parkinson's Disease in Denmark«. In: *Eur J Neurol.* 2012 June; 19 (6): S. 864–869.

Norris, V. et al.: »Bacteria Control Host Appetites«. In: *J Bacteriol.* 2013 February; 195 (3): S. 411–416.

Okusaga, O.; Postolache, T. T.: »Toxoplasma Gondii, the Immune System, and Suicidal Behavior«. In: Dwivedi, Y. (Hrsg.): *The Neurobiological Basis of Suicide.* Boca Raton, Florida: CRC Press, 2012: S. 159–194.

Ottman, N. et al.: »The Function of our Microbiota: Who Is Out There and What Do They Do?«. In: *Front Cell Infect Microbiol.* 2012 August 9; 2: S. 104.

Pavlolvíc, N. et al.: »Probiotics-Interactions with Bile Acids and Impact on Cholesterol Metabolism«. In: *Appl Biochem Biotechnol.* 2012; 168: S. 1880–1895.

Petrof, E. O. et al.: »Stool Substitute Transplant Therapy for the Eradication of *Clostridium Difficile* Infection: ›RePOOPulating‹ the Gut«. In: *Microbiome.* 2013 January 9; 1 (1): S. 3.

Reading, N. C.; Kasper, D. L.: »The Starting Lineup: Key Microbial Players in Intestinal Immunity and Homeostasis«. In: *Front Microbiol.* 2011 July 7; 2: S. 148.

Roberfroid, M. et al.: »Prebiotic Effects: Metabolic and Health Benefits«. In: *Br J Nutr.* 2010 August; 104 (Suppl. 2): S. S1–S63.

Sanders, M. E. et al.: »An Update on the Use and Investigation of Probiotics in Health and Disease«. In: *Gut.* 2013; 62 (5): S. 787–796.

Sanza, Y. et al.: »Understanding the Role of Gut Microbes and Probiotics in Obesity: How Far Are We?«. In: *Pharmacol Res.* 2013 March; 69 (1): S. 144–155.

Schmidt, C.: »The Startup Bugs«. In: *Nat Biotechnol.* 2013 April; 31 (4): S. 279–281.

Scholz-Ahrens, K. E. et al.: »Prebiotics, Probiotics, and Synbiotics Affect Mineral Absorption, Bone Mineral Content, and Bone Structure«. In: *J Nutr.* 2007 March; 137 (3 Suppl. 2): S. 838S–846S.

Schwarz, S. et al.: »Horizontal versus Familial Transmission of Helicobacter Pylori«. In: *PLoS Pathog.* 2008 October; 4 (10): S. e1000180.

Shen, J. et al.: »The Gut Microbiota, Obesity and Insulin Resistance«. In: *Mol Aspects Med.* 2013 February; 34 (1): S. 39–58.

Starkenmann, C. et al.: »Olfactory Perception of Cysteine-S-Conjugates from Fruits and Vegetables«. In: *J Agric Food Chem.* 2008 October 22; 56 (20): S. 9575–9580.

Stowell, S. R. et al.: »Innate Immune Lectins Kill Bacteria Expressing Blood Group Antigen«. In: *Nat Med.* 2010 March; 16 (3): S. 295–301.

Tängdén, T. et al.: »Foreign Travel Is a Major Risk Factor for Colonization with Escherichia Coli Producing CTX-M-Type Extended-Spectrum β-Lactamases: A Prospective Study with Swedish Volunteers«. In: *Antimicrob Agents Chemother.* 2010 September; 54 (9): S. 3564–3568.

Teixeira, T. F. et al.: »Potential Mechanisms for the Emerging Link Between Obesity and Increased Intestinal Permeability«. In: *Nutr Res.* 2012 September; 32 (9): S. 637–647.

Torrey, E. F. et al.: »Antibodies to Toxoplasma Gondii in Patients With Schizophrenia: A Meta-Analysis«. In: *Schizophr Bull.* 2007 May; 33 (3): S. 729–736.

Tremaroli, V.; Bäckhed, F.: »Functional Interactions Between the Gut Microbiota and Host Metabolism. In: *Nature.* 2012 September 13; 489 (7415): S. 242–249.

Turnbaugh, P. J.; Gordon, J. I.: »The Core Gut Microbiome, Energy Balance and Obesity«. In: *J Physiol.* 2009; 587 (17): S. 4153–4158.

de Vrese, M.; Schrezenmeir, J.: »Probiotics, Prebiotics, and Synbiotics«. In: *Adv Biochem Engin/Biotechnol.* 2008; 111: S. 1–66.

de Vriese, J.: »Medical Research. The Promise of Poop«. In: *Science.* 2013 August 30; 341 (6149): S. 954–957.

Vyas, U.; Ranganathan, N.: »Probiotics, Prebiotics, and Synbiotics: Gut and Beyond«. In: *Gastroenterol Res Pract.* 2012; 2012: 872716.

Webster, J. P. et al.: »Effect of Toxoplasma Gondii upon Neophobic Behaviour in Wild Brown Rats, Rattus norvegicus«. In: *Parasitology.* 1994 July; 109 (Pt. 1): S. 37–43.

Wichmann-Schauer, H.: *Verbrauchertipps: Schutz vor Lebensmittelinfektionen im Privathaushalt.* Berlin: Bundesinstitut für Risikobewertung, 2007.

Wu, G. D. et al.: »Linking Long-Term Dietary Patterns with Gut Microbial Enterotypes«. In: *Science.* 2011 October 7; 334 (6052): S. 105–108.

Yatsunenko, T. et al.: »Human Gut Microbiome Viewed Across Age and Geography«. In: *Nature.* 2012 May 9; 486 (7402): S. 222–227.

Zipris, D.: »The Interplay Between the Gut Microbiota and the Immune System in the Mechanism of Type 1 Diabetes«. In: *Curr Opin Endocrinol Diabetes Obes.* 2013 August; 20 (4): S. 265–270.

W9-BUJ-608

The Worshipbook

Services

The Worshipbook

Services

Prepared by The Joint Committee on Worship *for* Cumberland Presbyterian Church · Presbyterian Church in the United States · The United Presbyterian Church in the United States of America

THE WESTMINSTER PRESS
Philadelphia

ACKNOWLEDGMENTS

Doubleday & Company, Inc., for quotations from *The Jerusalem Bible*. Copyright © 1966 by Darton, Longman & Todd, Ltd., and Doubleday & Company, Inc.

The Macmillan Company, for quotations from *The New Testament in Modern English*, translated by J. B. Phillips. © 1958 by J. B. Phillips.

The National Council of Churches, Division of Christian Education, for Scripture quotations from the Revised Standard Version of the Bible, copyrighted 1946 and 1952.

Oxford University Press, Inc., and Cambridge University Press, for quotations from *The New English Bible*. Copyright © the Delegates of the Oxford University Press and the Syndics of the Cambridge University Press 1961, 1970.

Oxford University Press, Inc., for litanies abridged and adapted from *The Kingdom, the Power, and the Glory*. Copyright 1933 by Oxford University Press, Inc., and Renewed 1961 by Bradford Young.

PUBLISHED BY THE WESTMINSTER PRESS®
PHILADELPHIA, PENNSYLVANIA

Printed in the United States of America

Preface

THE WORSHIPBOOK is in two forms. Chronologically, *The Worshipbook—Services* is first. *The Worshipbook—Services and Hymns* is second, following the first after a passage of years. All the pages of *The Worshipbook—Services* constitute the first pages of *The Worshipbook—Services and Hymns.* The second book is different from the first only in the way that the subtitles suggest. The second offers hymns. The first does not.

The Worshipbook—Services is the successor to *The Book of Common Worship* (1946). *The Worshipbook—Services and Hymns* is the successor to *The Book of Common Worship* and, for many congregations, *The Hymnal* (1933) or *The Hymnbook* (1955).

Three Churches have produced *The Worshipbook.* They are: the Cumberland Presbyterian Church, the Presbyterian Church in the United States, and The United Presbyterian Church in the United States of America. They have been served by the Joint Committee on Worship and by The Committee on Selection of Hymns, the latter reporting to the several denominations through the former. Sessions of the Joint Committee on Worship have been attended by an observer from the Reformed Church of America.

At the point in *The Worshipbook—Services and Hymns* where the hymns begin, there is a further statement about the music and hymnody in the book. This preface, therefore, contains only generalizations as to hymns, and a degree of greater detail about the services.

A principal dimension of *The Worshipbook* is its attempt to employ contemporary English in worship. The word *contemporary* needs definition. It does not mean *idiom* or *slang*, or the selection of words that will call attention to their jarring strangeness, or language that reveals more the cleverness of the writer than the reality of God. It means the straightforward use of words and language in current, contemporary use in the last third of the twentieth century.

Moreover, so much of *The Worshipbook* is in the language of Scripture that the words of the new translations of the Bible have been employed. Thus, the other principal dimension of *The Worshipbook* is that it rests upon the foundation of the Holy Scriptures.

There has been no attempt to write new theology. Because the Joint Committee on Worship prepared the Directory for Worship which became part of the Constitution of The United Presbyterian Church in the United States of America, that directory has been the standard which *The Worshipbook* obeys. Nevertheless, care has been taken not to trespass against the Constitutions of the other two Churches.

The Worshipbook is a Presbyterian book. It is faithful to that tradition. *The Worshipbook* is an ecumenical book. It attempts to adopt, both in services and hymns, the best that fellow Christians in other Churches and traditions offer.

Presbyterians value freedom and variety in worship, but they emphasize equally the virtue of orderliness. It is hardly necessary to state that the book is for voluntary use. Congregations will find options offered in *The Worshipbook*. In addition, they will supply their own variations. To do so will be to please, not disappoint, those who have prepared the book. All that is claimed is that *The Worshipbook*, notably in the Service for the Lord's Day, offers one orderly and responsible way to plan for the worship of God.

There is contemporaneity in the hymns. New hymns have been written. Old hymns have been altered, where copyright and literary structure permit, so that archaic language is eliminated, and excessive introspective use of first person singular pronouns is diminished. There are folk hymns and spirituals.

The hymns have been selected, of course, in adherence to many standards. Due consideration has been given to sound theology, musical integrity, variety in the texts, variety in the tunes, and the blending of the old with the new.

There has been, however, one primary standard by which the hymns have been chosen. They have been chosen to support the services in *The Worshipbook*, particularly the Service for the Lord's

Day. If the assignment of The Committee on Selection of Hymns had been to create a general hymnal to succeed another, older hymnal, it would have offered many more hymns, with diverse and diffuse potential uses. Here, on the other hand, is a book that seeks the integrity of unity. Music is a part of worship, not apart from worship. In *The Worshipbook*, congregations should find services through which they can intelligently worship God. They should also find, in the same volume, hymns that are appropriate to those services.

The Joint Committee has been enriched in its work by the renewal of worship in other Churches. The Lord's Prayer, as it appears in the text of *The Worshipbook*, at various places, is in a version prepared by the International Consultation on English in the Liturgy. That body was composed of representatives of Roman Catholic and Protestant Churches in twenty countries, including Great Britain and the United States, where English is spoken. It is a remarkable achievement in Christian unity, blending a wide variety of both traditions and nationalities.

The same International Consultation prepared the versions of the Apostles' Creed and the Nicene Creed that *The Worshipbook* employs. For the convenience of congregations not yet ready to adopt the admittedly unfamiliar new versions of the prayer and the creeds, the Lord's Prayer, the Apostles' Creed, and the Nicene Creed are published in traditional form on the end papers of this book.

After the Second Vatican Council, the Roman Catholic Church greatly modified its Christian year, omitting many of the saints' days. In that connection, it published an entirely new lectionary, which is a list of Scripture passages, from the Old and New Testaments, for use on each Lord's Day. The members of the Joint Committee on Worship, like many other Protestants, discovered that the new Roman Catholic selections, and the manner of their organization, were remarkably in harmony with the teachings of the Reformation. The excellence of the lectionary commended itself to the committee, and with a few alterations it is offered in *The Worshipbook*.

As is known, Presbyterians are not required to follow a lectionary as they plan for worship on the Lord's Day. On the other hand, the following of a lectionary, with flexibility, helps assure a congregation that it will not, in the course of a period of years, neglect the great teachings of the Bible.

It is customary, in the preface of such a book as this, to list the members of the committee that prepared it. Inevitably, in a committee that has worked for more than a decade, there have been those who have had to leave the committee and give their attention elsewhere. They should not be held accountable for the final product of the others, but their names will nevertheless be listed.

The list does not indicate membership on one committee or the other, or membership in one church or another. It does not distinguish between laymen and ministers. It does not separate consultants from committee members. It is in alphabetical order, and the omission of further identification symbolizes the unity of the book as well as the unity of those who have served:

James Appleby, James H. Blackwood, Eugene Carson Blake, Scott Francis Brenner, Lewis A. Briner, Frank A. Brooks, Jr., Robert McAfee Brown, Wanzer H. Brunelle, David G. Buttrick, Frank H. Caldwell, Donald F. Campbell, Robert Carwithen, Dwight M. Chalmers, Rex S. Clements, Harold Davis, Theodore A. Gill, Richard W. Graves, Robert E. Grooters, Warner L. Hall, Robert H. Heinze, Thomas Holden, Edward J. Humphrey, Donald D. Kettring, Norman F. Langford, Cecil W. Lower, Joseph E. McAllaster, Dalton E. McDonald, Earl W. Morey, Jr., Marian S. Noecker, Richard M. Peek, Mary H. Plummer, John Ribble, David W. Romig, Garrett C. Roorda, Joan M. Salmon, Donald W. Slake, Jean Woodward Steele, Robert F. Stevenson, Howard S. Swan, James Rawlings Sydnor, H. William Taeusch, Hubert V. Taylor, William P. Thompson, Leonard J. Trinterud, Richard D. Wetzel, James T. Womack, Jr., H. Davis Yeuell.

Richard W. Graves died in 1969. Robert McAfee Brown was the principal writer-editor for the Directory for Worship. David G. Buttrick was the principal writer-editor for the services in *The Worshipbook*. Robert Carwithen was the editor for the musical portions of the book.

At the date of publication the chairman of the Joint Committee on Worship was Robert H. Heinze. Serving as chairmen, at successive stages of the work, were Scott Francis Brenner, Dwight M. Chalmers, Thomas Holden, and David W. Romig. The secretary was H. Davis Yeuell. He was preceded by Robert H. Heinze. John Ribble was publishing consultant.

The chairman of The Committee on Selection of Hymns was Cecil W. Lower. The secretary was Donald F. Campbell.

The Worshipbook is a new book with a new name, offered in the hope that it will serve a new age in the church. The old and well-loved title of the former book, *The Book of Common Worship*, has been sacrificed because the word *common* is no longer used as it was in times gone by. The change in title is symbolic of the attempt to help Christians, and those who may become Christians, to hear God's word, and worship him, in the language of their needs and aspirations, today.

The committees hope that *The Worshipbook* will find favor with the churches, but more, that it may be an instrument blessed by God for those who praise and serve him.

THE JOINT COMMITTEE ON WORSHIP

Memphis
Richmond
Philadelphia

Contents

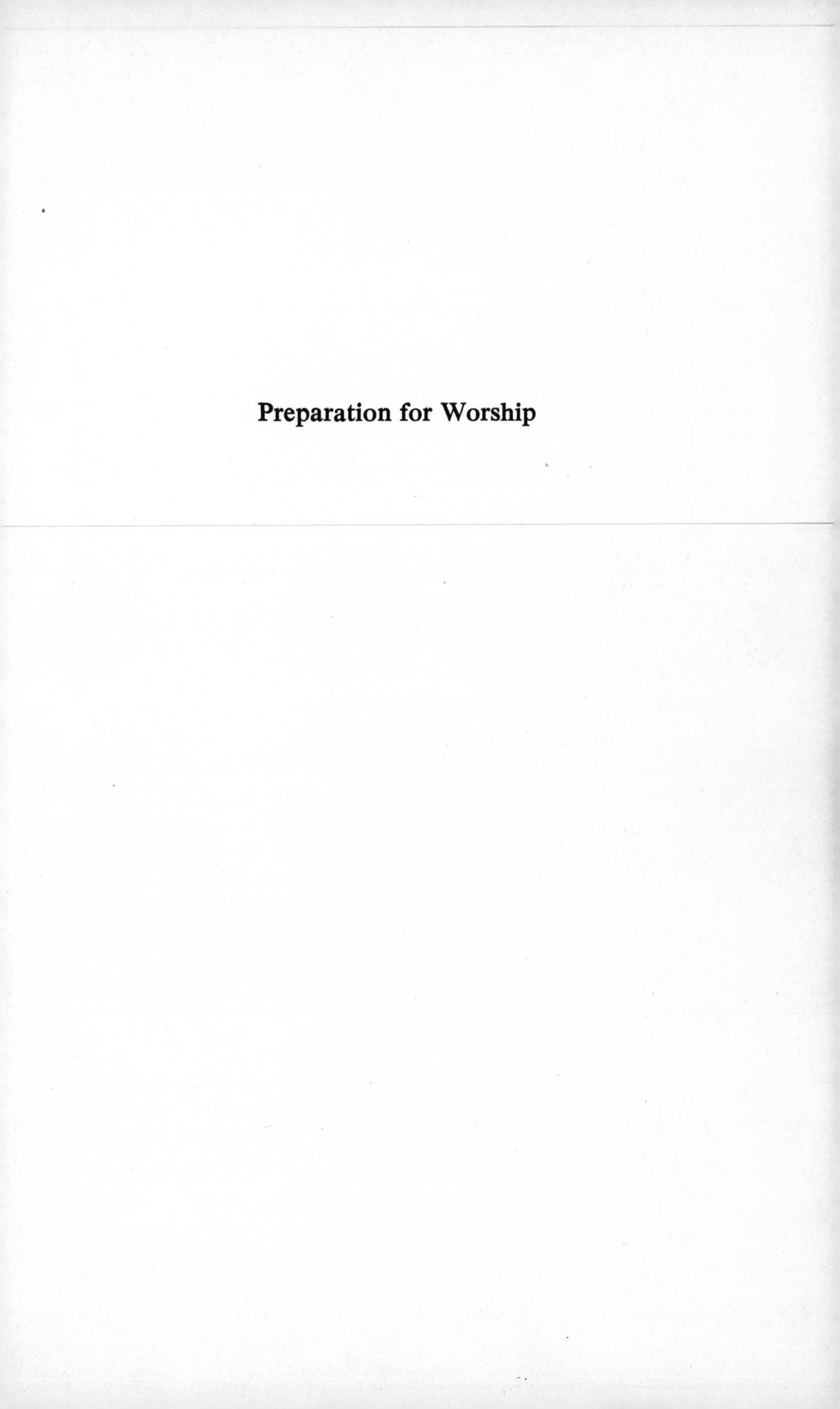

Preparation for Worship

Preparation for Worship

PRAYERS FOR USE BEFORE WORSHIP

The session will guide a congregation's preparation for worship. As people gather on the Lord's Day, they may pray, or, when there is instrumental music, give silent attention; they may wish to sing or read hymns, or to greet one another, talking together as neighbors in faith.

The following prayers may be used by members of the congregation before worship:

Eternal God: you have called us to be members of one body. Join us in Spirit with those who in all times and places have praised your name; that, having one faith, we may show the unity of your church, and bring honor to our Lord and Savior, Jesus Christ. Amen.

God our king: rule over us as we meet together, and so fill us with your Spirit, that in faith, hope, and love we may worship you, and proclaim your mighty deeds; through Jesus Christ our Lord. Amen.

Merciful God, who sent Jesus to eat and drink with sinners: lead us to your table and be present with us, weak and sinful people; that, fed by your love, we may live to praise you, remembering Jesus Christ our Savior. Amen.

Lord God: we cannot pray unless your Spirit prays in us; we cannot forgive ourselves unless your word tells mercy.

Lord God: speak your word, and send your Spirit to help us worship as we ought; for the sake of our Lord Jesus Christ. Amen.

A doxology may be sung with the choir as they make ready for worship, or one of the following prayers may be used:

God of grace: you have given us minds to know you, hearts to love you, and voices to sing your praise. Fill us with Holy

Spirit, so we may celebrate your glory, and truly worship you; through Jesus Christ our Lord. **Amen.**

Great God: you have been generous and marvelously kind. Give us such wonder, love, and gratitude that we may sing praises to you, and joyfully honor your name; through Jesus Christ our Lord. **Amen.**

Give to the Lord glory and praise!

His loving-kindness is forever.

Lift up your hearts.

We lift them to the Lord.

Praise the Lord.

The Lord's name be praised.

Amen.

And Amen.

When elders meet before worship, they may wish to say one of the following prayers:

God our Father: without your word we have nothing to say, and without your Spirit we are helpless. Give us Holy Spirit, so that we may lead your people in prayer, proclaim the good news, and gratefully praise your name; through Jesus Christ our Lord. **Amen.**

Startle us, O God, with your truth, and open our minds to your Spirit; that we may be one with your Son our Lord, and serve as his disciples; through Jesus Christ. **Amen.**

Almighty God: you have set a table before us, and called us to feast with you. Prepare us in mind and spirit to minister in your name, and to honor your Son, our Lord, Jesus Christ. **Amen.**

THE LAW OF GOD

In preparation for worship, the people may wish to think on the law of God.

The law, or the summary of the law given by our Lord Jesus, may be used in the Service for the Lord's Day immediately after the Declaration of Pardon, as a guide for the forgiven Christian who will live obedient to God.

God spoke all these words, saying, I am the Lord your God.

You shall have no other gods before me.

You shall not make for yourself a graven image, or any likeness of anything that is in heaven above, or that is in the earth beneath, or that is in the water under the earth; you shall not bow down to them or serve them.

You shall not take the name of the Lord your God in vain.

Remember the Sabbath day, to keep it holy.

Honor your father and your mother.

You shall not kill.

You shall not commit adultery.

You shall not steal.

You shall not bear false witness against your neighbor.

You shall not covet your neighbor's house; you shall not covet your neighbor's wife, or anything that is your neighbor's.

SUMMARY OF THE LAW

Our Lord Jesus said:

You shall love the Lord your God with all your heart, and with all your soul, and with all your mind. This is the great and first commandment. And a second is like it, You shall love your neighbor as yourself. On these two commandments depend all the law and the prophets.

Orders for the
Public Worship of God

OUTLINE OF THE SERVICE FOR THE LORD'S DAY

Including the Sacrament of the Lord's Supper

THE BASIC STRUCTURE	ADDITIONS AND VARIANT FORMS
Call to Worship	
	Versicle
Hymn of Praise	
Confession of Sin	
Declaration of Pardon	
Response	(Gloria, Hymn, or Psalm)
Prayer for Illumination	(Or, the Collect for the Day)
Old Testament Lesson	
	Anthem, Canticle, or Psalm
New Testament Lesson(s)	
Sermon	
	Ascription of Praise
	An Invitation
Creed	
	Hymn
	Concerns of the Church
The Prayers of the People	
The Peace	
Offering	
	Anthem or Special Music
	Hymn or Doxology
Invitation to the Lord's Table	
The Thanksgiving	
The Lord's Prayer	
The Communion	
Response	
Hymn	
Charge	
Benediction	

OUTLINE OF THE SERVICE FOR THE LORD'S DAY

Including the Sacrament of Baptism

THE BASIC STRUCTURE	ADDITIONS AND VARIANT FORMS
CALL TO WORSHIP	
	Versicle
HYMN OF PRAISE	
CONFESSION OF SIN	
DECLARATION OF PARDON	
RESPONSE	(Gloria, Hymn, or Psalm)
PRAYER FOR ILLUMINATION	(Or, the Collect for the Day)
OLD TESTAMENT LESSON	
	Anthem, Canticle, or Psalm
NEW TESTAMENT LESSON(S)	
SERMON	
	Ascription of Praise AN INVITATION
APOSTLES' CREED	
THE SACRAMENT OF BAPTISM	
	Hymn Concerns of the Church
THE PRAYERS OF THE PEOPLE	
THE PEACE	
OFFERING	
	Anthem or Special Music Hymn or Doxology
PRAYER OF THANKSGIVING	
THE LORD'S PRAYER	
HYMN	
CHARGE	
BENEDICTION	

OUTLINE FOR THE SERVICE FOR THE LORD'S DAY

When the Sacraments Are Omitted

THE BASIC STRUCTURE	ADDITIONS AND VARIANT FORMS
CALL TO WORSHIP	
	Versicle
HYMN OF PRAISE	
CONFESSION OF SIN	
DECLARATION OF PARDON	
RESPONSE	(Gloria, Hymn, or Psalm)
PRAYER FOR ILLUMINATION	(Or, the Collect for the Day)
OLD TESTAMENT LESSON	
	Anthem, Canticle, or Psalm
NEW TESTAMENT LESSON(S)	
SERMON	
	Ascription of Praise
	AN INVITATION
CREED	
	Hymn
	Concerns of the Church
THE PRAYERS OF THE PEOPLE	
THE PEACE	
OFFERING	
	Anthem or Special Music
	Doxology or Response
PRAYER OF THANKSGIVING	
THE LORD'S PRAYER	
HYMN	
CHARGE	
BENEDICTION	

ORDER FOR THE PUBLIC WORSHIP OF GOD

Service for the Lord's Day

CALL TO WORSHIP

Let the people stand. The minister shall call the people to the worship of God, saying:

Let us worship God.

The minister shall say one or more of the following:

Our help is in the name of the Lord, who made heaven and earth.

God loved the world so much that he gave his only Son, so that everyone who believes in him may not be lost but may have eternal life.

Thank God, the God and Father of our Lord Jesus Christ, that in his great mercy we men have been born again into a life full of hope, through Christ's rising from the dead.

God was in Christ reconciling the world to himself—not counting their sins against them—and has commissioned us with the message of reconciliation.

The kingdom of the world has become the kingdom of our Lord and his Christ, and he will reign forever and ever.

At the name of Jesus every knee should bow and every tongue confess that Jesus Christ is Lord, to the glory of God the Father.

In the name of the Father, and of the Son, and of the Holy Spirit.

And, the following may be sung or said:

Praise the Lord.

The Lord's name be praised.

Let the people sing a psalm or a hymn of praise.

CONFESSION OF SIN

The minister shall say:

If we claim to be sinless, we are self-deceived and strangers to the truth. If we confess our sins, God is just, and may be trusted to forgive our sins and cleanse us from every kind of wrong.

Let us admit our sin before God:

> **Almighty God: in Jesus Christ you called us to be a servant people, but we do not do what you command. We are often silent when we should speak, and useless when we could be useful. We are lazy servants, timid and heartless, who turn neighbors away from your love. Have mercy on us, O God, and, though we do not deserve your care, forgive us, and free us from sin; through Jesus Christ our Lord. Amen.**

Or,

The proof of God's amazing love is this: while we were sinners Christ died for us. Because we have faith in him, we dare with confidence to approach God.

Let us ask God to forgive us.

> **Almighty God: you love us, but we have not loved you; you call, but we have not listened. We walk away from neighbors in need, wrapped up in our own concerns. We have gone along with evil, with prejudice, warfare, and greed. God our Father, help us to face up to ourselves, so that, as you move toward us in mercy, we may repent, turn to you, and receive forgiveness; through Jesus Christ our Lord. Amen.**

The people may pray silently.

DECLARATION OF PARDON

One of the following may be said:

Hear the good news!

> This statement is completely reliable and should be universally accepted: Christ Jesus entered the world to rescue sinners.

He personally bore our sins in his body on the cross, so that we might be dead to sin and be alive to all that is good.

Or,

Who is in a position to condemn? Only Christ, and Christ died for us, Christ rose for us, Christ reigns in power for us, Christ prays for us.

If a man is in Christ, he becomes a new person altogether—the past is finished and gone, everything has become fresh and new.

And,

Friends: Believe the good news of the gospel.

In Jesus Christ, we are forgiven.

Then the minister may say one of the following exhortations; or read the Summary of the Law (see page 17):

As God's own people, be merciful in action, kindly in heart, humble in mind. Be always ready to forgive as freely as the Lord has forgiven you. And, above everything else, be loving, and never forget to be thankful for what God has done for you.

Or,

Let us now obey the Lord. This is his command: to give allegiance to his Son Jesus Christ and to love one another.

Then the people may stand to sing or say the following response; or some other thanksgiving:

Give thanks to God, for he is good, his love is everlasting.

You are the Lord, giver of mercy!
You are the Christ, giver of mercy!
You are the Lord, giver of mercy!

PRAYER FOR ILLUMINATION

Before the reading of the Scripture lessons, the Collect for the Day may be used; or one of the following Prayers for Illumination, or a like prayer, may be said by the reader or by the people in unison:

Prepare our hearts, O Lord, to accept your word. Silence in us any voice but your own; that, hearing, we may also obey your will; through Jesus Christ our Lord. **Amen.**

Or,

O God, tell us what we need to hear, and show us what we ought to do to obey your Son, Jesus Christ. **Amen.**

OLD TESTAMENT LESSON

Before the Old Testament lesson, let the reader say:

The lesson is . . .
Listen for the word of God!

After the Old Testament lesson, the reader may say:

Amen.

After the lesson, there may be an anthem, a canticle, or a psalm.

NEW TESTAMENT LESSON(S)

Before the reading of the New Testament lesson, or lessons, let the reader say:

The lesson is . . .
Listen for the word of God!

After the New Testament lesson, or lessons, the reader may say:

Amen.

SERMON

When the Scripture has been read, its message shall be proclaimed in a Sermon. The Sermon may be followed by an Ascription of Praise:

Amen. Praise and glory and wisdom and thanksgiving and honor and power and strength to our God forever and ever. **Amen.**

Or,

Now to the King of all worlds, undying, invisible, the only God, be honor and glory forever and ever. **Amen.**

After the Sermon, an INVITATION may be given to any who wish to answer God's word by declaring their faith, or by renewing their obedience to Christ.

CREED

The people may stand to sing or say a Creed of the church; or some Affirmation of Faith drawn from Scripture:

Let us say what we believe.

We believe in one God,
the Father, the Almighty,
maker of heaven and earth,
of all that is seen and unseen.

We believe in one Lord, Jesus Christ,
the only Son of God,
eternally begotten of the Father,
God from God, Light from Light,
true God from true God,
begotten, not made, one in Being with the Father.
Through him all things were made.
For us men and for our salvation
he came down from heaven:
by the power of the Holy Spirit
he was born of the Virgin Mary, and became man.
For our sake he was crucified under Pontius Pilate;
he suffered, died, and was buried.
On the third day he rose again
in fulfillment of the Scriptures;
he ascended into heaven
and is seated at the right hand of the Father.
He will come again in glory to judge the living and the dead,
and his kingdom will have no end.

We believe in the Holy Spirit, the Lord, the giver of life,
who proceeds from the Father and the Son.
With the Father and the Son he is worshiped and glorified.
He has spoken through the prophets.
We believe in one holy catholic and apostolic church.
We acknowledge one baptism for the forgiveness of sins.
We look for the resurrection of the dead,
and the life of the world to come. Amen.

Or,

**I believe in God, the Father almighty,
creator of heaven and earth.**

**I believe in Jesus Christ, his only Son, our Lord.
He was conceived by the power of the Holy Spirit
and born of the Virgin Mary.
He suffered under Pontius Pilate,
was crucified, died, and was buried.
He descended to the dead.
On the third day he rose again.
He ascended into heaven,
and is seated at the right hand of the Father.
He will come again to judge the living and the dead.**

**I believe in the Holy Spirit,
the holy catholic church,
the communion of saints,
the forgiveness of sins,
the resurrection of the body,
and the life everlasting. Amen.**

Or,

This is the good news which we received, in which we stand, and by which we are saved: that Christ died for our sins according to the Scriptures, that he was buried, that he was raised on the third day; and that he appeared to Peter, then to the Twelve and to many faithful witnesses.

We believe he is the Christ, the Son of the living God. He is the first and the last, the beginning and the end, he is our Lord and our God. Amen.

A hymn may be sung.

CONCERNS OF THE CHURCH

Announcements concerning the life of the church may be made.

THE PRAYERS OF THE PEOPLE

Prayers of Intercession may be said by a leader, or leaders, to express concerns of the church.

Or, a few or many of the following prayers may be used with the people responding, or by the people in unison.

The response, "Hear our prayer, O God," may be said instead of "Amen" after each intercession.

The following may be sung or said:

The Lord is risen.

He is risen indeed.

Then, the minister may say:

Let us pray.

Father, whose Son Jesus Christ taught us to pray: let our prayers for others be the kind you want, and not just ways of getting what we want, who already have so much in Jesus Christ, our Savior. **Amen.**

Let us pray for the world.

Silent prayer.

Lord of all the worlds that are, Savior of men: we pray for the whole creation. Order the unruly powers, deal with injustice, feed and satisfy the longing peoples, so that in freedom your children may enjoy the world you have made, and cheerfully sing your praises; through Jesus Christ our Lord. **Amen.**

Let us pray for the church.

Silent prayer.

Gracious God: you called us to be the church of Jesus Christ. Keep us one in faith and service, breaking bread together, and telling good news to the world; that men may believe you are love, and live to give you glory; through Jesus Christ our Lord. **Amen.**

Let us pray for peace.

Silent prayer.

Eternal God: send peace on earth, and put down greed, pride, and anger, which turn man against man and set nation against nation. Speed the day when wars will end and all men call you Father; through Jesus Christ our Lord. **Amen.**

Let us pray for enemies.

Silent prayer.

O God, whom we cannot love unless we love our brothers: remove hate and prejudice from us and all men, so that your children may be reconciled with those they fear, resent, or threaten; and live together in your peace; through Jesus Christ our Lord. **Amen.**

Let us pray for those who govern us.

Silent prayer.

Almighty God, ruler of men: direct those who make, administer, and judge our laws; the President of the United States and others in authority among us (especially ________); that, led by your wisdom, they may lead us in the way of righteousness; through Jesus Christ our Lord. **Amen.**

Let us pray for world leaders.

Silent prayer.

Great God our hope: give vision to those who serve the United Nations, or govern people; that, with goodwill and justice, they may take down barriers, and draw together one new world in peace; through Jesus Christ our Lord. **Amen.**

Let us pray for the work we do.

Silent prayer.

Manage us, wise God, by your Spirit, so the work we do may serve your purpose, and make this world a good home for all your children; through Jesus Christ our Lord. **Amen.**

Let us pray for the sick.

Silent prayer.

Merciful God: you bear the hurt of the world. Look with compassion on those who are sick (especially on ________); cheer them by your word, and bring health as a sign that, in your promised kingdom, there will be no more pain or crying; through Jesus Christ our Lord. **Amen.**

Let us pray for those who sorrow.

Silent prayer.

God of comfort: stand with those who sorrow (especially ________); that they may be sure that neither death nor life, nor things present nor things to come, shall separate them from your love; through Jesus Christ our Lord. **Amen.**

Let us pray for friends and families.

Silent prayer.

O God our Father: bless us and those we love, our friends and families; that, drawing close to you, we may be drawn closer to each other; through Jesus Christ our Lord. **Amen.**

God of our fathers: we praise you for all your servants who, having been faithful to you on earth, now live with you in heaven. Keep us in fellowship with them, until we meet with all your children in the joy of the kingdom; through Jesus Christ our Lord. **Amen.**

Mighty God, whose word we trust, whose Spirit prays in our prayers: sort out our requests, and further those which are helpful, and will bring about your purpose for the earth; through Jesus Christ our Lord. **Amen.**

THE PEACE

Let the minister say:

God sent the world his only Son. Since God loved us so much, we too should love one another.

Let us love one another, since love comes from God.

The peace of the Lord Jesus Christ be with you all.

The people may greet one another with a handclasp, saying: "Peace be with you."

It is fitting that the Lord's Supper be celebrated as often as each Lord's Day. If the Lord's Supper is not celebrated, let the service continue on page 38.

OFFERING

The minister shall say:

Let us bring our gifts to God.

As the offerings of the people are gathered, there may be an anthem, or other appropriate music. Then, as the offerings, which may include the bread and the wine, are brought forward, the minister shall say:

Praise God for his goodness.

A hymn or a doxology may be sung.

INVITATION TO THE LORD'S TABLE

Friends: This is the joyful feast of the people of God!

Men will come from east and west, and from north and south, and sit at table in the kingdom of God.

This is the Lord's table. Our Savior invites those who trust him to share the feast which he has prepared.

According to Luke, when our risen Lord was at table with his disciples, he took the bread, and blessed and broke it, and gave it to them. And their eyes were opened and they recognized him.

THE THANKSGIVING

The following may be sung or said:

Lift up your hearts.

We lift them to the Lord.

Give thanks to God, for he is good.

His love is everlasting.

Or,

Lift up your hearts.

We lift them up to the Lord.

Let us give thanks to the Lord our God.

It is right to give him thanks and praise.

Then, the minister may say:

Holy Lord, Father almighty, everlasting God:
[we thank you for commanding light out of darkness, for dividing the waters into sea and dry land, for creating the whole world and calling it good. We thank you for making us in your image to live with each other in love; for the breath of life, the gift of speech, and freedom to choose your way. You have told us your purpose in commandments to Moses, and called for justice in the cry of the prophets. Through long generations, you have been fair and kind to all your children.]*

Great and wonderful are your works, Lord God almighty. Your ways are just and true. With men of faith from all times and places, we lift our hearts in joyful praise, for you alone are holy:

The following may be sung or said:

Holy, holy, holy,
God of power and majesty,
heaven and earth are full of your glory,
O God most high!

Or,

Holy, holy, holy Lord, God of power and might,
heaven and earth are full of your glory.
Hosanna in the highest.

Blessed is he who comes in the name of the Lord.
Hosanna in the highest.

Then, the minister may say:

Holy Father: we thank you for your Son Jesus, who lived with us sharing joy and sorrow. He told your story, healed the sick, and was a friend of sinners. Obeying you, he took up his cross and

*According to the church year, some other form may be substituted for this paragraph. See page 40.

was murdered by men he loved. We praise you that he is not dead, but is risen to rule the world; and that he is still the friend of sinners. We trust him to overcome every power to hurt or divide us, so that, when you bring in your promised kingdom, we will celebrate victory with him.

Remembering the Lord Jesus, we break bread and share one cup, announcing his death for the sins of the world, and telling his resurrection to all men and nations.

Great God: give your Holy Spirit in the breaking of bread, so that we may be drawn together, and, joined to Christ the Lord, receive new life, and remain his glad and faithful people until we feast with him in glory.

O God, who called us from death to life: we give ourselves to you; and with the church through all ages, we thank you for your saving love in Jesus Christ our Lord. Amen.

Our Father in heaven,
holy be your name,
your kingdom come,
your will be done,
on earth as in heaven.
Give us today our daily bread.
Forgive us our sins
as we forgive those who sin against us.
Do not bring us to the test
but deliver us from evil.
For the kingdom, the power, and the glory are yours
now and forever. Amen.

The minister shall break bread in the presence of the people, saying:

The Lord Jesus, on the night of his arrest, took bread, and after giving thanks to God, broke it and said: "This is my body, which is for you; do this, remembering me."

The minister shall pour the wine in the presence of the people, saying:

In the same way, he took the cup after supper, and said: "This cup is the new covenant sealed in my blood. Whenever you drink it, do this, remembering me."

Every time you eat this bread and drink the cup, you proclaim the death of the Lord, until he comes.

The minister and those assisting him shall themselves partake, and shall distribute the bread and the wine to the people. As the bread and wine are distributed, the people may sing or say psalms, or hymns of praise to Christ.

As the minister gives the bread and the wine, he may say:

Jesus said: I am the bread of life. He who comes to me will never be hungry; he who believes in me will never thirst.

And,

Jesus said: I am the vine, you are the branches. Cut off from me you can do nothing.

When all the people have received, the minister shall say:

The grace of the Lord Jesus Christ be with you all. **Amen.**

Then, the minister and the people shall praise God by singing or saying:

Alleluia! For the Lord our God, the Almighty, has come into his kingdom! Let us rejoice, let us be glad with all our hearts. Let us give him the glory forever and ever. Amen.

Or,

Bless the Lord, O my soul;

And all that is within me, bless his holy name!

Bless the Lord, O my soul,

And forget not all his benefits.

Or,

Let us pray.

God our help: we thank you for this supper shared in the Spirit with your Son Jesus, who makes us new and strong,

who brings us life eternal. We praise you for giving us all good gifts in him, and pledge ourselves to serve you, even as in Christ you have served us. Amen.

A hymn may be sung, after which the people shall be dismissed:

Go in peace. Live as free men. Serve the Lord, rejoicing in the power of the Holy Spirit.

Or,

Go out into the world in peace; have courage; hold on to what is good; return no man evil for evil; strengthen the fainthearted; support the weak; help the suffering; honor all men; love and serve the Lord, rejoicing in the power of the Holy Spirit.

And,

The grace of our Lord Jesus Christ and the love of God and the fellowship of the Holy Spirit be with you all.

Let the people say:

Alleluia! Amen.

When the Lord's Supper is omitted, the service shall continue from page 33, and conclude in the following manner:

OFFERING

The minister shall say:

Let us bring our gifts to God.

As the offerings of the people are gathered, an anthem may be sung, or other music provided. When the offerings are brought forward the people may stand to sing a doxology or some other response.

PRAYER OF THANKSGIVING

The following may be sung or said:

Lift up your hearts.

We lift them to the Lord.

Give thanks to God, for he is good.

His love is everlasting.

Or,

Lift up your hearts.

We lift them up to the Lord.

Let us give thanks to the Lord our God.

It is right to give him thanks and praise.

Then, the minister may say:

O God our Father, creator of the world and giver of all good things: we thank you for our home on earth and for the joy of living. We praise you for your love in Jesus Christ, who came to set things right, who died rejected on the cross and rose triumphant from the dead. Because he lives, we live to praise you, Father, Son, and Holy Spirit, our God forever.

O God, who called us from death to life: we give ourselves to you; and with the church through all ages, we thank you for your saving love in Jesus Christ our Lord. Amen.

Let us pray our Lord's Prayer.

Our Father in heaven,
holy be your name,
your kingdom come,
your will be done,
on earth as in heaven.
Give us today our daily bread.
Forgive us our sins
as we forgive those who sin against us.
Do not bring us to the test
but deliver us from evil.
For the kingdom, the power, and the glory are yours
now and forever. Amen.

A hymn may be sung, after which the people shall be dismissed:

Go in peace. Live as free men. Serve the Lord, rejoicing in the power of the Holy Spirit.

Or,

Go out into the world in peace; have courage; hold on to what is good; return no man evil for evil; strengthen the fainthearted; support the weak; help the suffering; honor all men; love and serve the Lord, rejoicing in the power of the Holy Spirit.

And,

The grace of our Lord Jesus Christ and the love of God and the fellowship of the Holy Spirit be with you all.

Let the people say:

Alleluia! Amen.

SEASONAL VARIATIONS FOR THE THANKSGIVING

(see page 35)

Advent

who made this world a place for Jesus Christ, and, before he was born, promised his coming in the words of the prophets: we thank you for this holy supper, which is for us a sign of his returning to claim his lands and people.

Christmas

we thank you for the gift of your Son Jesus, light in darkness, savior of men, who was born in a poor place, who now rules the world, Lord of lords and King of kings.

Epiphany

who sent a star to guide wise men to where Christ was born, and whose signs and words in every age lead men to him: we thank you for showing us our Lord Jesus, the light of the world, by whom we are saved, and baptized into your service.

Lent

before whose justice no man can stand, yet whose love is so sure we need not hide ourselves: we thank you for your mercy reported by the prophets and shown in Jesus Christ, for the law you give to guide us, and for the promise of new life to live for you and with our neighbors.

Palm Sunday

we thank you for your Son Jesus, who fulfilled the prophets' words, and entered the city of Jerusalem to die for us and all men. We praise you that he enters our world as Savior and King, and calls men to obey him.

Maundy Thursday

who sent Jesus as a servant to wash away our pride, and to feed us with bread of life: we thank you for inviting us to feast with him who died for us, and who teaches us to serve each other in modesty and love.

Good Friday

whose Son Jesus was condemned, forsaken, and hanged on a cross: we are thankful that he obeyed you and died, to show us that we are not forsaken or condemned, but will have a promised paradise with him.

Easter

we thank you for the power which brought our Lord Jesus from death to life, and which is promised to us who believe in him. We praise you that, breaking bread by faith, we know Christ risen, and can trust him to save us from death and from sin.

Ascension

who created this world and raised Christ to rule it: we thank you that because he is lifted in power, he can draw us from weakness into the way of righteousness and truth.

Pentecost

who sent the Holy Spirit to kindle faith and to teach the truth of your Son Jesus: we thank you that you are working in the church to make us brave disciples who will preach Christ the Lord in every nation.

Trinity

Creator of the world, Savior of men, life-giving Spirit: we thank you for baptizing us in your name, Father, Son, and Holy Spirit, and for welcoming us by faith into one holy church.

World Communion

you have formed the universe in your wisdom, and created all things by your power; and you have set us in families on the earth to live with you in faith. We praise you for good gifts of bread and wine, and for the table you spread in the world as a sign of your love for all men in Christ.

Another Optional Form

we thank you for commanding light to shine out of darkness, for stretching out the heavens, and laying the foundations of the earth; for making all things through your Word. We thank you for creating us in your image and for keeping us in your steadfast love. We praise you for calling us to be your people, for revealing your purpose in the law and the prophets, and for dealing patiently with our pride and disobedience.

ORDER FOR THE PUBLIC WORSHIP OF GOD

The Sacrament of Baptism*

The service is designed for the baptism of mature believers, or for the baptism of infants. When infants are being baptized, the wording should be changed as indicated in the rubrics.

Ordinarily, baptism is to be administered in the presence of the worshiping congregation, following the preaching of the word and the Apostles' Creed.

Then let the minister say:

Hear the words of our Lord Jesus Christ:

All authority in heaven and on earth has been given to me. Go therefore and make disciples of all nations, baptizing them in the name of the Father and of the Son and of the Holy Spirit, teaching them to observe all that I have commanded you; and lo, I am with you always, to the close of the age.

Obeying the word of our Lord Jesus, and sure of his presence with us, we baptize those whom he has called to be his own.

In Jesus Christ, God has promised to forgive our sins, and has joined us together in the family of faith which is his church. He has delivered us from darkness and transferred us to the kingdom of his beloved Son. In Jesus Christ, God has promised to be our Father, and to welcome us as brothers and sisters of Christ.

Know that the promises of God are for you. By baptism, God puts his sign on you to show that you belong to him, and gives you Holy Spirit as a guarantee that, sharing Christ's reconciling work, you will also share his victory; that, dying with Christ to sin, you will be raised with him to new life.

*This book is for three Churches. Questions asked in this service are those used in The United Presbyterian Church in the United States of America. Other questions may be required in the Cumberland Presbyterian Church and the Presbyterian Church in the United States.

The minister shall address the person to be baptized, or the parents presenting a child for baptism, saying those words required by the Constitution of his church (see footnote on page 43).

Friend: In presenting yourself for baptism, you announce your faith in Jesus Christ, and show that you want to study him, know him, love him, and serve him as his chosen disciple.

Or,

Friends: In presenting your *child* for baptism, you announce your faith in Jesus Christ, and show that you want your *child* to study him, know him, love him, and serve him as *his* chosen *disciple.*

And,

Show your purpose by answering these questions.

Who is your Lord and Savior?

Jesus Christ is my Lord and Savior.

Do you trust in him?

I do.

Do you intend (your child) to be his disciple, to obey his word and show his love?

I do.

If the candidate for baptism is to be received as a communicant member of the church, the minister shall ask this additional question:

Will you be a faithful member of this congregation, giving of yourself in every way, and will you seek the fellowship of the church wherever you may be?

I will.

Let the people stand. An elder representing the session shall address the people (and the parents presenting a child for baptism), saying:

Our Lord Jesus Christ ordered us to teach those who are baptized. Do you, the people of the church, promise to tell this new disciple (*this child*) the good news of the gospel, to help *him* know all that Christ commands, and, by your fellowship, to strengthen *his* family ties with the household of God?

We do.

Let the minister say:

Let us pray.

God our Father: we thank you for your faithfulness, promised in this sacrament, and for the hope we have in your Son Jesus. As we baptize with water, baptize us with Holy Spirit, so that what we say may be your word and what we do may be your work. By your power, may we be made one with Christ our Lord in common faith and purpose.

The minister and the people shall say together:

O God, who called us from death to life: we give ourselves to you, and, with the church through all ages, we thank you for your saving love in Jesus Christ our Lord. Amen.

Let the minister address the candidate (or the parents presenting a child for baptism), saying:

What is your (child's) name?

The minister shall baptize the candidate with water, calling him by his given name or names:

________, I baptize you in the name of the Father and of the Son and of the Holy Spirit. **Amen.**

This child of God is now received into the holy catholic church. See what love the Father has given us, that we should be called children of God; and we are!

If an infant has been baptized, turn to intercessions on pages 46-47.

If the baptized person is being received into full communicant membership, let the minister or an elder say those words required by the Constitution of his church (see footnote on page 43).

________, you are a disciple of Jesus Christ. He has commissioned you. Live in his love, and serve him.

Be filled with gratitude. Let the message of Christ dwell among you in all its richness. Whatever you are doing, whether you speak or act, do everything in the name of the Lord Jesus, giving thanks to God the Father through him.

You are no longer aliens, but fellow citizens with God's people, members of God's household. You are built upon the foundation laid by the apostles and prophets, and Christ Jesus himself is the foundation stone. In him you too are being built with all the rest into a spiritual dwelling for God.

Let a representative of the session lead the people in prayer, saying:

Let us pray.

God our Father: we praise you for calling us to be a servant people, and for gathering us into the body of Christ. We thank you for choosing to add to our number brothers and sisters in faith. Together, may we live in your Spirit and so love one another, that we may have the mind of Jesus Christ our Lord, to whom we give honor and glory forever. Amen.

Let the minister, and the elder representing the session, welcome the baptized member with a handshake, saying:

Welcome to the ministry of Jesus Christ.

The baptized member shall be dismissed:

Go now, and serve the Lord.

The grace of the Lord Jesus Christ, and the love of God, and the fellowship of the Holy Spirit, be with you all. **Amen.**

The following intercessions may be used in the service of baptism:

Let us pray.

Almighty God, giver of life: you have called us by name, and pledged to each of us your faithful love. We pray for your *child*, ________. Watch over *him*. Guide *him* as *he* grows in faith.

Give *him* understanding, and a quick concern for neighbors. Help *him* to be a true disciple of Jesus Christ, who was baptized your Son and servant, who is our risen Lord. **Amen.**

God of grace, Father of us all: we pray for parents, ________ and ________. Help them to know you, to love with your love, to teach your truth, and to tell the story of Jesus to their child, so that your word may be heard, and bring about plans for us you have promised, in Jesus Christ our Lord. **Amen.**

The following prayer may be said in unison:

Holy God: remind us of the promises given in our own baptism, and renew our trust in you. Make us strong to obey your will, and to serve you with joy; for the sake of Jesus Christ our Lord. Amen.

ORDER FOR THE PUBLIC WORSHIP OF GOD

The Commissioning of Baptized Members; the Order for Their Confirmation; and the Reception of Members from Other Churches

---

Sections I and II of this service may be used separately; or they may be joined as indicated in the rubrics.

I. THE ORDER FOR CONFIRMATION

After the Sermon has been preached, let an elder representing the session invite the candidate(s) for confirmation to stand before the congregation, saying:

_________ *have* been received by the session into the communicant membership of the church. *They have* studied God's word, and *have* learned the belief and practice of his people. *They are* here to declare *their* faith, and to be joined with us in the service of Jesus Christ.

When those to be confirmed have assembled, let the minister say:

Hear the words of our Lord Jesus Christ.

You did not choose me, but I chose you and appointed you that you should go and bear fruit.

Everyone who acknowledges me before men, I also will acknowledge before my Father who is in heaven.

Friends: Jesus Christ has chosen you, and, in baptism, has joined you to himself. He has called you, together with us, into the church, which is his body. Now, he has brought you to this time and place, so you may confess his name before men, and go out to serve him as faithful disciples.

The minister shall address those to be confirmed, asking questions required by the Constitution of his church (see footnote on page 43).

________, who is your Lord and Savior?

Jesus Christ is my Lord and Savior.

Do you trust in him?

I do.

Do you intend to be his disciple, to obey his word and to show his love?

I do.

Will you be a faithful member of this congregation, giving of yourself in every way, and will you seek the fellowship of the church wherever you may be?

I will.

Those to be confirmed may kneel. Let the minister or an elder give the following charge:

________, you are a disciple of Jesus Christ. He has commissioned you. Live in his love, and serve him.

And,

Be filled with gratitude. Let the message of Christ dwell among you in all its richness. Whatever you are doing, whether you speak or act, do everything in the name of the Lord Jesus, giving thanks to God the Father through him.

If there are members who have been received by the session from other Christian churches, they may be recognized and made welcome at this time (see section II). Otherwise, let the minister say:

Let us affirm our faith.

I believe in God, the Father almighty,
creator of heaven and earth.

I believe in Jesus Christ, his only Son, our Lord.
He was conceived by the power of the Holy Spirit
and born of the Virgin Mary.

He suffered under Pontius Pilate,
was crucified, died, and was buried.
He descended to the dead.
On the third day he rose again.
He ascended into heaven,
and is seated at the right hand of the Father.
He will come again to judge the living and the dead.

I believe in the Holy Spirit,
the holy catholic church,
the communion of saints,
the forgiveness of sins,
the resurrection of the body,
and the life everlasting. Amen.

Let the representative of the session lead the people in prayer, saying:

Let us pray.

O God our Father: we praise you for calling us to be a servant people, and for gathering us into the body of Christ. We thank you for choosing to add to our number brothers and sisters in faith. Together, may we live in your Spirit, and so love one another, that we may have the mind of Jesus Christ our Lord, to whom we give honor and glory forever. Amen.

Let the minister and the elder representing the session welcome those confirmed with a handshake, saying:

Welcome to this ministry of Jesus Christ.

Those confirmed shall be dismissed:

Go, and serve the Lord.

The grace of our Lord Jesus Christ, and the love of God, and the fellowship of the Holy Spirit, be with you all. **Amen.**

II. THE RECEPTION OF MEMBERS FROM OTHER CHURCHES

An elder representing the session shall name those who have been received by letter of commendation from other Christian churches, or by reaffirmation of their faith in Jesus Christ. He shall invite them to stand, saying:

_________ *have* been received into the membership of this congregation by letter of commendation from *another* Christian *church*, or by reaffirmation of *their* faith in Jesus Christ.

When those to be received have stood before the congregation, let the minister say:

Friends: As members of the one, holy, catholic, and apostolic church, you do not come to us as strangers, but as brothers and sisters in the Lord. We welcome you to the worship and work of this people of God.

There is one body and one Spirit, one Lord, one faith, one baptism, one God and Father of us all, who is above all, and through all, and in all.

Do you promise to be a faithful member of this congregation, giving of yourself in every way, and so fulfill your calling as a disciple of Jesus Christ the Lord?

I do.

Then, let the minister say:

Let us affirm our faith.

I believe in God, the Father almighty,
creator of heaven and earth.

I believe in Jesus Christ, his only Son, our Lord.
He was conceived by the power of the Holy Spirit
and born of the Virgin Mary.
He suffered under Pontius Pilate,
was crucified, died, and was buried.
He descended to the dead.
On the third day he rose again.
He ascended into heaven,
and is seated at the right hand of the Father.
He will come again to judge the living and the dead.

I believe in the Holy Spirit,
the holy catholic church,
the communion of saints,
the forgiveness of sins,
the resurrection of the body,
and the life everlasting. Amen.

Let the representative of the session lead the people in prayer, saying:

Let us pray.

O God our Father: we praise you for calling us to be a servant people, and for gathering us into the body of Christ. We thank you for choosing to add to our number brothers and sisters in faith. Together, may we live in your Spirit, and so love one another, that we may have the mind of Jesus Christ our Lord, to whom we give honor and glory forever. Amen.

Let the minister and the elder representing the session welcome the new communicant members with a handshake, saying:

Welcome to this ministry of Jesus Christ.

Then, the new communicant members shall be dismissed:

Go, and serve the Lord.

The grace of our Lord Jesus Christ, and the love of God, and the fellowship of the Holy Spirit, be with you all. **Amen.**

A Brief Order for the Lord's Supper

This brief order for the Lord's Supper is designed for parish use, but is not intended to be a substitute for the Service for the Lord's Day. The order may be adapted for use with the sick. When the service is used with the sick, the minister should be accompanied by elders and, if possible, by other members of the congregation to show the communal character of the Lord's Supper. With members of the congregation present, the minister or an elder shall say:

Hear what Jesus Christ promises:

Happy are those who hunger and thirst for what is right. They shall be satisfied.

I am the bread of life. He who comes to me will never be hungry; he who believes in me will never thirst.

A doxology or a psalm may be sung or said. Then, let the minister or the elder say:

This is the word of the Lord: All those whom I love I correct and discipline. Therefore, shake off your complacency and repent. See, I stand knocking at the door. If anyone listens to my voice and opens the door, I will go into his house and dine with him, and he with me.

Let us open our hearts to the Lord.

God our Father: we have done wrong, and do not deserve to be called your children. We have turned from your way, and been taken in by our own desires. We have not loved neighbors as you commanded. Have mercy on us, Lord, have mercy on us, and forgive us; for the sake of your Son, our Savior, Jesus Christ. Amen.

Friends: Hear and believe the good news of the gospel. In Jesus Christ we are forgiven. Let us forgive one another. The peace of the Lord Jesus Christ be with you.

Amen.

A Scripture lesson may be read and briefly interpreted. A psalm or a hymn of thanksgiving may be sung. Then, let the minister say:

According to Luke, when our risen Lord was at table with his disciples, he took the bread, and blessed and broke it, and gave it to them. And their eyes were opened and they recognized him. Remember the Lord Jesus Christ.

We remember and are thankful.

Lift up your hearts.

We lift them to the Lord.

Let us pray.

Mighty God, good Father: we thank you for the gift of life, and for the world our home. We thank you for your loving-kindness to us and all men. Your works are great and wonderful. Your ways are just and true. You alone are holy.

The following response may be sung or said:

Holy, holy, holy
Is the Lord God, the Almighty;
He was, he is and he is to come.

Holy God: we praise you for your Son Jesus, who shared our weakness, and was tempted in every way as we are; who obeyed you, by suffering and dying for us. You have raised him to rule the world, and given him a name above every name—Lord and Christ. We praise him and we glorify you, great God our Father.

Now give us your Spirit in the breaking of bread, so that by your power we may be drawn together and made one with Jesus Christ, who is the way, the truth, and the life.

The following may be said by all the people:

With Christians through all ages, we lift our hearts to you, giving thanks, and trusting you to use us as your people; for the sake of Jesus Christ our Savior.

The Lord's Prayer may be said. Then, as the minister breaks bread, let him say:

The Lord Jesus, on the night of his arrest, took bread, and after giving thanks to God, broke it and said: "This is my body, which is for you; do this, remembering me."

As the bread is distributed, the minister may say:

I am the bread of life. He who comes to me will never be hungry; he who believes in me will never thirst.

As the minister lifts the cup, let him say:

In the same way, Jesus took the cup after supper, and said: "This cup is the new covenant sealed in my blood. Whenever you drink it, do this, remembering me."

As the cup is passed, the minister may say:

I am the vine, you are the branches. Cut off from me, you can do nothing.

Then, let the minister or an elder pray, saying:

We thank you, Father, for this supper shared in the Spirit with your Son Jesus, who makes us new and strong, and brings us life eternal. We praise you for giving all good gifts in him, and pledge ourselves to serve you, even as you have served us in Jesus Christ the Lord. **Amen.**

And,

Jesus said: I am the light of the world; anyone who follows me will not be walking in the dark; he will have the light of life.

The grace of the Lord Jesus Christ be with you all. **Amen.**

Morning Prayer

(For Daily Use)

The service shall begin with a Call to Worship:

God said: Let there be light; and there was light. And God saw that the light was good.

This is the day which the Lord has made;

Let us rejoice and be glad in it.

Praise the Lord.

The Lord's name be praised!

Or,

Though you were once all darkness, now as Christians you are light. Live like men who are at home in daylight, for where light is, there all goodness springs up, all justice and truth.

God is light:

In him there is no darkness at all.

Praise the Lord.

The Lord's name be praised!

Or,

God, who said, "Let light shine out of darkness," has shone in our hearts to give the light of the knowledge of the glory of God in the face of Christ.

Glory be to God!

Through Jesus Christ our Lord.

A hymn of praise may be sung, a canticle, or a Gloria. Then, one of the following prayers may be said, or some other appropriate prayer:

Let us pray.

God of light, in whom there is no darkness: look to your wayward children. Forgive our sin, and give us such joy

in Jesus that darkness may be driven from us, and your light shine in our lives by faith; through Jesus Christ our Lord. Amen.

Mighty God, who divided light from darkness, and made the sun to shine: wake us from the night of doubt and fear, and let us live this day, and every day, in the light of the truth taught by your Spirit, and revealed in Jesus Christ our Lord, whom we praise forever. Amen.

New every morning is your love, great God of light, and all day long you are working for good in the world. Stir up in us desire to serve you, to live peacefully with our neighbors, and to devote each day to your Son, our Savior, Jesus Christ the Lord. Amen.

A psalm may be said or sung. Then a Scripture lesson may be read and briefly interpreted.

The following prayer, or other prayers, may be said:

Let us pray.

God our Father: you taught us to pray not only for friends in faith, but for those who do not believe, who also stand before your judgment and live in your love. Answer our prayers according to your great plan for us and for all men.

We pray for peace among men and nations, split by ancient pride and wrongs remembered. Disarm us; break the hold of hate on our hearts, and draw us from every race and nation to live together in brotherhood, as children of one Father.

God of peace, bring peace to the world.

We pray for hungry and poor men, for victims of greed or careless gain. Teach us compassion, so that no one may be kept from a share of the world's richness.

God of love, tell us what to do.

We pray for the friendless, the sick and the fearful, for prisoners, for people who are burdened. May this day not pass without words spoken and gifts given to show that you care.

God of mercy, help us to be helpful.

We pray for leaders who serve in the United Nations, in our nation, and in other lands. May they bow to your power and follow your leading.

God of power, rule your lands and peoples.

We pray for the church, your unworthy servant. Speak commands, and give us the faithfulness to do and say what you want said and done, in the world you love so much.

God of prophets, set your word in our lives.

Hear our prayers, God of grace, and help us to enact them, working for your peace and justice, mercy and purpose, in all we do today; through Jesus Christ our Lord.

Amen.

Our Father . . .

A hymn, or the Doxology, may be sung, after which the people shall be dismissed:

Go in peace.

Serve the Lord.

The grace of our Lord Jesus Christ be with you all. **Amen.**

Evening Pray

(For Daily Use)

The service shall begin with a Call to

Lord, your love is better than life itself,

Our lips will recite your praise.

We proclaim your love at daybreak

And your faithfulness all through the night.

Or,

If I asked darkness to cover me,

And light to become night around me,

Darkness would not be dark to you,

Night would be as light as day.

God, examine me and know my heart,

And guide me in the way everlasting.

Or,

God shall come, and there shall be continuous day,

For at evening time there shall be light.

God is light:

In him there is no darkness at all.

Let one of the following prayers be said, or some other appropriate prayer:

Eternal God: you gave your Son Jesus to be light of the world. In his light, help us to face our darkness, to confess our sins, and, trusting your mercy, to rest in peace this night, so that with the coming of the day we may wake in good faith to serve you; through Jesus Christ our Lord. **Amen.**

God our Father: in Jesus Christ you called us to come when we are weary and overburdened. Give us rest from the trials of the

; guard our sleep and speak to our dreaming, so that re-shed we may greet daylight with resolve, and be strong to do ur will; through Jesus Christ our Lord. **Amen.**

Morning and evening, for your goodness we praise you, great God of our lives, and pray that awake or asleep we may stay in your care, believing your love for us declared in Jesus Christ your Son, our Lord. **Amen.**

A hymn may be sung, or a canticle. Then, Scripture may be read and briefly interpreted.

The following prayer, or other prayers, may be said:

God of mercy: forgive and correct the wrong we have done this day. We have turned from the way of your Son Jesus and have not cared for neighbors. We have permitted pride to blind and anger to burn, and we have failed to live the new life you have given us. We come to you at night with little to offer except our sins, begging mercy in the name of Jesus Christ, who was always faithful to you, and is always faithful to us. **Amen.**

God of power: you hear our prayers before we speak, yet welcome our praying. Work out plans for us and all men as you know best.

Guide men and nations into peace.

Power the church to be your witness.

Enrich the poor, and show the rich their poverty.

Strengthen those who work nights to make our days brighter.

Watch with the sick who are restless in pain.

Comfort the dying with signs of your presence.

Be close to those who are close to us.

Keep faith with us as you have in the past, and help us to trust your promises, so that we may live expecting goodness and mercy all our days; through Jesus Christ our Lord. **Amen.**

O God our Father, creator of this world and giver of all good things: we thank you for our home on earth and for the joy of living. We praise you for your love in Jesus Christ, who came to set things right, who died rejected on the cross and rose triumphant from the dead; because he lives, we live to praise you, Father, Son, and Holy Spirit, our God forever. Amen.

Our Father . . .

A hymn may be sung, or the Nunc Dimittis, after which the people shall be dismissed:

Go in peace.

Trust the Lord.

The grace of our Lord Jesus Christ be with you. **Amen.**

Order for an Agape

The Agape, or "love feast," is a fellowship meal that should not be confused with the Lord's Supper. The Agape recalls meals Jesus shared with disciples during his ministry, and is an expression of the fellowship that Christians enjoy when they meet as "the household of God."

The Agape may be held at table, and be conducted by members of the congregation, or by the minister assisted by members of the congregation. Families may bring dishes of food to the table for all to share.

Let the leader say:

Praise to you, O Lord our God, king of the universe, who causes the earth to yield food for all.

Or,

Give thanks to the Lord, for he is good,

His love is everlasting!

Give thanks to the God of gods,

His love is everlasting!

Give thanks to the Lord of lords,

His love is everlasting!

A hymn of praise or thanksgiving may be sung, after which the leader may greet the people, welcoming them as friends in Christ.

Then, let a reader read Luke 9:12–17. The leader shall pray, saying:

Let us pray.

Great God, our Father, whose Son Jesus broke bread to feed a crowd in Galilee: we thank you for the food you give us. May we enjoy your gifts thankfully, and share what we have with brothers on earth who hunger and thirst, giving praise to Jesus Christ, who has shown your perfect love. **Amen.**

Appropriately, there may be five loaves of bread. The leader may break one of them, and, after taking a piece of bread, may pass the broken halves, one to the left and the other to the right. The remaining loaves may be distributed to all the people.

Then, the people shall eat bread, and pass their dishes of food. People may talk together as neighbors in faith; or the leader may direct their conversations by suggesting matters of mutual concern.

When the meal is ended, a reader may read one or more of the following passages, or some other appropriate lesson from Scripture:

Matthew 22:34–40
Luke 14:16–24
I Corinthians, ch. 13
II Corinthians 9:6–15
Philippians 2:5–11

Then, let the leader say:

Let us pray.

We praise you, God our creator, for your good gifts to us and all mankind. We thank you for the friendship we have in Christ; and for the promise of your coming kingdom, where there will be no more hunger and thirst, and where men will be satisfied by your love. As this bread was once seed scattered on earth to be gathered into one loaf, so may your church be joined together into one holy people, who praise you for your love made known in Jesus Christ the Lord. **Amen.**

My dear people, we are already children of God. His commandments are these: that we believe in his Son Jesus Christ, and that we love one another. Whoever keeps his commandments lives in God and God lives in him. We know he lives in us by the Spirit he has given us.

Or,

My dear people, since God loved us so much, we too should love one another. No one has ever seen God; but as long as we love one another God will live in us, and his love will be complete in us.

The people may sing the Doxology.

Then, the leader shall say:

Let us show our love for neighbors.

The leader may wish to announce a particular need to which the people may give. Baskets may be passed around the table, so that the people may contribute. A hymn may be sung as the collection is taken, or after the collection has been taken.

The Lord's Prayer shall be said:

Our Father . . .

The Agape may conclude with a dismissal:

Go in peace. The grace of the Lord Jesus Christ be with you all
Amen.

ORDER FOR THE PUBLIC WORSHIP OF GOD

The Marriage Service

The man and the woman to be married may be seated together facing the Lord's table, with their families, friends, and members of the congregation seated with them.

When the people have assembled, let the minister say:

Let us worship God.

There was a marriage at Cana in Galilee; Jesus was invited to the marriage, with his disciples.

Friends: Marriage is established by God. In marriage a man and a woman willingly bind themselves together in love, and become one even as Christ is one with the church, his body.

Let marriage be held in honor among all.

All may join in a hymn of praise and the following prayer:

Let us confess our sin before God.

Almighty God, our Father: you created us for life together. We confess that we have turned from your will. We have not loved one another as you commanded. We have been quick to claim our own rights and careless of the rights of others. We have taken much and given little. Forgive our disobedience, O God, and strengthen us in love, so that we may serve you as a faithful people, and live together in your joy; through Jesus Christ our Lord. Amen.

The minister shall declare God's mercy, saying:

Hear and believe the good news of the gospel.

Nothing can separate us from the love of God in Christ Jesus our Lord!

In Jesus Christ, we are forgiven.

The people may stand to sing a doxology, or some other appropriate response to the good mercy of God.

The minister may offer a Prayer for Illumination.

Before the reading of the Old Testament lesson, the minister shall say:

The lesson is . . .

Listen for the word of God.

The Gloria Patri, or some other response, may be sung.

Before the reading of the New Testament lesson, the minister shall say:

The lesson is . . .

Listen for the word of God.

The minister may deliver a brief Sermon on the lessons from Scripture, concluding with an Ascription of Praise.

Then let the minister address the man and woman, saying:

________ and ________, you have come together according to God's wonderful plan for creation. Now, before these people, say your vows to each other.

Let the man and the woman stand before the people, facing each other. Then, the minister shall say:

Be subject to one another out of reverence for Christ.

The man shall say to the woman:

________, I promise with God's help to be your faithful husband, to love and serve you as Christ commands, as long as we both shall live.

The woman shall say to the man:

________, I promise with God's help to be your faithful wife, to love and serve you as Christ commands, as long as we both shall live.

A ring, or rings, may be given, with the following words:

I give you this ring as a sign of my promise.

The minister shall address the man and the woman, saying:

As God's picked representatives of the new humanity, purified and beloved of God himself, be merciful in action, kindly in heart, humble in mind. Accept life, and be most patient and tolerant with one another. Forgive as freely as the Lord has forgiven you. And, above everything else, be truly loving. Let the peace of Christ rule in your hearts, remembering that as members of the one body you are called to live in harmony, and never forget to be thankful for what God has done for you.

Or,

Love is slow to lose patience—it looks for a way of being constructive. It is not possessive: it is neither anxious to impress nor does it cherish inflated ideas of its own importance. Love has good manners and does not pursue selfish advantage. It is not touchy. It does not keep account of evil or gloat over the wickedness of other people. On the contrary, it is glad with all good men when truth prevails. Love knows no limit to its endurance, no end to its trust, no fading of its hope; it can outlast anything. It still stands when all else has fallen.

The minister shall call the people to prayer, saying:

Praise the Lord.

The Lord's name be praised.

Lift up your hearts.

We lift them to the Lord.

Let us pray.

Eternal God: without your grace no promise is sure. Strengthen ________ and ________ with the gift of your Spirit, so they may fulfill the vows they have taken. Keep them faithful to each other and to you. Fill them with such love and joy that they may build a home where no one is a stranger. And guide them by your word to serve you all the days of their lives; through Jesus Christ our Lord, to whom be honor and glory forever and ever. **Amen.**

The Lord's Prayer shall be said.

Then, the man and the woman having joined hands, the minister shall say:

________ and ________, you are now husband and wife according to the witness of the holy catholic church, and the law of the state. Become one. Fulfill your promises. Love and serve the Lord.

What God has united, man must not divide.

Here may be sung a hymn of thanksgiving. Then, let the people be dismissed:

Glory be to him who can keep you from falling and bring you safe to his glorious presence, innocent and happy. To God, the only God, who saves us through Jesus Christ our Lord, be the glory, majesty, authority, and power, which he had before time began, now and forever. **Amen.**

Or,

The grace of the Lord Jesus Christ, the love of God, and the fellowship of the Holy Spirit, be with you all. **Amen.**

ORDER FOR THE PUBLIC WORSHIP OF GOD

A Service for the Recognition of a Marriage

This service may be used to recognize a civil marriage; or with the deletion of the first paragraph, it may be used as a brief marriage service.

The service may be conducted during public worship on the Lord's Day, when the Sacrament is not celebrated, immediately after the preaching of a sermon; or it may be used at other times. Members of the congregation should be present, in addition to the minister.

Let the minister or an elder say:

________ and ________ have been married by the law of the state, and they have spoken vows pledging loyalty and love. Now, in faith, they come before the witness of the church to acknowledge their marriage covenant and to tell their common purpose in the Lord.

Then, the minister shall say:

Friends: Marriage is God's gift. In marriage a man and a woman bind themselves in love and become one, even as Christ is one with the church, his body.

________ and ________, be subject to one another out of reverence for Christ.

The man shall say to the woman:

________, you are my wife. With God's help I promise to be your faithful husband, to love and serve you as Christ commands, as long as we both shall live.

The woman shall say to the man:

________, you are my husband. With God's help I promise to be your faithful wife, to love and serve you as Christ commands, as long as we both shall live.

A ring, or rings, may be given, with the following words:

I give you this ring as a sign of my promise.

Then, let the minister say:

Hear the words of our Lord Jesus Christ:

Remain in my love. If you keep my commandments you will remain in my love, just as I have kept my Father's commandments and remain in his love. I have told you this so that my own joy may be in you and your joy be complete. This is my commandment: love one another, as I have loved you.

Let us pray.

Eternal God: without your grace no promise is sure. Strengthen ________ and ________ with the gift of your Spirit, so they may fulfill the vows they have taken. Keep them faithful to each other and to you. Fill them with such love and joy that they may build a home where no one is a stranger. And guide them by your word to serve you all the days of their lives; through Jesus Christ our Lord, to whom be honor and glory, forever and ever. **Amen.**

The man and the woman having joined hands, the minister shall say:

________ and ________, you are husband and wife according to the witness of the holy catholic church. Help each other. Be united; live in peace, and the God of love and peace will be with you.

What God has united, man must not divide.

The following benediction may be said:

The grace of the Lord Jesus Christ, the love of God, and the fellowship of the Holy Spirit, be with you all. **Amen.**

ORDER FOR THE PUBLIC WORSHIP OF GOD

Witness to the Resurrection

Funeral Service

The people shall stand, and the minister shall say:

Jesus said: I am the resurrection and the life. If anyone believes in me, even though he die he will live, and whoever lives and believes in me will never die.

Come to me, all you who labor and are overburdened, and I will give you rest.

Our help is in the name of the Lord,

Who made heaven and earth.

Praise the Lord.

The Lord's name be praised.

All may join in a hymn of praise and the following prayer:

Let us confess our sin, trusting God's promised mercy.

The people may kneel and say together:

Eternal Father, guardian of our lives: we confess that we are children of dust, unworthy of your gracious care. We have not loved as we ought to love, nor have we lived as you command, and our years are soon gone. Lord God, have mercy on us. Forgive our sin and raise us to new life, so that as long as we live we may serve you, until, dying, we enter the joy of your presence; through Jesus Christ our Lord. Amen.

Who is in a position to condemn? Only Christ, and Christ died for us, Christ rose for us, Christ reigns in power for us, Christ prays for us.

Hear and believe the good news of the gospel: God is love. In Jesus Christ, we are forgiven. Be reconciled to God our Father. **Amen.**

The people may stand to sing a doxology, or some other thankful response to the mercy of God.

Then, let the minister say:

While we live, we are always being given up to death. Lord, to whom shall we go? You have the words of eternal life!

Let us pray.

Almighty God, whose love never fails, and who can turn the shadow of death into daybreak: help us to receive your word with believing hearts, so that, hearing the promises in Scripture, we may have hope and be lifted out of darkness into the light and peace of your presence; through Jesus Christ our Lord. **Amen.**

Or,

Almighty God, our refuge and strength, our present help in trouble: give us such trust in you that, holding on to your word, we may be strong in this and every time of need; through Jesus Christ our Lord. **Amen.**

Let the minister say:

Listen to Scripture read from the Old Testament.

Several of the following Old Testament lessons may be read:

Lord, you have been
our refuge age after age.

Before the mountains were born,
before the earth or the world came to birth,
you were God from all eternity and forever.

You can turn man back into dust
by saying, "Back to what you were, you sons of men!"
To you, a thousand years are a single day,
a yesterday now over, an hour of the night.

You brush men away like waking dreams,
they are like grass
sprouting and flowering in the morning
withered and dry before dusk.

We too are burnt up by your anger
and terrified by your fury;
having summoned up our sins
you inspect our secrets by your own light.

Our days dwindle under your wrath,
our lives are over in a breath
—our life lasts for seventy years,
eighty with good health,

but they all add up to anxiety and trouble—
over in a trice, and then we are gone.

Teach us to count how few days we have
and so gain wisdom of heart.

Let us wake in the morning filled with your love
and sing and be happy all our days;
make our future as happy as our past was sad,
those years when you were punishing us.

Let your servants see what you can do for them,
let their children see your glory.
May the sweetness of the Lord be on us!
Make all we do succeed. *From Psalm 90* (*Jerusalem*)

Man, born of woman,
has a short life yet has his fill of sorrow.
He blossoms, and he withers, like a flower;
fleeting as a shadow, transient.
Since man's days are measured out,
since his tale of months depends on you,
since you assign him bounds he cannot pass,
turn your eyes from him, leave him alone,
like a hired drudge, to finish his day.
There is always hope for a tree:
when felled, it can start its life again;
its shoots continue to sprout.

Its roots may be decayed in the earth,
  its stump withering in the soil,
but let it scent the water, and it buds,
  and puts out branches like a plant new set.
But man? He dies, and lifeless he remains;
  man breathes his last, and then where is he?

From Job, ch. 14 (*Jerusalem*)

Lord, you examine me and know me,
you know if I am standing or sitting,
you read my thoughts from far away,
whether I walk or lie down, you are watching,
you know every detail of my conduct.

The word is not even on my tongue,
Lord, before you know all about it;
close behind and close in front you fence me round,
shielding me with your hand.
Such knowledge is beyond my understanding,
a height to which my mind cannot attain.

Where could I go to escape your spirit?
Where could I flee from your presence?
If I climb the heavens, you are there,
there too, if I lie in Sheol.

If I flew to the point of sunrise,
or westward across the sea,
your hand would still be guiding me,
your right hand holding me.

If I asked darkness to cover me,
and light to become night around me,
that darkness would not be dark to you,
night would be as light as day.

It was you who created my inmost self,
and put me together in my mother's womb;
for all these mysteries I thank you:
for the wonder of myself, for the wonder of your works.

You know me through and through,
from having watched my bones take shape
when I was being formed in secret,
knitted together in the limbo of the womb.

You had scrutinized my every action,
all were recorded in your book,
my days listed and determined,
even before the first of them occurred.

God, how hard it is to grasp your thoughts!
How impossible to count them!
I could no more count them than I could the sand,
and suppose I could, you would still be with me.

God, examine me and know my heart,
probe me and know my thoughts;
make sure I do not follow pernicious ways
and guide me in the way that is everlasting.

From Psalm 139 (*Jerusalem*)

From the depths I call to you,
Lord, listen to my cry for help!
Listen compassionately
  to my pleading!

If you never overlooked our sins,
Lord, could anyone survive?
But you do forgive us:
  and for that we revere you.

I wait for the Lord, my soul waits for him,
  I rely on his promise,
  my soul relies on the Lord
  more than a watchman on the coming of dawn.

Let Israel rely on the Lord
  as much as the watchman on the dawn!
For it is with the Lord that mercy is to be found,
and a generous redemption;
it is he who redeems Israel
  from all their sins.

Psalm 130 (*Jerusalem*)

Bless the Lord, my soul,
bless his holy name, all that is in me!
Bless the Lord, my soul,
and remember all his kindnesses:

in forgiving all your offenses,
in curing all your diseases,
in redeeming your life from the Pit,
in crowning you with love and tenderness,
in filling your years with prosperity,
in renewing your youth like an eagle's.

The Lord, who does what is right,
is always on the side of the oppressed;
he revealed his intentions to Moses,
his prowess to the sons of Israel.

The Lord is tender and compassionate,
slow to anger, most loving;
his indignation does not last forever,
his resentment exists a short time only;
he never treats us, never punishes us,
as our guilt and our sins deserve.

No less than the height of heaven over earth
is the greatness of his love for those who fear him;
he takes our sins farther away
than the east is from the west.

As tenderly as a father treats his children,
so the Lord treats those who fear him;
he knows what we are made of,
he remembers we are dust.

Man lasts no longer than grass,
no longer than a wild flower he lives,
one gust of wind, and he is gone,
never to be seen there again;

yet the Lord's love for those who fear him
lasts from all eternity and forever,
like his goodness too for their children's children,

as long as they keep his covenant
and remember to obey his precepts.

The Lord has fixed his throne in the heavens,
his empire is over all.
Bless the Lord, all his angels,
heroes mighty to enforce his word,
attentive to his word of command.

Bless the Lord, all his armies,
servants to enforce his will.
Bless the Lord, all his creatures
in every part of his empire!

Bless the Lord, my soul. *Psalm 103* (*Jerusalem*)

If I lift up my eyes to the hills,
where shall I find help?
Help comes only from the Lord,
maker of heaven and earth.
How could he let your foot stumble?
How could he, your guardian, sleep?
The guardian of Israel
never slumbers, never sleeps.
The Lord is your guardian,
your defense at your right hand;
the sun will not strike you by day
nor the moon by night.
The Lord will guard you against all evil;
he will guard you, body and soul.
The Lord will guard your going and your coming,
now and for evermore. *Psalm 121* (*NEB*)

The Lord is my shepherd, I shall not want;
he makes me lie down in green pastures.
He leads me beside still waters;
he restores my soul.
He leads me in paths of righteousness
for his name's sake.

Even though I walk through the valley of the shadow of death,
I fear no evil;
for you are with me;
your rod and your staff,
they comfort me.

You prepare a table before me
in the presence of my enemies;
you anoint my head with oil,
my cup overflows.

Surely goodness and mercy shall follow me
all the days of my life;
and I shall dwell in the house of the Lord
forever. *Psalm 23* (*based on RSV*)

The people may stand and sing the Gloria Patri, or some other appropriate response. Then, let the minister say:

Listen to Scripture read from the New Testament.

Several of the following New Testament lessons may be read:

Two criminals were also led out with him for execution, and when they came to the place called The Skull, they crucified him with the criminals, one on either side of him. But Jesus himself was saying,
"Father, forgive them; they do not know what they are doing."

One of the criminals hanging there covered him with abuse, and said,
"Aren't you Christ? Why don't you save yourself—and us?"
But the other one checked him with the words:
"Aren't you afraid of God even when you're getting the same punishment as he is? And it's fair enough for us, for we've only got what we deserve, but this man never did anything wrong in his life."

Then he said,
"Jesus, remember me when you come into your kingdom."
And Jesus answered,
"I tell you truly, this very day you will be with me in paradise."
From Luke, ch. 23 (*Phillips*)

Now when Jesus came, he found that Lazarus had already been in the tomb four days. Bethany was near Jerusalem, about two miles off, and many of the Jews had come to Martha and Mary to console them concerning their brother. When Martha heard that Jesus was coming, she went and met him, while Mary sat in the house. Martha said to Jesus, "Lord, if you had been here, my brother would not have died. And even now I know that whatever you ask from God, God will give you." Jesus said to her, "Your brother will rise again." Martha said to him, "I know that he will rise again in the resurrection at the last day." Jesus said to her, "I am the resurrection and the life; he who believes in me, though he die, yet shall he live, and whoever lives and believes in me shall never die. Do you believe this?" She said to him, "Yes, Lord; I believe that you are the Christ, the Son of God." *From John, ch. 11 (RSV)*

"Set your troubled hearts at rest. Trust in God always; trust also in me. There are many dwelling-places in my Father's house; if it were not so, I should have told you; for I am going there on purpose to prepare a place for you. And if I go and prepare a place for you, I shall come again and receive you to myself, so that where I am you may be also; and my way there is known to you." Thomas said, "Lord, we do not know where you are going, so how can we know the way?" Jesus replied, "I am the way; I am the truth and I am life; no one comes to the Father except by me." *From John, ch. 14 (NEB)*

We want you to be quite certain, brothers, about those who have died, to make sure that you do not grieve about them, like the other people who have no hope. We believe that Jesus died and rose again, and that it will be the same for those who have died in Jesus: God will bring them with him.

From I Thessalonians, ch. 4 (Jerusalem)

For I passed on to you—as among the first to hear it, the message I had myself received—that Christ died for our sins, as the scriptures said he would; that he was buried and rose again on the third day, again as the scriptures foretold. He was seen by Cephas, then by the twelve, and subsequently he was seen simultaneously by over five hundred Christians, of whom the majority are still alive, though some have since died. He was then seen by James, then by all the messengers. And last of all, as if to one born abnormally late, he appeared to me!

Now if the rising of Christ from the dead is the very heart of our message, how can some of you deny that there is any resurrection? For if there is no such thing as the resurrection of the dead, then Christ was never raised. And if Christ was not raised, then neither our preaching nor your faith has any meaning at all. Further it would mean that we are lying in our witness for God, for we have given our solemn testimony that he did raise up Christ—and that is utterly false if it should be true that the dead do not, in fact, rise again! For if the dead do not rise, neither did Christ rise, and if Christ did not rise, your faith is futile and your sins have never been forgiven. Moreover, those who have died believing in Christ are utterly dead and gone. Truly, if our hope in Christ were limited to this life only, we should, of all mankind, be the most to be pitied!

But the glorious fact is that Christ *did* rise from the dead!

But perhaps someone will ask: "How is the resurrection achieved? With what sort of body do the dead arrive?" Now that is talking without using your minds! In your own experience you know that a seed does not germinate without itself "dying." When you sow a seed you do not sow the "body" that will eventually be produced, but bare grain, of wheat, for example, or one of the other seeds. God gives the seed a "body" according to his laws—a different "body" to each kind of seed.

There are illustrations here of the raising of the dead. The body is "sown" in corruption; it is raised beyond the reach of corruption. It is "sown" in dishonor; it is raised in splendor. It is sown in weakness; it is raised in power. It is sown a natural body; it is raised a spiritual body. As there is a natural body so will there be a spiritual body. For I assure you, my brothers, it is utterly impossible for flesh and blood to possess the kingdom of God. The transitory could never possess the everlasting.

From I Corinthians, ch. 15 (*Phillips*)

We are always facing death, but this means that you know more and more of life. And we know for certain that he who raised the Lord Jesus from death shall also raise us with Jesus. We shall all stand together before him.

We wish you could see how all this is working out for your benefit, and how the more grace God gives, the more thanksgiving will redound to his glory. This is the reason that we never collapse. The outward man does indeed suffer wear and tear, but every day the inward man receives fresh strength. These little troubles (which are really so transitory) are winning for us a permanent, glorious and solid reward out of all proportion to our pain. For we are looking all the time not at the visible things but at the invisible. The visible things are transitory: it is the invisible things that are really permanent.

We know, for instance, that if our earthly dwelling were taken down, like a tent, we have a permanent house in Heaven, made, not by man, but by God. In this present frame we sigh with deep longing for the heavenly house, for we do not want to face utter nakedness when death destroys our present dwelling—these bodies of ours. As long as we are clothed in this temporary dwelling we have a painful longing, not because we want just to get rid of these "clothes" but because we want to know the full cover of the permanent house that will be ours. We want our transitory life to be absorbed into the life that is eternal.

Now the power that has planned this experience for us is God, and he has given us his Spirit as a guarantee of its truth. This makes us confident, whatever happens. We realize that being "at home" in the body means that to some extent we are "away" from the Lord, for we have to live by trusting him without seeing him. We are so sure of this that we would really rather be "away" from the body and be "at home" with the Lord.

It is our aim, therefore, to please him, whether we are "at home" or "away."

From II Corinthians, chs. 4 and 5 (Phillips)

In face of all this, what is there left to say? If God is for us, who can be against us? He who did not hesitate to spare his own

Son but gave him up for us all—can we not trust such a God to give us, with him, everything else that we can need?

Who would dare to accuse us, whom God has chosen? The judge himself has declared us free from sin. Who is in a position to condemn? Only Christ, and Christ died for us, Christ rose for us, Christ reigns in power for us, Christ prays for us!

Who can separate us from the love of Christ? Can trouble, pain or persecution? Can lack of clothes and food, danger to life and limb, the threat of force of arms?

No, in all these things we win an overwhelming victory through him who has proved his love for us.

I have become absolutely convinced that neither death nor life, neither messenger of Heaven nor monarch of earth, neither what happens today nor what may happen tomorrow, neither a power from on high nor a power from below, nor anything else in God's whole world has any power to separate us from the love of God in Christ Jesus our Lord!

From Romans, ch. 8 (*Phillips*)

Then I saw a new Heaven and a new earth, for the first Heaven and the first earth had disappeared, and the sea was no more. I saw the holy city, the new Jerusalem, descending from God out of Heaven, prepared as a bride dressed in beauty for her husband. Then I heard a great voice from the throne crying:

"See! The home of God is with men, and he will live among them. They shall be his people, and God himself shall be with them, and will wipe away every tear from their eyes. Death shall be no more, and never again shall there be sorrow or crying or pain. For all those former things are past and gone."

I could see no Temple in the city, for the Lord, the Almighty God, and the Lamb are themselves its Temple. The city has no need for the light of sun or moon, for the splendor of God fills it with light, and its radiance is the Lamb. The nations will walk by its light, and the kings of the earth will bring their glory into it. The city's gates shall stand open day after day—and there will be no night there.

Nothing that has cursed mankind shall exist any longer; the throne of God and of the Lamb shall be within the city. His servants shall worship him; they shall see his face, and his name will be upon their foreheads. Night shall be no more, they have no more need for either lamplight or sunlight, for the Lord God will shed his light upon them and they shall reign as kings for timeless ages. *From Revelation, chs. 21; 22* (*Phillips*)

Blessed be God the Father of our Lord Jesus Christ, who in his great mercy has given us a new birth as his sons, by raising Jesus Christ from the dead, so that we have a sure hope and the promise of an inheritance that can never be spoilt or soiled and never fade away, because it is being kept for you in the heavens. Through your faith, God's power will guard you until the salvation which has been prepared is revealed at the end of time. This is a cause of great joy for you, even though you may for a short time have to bear being plagued by all sorts of trials; so that, when Jesus Christ is revealed, your faith will have been tested and proved like gold—only it is more precious than gold, which is corruptible even though it bears testing by fire—and then you will have praise and glory and honor. You did not see him, yet you love him; and still without seeing him, you are already filled with a joy so glorious that it cannot be described, because you believe; and you are sure of the end to which your faith looks forward, that is, the salvation of your souls.

From I Peter, ch. 1 (*Jerusalem*)

I kneel in prayer to the Father, from whom every family in heaven and on earth takes its name, that out of the treasures of his glory he may grant you strength and power through his Spirit in your inner being, that through faith Christ may dwell in your hearts in love. With deep roots and firm foundations, may you be strong to grasp, with all God's people, what is the breadth and length and height and depth of the love of Christ, and to know it, though it is beyond knowledge. So may you attain to fullness of being, the fullness of God himself.

Now to him who is able to do immeasurably more than all we can ask or conceive, by the power which is at work among us, to him be glory in the church and in Christ Jesus from generation to generation evermore! Amen.

From Ephesians, ch. 3 (NEB)

After the reading of the Scriptures, the minister may say a prayer:

Eternal God, our Father: we praise you for your word which is our light in darkness. Help us to hear and believe the promises you have spoken; through Jesus Christ our Lord. **Amen.**

A hymn may be sung.

The minister may preach, briefly testifying to the hope that is found in Scripture. He may conclude with an Ascription of Praise.

The people may stand to say a creed of the church, and to pray in unison:

I believe in God, the Father almighty,
creator of heaven and earth.

I believe in Jesus Christ, his only Son, our Lord.
He was conceived by the power of the Holy Spirit
and born of the Virgin Mary.
He suffered under Pontius Pilate,
was crucified, died, and was buried.
He descended to the dead.
On the third day he rose again.
He ascended into heaven,
and is seated at the right hand of the Father.
He will come again to judge the living and the dead.

I believe in the Holy Spirit,
the holy catholic church,
the communion of saints,
the forgiveness of sins,
the resurrection of the body,
and the life everlasting. Amen.

Let us pray.

God of grace: in Jesus Christ you have given a new and living hope. We thank you that by dying he has con-

quered death; and that by rising again he promises eternal life. Help us to know that because he lives, we shall live also; and that neither death, nor life, nor things present, nor things to come, shall be able to separate us from your love; in Jesus Christ our Lord. Amen.

Instead of the Apostles' Creed, the following affirmation may be used:

We believe there is no condemnation for those who are in Christ Jesus: and we know that in everything God works for good with those who love him, who are called according to his purpose. We are sure that neither death, nor life, nor angels, nor principalities, nor things present, nor things to come, nor powers, nor height, nor depth, nor anything else in all creation, will be able to separate us from the love of God in Christ Jesus our Lord. Amen.

Let us pray.

Heavenly Father: in your Son Jesus you have given us a true faith and a sure hope. Help us to live trusting in the communion of saints, the forgiveness of sins, and the resurrection to life eternal. Strengthen this faith and hope in us, all the days of our life; through the love of your Son, Jesus Christ our Savior. Amen.

The minister may say the following prayers, or other appropriate prayers:

O God, before whom generations rise and pass away: we praise you for all your servants who, having lived this life in faith, now live eternally with you. Especially we thank you for your servant ________, for the gift of *his* life, for the grace you have given *him*, for all in *him* that was good and kind and faithful. (*Here mention may be made of characteristics or service.*) We thank you that for *him* death is past, and pain is ended, and *he* has entered the joy you have prepared; through Jesus Christ our Lord. **Amen.**

And,

Almighty God: in Jesus Christ you promised many homes within your house. Give us faith to see beyond touch and sight some sign of your kingdom, and, where vision fails, to trust your love which never fails. Lift heavy sorrow, and give us good hope in Jesus, so we may bravely walk our earthly way, and look forward to glad heavenly reunion; through Jesus Christ our Lord, who was dead but is risen, to whom be honor and praise, now and forever. **Amen.**

Let the minister and people say:

O God, who called us from death to life: we give ourselves to you; and with the church through all ages, we thank you for your saving love in Jesus Christ our Lord. Amen.

A hymn of praise or thanksgiving may be sung, after which the people may be dismissed:

Hear the words of our Lord Jesus Christ:

Peace I leave with you; my peace I give to you; not as the world gives do I give to you. Let not your hearts be troubled, neither let them be afraid.

The grace of the Lord Jesus Christ, and the love of God, and the fellowship of the Holy Spirit, be with you all. **Amen.**

Witness to the Resurrection

Committal Service

When all are assembled, let the minister say:

Thank God, the God and Father of our Lord Jesus Christ, that in his great mercy we men have been born again into a life full of hope, through Christ's rising from the dead.

Do not be afraid. I am the first and the last. I am the living one; for I was dead and now I am alive for evermore.

Because I live, you shall live also.

Almighty God: we commend to you our neighbor ________, trusting your love and mercy; and believing in the promise of a resurrection to eternal life; through our Lord Jesus Christ. **Amen.**

All thanks to God, who gives us the victory through our Lord Jesus Christ!

Then, let the minister say any of the following prayers:

O Lord: support us all the day long, until the shadows lengthen and the evening comes, and the busy world is hushed, and the fever of life is over, and our work is done. Then, in your mercy, grant us a safe lodging, and a holy rest, and peace at the last; through Jesus Christ our Lord. **Amen.**

O God: you have designed this wonderful world, and know all things good for us. Give us such faith that, by day and by night, in all times and in all places, we may without fear trust those who are dear to us to your never-failing love, in this life and in the life to come; through Jesus Christ our Lord. **Amen.**

Eternal God: our days and years are lived in your mercy. Make us know how frail we are, and how brief our time on earth; and lead us by your Holy Spirit, so that, when we have served you in our generation, we may be gathered into your presence, faithful in the church, and loving toward neighbors; through Jesus Christ our Lord. **Amen.**

Father: you gave your own Son Jesus to die on the cross for us, and raised him from death as a sign of your love. Give us faith, so that, though our child has died, we may believe that you welcome *him* and will care for *him*, until, by your mercy, we are together again in the joy of your promised kingdom; through Jesus Christ our Lord. **Amen.**

Almighty God, Father of the whole family in heaven and on earth: stand by those who sorrow; that, as they lean on your strength, they may be upheld, and believe the good news of life beyond life; through Jesus Christ our Lord. **Amen.**

The Lord's Prayer may be said. Then, the people may be dismissed with a benediction.

ORDER FOR THE PUBLIC WORSHIP OF GOD

A Service for Ordination and Installation*

This service is designed to be used for the ordination of ministers of the word, elders, and deacons; and also for their installation. When a minister of the word is being ordained but not installed, the congregational questions should be omitted.

The service may take place during public worship, following the preaching of a sermon. Let the moderator lead the people, saying:

There are different gifts,

But it is the same Spirit who gives them.

There are different ways of serving God,

But it is the same Lord who is served.

God works through different men in different ways,

But it is the same God who achieves his purpose through them all.

Each one is given a gift by the Spirit,

To use it for the common good.

Together we are the body of Christ,

And individually members of him.

Though we have different gifts, together we are a ministry of reconciliation led by the risen Christ. We work and pray to

*This book is for three Churches. The ordination questions in this service are required in The United Presbyterian Church in the United States of America. Other questions may be required in the Cumberland Presbyterian Church and the Presbyterian Church in the United States.

make his church useful in the world, and we call men and women to faith, so that, in the end, every knee shall bow and every tongue confess that Jesus Christ is Lord, to the glory of God the Father.

Within our common ministry, some members are chosen for particular work as ministers of the word, ruling elders, or deacons. In ordination, we recognize these special ministries, remembering that our Lord Jesus said:

Whoever among you wants to be great must become the servant of all, and if he wants to be first among you, he must be the slave of all men!

Just as the Son of Man came not to be served, but to serve, and to give his life to set others free.

Then, let an elder come forward, bringing the candidate(s). Let the elder say to the moderator:

Mr. Moderator, speaking for the people of the church, I bring ________ to be ordained as ________.

Or,

Mr. Moderator, speaking for the people of the church, I bring ________ to be installed as ________.

Then, the moderator shall ask those questions required by the Constitution of his church (see footnote on page 89).

________, God has called you by the voice of the church to serve Jesus Christ in a special way. You know who we are and what we believe, and you understand the work for which you have been chosen.

Do you trust in Jesus Christ your Savior, acknowledge him Lord of the world and head of the church, and through him believe in one God, Father, Son, and Holy Spirit?

I do.

Do you accept the scriptures of the Old and New Testaments to be, by the Holy Spirit, the unique and authoritative witness to Jesus Christ in the church universal, and God's word to you?

I do.

Will you be instructed by the Confessions of our church, and led by them as you lead the people of God?

I will.

Will you be ________ (*a* minister of the word, elder*s*, deacon*s*) in obedience to Jesus Christ, under the authority of Scripture, and continually guided by our Confessions?

I will.

Do you endorse our church's government, and will you honor its discipline? Will you be a friend among your comrades in ministry, working with them, subject to the ordering of God's word and Spirit?

I do and I will.

Will you govern the way you live, by following the Lord Jesus Christ, loving neighbors, and working for the reconciliation of the world?

I will.

Will you seek to serve the people with energy, intelligence, imagination, and love?

I will.

FOR A MINISTER OF THE WORD

When a minister of the word is being ordained or installed, the following question shall be asked:

Will you be a faithful minister, proclaiming the good news in word and sacrament, teaching faith, and caring for people? Will you be active in government and discipline, serving in courts of the church, and, in your ministry, will you try to show the love and justice of Jesus Christ?

I will

FOR AN ELDER

When an elder is being ordained, the following question shall be asked:

Will you be a faithful elder, watching over the people, providing for their worship and instruction? Will you share in government and discipline, serving in courts of the church; and, in your ministry, will you try to show the love and justice of Jesus Christ?

I will.

FOR A DEACON

When a deacon is being ordained, the following question shall be asked:

Will you be a faithful deacon, teaching charity, urging concern, and directing the peoples' help to the friendless and those in need? In your ministry, will you try to show the love and justice of Jesus Christ?

I will.

WHEN ORDAINED ELDERS OR DEACONS ARE AGAIN ELECTED

If there are previously ordained elders or deacons to be installed, let an elder present them to the moderator, saying:

Mr. Moderator: (Elder, Deacon) ________ having been elected again to active service by the vote of this congregation, *he* may now be installed to office.

The moderator shall ask those questions required by the Constitution of his church (see footnote on page 89).

________, you have been called again to a position of special leadership in the church.

Do you welcome the work for which you have been chosen, and will you serve the people with energy, intelligence, imagination, and love, relying on God's mercy and rejoicing in his promises through Jesus Christ our Lord?

I do and I will.

Then, let a designated elder face the congregation with the candidate(s) being installed, and ask those questions required by the Constitution of his church (see footnote on page 89).

Do we, members of the church, accept ________ as ________ (*a* minister of the word, elder*s*, deacon*s*), chosen by God through the voice of this congregation, to lead us in the way of Jesus Christ?

We do.

Do we agree to encourage *him*, to respect *his* decisions, and to follow as *he* guides us, serving Jesus Christ, who alone is head of the church?

We do.

FOR A MINISTER OF THE WORD

When a minister of the word is being installed, the following question may also be asked:

Do we promise to pay *him* fairly and provide for *his* welfare as *he* works among us; to stand by *him* in trouble and share *his* joys? Will we listen to the word *he* preaches, welcome *his* pastoral care, and honor *his* authority, as *he* seeks to honor and obey Jesus Christ our Lord?

We do and we will.

Candidate(s) for ordination will kneel; ministers of the gospel and elders may come forward for the laying on of hands.

In an ordination service all of the following prayers, or similar prayers, should be used. When ministers of the word, elders, or deacons, previously ordained, are being installed, only the unison prayer which follows should be said.

Let us pray.

Almighty God: in every age you have chosen servants to speak your word and lead your loyal people. We thank you for *this man* whom you have called to serve you. Give *him* special gifts to do *his* special work; and fill *him* with Holy Spirit, so *he* may have the same mind that was in Christ Jesus, and be *a* faithful *disciple* as long as *he* shall live.

The candidate(s) may say the following brief prayer, or a similar prayer:

God our Father: you have chosen me. Now give me strength, wisdom, and love to work for the Lord Jesus Christ.

Let all the people join in the following prayer:

God of grace, who called us to a common ministry as ambassadors of Christ, trusting us with the message of reconciliation: give us courage and discipline to follow where your servants rightly lead us; that together we may declare your wonderful deeds and show your love to the world; through Jesus Christ the Lord of all. Amen.

Then, the moderator shall say to the candidate(s):

________, you are now ________ (*a* minister of the word, elder*s*, deacon*s*) in the church (and for this congregation). Whatever you do, in word or deed, do everything in the name of the Lord Jesus, giving thanks to God the Father through him. **Amen.**

Ministers of the gospel and elders shall welcome the new minister or new elder(s) with a handshake; deacons may join in welcoming the new deacon(s). They shall say:

Welcome to this ministry.

Brief charges may be given. Because the New Testament contains helpful charges, they may be selected and read.

When a minister of the word is ordained or installed, another minister of the word may be appointed to read a passage from Scripture, such as:

II Timothy 4:1–5
II Corinthians 4:1–15

When elders are ordained or installed, another elder may read a passage from Scripture, such as:

I Peter 5:1–4
I Timothy 3:1–7

When deacons are ordained or installed, another deacon may read a passage from Scripture, such as:

I Corinthians, ch. 13
I Timothy 3:8–13

A charge may be given the congregation by reading a passage from Scripture, such as:

I Peter 5:5–13
I Thessalonians 5:12–23
Philippians 2:1–16
I Corinthians 12:12–26

The service shall conclude with a benediction.

ORDER FOR THE
PUBLIC WORSHIP OF GOD

The Installation of a Commissioned Church Worker

The installation may be conducted during public worship on the Lord's Day, immediately after the preaching of a sermon. Let the moderator say:

Hear what the apostle Paul has written:

Our gifts differ according to the grace given us. If your gift is prophecy, use it as your faith suggests; if administration, then use it for administration; if teaching, then use it for teaching. Let the preachers deliver sermons, the almsgivers give freely, the officials be diligent, and those who do works of mercy do them cheerfully. Do not let your love be pretense, but sincerely prefer good to evil. Work for the Lord with untiring effort and with great earnestness of spirit.

There are different gifts,

But it is the same Spirit who gives them.

Each one is given a gift by the Spirit,

To use it for the common good.

An elder may come forward with the candidate for installation, and say to the moderator:

Mr. Moderator, speaking for the session of this church, I bring ________ to be installed as ________.

Then, let the moderator address the candidate, saying:

________, you believe yourself called by Jesus Christ to a special work, and you have studied to prepare yourself for a vocation in the church. Presbytery has approved your qualifications and has commissioned you a church worker.

Are you willing to be installed as ________?

I am.

Do you welcome this responsibility because you are determined to follow the Lord Jesus, to love neighbors, and to work for the reconciling of the world?

I do.

Will you serve the people with energy, intelligence, imagination, and love, relying on God's mercy and rejoicing in his promises through Jesus Christ our Lord?

I will.

Then, let the elder, standing with the candidate, face the congregation, and say:

Do we, members of ________, accept ________ as ________, chosen of God and appointed by the ________, to guide us in the way of Jesus Christ?

We do.

The candidate may kneel, as the moderator leads the people in prayer, saying:

Let us pray.

God of Grace, who called us to a common ministry as ambassadors of Christ, trusting us with the message of reconciliation: give us courage and discipline to follow where your servants rightly lead us; that together we may declare your wonderful deeds and show your love to the world; through Jesus Christ the Lord of all. Amen.

The moderator shall declare the commissioned church worker installed into office, saying:

________, you are now installed as ________ in the church. Whatever you do, in word or deed, do everything in the name of the Lord Jesus, giving thanks to God the Father through him.

Amen.

Brief charges may be given the commissioned church worker and the congregation by a minister or another commissioned church worker.

ORDER FOR THE PUBLIC WORSHIP OF GOD

Recognition of Trustees

The recognition of trustees may take place during public worship on the Lord's Day, following the preaching of a sermon.

Let an elder bring forward the elected trustees, and say to the minister:

Mr. Moderator, ________ *are* elected to serve as *trustees* of the church. We wish to recognize the responsibility *they* have accepted.

The minister shall address the elected trustees, saying:

Friends: God has given you special gifts to serve him, and we have chosen you for a special work. Under the law of the state, you will hold and manage properties and, as authorized, conduct business for the church. By your energy, honesty, and fairness you will demonstrate Christian faith to those you deal with on our behalf.

Let the elder address the elected trustees:

Do you promise to give the business affairs of this congregation your devoted attention, to encourage generosity, and, in all your dealings, work to further our service of Christ in the world?

I do.

Then, standing with the elected trustees, facing the congregation, let the elder say:

Do you receive these persons as your trustees, and do you promise to support them in their work for the church?

We do.

The minister will say:

Let us pray.

Holy God: you made this world and called it good, and appointed us to manage things as agents of your love. Guide your servants as they represent us, and direct our business. Help them to be wise children of light, who show your trust by being trustworthy; through Jesus Christ our Lord. **Amen.**

The minister will say to the trustees:

You are now trustees for this church. Be good and faithful servants, who will enter into the joy of our Lord.

The grace of the Lord Jesus Christ be with you. **Amen.**

ORDER FOR THE PUBLIC WORSHIP OF GOD

Recognition of Church School Teachers

Those appointed to teach shall stand among or before the congregation. The minister shall say:

Hear, O Israel: The Lord our God is one Lord; and you shall love the Lord your God with all your heart, and with all your soul, and with all your might. And these words which I command you this day shall be upon your heart; and you shall teach them diligently to your children, and shall talk of them when you sit in your house, and when you walk by the way, and when you lie down, and when you rise.

Jesus said to his disciples: I give you a new commandment: Love one another; just as I have loved you.

Go, therefore, make disciples of all the nations; baptize them in the name of the Father and of the Son and of the Holy Spirit, and teach them to observe all the commands I gave you.

What we have heard and known for ourselves and what our ancestors have told us must not be withheld from their descendants, but be handed on by us to the next generation; these in their turn will tell their own children so that they too put confidence in God, never forgetting God's achievements, and always keeping his commandments.

Then, the minister shall address the teachers, saying:

Friends: You have been chosen by the session of this church to serve as teachers. You will announce God's good law to each new generation, and tell of Jesus Christ, so we may know him, love him, and live his truth in the world.

Do you trust Jesus Christ your Savior, and through him believe in one God, Father, Son, and Holy Spirit?

We do.

Do you promise to study the Scriptures and the teachings of the church, so that with imagination and love you may serve the Holy Spirit, by calling men to faith in Christ and training his disciples?

We do.

By the authority of the session, you are commissioned to teach in the church. Be energetic, honest, and faithful to Christ your Lord!

Let a ruling elder lead the people in prayer:

God of our fathers: in every age you have appointed teachers to tell your power, justice, and love. We thank you for brothers and sisters in faith, who will teach your ways. Give them Holy Spirit, so they may know your Son our Lord, speak his truth, and with us live the new life, serving neighbors, obedient to your commandments; through Jesus Christ our Savior. Amen.

The truth of the Lord Jesus Christ be with you. **Amen.**

Litanies

Litanies

The litany is an ancient form of prayer that predates the New Testament and was in common use among the early Christians.

The litanies that follow are designed for special occasions in the life of the church, but they may be used during public worship on the Lord's Day.

Each of the litanies may be used in entirety, or in separate sections as indicated; or some of the petitions within the litanies may be extended to create brief prayers by adding an "Address" and a "Conclusion."

Litany of the Beatitudes

For use during Lent, or in services preparing for the Lord's Supper

LEADER: Jesus said: Happy are the poor in spirit; theirs is the kingdom of heaven.

God our Father: help us to know that away from you we have nothing. Save us from pride that mistakes your gifts for possessions; and keep us humble enough to see that we are poor sinners who always need you.

PEOPLE: **Happy are the poor in spirit.**

LEADER: Thank you, God, for your Son Jesus, who, though he was rich, became poor to live among us; who had no place for himself on earth. By his weakness we are made strong, and by his poverty, rich.

Happy are the poor in spirit;

PEOPLE: **Theirs is the kingdom of heaven.**

LEADER: Jesus said: Happy are those who mourn; they shall be comforted.

God our Father: we are discouraged by evil and frightened by dying, and have no word of hope within ourselves. Unless you speak to us, O God, we shall be overcome by grieving and despair.

PEOPLE: **Happy are those who mourn.**

LEADER: Thank you, God, for Jesus Christ, who on the cross faced evil, death, and desertion. You raised him in triumph over every dark power to be our Savior. We give thanks for the hope we have in him.

Happy are those who mourn;

PEOPLE: **They shall be comforted.**

LEADER: Jesus said: Happy are the gentle; they shall have the earth.

God our Father: restrain our arrogance and show us our place on earth. Keep us obedient, for we are your servants, unwise and unworthy, who have no rights and deserve no honors.

PEOPLE: **Happy are the gentle.**

LEADER: Thank you, God, for Jesus Christ our Master, who did not call us slaves, but your true sons. Help us to work with him, ordering all things for joy, according to your will.

Happy are the gentle;

PEOPLE: **They shall have the earth.**

LEADER: Jesus said: Happy are those who hunger and thirst for what is right; they shall be satisfied.

God our Father: stir up in us a desire for justice, and a love of your law. May we never live carelessly or selfishly, but in all our dealing with neighbors may we look for the right and do it.

PEOPLE: **Happy are those who hunger and thirst for what is right.**

LEADER: Thank you, God, for Jesus Christ, who overturned small man-made rules, yet lived your law in perfect love. Give us freedom to live with your Spirit in justice, mercy, and peace.

Happy are those who hunger and thirst for what is right;

PEOPLE: **They shall be satisfied.**

LEADER: Jesus said: Happy are the merciful; they shall have mercy shown them.

God our Father: we do not forgive as you have forgiven us. We nurse old wrongs and let resentments rule us. We tolerate evil in ourselves, yet harshly judge our neighbors. God, forgive us.

PEOPLE: **Happy are the merciful**

LEADER: Thank you, God, for your Son Jesus, who gave his

life for sinners; who on the cross forgave unforgivable things. Receiving his mercy, may we always forgive.

Happy are the merciful;

PEOPLE: **They shall have mercy shown them.**

LEADER: Jesus said: Happy are the pure in heart; they shall see God.

God our Father: we are not pure. We do not live in love. The good we do, we admire too much; we tabulate our virtues. Deliver us, O God, from a divided heart.

PEOPLE: **Happy are the pure in heart.**

LEADER: Thank you, God, for Jesus Christ, whose words and deeds were pure. By his life our lives are justified, and by his death we are redeemed. In him we see you face to face, and praise you for your goodness.

Happy are the pure in heart;

PEOPLE: **They shall see God.**

LEADER: Jesus said: Happy are the peacemakers; they shall be called sons of God.

God our Father: we have not lived in peace. We have spread discord, prejudice, gossip, and fear among neighbors. Help us, for we cannot help ourselves. Show us your way of peace.

PEOPLE: **Happy are the peacemakers.**

LEADER: Thank you, God, for Jesus Christ, who has broken down dividing walls of hate to make one family on earth. As he has reconciled us to you, may we be reconciled to one another, living in peace with all your children everywhere.

Happy are the peacemakers;

PEOPLE: **They shall be called sons of God.**

LEADER: Jesus said: Happy are those who are persecuted in the cause of right; theirs is the kingdom of heaven.

God our Father: we are afraid to risk ourselves for the right. We have grown accustomed to wrong and been silent in the face of injustice. Give us anger without hate, and courage to obey you no matter what may happen.

PEOPLE: **Happy are those who are persecuted in the cause of right.**

LEADER: Thank you, God, for Jesus Christ, who was persecuted for what he said and did; who took the cross upon himself for our sake. May we stand with him in justice and love, and follow where he leads, even to a cross.

Happy are those who are persecuted in the cause of right;

PEOPLE: **Theirs is the kingdom of heaven.**

LEADER: Jesus said: Happy are you when people abuse you and persecute you and speak all kinds of evil against you on my account. Rejoice and be glad, for your reward will be great in heaven.

God our Father: give us a will to live by your commandments. Keep us from slander, cruelty, and mocking talk, so that we may be faithful witnesses to Jesus Christ our Lord.

PEOPLE: **Happy are you when people abuse you and persecute you and speak all kinds of evil against you on my account.**

LEADER: We praise you, O God, for your Son Jesus, who called us to be disciples. Give us grace to confess him before men, and faith to believe he suffered for us. We ask no rewards, only make us brave.

Happy are you when people abuse you and persecute you and speak all kinds of evil against you on my account.

PEOPLE: **Rejoice and be glad, for your reward will be great in heaven.**

LEADER: You are the light of the world. Your light must shine in the sight of men, so that, seeing your good works, they may give praise to your Father in heaven.

PEOPLE: **Amen.**

Litany of Confession

LEADER: Almighty God: you alone are good and holy. Purify our lives and make us brave disciples. We do not ask you to keep us safe, but to keep us loyal, so we may serve Jesus Christ, who, tempted in every way as we are, was faithful to you.

PEOPLE: **Amen.**

LEADER: From lack of reverence for truth and beauty; from a calculating or sentimental mind; from going along with mean and ugly things;

PEOPLE: **O God, deliver us.**

LEADER: From cowardice that dares not face truth; laziness content with half-truth; or arrogance that thinks it knows it all;

PEOPLE: **O God, deliver us.**

LEADER: From artificial life and worship; from all that is hollow or insincere;

PEOPLE: **O God, deliver us.**

LEADER: From trite ideals and cheap pleasures; from mistaking hard vulgarity for humor;

PEOPLE: **O God, deliver us.**

LEADER: From being dull, pompous, or rude; from putting down neighbors;

PEOPLE: **O God, deliver us.**

LEADER: From cynicism about our brothers; from intolerance or cruel indifference;

PEOPLE: **O God, deliver us.**

LEADER: From being satisfied with things as they are, in the church or in the world; from failing to share your indignation;

PEOPLE: **O God, deliver us.**

LEADER: From selfishness, self-indulgence, or self-pity;

PEOPLE: **O God, deliver us.**

LEADER: From token concern for the poor, for lonely or loveless people; from confusing faith with good feeling, or love with a wanting to be loved;

PEOPLE: **O God, deliver us.**

LEADER: For everything in us that may hide your light;

PEOPLE: **O God, light of life, forgive us.**

Litany of Intercession

The Litany of Intercession may be said in entirety, or selectively. The response, "Hear our prayer, O Lord," may be used after each petition instead of the variety of responses provided.

LEADER: Great God our Father: you hear our prayers before we speak, and answer before we know our need. Though we cannot pray, may your Spirit pray in us, drawing us to you and toward our neighbors on earth.

PEOPLE: **Amen.**

LEADER: We pray for the whole creation: may all things work together for good, until, by your design, men inherit the earth and order it wisely.

PEOPLE: **Let the whole creation praise you, Lord and God.**

LEADER: We pray for the church of Jesus Christ; that, begun, maintained, and promoted by your Spirit, it may be true, engaging, glad, and active, doing your will.

PEOPLE: **Let the church be always faithful, Lord and God.**

LEADER: We pray for men and women who serve the church in special ways, preaching, ruling, showing charity; that they may never lose heart, but have all hope encouraged.

PEOPLE: **Let leadership be strong, Lord and God.**

LEADER: We pray for people who do not believe, who are shaken by doubt, or have turned against you. Open their eyes to see beyond our broken fellowship the wonders of your love displayed in Jesus, Jew of Nazareth; and to follow when he calls them.

PEOPLE: **Conquer doubt with faith, O God.**

LEADER: We pray for peace in the world. Disarm weapons, silence guns, and put out ancient hate that smolders still, or flames in sudden conflict. Create goodwill among men of every race and nation.

PEOPLE: **Bring peace to earth, O God.**

LEADER: We pray for men who must go to war, and for those who will not go: may they have conviction, and charity toward one another.

PEOPLE: **Guard brave men everywhere, O God.**

LEADER: We pray for enemies, as Christ commanded; for those who oppose us or scheme against us, who are also children of your love. May we be kept from infectious hate or sick desire for vengeance.

PEOPLE: **Make friends of enemies, O God.**

LEADER: We pray for those involved in world government, in agencies of control or compassion, who work for the reconciling of nations: keep them hopeful, and work with them for peace.

PEOPLE: **Unite our broken world, O God.**

LEADER: We pray for those who govern us, who make, administer, or judge our laws. May this country ever be a land of free and able men, who welcome exiles and work for justice.

PEOPLE: **Govern those who govern us, O God.**

LEADER: We pray for poor people who are hungry, or are housed in cramped places. Increase in us, and all who prosper, concern for the disinherited.

PEOPLE: **Care for the poor, O God.**

LEADER: We pray for social outcasts; for those excluded by their own militance or by the harshness of others. Give us grace to accept those our world names unacceptable, and so show your mighty love.

PEOPLE: **Welcome the alienated, O God.**

LEADER: We pray for sick people who suffer pain, or struggle with demons of the mind, who silently cry out for healing: may they be patient, brave, and trusting.

PEOPLE: **Heal sick and troubled men, O God.**

LEADER: We pray for the dying, who face final mystery: may they enjoy light and life intensely, keep dignity, and greet death unafraid, believing in your love.

PEOPLE: **Have mercy on the dying, O God.**

LEADER: We pray for those whose tears are not yet dry, who listen for familiar voices and look for still familiar faces: in loss, may they affirm the gain you promise in Jesus, who prepares a place for us within your spacious love.

PEOPLE: **Comfort those who sorrow, O God.**

LEADER: We pray for people who are alone and lonely, who have no one to call in easy friendship: may they be remembered, befriended, and know your care for them.

PEOPLE: **Visit lonely people, O God.**

LEADER: We pray for families, for parents and children: may they enjoy each other, honor freedoms, and forgive as happily as we are all forgiven in your huge mercy.

PEOPLE: **Keep families in your love, O God.**

LEADER: We pray for young and old: give impatient youth true vision, and experienced age openness to new things. Let both praise your name.

PEOPLE: **Join youth and age together, O God.**

LEADER: We pray for all men everywhere: may they come into their own as sons of God, and inherit the kingdom prepared in Jesus Christ, the Lord of all, and Savior of the world.

PEOPLE: **Hear our prayers, almighty God, in the name of Jesus Christ, who prays with us and for us, to whom be praise forever. Amen.**

Litany of Thanksgiving

LEADER: Give thanks to the Lord, for he is good.

PEOPLE: **His love is everlasting.**

LEADER: Come, let us praise God joyfully.

PEOPLE: **Let us come to him with thanksgiving.**

LEADER: For the good world; for things great and small, beautiful and awesome; for seen and unseen splendors;

PEOPLE: **Thank you, God.**

LEADER: For human life; for talking and moving and thinking together; for common hopes and hardships shared from birth until our dying;

PEOPLE: **Thank you, God.**

LEADER: For work to do and strength to work; for the comradeship of labor; for exchanges of good humor and encouragement;

PEOPLE: **Thank you, God.**

LEADER: For marriage; for the mystery and joy of flesh made one; for mutual forgiveness and burdens shared; for secrets kept in love;

PEOPLE: **Thank you, God.**

LEADER: For family; for living together and eating together; for family amusements and family pleasures;

PEOPLE: **Thank you, God.**

LEADER: For children; for their energy and curiosity; for their brave play and their startling frankness; for their sudden sympathies;

PEOPLE: **Thank you, God.**

LEADER: For the young; for their high hopes; for their irreverence toward worn-out values; their search for freedom; their solemn vows;

PEOPLE: **Thank you, God.**

LEADER: For growing up and growing old; for wisdom deepened by experience; for rest in leisure; and for time made precious by its passing;

PEOPLE: **Thank you, God.**

LEADER: For your help in times of doubt and sorrow; for healing our diseases; for preserving us in temptation and danger;

PEOPLE: **Thank you, God.**

LEADER: For the church into which we have been called; for the good news we receive by word and sacrament; for our life together in the Lord;

PEOPLE: **We praise you, God.**

LEADER: For your Holy Spirit, who guides our steps and brings us gifts of faith and love; who prays in us and prompts our grateful worship;

PEOPLE: **We praise you, God.**

LEADER: Above all, O God, for your Son Jesus Christ, who lived and died and lives again for our salvation; for our hope in him; and for the joy of serving him;

PEOPLE: **We thank and praise you, God our Father, for all your goodness to us.**

LEADER: Give thanks to the Lord, for he is good.

PEOPLE: **His love is everlasting.**

Litany for the Church

A

LEADER: Almighty God: you built your church on the rock of human faith and trust; we praise you for Jesus Christ, the foundation and cornerstone of all we believe.

PEOPLE: **We praise you, God.**

LEADER: For the faith of Abraham, Isaac, and Jacob; and for Moses, who led your people out of slavery, and established the law in their hearts;

PEOPLE: **We praise you, God.**

LEADER: For the prophets who listened for your word and called your people back from disobedience and from the worship of man-made gods;

PEOPLE: **We praise you, God.**

LEADER: For those who foretold the coming of your Son Jesus Christ, and prepared the way for his birth;

PEOPLE: **We praise you, God.**

LEADER: For Mary and Joseph, who taught him to love you and trained him in synagogue and temple to serve you;

PEOPLE: **We praise you, God.**

LEADER: For Christ, our Savior, who loved us and gave himself for us on the cross;

PEOPLE: **We praise you, God.**

LEADER: For the apostles and martyrs of the church, who gave their lives that we, in our day, might receive the good news of grace and forgiveness;

PEOPLE: **We praise you, God.**

LEADER: For the great men of history, whose love for your church made it a willing instrument of your care and mercy; who placed you first in their lives and held to their faith in good times and in bad;

PEOPLE: **We praise you, God.**

B

LEADER: Save us, Father, from living in the past, and from resting on the work of others. Let us find a new beginning and a new vision; that we may know our duty in this place and this world today.

PEOPLE: **O Lord, please hear us.**

LEADER: Keep us from pride that excludes others from the shelter of your love; and from mean prejudice and mass evils that scar the tissues of our common life.

PEOPLE: **O Lord, please hear us.**

LEADER: Spare us from the selfishness that uses your house as a means of getting social position or personal glory, and let us not hold back what we have or what we are when there is so much need.

PEOPLE: **O Lord, please hear us.**

LEADER: Defend us from the ignorance that nourishes injustice and from indifference that causes hearts to break; that, in these times of racial bitterness, we may demonstrate your love and live beyond caste or color as Christ's men and women.

PEOPLE: **O Lord, please hear us.**

LEADER: Help us to avoid isolation in our apartments and our private homes, while others near us do not have a bed of their own or any quiet place; and, as we work to bring a decent life to others, let us know a purer enjoyment of all your blessings.

PEOPLE: **O Lord, please hear us.**

C

LEADER: That we may accept the responsibility of our freedom, the burden of our privilege, and so conduct ourselves as to set an example for those who will follow after;

PEOPLE: **O God, be our strength.**

LEADER: That we may not be content with a secondhand faith, worshiping words rather than the Word;

PEOPLE: **O God, be our strength.**

LEADER: That we may find joy in the study of Scripture, and growth in exposure to new ideas;

PEOPLE: **O God, be our strength.**

LEADER: That we may be part of our presbytery and community, sharing in the great mission which you have set before us, and always seeking the common good;

PEOPLE: **O God, be our strength.**

LEADER: That we may find in your church a prod to our imaginations, a shock to our laziness, and a source of power to do your will;

PEOPLE: **O God, be our strength.**

LEADER: O God, who gave us minds to know you, hearts to love you, and voices to sing your praise: send your Spirit among us; that, confronted by your truth, we may be free to worship you as we should; through Jesus Christ our Lord.

ALL: **Amen.**

Litany for the Unity of Christ's Church

A

LEADER: O God: you have welcomed us by baptism into one holy church, and joined us by faith to Christian men in every place. May your church on earth be a sign of the communion you promise, where we will all be one with Christ, and joyful in your kingdom.

PEOPLE: **Amen.**

LEADER: From a clinging to power that prevents church union; from thinking forms of government perfect, or courts of the church infallible;

PEOPLE: **Good Lord, deliver us.**

LEADER: From mistaken zeal that will not compromise; from worshiping neat doctrines rather than you;

PEOPLE: **Good Lord, deliver us.**

LEADER: From religious pride that belittles faith of others, or claims true wisdom, but will not love;

PEOPLE: **Good Lord, deliver us.**

LEADER: From a worldly mind that drums up party spirit; from divisiveness; from protecting systems that have seen their day;

PEOPLE: **Good Lord, deliver us.**

B

LEADER: As you sent disciples into every land, O God, gather them now, from the ends of the earth, into one fellowship that chooses your purpose and praises your name, in one faith, hope, and love.

PEOPLE: **Amen.**

LEADER: Make us one, Lord, in our eagerness to speak good news and set all captives free.

PEOPLE: **Give us your Holy Spirit.**

LEADER: Make us one, Lord, in concern for the poor, the hurt, and the downtrodden, to show them your love.

PEOPLE: **Give us your Holy Spirit.**

LEADER: Make us one, Lord, in worship, breaking bread together and singing your praise with single voice.

PEOPLE: **Give us your Holy Spirit.**

LEADER: Make us one, Lord, in faithfulness to Jesus Christ, who never fails us, and who will come again in triumph.

PEOPLE: **Give us your Holy Spirit.**

LEADER: Give us your Holy Spirit, God our Father, so we may have among us the same mind that was in Christ Jesus; and proclaim him to the world. May every knee bow down and every tongue confess him Lord, to the glory of your name.

PEOPLE: **Amen.**

Litany of the Names of the Church

In the New Testament, the church is called by many different names that tell us who we are and what we must be doing for God. This litany uses some of the Scriptural pictures of the church, and urges obedience.

LEADER: God of Abraham and Isaac, of apostles and prophets: in every age you have picked out people to work for you, showing justice, doing mercy, and directing living men. Let the church share Christ's own work as prophet, priest, and king, reconciling the world to your law and your love, and telling your mighty power.

Give thanks to God for the church of Jesus Christ.

PEOPLE: **We are a chosen people.**

LEADER: You have called us out of the world, O God, and chosen us to be a witness to nations. Give us Holy Spirit to show the way, the truth, and the life of our Savior Jesus Christ.

PEOPLE: **Forgive silence and stubbornness. Help us to be your chosen people.**

LEADER: Give thanks to God for the church of Jesus Christ.

PEOPLE: **We are a royal priesthood.**

LEADER: You have appointed us priests, O God, to pray for all men and declare your mercy. Give us Holy Spirit; that, sacrificing ourselves for neighbors in love, they may be drawn to you, and to each other.

PEOPLE: **Forgive hypocrisy and lazy prayers. Help us to be your royal priesthood.**

LEADER: Give thanks to God for the church of Jesus Christ.

PEOPLE: **We are the household of God.**

LEADER: You have baptized us into one family of faith, and named us your children, and brothers of Christ. Give us Holy Spirit to live in peace and serve each other gladly.

PEOPLE: **Forgive pride and unbrotherly divisions. Help us to be your household.**

LEADER: Give thanks to God for the church of Jesus Christ.

PEOPLE: **We are a temple for your Spirit.**

LEADER: You have built us up, O God, into a temple for worship. Give us Holy Spirit to know there is no other foundation for us than Jesus Christ, rock and redeemer.

PEOPLE: **Forgive weakness and lack of reverence. Help us to be a temple for your Spirit.**

LEADER: Give thanks to God for the church of Jesus Christ.

PEOPLE: **We are a colony of heaven.**

LEADER: You have welcomed us as your citizens, O God, to represent our homeland. Give us Holy Spirit to act your laws, speak your language, and to show in life-style your kingdom's courtesy and love.

PEOPLE: **Forgive injustice and going along with the world. Help us to be a colony of heaven.**

LEADER: Give thanks to God for the church of Jesus Christ.

PEOPLE: **We are the body of Christ.**

LEADER: You have joined us in one body, O God, to live for our Lord in the world. Give us Holy Spirit; that, working together without envy or pride, we may serve our Lord and head.

PEOPLE: **Forgive slack faith and separate ways. Help us to be the body of Christ.**

LEADER: O God, we are your church, called, adopted, built up, blessed, and joined to Jesus Christ. Help us to know who we are, and in all we do to be your useful servants.

PEOPLE: **We are a chosen people**
a royal priesthood
a household of God
a temple for the Spirit
a colony of heaven
the body of Christ

LEADER: Give thanks to God.

PEOPLE: **For the church of Jesus Christ.**

LEADER: Give thanks to God.

PEOPLE: **And trust his Holy Spirit. Amen.**

Litany for World Peace

A

LEADER: Remember, O Lord, the peoples of the world divided into many nations and tongues. Deliver us from every evil that gets in the way of your saving purpose; and fulfill the promise of peace on earth among men with whom you are pleased; through Jesus Christ our Lord.

PEOPLE: **Amen.**

LEADER: From the curse of war and the sin of man that causes war;

PEOPLE: **O Lord, deliver us.**

LEADER: From pride that turns its back on you, and from unbelief that will not call you Lord;

PEOPLE: **O Lord, deliver us.**

LEADER: From national vanity that poses as patriotism; from loud-mouthed boasting and blind self-worship that admit no guilt;

PEOPLE: **O Lord, deliver us.**

LEADER: From the self-righteousness that will not compromise, and from selfishness that gains by the oppression of others;

PEOPLE: **O Lord, deliver us.**

LEADER: From the lust for money or power that drives men to kill;

PEOPLE: **O Lord, deliver us.**

LEADER: From trusting in the weapons of war, and mistrusting the councils of peace;

PEOPLE: **O Lord, deliver us.**

LEADER: From hearing, believing, and speaking lies about other nations;

PEOPLE: **O Lord, deliver us.**

LEADER: From groundless suspicions and fears that stand in the way of reconciliation;

PEOPLE: **O Lord, deliver us.**

LEADER: From words and deeds that encourage discord, prejudice, and hatred; from everything that prevents the human family from fulfilling your promise of peace;

PEOPLE: **O Lord, deliver us.**

B

LEADER: O God our Father: we pray for all your children on earth, of every nation and of every race; that they may be strong to do your will.

We pray for the church in the world.

PEOPLE: **Give peace in our time, O Lord.**

LEADER: For the United Nations;

PEOPLE: **Give peace in our time, O Lord.**

LEADER: For international federations of labor, industry, and commerce;

PEOPLE: **Give peace in our time, O Lord.**

LEADER: For departments of state, ambassadors, diplomats, and statesmen;

PEOPLE: **Give peace in our time, O Lord.**

LEADER: For worldwide agencies of compassion, which bind wounds and feed the hungry;

PEOPLE: **Give peace in our time, O Lord.**

LEADER: For all who in any way work to further the cause of peace and goodwill;

PEOPLE: **Give peace in our time, O Lord.**

LEADER: For common folk in every land who live in peace;

PEOPLE: **Give peace in our time, O Lord.**

LEADER: Eternal God: use us, even our ignorance and weakness, to bring about your holy will. Hurry the day when people shall live together in your love; for yours is the kingdom, the power, and the glory forever.

PEOPLE: **Amen.**

Litany for the Nation

This litany is designed to be used on days of national celebration, or in times of national crisis.

A

LEADER: Mighty God: the earth is yours and nations are your people. Take away our pride and bring to mind your goodness, so that, living together in this land, we may enjoy your gifts and be thankful.

PEOPLE: **Amen.**

LEADER: For clouded mountains, fields and woodland; for shoreline and running streams; for all that makes our nation good and lovely;

PEOPLE: **We thank you, God.**

LEADER: For farms and villages where food is gathered to feed our people;

PEOPLE: **We thank you, God.**

LEADER: For cities where men talk and work together in factories, shops, or schools to shape those things we need for living;

PEOPLE: **We thank you, God.**

LEADER: For explorers, planners, statesmen; for prophets who speak out, and for silent faithful people; for all who love our land and guard freedom;

PEOPLE: **We thank you, God.**

LEADER: For vision to see your purpose hidden in our nation's history, and courage to seek it in brother-love exchanged;

PEOPLE: **We thank you, God.**

B

LEADER: O God: your justice is like rock, and your mercy like pure flowing water. Judge and forgive us. If we have turned from you, return us to your way; for without you we are lost people.

From brassy patriotism and a blind trust in power;

PEOPLE: **Deliver us, O God.**

LEADER: From public deceptions that weaken trust; from self-seeking in high political places;

PEOPLE: **Deliver us, O God.**

LEADER: From divisions among us of class or race; from wealth that will not share, and poverty that feeds on food of bitterness;

PEOPLE: **Deliver us, O God.**

LEADER: From neglecting rights; from overlooking the hurt, the imprisoned, and the needy among us;

PEOPLE: **Deliver us, O God.**

LEADER: From a lack of concern for other lands and peoples; from narrowness of national purpose; from failure to welcome the peace you promise on earth;

PEOPLE: **Deliver us, O God.**

C

LEADER: Eternal God: before you nations rise and fall; they grow strong or wither by your design. Help us to repent our country's wrong, and to choose your right in reunion and renewal.

PEOPLE: **Amen.**

LEADER: Give us a glimpse of the Holy City you are bringing to earth, where death and pain and crying will be gone away; and nations gather in the light of your presence.

PEOPLE: **Great God, renew this nation.**

LEADER: Teach us peace, so that we may plow up battlefields and pound weapons into building tools, and learn to talk across old boundaries as brothers in your love.

PEOPLE: **Great God, renew this nation.**

LEADER: Talk sense to us, so that we may wisely end all prejudice, and may put a stop to cruelty, which divides or wounds the human family.

PEOPLE: **Great God, renew this nation.**

LEADER: Draw us together as one people who do your will, so that our land may be a light to nations, leading the way to your promised kingdom, which is coming among us.

PEOPLE: **Great God, renew this nation.**

LEADER: Great God, eternal Lord: long years ago you gave our fathers this land as a home for free men. Show us there is no law or liberty apart from you; and let us serve you modestly, as devoted people; through Jesus Christ our Lord.

PEOPLE: **Amen.**

Litany for Those Who Work

LEADER: O Lord God: you are ever at work in the world for us and for all mankind. Guide and protect all who work to get their living.

PEOPLE: **Amen.**

LEADER: For those who plow the earth,
For those who tend machinery;

PEOPLE: **Work with them, O God.**

LEADER: For those who sail deep waters,
For those who venture into space;

PEOPLE: **Work with them, O God.**

LEADER: For those who work in offices and warehouses,
For those who labor in stores or factories;

PEOPLE: **Work with them, O God.**

LEADER: For those who work in mines,
For those who buy and sell;

PEOPLE: **Work with them, O God.**

LEADER: For those who entertain us,
For those who broadcast or publish;

PEOPLE: **Work with them, O God.**

LEADER: For those who keep house,
For those who train children;

PEOPLE: **Work with them, O God.**

LEADER: For all who live by strength of arm,
For all who live by skill of hand;

PEOPLE: **Work with them, O God.**

LEADER: For all who employ or govern;

PEOPLE: **Work with them, O God.**

LEADER: For all who excite our minds with art, science, or learning;

PEOPLE: **Work with them, O God.**

LEADER: For all who instruct,
For writers and teachers;

PEOPLE: **Work with them, O God.**

LEADER: For all who serve the public good in any way by working;

PEOPLE: **Work with them, O God.**

LEADER: For all who labor without hope,
For all who labor without interest;
For those who have too little leisure,
For those who have too much leisure;
For those who are underpaid,
For those who pay small wages;
For those who cannot work,
For those who look in vain for work;
For those who trade on troubles of others,
For profiteers, extortioners, and greedy people;

PEOPLE: **Great God: we pray your mercy, grace, and saving power.**

LEADER: Work through us and help us always to work for you; in Jesus Christ our Lord.

PEOPLE: **Amen.**

The Christian Year

The Christian Year

As they worship, Christians are mindful of the mighty acts of God, especially as they are seen in the birth, the life, the death, and the resurrection of Jesus Christ. The pattern in which worshipers proceed from event to event and from remembrance to remembrance is called the Christian year.

The following prayers and readings are arranged according to the seasons of the Christian year. Calls to worship, readings, and special prayers are provided, as well as collects for each Lord's Day. Congregations are urged to supply Bibles for use in public worship, so that psalms and readings may be sung or said responsively.

For congregations that use color symbolism in connection with the seasons of the Christian year, the following summary of prevailing usage may be helpful:

Advent	Violet
Christmas Eve and Christmastide	White
Epiphany	White
Lent	Violet
Holy Week:	
Monday, Tuesday, Wednesday	Violet
Maundy Thursday	White
Good Friday	Red
Eastertide	White
Pentecost (and week following)	Red
Trinity Sunday (and week following)	White
Sundays After Pentecost (and weekdays)	Green

The Christian Year

ADVENT

CALLS TO WORSHIP

Isaiah 35:3–4
Isaiah 40:9
Matthew 25:31–34
Mark 1:15
Luke 3:4–6
Luke 12:35–37
Romans 13:11–12
II Corinthians 6:2
Philippians 4:4–5

RESPONSIVE READINGS

Psalms 24; 47; 76; 96; 98; Luke 1:46–55 or 68–79

PRAYER OF CONFESSION

God of the future: you are coming in power to bring nations under your rule. We confess that we have not expected your kingdom. We have lived casual lives, and ignored your promised judgment. Judge us, O God, for we have been slow to serve you. Forgive us, for the sake of your faithful servant Jesus, our Savior, whose triumph we want and eagerly wait for. **Amen.**

PRAYER OF THANKSGIVING

God our Father: you go before us, drawing us into the future where you are. We thank you for the hope we have in your word, the good promises of peace, healing, and justice. For signs of your patience, we are grateful. For every call to duty, we give you praise. Help us, O God, to follow where you lead until the day of our Lord Jesus, when the kingdom will come and you rule the world; for the sake of Christ our Savior. **Amen.**

COLLECTS

1st Sunday in Advent

O Lord: keep us awake and alert, watching for your kingdom. Make us strong in faith, so we may greet your Son when he comes, and joyfully give him praise, with you, and with the Holy Spirit. **Amen.**

2d Sunday in Advent

God of prophets: in the wilderness of Jordan you sent a messenger to prepare men's hearts for the coming of your Son. Help us to hear good news, to repent, and be ready to welcome the Lord, our Savior, Jesus Christ. **Amen.**

3d Sunday in Advent

Mighty God: you have made us and all things to serve you; now ready the world for your rule. Come quickly to save us, so that violence and crying shall end, and your children shall live in peace, honoring each other with justice and love; through Jesus Christ, who lives in power with you, and with the Holy Spirit, one God, forever. **Amen.**

4th Sunday in Advent

Eternal God: through long generations you prepared a way in our world for the coming of your Son, and by your Spirit you are still bringing the light of the gospel to darkened lives. Renew us, so that we may welcome Jesus Christ to rule our thoughts and claim our love, as Lord of lords and King of kings, to whom be glory always. **Amen.**

Christmas Eve

Give us, O God, such love and wonder, that with shepherds, and wise men, and pilgrims unknown, we may come to adore the holy child, the promised King; and with our gifts worship him, our Lord and Savior Jesus Christ. **Amen.**

As you came in the stillness of night, great God, enter our lives this night. Overcome darkness with the light of Christ's presence, so that we may clearly see the way to walk, the truth to speak, and the life to live for him, our Lord Jesus Christ. **Amen.**

CHRISTMASTIDE

CALLS TO WORSHIP

Isaiah 9:6
Micah 5:2–4
Luke 2:10–11
Luke 2:13–14
I John 4:9

RESPONSIVE READINGS

Psalms 67; 85; 113; 148
Isaiah 9:2–7

PRAYER OF CONFESSION

Almighty God, who sent a star to guide men to the holy child Jesus: we confess that we have not followed the light of your word. We have not searched for signs of your love in the world, or trusted good news to be good. We have failed to praise your Son's birth, and refused his peace on earth. We have expected little, and hoped for less. Forgive our doubt, and renew in us all fine desires, so we may watch and wait and once more hear the glad story of our Savior, Jesus Christ the Lord. **Amen.**

PRAYER OF THANKSGIVING

Great God of power: we praise you for Jesus Christ, who came to save us from our sins. We thank you for the prophets' hope, the angels' song, for the birth in Bethlehem. We thank you that in Jesus you joined us, sharing human hurts and pleasures. Glory to you for your wonderful love. Glory to you, eternal God; through Jesus Christ, Lord of lords, and King of kings, forever. **Amen.**

COLLECTS

Christmas Day

All glory to you, great God, for the gift of your Son, light in darkness and hope of the world, whom you sent to save mankind. With singing angels, let us praise your name, and tell the earth his story, so that men may believe, rejoice, and bow down, acknowledging your love; through Jesus Christ our Lord. **Amen.**

Holy Father: you brought peace and goodwill to earth when Christ was born. Fill us with such gladness that, hearing again news of his birth, we may come to worship him, who is Lord of lords, and King of kings, Jesus Christ our Savior. **Amen.**

Almighty God, whose glory angels sang when Christ was born: tell us once more the good news of his coming; that, hearing, we may believe, and live to praise his name, Jesus Christ our Savior. **Amen.**

1st Sunday After Christmas

God our Father: your Son Jesus became a man to claim us men as brothers in faith. Make us one with him, so that we may enjoy your love, and live to serve you as he did, who rules with you and with the Holy Spirit, one God, forever. **Amen.**

2d Sunday After Christmas

Eternal God: to you a thousand years go by as quickly as an evening. You have led us in days past; guide us now and always, that our hearts may turn to choose your will, and new resolves be strengthened; through Jesus Christ our Lord. **Amen.**

EPIPHANY

CALLS TO WORSHIP

Isaiah 60:1–3
Matthew 2:1–2
Luke 2:29–32
John 1:14
II Corinthians 4:6
Ephesians 2:17–18

RESPONSIVE READINGS

Psalms 27; 107:1–15
Isaiah 42:1–9
Isaiah, ch. 55

PRAYER OF CONFESSION

Great God our Father: you have given us Jesus, light of the world, but we choose darkness and cling to sins that hide the brightness of your love. We are frightened disciples who are slow to speak your gospel. Immersed in ourselves, we have not risen to new life. Baptize us with Holy Spirit, so that, forgiven and renewed, we may preach your word to nations, and tell your glory shining in the face of Jesus Christ, our Lord and our light forever. **Amen.**

PRAYER OF THANKSGIVING

God of light, Lord of nations: you have shown your glory in Jesus Christ to all mankind. We thank you for the power in him that has drawn us together, and baptized us into one holy church. We praise you for the work you have asked us to do in the world, going before you with good news, so that all people shall know your truth, and praise you; through Jesus Christ the Lord of all. **Amen.**

COLLECTS

Epiphany

God our Father, who by a star led men from far away to see the child Jesus: draw us and all men to him, so that, praising you now, we may in life to come meet you face to face; through Christ our Lord. **Amen.**

God of hope, who sent a star to guide men to where Christ was born: guide us by the light of your word, so we may come to him offering the gift of our lives, and go out into the world glorifying and praising you, for our Savior Jesus Christ. **Amen.**

1st Sunday After Epiphany

Holy God: you sent your Son to be baptized among sinners, to seek and save the lost. May we, who have been baptized in his name, never turn away from the world, but reach out in love to rescue wayward men; by the mercy of Christ our Lord. **Amen.**

2d Sunday After Epiphany

Great God: your mercy is an unexpected miracle. Help us to believe and obey, so that we may be free from the worry of sin, and be filled with the wine of new life, promised in the power of Jesus Christ our Savior. **Amen.**

3d Sunday After Epiphany

Almighty God: your Son our Lord called men to serve him as disciples. May we who have also heard his call rise up to follow where he leads, obedient to your perfect will; through Jesus Christ our Lord. **Amen.**

4th Sunday After Epiphany

Give us, O God, patience to speak good news to those who oppose us, and to help those who may rage against us, so that, following in the way of your Son, we may rejoice even when rejected, trusting in your perfect love which never fails; through Jesus Christ our Lord. **Amen.**

5th Sunday After Epiphany

God our Father: you have appointed us witnesses, to be a light that shines in the world. Let us not hide the bright hope you have given us, but tell all men your love, revealed in Jesus Christ the Lord. **Amen.**

6th Sunday After Epiphany

Almighty God: you gave the law as a good guide for our lives. May we never shrink from your commandments, but, as we are taught by your Son Jesus, fulfill the law in perfect love; through Christ our Lord and Master. **Amen.**

7th Sunday After Epiphany

Almighty God: you have commanded us to love our enemies, and to do good to those who hate us. May we never be content with affection for our friends, but reach out in love to all your children; through Jesus Christ our Lord. **Amen.**

8th Sunday After Epiphany

Gracious God: you know that we are apt to bring back the troubles of yesterday, and to forecast the cares of tomorrow. Give us grace to throw off fears and anxieties, as our Lord commanded, so that today and every day we may live in peace; through Jesus Christ our Lord. **Amen.**

LENT

CALLS TO WORSHIP

Psalm 139:23–24
Isaiah 1:18
Isaiah 53:6
Luke 15:18
I Corinthians 10:13
Hebrews 4:14–16
I John 1:8–9

RESPONSIVE READINGS

Psalms 1; 6; 14; 32; 39; 51; 73; 130

PRAYER OF CONFESSION

O God of mercy: you sent Jesus Christ to save lost men. Judge us with love, and lift the burden of our sins. We confess that we are twisted by pride. We see ourselves pure when we are stained, and great when we are small. We have failed in love, forgotten to be just, and have turned away from your truth. Have mercy, O God, and forgive our sin, for the sake of Jesus your Son, our Savior. **Amen.**

PRAYER OF THANKSGIVING

We give thanks to you, God our Father, for mercy that reaches out, for patience that waits our returning, and for your love that is ever ready to welcome sinners. We praise you that in Jesus Christ you came to us with forgiveness, and that, by your Holy Spirit, you move us to repent and receive your love. Though we are sinners, you are faithful and worthy of all praise. We praise you, great God, in Jesus Christ our Lord. **Amen.**

COLLECTS

Ash Wednesday

Almighty God: you love all your children, and do not hate them for their sins. Help us to face up to ourselves, admit we are in the wrong, and reach with confidence for your mercy; in Jesus Christ the Lord. **Amen.**

1st Sunday in Lent

Almighty God: you know that in this world we are under great pressure, so that, at times, we cannot stand. Stiffen our resolve and make faith strong, so we may dig in against temptation and, by your power, overcome; through Jesus Christ the Lord. **Amen.**

2d Sunday in Lent

O God, who revealed glory in Jesus Christ to disciples: help us to listen to your word, so that, seeing the wonders of Christ's love, we may descend with him to a sick and wanting world, and minister as he ministered with compassion for all; for the sake of Jesus, your Son, our Lord. **Amen.**

3d Sunday in Lent

God of holy love: you have poured out living water in the gift of your Son Jesus. Keep us close to him, and loyal to his leading, so that we may never thirst for righteousness, but live eternal life; through our Savior, Christ the Lord. **Amen.**

4th Sunday in Lent

Almighty God, merciful Father: we do not deserve to be called your children, for we have left you, and wasted our gifts. Help us to know that when we repent and turn to you, you are forgiving, and are coming with joy to welcome us; through Jesus Christ our Lord. **Amen.**

5th Sunday in Lent

Great God, whose Son Jesus came as a servant among us: control our wants and restrain our ambitions, so that we may serve you faithfully and fulfill our lives; in Jesus Christ our Lord. **Amen.**

O God: your Son Jesus set his face toward Jerusalem, and did not turn from the cross. Save us from timid minds that shrink from duty, and prepare us to take up our cross, and to follow in the way of Jesus Christ our Lord. **Amen.**

PALM SUNDAY AND HOLY WEEK

CALLS TO WORSHIP

Psalm 24:9–10; Zechariah 9:9; Mark 11:9–10; Revelation 11:15b

RESPONSIVE READINGS

Psalms 24; 118:19–29; 150

PRAYER OF CONFESSION

Eternal God: in Jesus Christ you entered Jerusalem to die for our sins. We confess we have not hailed you as king, or gone before you in the world with praise. For brief faith that fades in trouble, for enthusiasms that fizzle out, for hopes we parade but do not pursue, have mercy on us. Forgive us, God, and give us such trust in your power that, in every city, we may live for justice and tell your loving-kindness; for the sake of our Savior, the Lord Jesus Christ. **Amen.**

PRAYER OF THANKSGIVING

Great God of power: you sent the Lord Jesus to enter our world and save men from sins. We thank you for glad disciples, who greeted him with praise and spread branches in his pathway. We thank you that he comes again to enter our lives by faith, and that, as his new disciples, we too may shout Hosanna, and welcome him, the King of love, Jesus Christ our Savior. **Amen.**

COLLECTS

Palm Sunday

Almighty God: you gave your Son to be the leader of men. As he entered Jerusalem, may we enter our world to follow him, obeying you and trusting your power, willing to suffer or die; through Jesus Christ the Lord. **Amen.**

Monday

Great God: cleanse your church of fake piety, overturn our greed, and let us be a holy people, repentant, prayerful, and ready to worship you in Spirit and in truth; through Jesus Christ our Lord. **Amen.**

Tuesday

Holy Father, whose mercy never ends: even as Jesus came not to judge but to save men, so may we, his believing people, seek to reach men everywhere with your saving word; through Jesus Christ our Lord. **Amen.**

Wednesday

Everlasting God, who delivered the Children of Israel from cruel captivity: may we be delivered from sin and death by your mighty power, and celebrate the hope of life eternal within your promised kingdom; through Jesus Christ our Savior. **Amen.**

MAUNDY THURSDAY

CALLS TO WORSHIP

Luke 22:15–16 *John 6:9* *I Corinthians 5:7–8*

RESPONSIVE READINGS

Psalms 23; 42; 59:1–4, 14–17; 63:1–9

PRAYER OF CONFESSION

Eternal God, whose covenant with us is never broken: we confess that we have failed to fulfill your will for us. We betray our neighbors and desert our friends, and run in fear when we should be loyal. Though you have bound yourself to us, we will not bind ourselves to you. God, have mercy on us, weak and willful people. Lead us once more to table, and, once more, unite us to Christ, who is bread of life and the vine from which we grow in grace, to whom be praise forever. **Amen.**

PRAYER OF THANKSGIVING

God of grace: you welcome us to the table of our Lord Jesus and give gifts more than we deserve or desire. We are grateful for Christ, who feeds our faith and renews your covenant with us, who by his death gives life to all who trust in him. How can we thank you for his love? Give us a willingness to serve as he has served us, our Lord and Savior, Jesus Christ your Son. **Amen.**

COLLECT

O God: your love lived in Jesus Christ, who washed disciples' feet on the night of his betrayal. Wash from us the stain of sin, so that, in hours of danger, we may not fail, but follow your Son through every trial, and praise him to the world as Lord and Christ, to whom be glory now and forever. **Amen.**

GOOD FRIDAY

CALLS TO WORSHIP

Psalm 22:1; Isaiah 53:4; Lamentations 1:12; I Peter 2:24–25

RESPONSIVE READINGS

Psalms 13; 22:1–11; 88; 89:38–52

PRAYER OF CONFESSION

Holy God, Father of our Lord Jesus Christ: your mercy is more than our minds can measure; your love outlasts our sin. Forgive our guilt and fear and angers. We pass by neighbors in distress, and are cruel to needy men. We are quick to blame others, slow making up, and our resentments fester. Have mercy on us, God, have mercy on us, who blindly live our lives, for we do not know what we are doing. Destroy sin and sick pride, and renew us by the love of Christ, who was crucified, and died for us. **Amen.**

PRAYER OF THANKSGIVING

Great God: we thank you for Jesus, who was punished for our sins, and suffered shameful death to rescue us. We praise you for the trust we have in him, for mercy undeserved, and for love you pour out on us and all men. Give us gratitude, O God, and a great desire to serve you, by taking our cross, and following in the way of Jesus Christ the Savior. **Amen.**

COLLECTS

Merciful Father: you gave your Son to suffer the shame of the cross. Save us from hardness of heart, so that, seeing him who died for us, we may repent, confess our sin, and receive your overflowing love, in Jesus Christ our Lord. **Amen.**

How great is your love, O God, for sending Jesus to take up a cross and lay down his life for the world. Work in us such true remorse that we may cast out sin, welcome mercy, and live in wonder, praising the perfect sacrifice of Jesus Christ the Savior. **Amen.**

EASTERTIDE

CALLS TO WORSHIP

John 11:25 · *I Corinthians 15:55* · *I Peter 1:3–4*
I Corinthians 15:20–21 · *Colossians 3:1–4*

RESPONSIVE READINGS

Psalms 30; 66; 103; 111; 116; 150

PRAYER OF CONFESSION

Mighty God: by your power is Christ raised from death to rule this world with love. We confess that we have not believed in him, but fall into doubt and fear. Gladness has no home in our hearts, and gratitude is slight. Forgive our dread of dying, our hopelessness, and set us free for joy in the victory of Jesus Christ, who was dead but lives, and will put down every power to hurt or destroy, when your promised kingdom comes. **Amen.**

PRAYER OF THANKSGIVING

We give you thanks, great God, for the hope we have in Jesus, who died but is risen, and rules over all. We praise you for his presence with us. Because he lives, we look for eternal life, knowing that nothing past, present, or yet to come can separate us from your great love made known in Jesus Christ our Lord. **Amen.**

COLLECTS

Easter

Almighty God: through the rising of Jesus Christ from the dead you have given us a living hope. Keep us joyful in all our trials, and guard faith, so we may receive the wonderful inheritance of life eternal, which you have prepared for us; through Jesus Christ the Lord. **Amen.**

Mighty God: you raised up Jesus from death to life. Give us such trust in your power that, all our days, we may be glad, looking to that perfect day when we celebrate your victory with Christ the Lord, to whom be praise and glory. **Amen.**

2d Sunday in Eastertide

Mighty God, whose Son Jesus broke bonds of death and scattered the powers of darkness: arm us with such faith in him that, facing evil and death, we may overcome as he overcame, Jesus Christ, our hope and our redeemer. **Amen.**

3d Sunday in Eastertide

Tell us, O God, the mystery of your plans for the world, and show us the power of our risen Lord, so that day by day obeying you, we may look forward to a feast with him within your promised kingdom; by the grace of our Lord Jesus Christ. **Amen.**

4th Sunday in Eastertide

Almighty God, who sent Jesus, the good shepherd, to gather us together: may we not wander from his flock, but follow where he leads us, knowing his voice and staying near him, until we are safely in your fold, to live with you forever; through Jesus Christ our Lord. **Amen.**

5th Sunday in Eastertide

God of hope: you promise many homes within your house where Christ now lives in glory. Help us to take you at your word, so our hearts may not be troubled or afraid, but trust your fatherly love, for this life, and the life to come; through Jesus Christ our Lord. **Amen.**

6th Sunday in Eastertide

O God: your Son Jesus prayed for his disciples, and sent them into the world to preach good news. Hold the church in unity by your Holy Spirit, and keep the church close to your word, so that, breaking bread together, disciples may be one with Christ in faith and love and service. **Amen.**

ASCENSION DAY

CALLS TO WORSHIP

John 17:1–3
John 20:17
Acts 1:11
Colossians 3:1–2
Hebrews 4:14

RESPONSIVE READINGS

Psalms 47; 93; 95:1–7; 97; 113

PRAYER OF CONFESSION

Almighty God: you have lifted up our Lord Jesus from death into life eternal, and set him over men and nations. We confess that we have not bowed before him, or acknowledged his rule in our lives. We have gone along with the way of the world, and been careless of fellowmen. Forgive us, O God, and lift us out of sin. Make us men who live to praise you, and to obey the commands of our Lord Jesus Christ, who is King of the world and head of the church his body. **Amen.**

PRAYER OF THANKSGIVING

Great God, mighty God: by your power is Jesus raised to be Savior of men and ruler of nations. We thank you that he commands our lives, lifts our aims, and leads us into faith. We praise you for his love which embraces the world, and works compassion in us. Glory to you for the gift of his life. Glory to you for his loving death. Glory to you for Jesus Christ, the master of us all. **Amen.**

COLLECTS

Ascension Day

Almighty God: your Son Jesus promised that if he was lifted up, he would draw all men to himself. Draw us to him by faith, so that we may live to serve you, and look toward life eternal; through Jesus Christ the Lord. **Amen.**

7th Sunday in Eastertide

Lord of all times and places: your thoughts are not our thoughts, your ways are not our ways, and you are lifted high above our little lives. Rule our minds, and renew our ways, so that, in mercy, we may be drawn near you; through Jesus Christ our Lord and Master. **Amen.**

PENTECOST

CALLS TO WORSHIP

Joel 2:28
Matthew 9:37–38
John 3:6–8
John 14:15–17
Acts 1:8
Romans 5:3–5
I Corinthians 12:4–7
I John 4:13

RESPONSIVE READINGS

Psalms 19; 29; 84; 139

PRAYER OF CONFESSION

Almighty God, who sent the promised power of the Holy Spirit to fill disciples with willing faith: we confess that we have held back the force of your Spirit among us; that we have been slow to serve you, and reluctant to spread the good news of your love. God, have mercy on us. Forgive our divisions, and by your Spirit draw us together. Fill us with flaming desire to do your will, and be a faithful people; for the sake of your Son, our Lord, Jesus Christ. **Amen.**

PRAYER OF THANKSGIVING

Mighty God: you have called us together, and, by your Holy Spirit, made us one with your Son our Lord. We thank you for the church, for the power of the word and the sacraments. We praise you for apostles, martyrs, and brave men who have witnessed for you. We are glad you have joined us in friendship with all Christian men, and that you sent us into the world full of Holy Spirit to say that you are love; through Jesus Christ our Lord. **Amen.**

COLLECTS

Pentecost (Whitsunday)

O God: you sent the promised fire of your Spirit to make saints of common men. Once more, as we are waiting and together, may we be enflamed with such love for you that we may speak boldly in your name, and show your wonderful power to the world; through Jesus Christ our Lord. **Amen.**

Mighty God: by the fire of your Spirit you have welded disciples into one holy church. Help us to show the power of your love to all men, so they may turn, and, with one voice in one faith, call you Lord and Father; through Jesus Christ. **Amen.**

1st Sunday After Pentecost (Trinity Sunday)

Almighty God, Father of our Lord Jesus Christ and giver of the Holy Spirit: keep our minds searching your mystery, and our faith strong to declare that you are one eternal God and Father, revealed by the Spirit, through our Lord Jesus Christ. **Amen.**

2d Sunday After Pentecost

Almighty God: you have commanded us to rise up and walk in righteousness. Help us not only to hear you, but to do what you require; through Jesus Christ, our rock and our redeemer. **Amen.**

3d Sunday After Pentecost

God of power: you work for good in the world, and you want us to work with you. Keep us from being divided, so that when you call, we may follow single-mindedly in the way of Jesus Christ, our Lord and Master. **Amen.**

4th Sunday After Pentecost

Mighty God: your kingdom has come in Jesus of Nazareth, and grows among us day by day. Send us into the world to preach good news, so that men may believe, be rescued from sin, and become your faithful people; through Jesus Christ our Savior. **Amen.**

5th Sunday After Pentecost

Great God: you guard our lives, and put down powers that could overturn us. Help us to trust you, to acknowledge you before men, and to live for Jesus Christ, the Lord of all. **Amen.**

6th Sunday After Pentecost

Holy God: your Son demands complete devotion. Give us courage to take up our cross, and, without turning back, to follow where he leads us, Christ our Lord and Master. **Amen.**

7th Sunday After Pentecost

Almighty God: you have disclosed your purpose in Jesus of Nazareth. May we never reject him, but, hearing his message with childlike faith, praise him, our Lord and Master. **Amen.**

8th Sunday After Pentecost

Great God: your word is seed from which faith grows. As we receive good news, may your love take root in our lives, and bear fruit of compassion; through Jesus Christ our Lord. **Amen.**

9th Sunday After Pentecost

God of compassion: you are patient with evil, and you care for lost men. Teach us to obey you, and to live our lives following the good shepherd, Jesus Christ our Lord. **Amen.**

10th Sunday After Pentecost

Help us to seek you, God of our lives, so that in seeking, we may find the hidden treasure of your love, and rejoice in serving you; through Jesus Christ our Lord. **Amen.**

11th Sunday After Pentecost

God of grace: your Son Jesus fed hungry men with loaves of borrowed bread. May we never hoard what we have, but gratefully share with others good things you provide; through Jesus Christ, the bread of life. **Amen.**

12th Sunday After Pentecost

Mighty God: your Son Jesus came to comfort fearful men. May we never be afraid, but, knowing you are with us, take heart, and faithfully serve Christ the Lord. **Amen.**

13th Sunday After Pentecost

Holy God: we do not deserve crumbs from your table, for we are sinful, dying men. May we have grace to praise you for the bread of life you give in Jesus Christ, the Lord of love, and the Savior of us all. **Amen.**

14th Sunday After Pentecost

God our Father: you sent your Son to be our Savior. Help us to confess his name, to serve him without getting in the way, and to hear words of eternal life through him, Jesus Christ our Lord. **Amen.**

15th Sunday After Pentecost

Holy God: you welcome men who are modest and loving. Help us to give up pride, serve neighbors, and humbly walk with your Son, our Lord, Jesus Christ. **Amen.**

16th Sunday After Pentecost

God our Father: you have promised the Holy Spirit whenever we gather in the name of your Son. Be with us now, so we may hear your word, and believe in Christ, our Lord and Savior. **Amen.**

17th Sunday After Pentecost

Loving Father: whenever we wander, in mercy you find us. Help us to forgive without pride or ill will, as you forgive us, so that your joy may be ours; through Jesus Christ the Lord. **Amen.**

18th Sunday After Pentecost

Almighty God: you call men to serve you, and count desire more than deeds. Keep us from measuring ourselves against neighbors who are slow to serve you; and make us glad whenever men turn to you in faith; through Jesus Christ our Lord. **Amen.**

19th Sunday After Pentecost

Great God, Father of us all: you send us into the world to do your work. May we not only promise to serve you, but do what you command, loving neighbors, and telling the good news of Jesus Christ our Lord. **Amen.**

20th Sunday After Pentecost

Great God: you have put us to work in the world, reaping the harvest of your word. May we be modest servants, who follow orders willingly, in the name of Jesus Christ, your faithful Son, our Lord. **Amen.**

21st Sunday After Pentecost

Gracious God: you have invited us to feast in your promised kingdom. May we never be so busy taking care of things that we cannot turn to you, and thankfully celebrate the power of your Son, our Lord, Jesus Christ. **Amen.**

22d Sunday After Pentecost

Almighty God: in your kingdom the last shall be first, and the least shall be honored. Help us to live with courtesy and love, trusting the wisdom of your rewards, made known in Jesus Christ our Lord. **Amen.**

23d Sunday After Pentecost

Eternal God: you taught us that we shall live, if we love you and our neighbor. Help us to know who our neighbor is, and to serve him, so that we may truly love you; through Jesus Christ our Lord. **Amen.**

24th Sunday After Pentecost

Lord God: open our eyes to see wonderful things in your law, and open our hearts to receive the gift of your saving love; through Jesus Christ the Lord. **Amen.**

25th Sunday After Pentecost

Eternal God: help us to watch and wait for the coming of your Son, so that when he comes, we may be found living in light, ready to celebrate the victory of Jesus Christ the Lord. **Amen.**

26th Sunday After Pentecost

God our Father: you have given us a measure of faith, and told us to be good workmen. Keep us busy, brave, and unashamed, ever ready to greet your Son Jesus Christ, our judge and our redeemer. **Amen.**

27th Sunday After Pentecost

Eternal God: in Jesus Christ you judge the nations. Give us a heart to love the loveless, the lonely, the hungry, and the hurt, without pride or a calculating spirit, so that at last we may bow before you, and be welcomed into joy; through Jesus Christ, King of ages and Lord of all creation. **Amen.**

Special Days

NEW YEAR'S EVE OR DAY

CALLS TO WORSHIP

Isaiah 40:31 *II Peter 3:8–9* *Revelation 4:8b*

RESPONSIVE READINGS

Psalms 60; 121; 150
Isaiah 65:17–25

PRAYER OF CONFESSION

Eternal God: you make all things new, and forgive old wrongs we can't forget. We confess we have spent time without loving, and years without purpose; and the calendar condemns us. Daily we have done wrong, and failed to do what you demand. Forgive the past; do not let evil cripple or shame us. Lead us into the future, free from sin, free to love, and ready to work for your Son, our Savior, Jesus Christ the Lord. **Amen.**

PRAYER OF THANKSGIVING

God of our lives: you will be faithful in time to come, as in years gone by. We praise you for goodness undeserved, and gifts received we cannot number. For life and health and loving friends; for work and leisure; for all grand things you give, we thank you, Lord and God. Above all, we praise you for Jesus Christ, who lifts our hopes, and leads us in your way. Praise and reverence, honor and glory, to you, great God; through Jesus Christ the Lord. **Amen.**

COLLECT

Judge eternal: in your purpose our lives are lived, and by your grace our hopes are bright. Be with us in the coming year, forgiving, leading, and saving; so that we may walk without fear, in the way of Jesus Christ our Lord. **Amen.**

CHRISTIAN UNITY

(*See also Litany for the Unity of Christ's Church*)

CALLS TO WORSHIP

Matthew 18:19–20 *Ephesians 2:13–15* *Ephesians 4:4–6*
Romans 15:5–6

RESPONSIVE READINGS

Psalms 81; 84; 96; 100; 111; 122

PRAYER OF CONFESSION

Great God: your Son called disciples, and prayed for their unity. Forgive divisions. Help us to confess our lack of charity toward people whose customs are different, or whose creeds conflict with what we believe. Forgive arrogance that claims God's truth; that will not listen or learn new ways. Heal broken fellowship in your mercy, and draw the church together in one faith, loyal to one Lord and Savior, Jesus Christ. **Amen.**

PRAYER OF THANKSGIVING

God of prophets and apostles, whose Spirit is working peace among us: you have called us to be your holy people, and invited us to break bread in common faith. We thank you for every word or act that makes unity in the church; for open minds and hearts; for patient understanding. Above all, we thank you for your Son, who prays for us; that we may be one in charity toward each other, serving him who is our head, Christ the Lord and Savior. **Amen.**

COLLECT

Eternal God: you have called us to be members of one body. Bind us to those who in all times and places have called on your name, so that, with one heart and mind, we may display the unity of the church, and bring glory to your Son, our Savior, Jesus Christ. **Amen.**

WORLD COMMUNION

(See also Litany for the Church, and Litany of the Names of the Church)

CALLS TO WORSHIP

I Corinthians 10:16–17; II Corinthians 5:17–18; Ephesians 4:4–6

RESPONSIVE READINGS

Psalms 23; 65; 84; 116; 130

PRAYER OF CONFESSION

Almighty God: from the ends of the earth you have gathered us around Christ's holy table. Forgive our separate ways. Forgive everything that keeps us apart; the prides that prevent our proper reunion. O God, have mercy on your church, troubled and divided. Renew in us true unity of purpose; that we may break bread together, and, with one voice, praise Jesus Christ our Lord. **Amen.**

PRAYER OF THANKSGIVING

God our Father: we thank you for setting a table before us, and for calling disciples from every place to feast together. We praise you for love that binds, and for faith that makes us brothers. We glorify you for your Spirit at work, building one holy church in the world, to serve Jesus Christ, the true vine and the bread of life, our Lord and living Savior. **Amen.**

COLLECT

O God: your Son prayed for his disciples; that they might be one. Draw us to you, so that we may be united in fellowship with your Spirit, loving one another as in Jesus Christ you have loved us. **Amen.**

REFORMATION SUNDAY

CALLS TO WORSHIP

Psalm 27:4 *Hebrews 12:1–2*

RESPONSIVE READINGS

Psalms 85; 145; 150

PRAYER OF CONFESSION

God of our Fathers: you raised up brave and able men to reform the church. We confess that we have lost our way again, and need new reformation. We are content with easy religion, with too much money and too little charity; we cultivate indifference. Lord, let your word shake us up, and your Spirit renew us, so that we may repent, have better faith, and never shrink from sacrifice; in the name of Jesus Christ our only Lord and Savior. **Amen.**

PRAYER OF THANKSGIVING

Holy God: you have chosen us to serve you, and appointed us the agents of your love. We thank you for prophets who recall us to your will. We are grateful for every impulse to confess and correct wrongs, to keep faith pure and purposes faithful. We praise you for your Holy Spirit always reforming the church, so we may better serve as disciples of your Son, Jesus Christ the Lord. **Amen.**

COLLECT

God of Abraham, Isaac, and Jacob; God of prophets and martyrs: give us courage to obey your word, and power to renew your church, so that we may live in the Spirit, sharing faith with Jesus Christ our Lord. **Amen.**

THANKSGIVING DAY

(*See also Litany of Thanksgiving*)

CALLS TO WORSHIP

Psalm 24:1
Psalm 72:18–19
Psalm 100:4–5
Psalm 107:1

RESPONSIVE READINGS

Psalms 67; 103; 107; 136; 138; 148

PRAYER OF CONFESSION

Almighty God: in love you spread good gifts before us, more than we need or deserve. You feed, heal, teach, and save us. We confess that we always want more; that we never share as freely as you give. We resent what we lack, and are jealous of neighbors. We misuse what you intend for joy. God, forgive our stubborn greed, and our destructiveness. In mercy, help us to take such pleasure in your goodness that we will always be thanking you; through Jesus Christ our Lord. **Amen.**

PRAYER OF THANKSGIVING

Gracious God: by your providence we live and work and join in families; and from your hand receive those things we need, gift on gift, all free. We thank you for the harvest of goodness you supply: for food and shelter, for words and gestures, for all our human friendships. Above all, we praise you for your Son, who came to show mercy, and who names us his own brothers. Glory to you for great kindness to us and all your children; through Jesus Christ our Lord. **Amen.**

COLLECT

Heavenly Father: you have filled the world with beauty. Open our eyes to see love in all your works, so that, enjoying the whole creation, we may serve you with gladness; through Jesus Christ our Lord. **Amen.**

DAY OF CIVIC OR NATIONAL SIGNIFICANCE

(*See also Litany for the Nation*)

CALLS TO WORSHIP

Psalm 29:11
Psalm 33:12
Psalm 62:8
Matthew 5:9

RESPONSIVE READINGS

Psalms 2; 33; 46; 47; 98
Isaiah 9:2–7

PRAYER OF CONFESSION

God our Father: you led men to this land, and, out of conflict, created in us a love of peace and liberty. We have failed you by neglecting rights and restricting freedoms. Forgive pride that overlooks national wrong, or justifies injustice. Forgive divisions caused by prejudice or greed. Have mercy, God, on the heart of this land. Make us compassionate, fair, and helpful to each other. Raise up in us a right patriotism, that sees and seeks this nation's good; through Jesus Christ the Lord. **Amen.**

PRAYER OF THANKSGIVING

Great God: we thank you for this land so fair and free; for its worthy aims and charities. We are grateful for people who have come to our shores, with customs and accents to enrich our lives. You have led us in the past, forgiven evil, and will lead us in time to come. Give us a voice to praise your goodness in this land of living men, and a will to serve you, now and always; through Jesus Christ our Lord. **Amen.**

COLLECT

Almighty God, judge of nations: make us brave to seek your will in the land you have given us, lest in our political actions, we neglect those things which belong to your glory; through Jesus Christ our Lord. **Amen.**

Lectionary
for the Christian Year

Lectionary for the Christian Year

A lectionary is a list of Scripture lessons, each lesson assigned to be helpful on a particular Lord's Day within the Christian year. Presbyterian churches seek to be obedient to Holy Scripture. A lectionary not only aids worshipers in the remembering of the events of God but also assures the reading and the hearing of the Old Testament and the New Testament in their fullness.

This lectionary provides readings for a cycle of three years. The designations A, B, and C are used for the first, second, and third years. Each Christian year in the three-year cycle begins, of course, at Advent of one year and continues to the Lord's Day just before the beginning of Advent in the next year.

Because other Christian churches are using this lectionary, congregations may wish to follow the cycle in the same pattern as the others. The general practice is such that those years whose last two digits are divisible by three are years in which the lessons designated B are employed, beginning at Advent. This arithmetical rule is usable from 1969 to 1999. For example: the year 1981 has as its last two digits 81. They are divisible by 3, with the result being 27, and no fraction. Thus a congregation using the lectionary, and wanting to read the Scriptures concurrently with its neighbors, would begin to use the readings for year B at Advent 1981 and would conclude year B just before Advent 1982. Year C would immediately follow and would be followed by Year A.

Lectionary for the Christian Year

ADVENT

A four-week period in which the church joyfully remembers the coming of Christ and eagerly looks forward to his coming again. Beginning with the Sunday nearest November 30, the season is observed for the four Sundays prior to Christmas.

Sunday or Festival	*Year*	*First Lesson*	*Second Lesson*	*Gospel*
1st Sunday in Advent	A	Isa. 2:1–5	Rom. 13:11–14	Matt. 24:36–44
	B	Isa. 63:16 to 64:4	I Cor. 1:3–9	Mark 13:32–37
	C	Jer. 33:14–16	I Thess. 5:1–6	Luke 21:25–36
2d Sunday in Advent	A	Isa. 11:1–10	Rom. 15:4–9	Matt. 3:1–12
	B	Isa. 40:1–5, 9–11	II Peter 3:8–14	Mark 1:1–8
	C	Isa. 9:2, 6–7	Phil. 1:3–11	Luke 3:1–6
3d Sunday in Advent	A	Isa. 35:1–6, 10	James 5:7–10	Matt. 11:2–11
	B	Isa. 61:1–4, 8–11	I Thess. 5:16–24	John 1:6–8, 19–28
	C	Zeph. 3:14–18	Phil. 4:4–9	Luke 3:10–18
4th Sunday in Advent	A	Isa. 7:10–15	Rom. 1:1–7	Matt. 1:18–25
	B	II Sam. 7:8–16	Rom. 16:25–27	Luke 1:26–38
	C	Micah 5:1–4	Heb. 10:5–10	Luke 1:39–47
Christmas Eve	A	Isa. 62:1–4	Col. 1:15–20	Luke 2:1–14
	B	Isa. 52:7–10	Heb. 1:1–9	John 1:1–14
	C	Zech. 2:10–13	Phil. 4:4–7	Luke 2:15–20

CHRISTMASTIDE

The festival of the birth of Christ, the celebration of the incarnation. A twelve-day period from December 25 to January 5, which may include either one or two Sundays after Christmas.

Sunday or Festival	*Year*	*First Lesson*	*Second Lesson*	*Gospel*
Christmas Day	A	Isa. 9:2, 6–7	Titus 2:11–15	Luke 2:1–14
	B	Isa. 62:6–12	Col. 1:15–20	Matt. 1:18–25
	C	Isa. 52:6–10	Eph. 1:3–10	John 1:1–14

CHRISTMASTIDE—Continued

Sunday or Festival	*Year*	*First Lesson*	*Second Lesson*	*Gospel*
1st Sunday After Christmas	A	Eccl. 3:1–9, 14–17	Col. 3:12–17	Matt. 2:13–15, 19–23
	B	Jer. 31:10–13	Heb. 2:10–18	Luke 2:25–35
	C	Isa. 45:18–22	Rom. 11:33 to 12:2	Luke 2:41–52
2d Sunday After Christmas	A	Prov. 8:22–31	Eph. 1:15–23	John 1:1–5, 9–14
	B	Isa. 60:1–5	Rev. 21:22 to 22:2	Luke 2:21–24
	C	Job 28:20–28	I Cor. 1:18–25	Luke 2:36–40

EPIPHANY

A season marking the revelation of God's gift of himself to all men. Beginning with the day of Epiphany (January 6), this season continues until Ash Wednesday, and can include from four to eight Sundays.

Sunday or Festival	*Year*	*First Lesson*	*Second Lesson*	*Gospel*
Epiphany		Isa. 60:1–6	Eph. 3:1–6	Matt. 2:1–12
1st Sunday After Epiphany	A	Isa. 42:1–7	Acts 10:34–43	Matt. 3:13–17
	B	Isa. 61:1–4	Acts 11:4–18	Mark 1:4–11
	C	Gen. 1:1–5	Eph. 2:11–18	Luke 3:15–17, 21–22
		(or the readings for the day of Epiphany, if observed on Sunday)		
2d Sunday After Epiphany	A	Isa. 49:3–6	I Cor. 1:1–9	John 1:29–34
	B	I Sam. 3:1–10	I Cor. 6:12–20	John 1:35–42
	C	Isa. 62:2–5	I Cor. 12:4–11	John 2:1–12
3d Sunday After Epiphany	A	Isa. 9:1–4	I Cor. 1:10–17	Matt. 4:12–23
	B	Jonah 3:1–5, 10	I Cor. 7:29–31	Mark 1:14–22
	C	Neh. 8:1–3, 5–6, 8–10	I Cor. 12:12–30	Luke 4:14–21
4th Sunday After Epiphany	A	Zeph. 2:3; 3:11–13	I Cor. 1:26–31	Matt. 5:1–12
	B	Deut. 18:15–22	I Cor. 7:32–35	Mark 1:21–28
	C	Jer. 1:4–10	I Cor. 13:1–13	Luke 4:22–30
5th Sunday After Epiphany	A	Isa. 58:7–10	I Cor. 2:1–5	Matt. 5:13–16
	B	Job 7:1–7	I Cor. 9:16–19, 22–23	Mark 1:29–39
	C	Isa. 6:1–8	I Cor. 15:1–11	Luke 5:1–11

EPIPHANY—Continued

Sunday or Festival	*Year*	*First Lesson*	*Second Lesson*	*Gospel*
6th Sunday After Epiphany	A	Deut. 30:15–20	I Cor. 2:6–10	Matt. 5:27–37
	B	Lev. 13:1–2, 44–46	I Cor. 10:31 to 11:1	Mark 1:40–45
	C	Jer. 17:5–8	I Cor. 15:12–20	Luke 6:17–26
7th Sunday After Epiphany	A	Lev. 19:1–2, 17–18	I Cor. 3:16–23	Matt. 5:38–48
	B	Isa. 43:18–25	II Cor. 1:18–22	Mark 2:1–12
	C	I Sam. 26:6–12	I Cor. 15:42–50	Luke 6:27–36
8th Sunday After Epiphany	A	Isa. 49:14–18	I Cor. 4:1–5	Matt. 6:24–34
	B	Hos. 2:14–20	II Cor. 3:17 to 4:2	Mark 2:18–22
	C	Job 23:1–7	I Cor. 15:54–58	Luke 6:39–45
9th Sunday After Epiphany		Use readings listed for 27th Sunday after Pentecost.		

LENT

A period of forty weekdays and six Sundays, beginning on Ash Wednesday and culminating in Holy Week. In joy and sorrow during this season, the church proclaims, remembers, and responds to the atoning death of Christ.

Sunday or Day	*Year*	*First Lesson*	*Second Lesson*	*Gospel*
Ash Wednesday	A	Joel 2:12–18	II Cor. 5:20 to 6:2	Matt. 6:1–6, 16–18
	B	Isa. 58:3–12	James 1:12–18	Mark 2:15–20
	C	Zech. 7:4–10	I Cor. 9:19–27	Luke 5:29–35
1st Sunday in Lent	A	Gen. 2:7–9; 3:1–7	Rom. 5:12–19	Matt. 4:1–11
	B	Gen. 9:8–15	I Peter 3:18–22	Mark 1:12–15
	C	Deut. 26:5–11	Rom. 10:8–13	Luke 4:1–13
2d Sunday in Lent	A	Gen. 12:1–7	II Tim. 1:8–14	Matt. 17:1–9
	B	Gen. 22:1–2, 9–13	Rom. 8:31–39	Mark 9:1–9
	C	Gen. 15:5–12, 17–18	Phil. 3:17 to 4:1	Luke 9:28–36

LENT—Continued

Sunday	*Year*	*First Lesson*	*Second Lesson*	*Gospel*
3d Sunday in Lent	A	Ex. 24:12–18	Rom. 5:1–5	John 4:5–15
	B	Ex. 20:1–3, 7–8, 12–17	I Cor. 1:22–25	John 4:19–26
	C	Ex. 3:1–8, 13–15	I Cor. 10:1–12	Luke 13:1–9
4th Sunday in Lent	A	II Sam. 5:1–5	Eph. 5:8–14	John 9:1–11
	B	II Chron. 36:14–21	Eph. 2:1–10	John 3:14–21
	C	Josh. 5:9–12	II Cor. 5:16–21	Luke 15:11–32
5th Sunday in Lent	A	Ezek. 37:11–14	Rom. 8:6–11	John 11:1–4, 17, 34–44
	B	Jer. 31:31–34	Heb. 5:7–10	John 12:20–33
	C	Isa. 43:16–21	Phil. 3:8–14	Luke 22:14–30
Palm Sunday	A	Isa. 50:4–7	Phil. 2:5–11	Matt. 21:1–11
	B	Zech. 9:9–12	Heb. 12:1–6	Mark 11:1–11
	C	Isa. 59:14–20	I Tim. 1:12–17	Luke 19:28–40

HOLY WEEK

The week prior to Easter, during which the church gratefully commemorates the passion and death of Jesus Christ.

Day of Holy Week	*Year*	*First Lesson*	*Second Lesson*	*Gospel*
Monday		Isa. 50:4–10	Heb. 9:11–15	Luke 19:41–48
Tuesday		Isa. 42:1–9	I Tim. 6:11–16	John 12:37–50
Wednesday		Isa. 52:13 to 53:12	Rom. 5:6–11	Luke 22:1–16
Maundy Thursday	A	Ex. 12:1–8, 11–14	I Cor. 11:23–32	John 13:1–15
	B	Deut. 16:1–8	Rev. 1:4–8	Matt. 26:17–30
	C	Num. 9:1–3, 11–12	I Cor. 5:6–8	Mark 14:12–26
Good Friday	A	Isa. 52:13 to 53:12	Heb. 4:14–16; 5:7–9	John 19:17–30
	B	Lam. 1:7–12	Heb. 10:4–18	Luke 23:33–46
	C	Hos. 6:1–6	Rev. 5:6–14	Matt. 27:31–50

EASTERTIDE

A fifty-day period of seven Sundays, beginning with Easter, the festival of Christ's resurrection. Ascension Day, forty days after Easter, is celebrated to affirm that Jesus Christ is Lord of all times and places.

Sunday or Festival	*Year*	*First Lesson*	*Second Lesson*	*Gospel*
Easter	A	Acts 10:34–43	Col. 3:1–11	John 20:1–9
	B	Isa. 25:6–9	I Peter 1:3–9	Mark 16:1–8
	C	Ex. 15:1–11	I Cor. 15:20–26	Luke 24:13–35
2d Sunday in Eastertide	A	Acts 2:42–47	I Peter 1:3–9	John 20:19–31
	B	Acts 4:32–35	I John 5:1–6	Matt. 28:11–20
	C	Acts 5:12–16	Rev. 1:9–13, 17–19	John 21:1–14
3d Sunday in Eastertide	A	Acts 2:22–28	I Peter 1:17–21	Luke 24:13–35
	B	Acts 3:13–15, 17–19	I John 2:1–6	Luke 24:36–49
	C	Acts 5:27–32	Rev. 5:11–14	John 21:15–19
4th Sunday in Eastertide	A	Acts 2:36–41	I Peter 2:19–25	John 10:1–10
	B	Acts 4:8–12	I John 3:1–3	John 10:11–18
	C	Acts 13:44–52	Rev. 7:9–17	John 10:22–30
5th Sunday in Eastertide	A	Acts 6:1–7	I Peter 2:4–10	John 14:1–12
	B	Acts 9:26–31	I John 3:18–24	John 15:1–8
	C	Acts 14:19–28	Rev. 21:1–5	John 13:31–35
6th Sunday in Eastertide	A	Acts 8:4–8, 14–17	I Peter 3:13–18	John 14:15–21
	B	Acts 10:34–48	I John 4:1–7	John 15:9–17
	C	Acts 15:1–2, 22–29	Rev. 21:10–14, 22–23	John 14:23–29
Ascension Day		Acts 1:1–11	Eph. 1:16–23	Luke 24:44–53
7th Sunday in Eastertide	A	Acts 1:12–14	I Peter 4:12–19	John 17:1–11
	B	Acts 1:15–17, 21–26	I John 4:11–16	John 17:11–19
	C	Acts 7:55–60	Rev. 22:12–14, 16–17, 20	John 17:20–26
		(or the readings for Ascension Day, if observed on Sunday)		

PENTECOST

The festival commemorating the gift of the Holy Spirit to the church, and an extended season for reflecting on how God's people live under the guidance of his Spirit. The season extends from the seventh Sunday after Easter to the beginning of Advent.

Sunday	*Year*	*First Lesson*	*Second Lesson*	*Gospel*
Pentecost	A	I Cor. 12:4–13	Acts 2:1–13	John 14:15–26
(Whitsunday)	B	Joel 2:28–32	Acts 2:1–13	John 16:5–15
	C	Isa. 65:17–25	Acts 2:1–13	John 14:25–31
1st Sunday	A	Ezek. 37:1–4	II Cor. 13:5–13	Matt. 28:16–20
After Pentecost	B	Isa. 6:1–8	Rom. 8:12–17	John 3:1–8
(Trinity Sunday)	C	Prov. 8:22–31	I Peter 1:1–9	John 20:19–23
2d Sunday	A	Deut. 11:18–21	Rom. 3:21–28	Matt. 7:21–29
After Pentecost	B	Deut. 5:12–15	II Cor. 4:6–11	Mark 2:23 to 3:6
	C	I Kings 8:41–43	Gal. 1:1–10	Luke 7:1–10
3d Sunday	A	Hos. 6:1–6	Rom. 4:13–25	Matt. 9:9–13
After Pentecost	B	Gen. 3:9–15	II Cor. 4:13 to 5:1	Mark 3:20–35
	C	I Kings 17:17–24	Gal. 1:11–19	Luke 7:11–17
4th Sunday After Pentecost	A	Ex. 19:2–6	Rom. 5:6–11	Matt. 9:36 to 10:8
	B	Ezek. 17:22–24	II Cor. 5:6–10	Mark 4:26–34
	C	II Sam. 12:1–7a	Gal. 2:15–21	Luke 7:36–50
5th Sunday	A	Jer. 20:10–13	Rom. 5:12–15	Matt. 10:26–33
After Pentecost	B	Job 38:1–11	II Cor. 5:16–21	Mark 4:35–41
	C	Zech. 12:7–10	Gal. 3:23–29	Luke 9:18–24
6th Sunday	A	II Kings 4:8–16	Rom. 6:1–11	Matt. 10:37–42
After Pentecost	B	Gen. 4:3–10	II Cor. 8:7–15	Mark 5:21–43
	C	I Kings 19:15–21	Gal. 5:1, 13–18	Luke 9:51–62
7th Sunday	A	Zech. 9:9–13	Rom. 8:6–11	Matt. 11:25–30
After Pentecost	B	Ezek. 2:1–5	II Cor. 12:7–10	Mark 6:1–6
	C	Isa. 66:10–14	Gal. 6:11–18	Luke 10:1–9
8th Sunday	A	Isa. 55:10–13	Rom. 8:12–17	Matt. 13:1–17
After Pentecost	B	Amos 7:12–17	Eph. 1:3–10	Mark 6:7–13
	C	Deut. 30:9–14	Col. 1:15–20	Luke 10:25–37
9th Sunday	A	II Sam. 7:18–22	Rom. 8:18–25	Matt. 13:24–35
After Pentecost	B	Jer. 23:1–6	Eph. 2:11–18	Mark 6:30–34
	C	Gen. 18:1–11	Col. 1:24–28	Luke 10:38–42

PENTECOST—Continued

Sunday	*Year*	*First Lesson*	*Second Lesson*	*Gospel*
10th Sunday After Pentecost	A	I Kings 3:5–12	Rom. 8:26–30	Matt. 13:44–52
	B	II Kings 4:42–44	Eph. 4:1–6, 11–16	John 6:1–15
	C	Gen. 18:20–33	Col. 2:8–15	Luke 11:1–13
11th Sunday After Pentecost	A	Isa. 55:1–3	Rom. 8:31–39	Matt. 14:13–21
	B	Ex. 16:2–4, 12–15	Eph. 4:17–24	John 6:24–35
	C	Eccl. 2:18–23	Col. 3:1–11	Luke 12:13–21
12th Sunday After Pentecost	A	I Kings 19:9–16	Rom. 9:1–5	Matt. 14:22–33
	B	I Kings 19:4–8	Eph. 4:30 to 5:2	John 6:41–51
	C	II Kings 17:33–40	Heb. 11:1–3, 8–12	Luke 12:35–40
13th Sunday After Pentecost	A	Isa. 56:1–7	Rom. 11:13–16, 29–32	Matt. 15:21–28
	B	Prov. 9:1–6	Eph. 5:15–20	John 6:51–59
	C	Jer. 38:1b–13	Heb. 12:1–6	Luke 12:49–53
14th Sunday After Pentecost	A	Isa. 22:19–23	Rom. 11:33–36	Matt. 16:13–20
	B	Josh. 24:14–18	Eph. 5:21–33	John 6:60–69
	C	Isa. 66:18–23	Heb. 12:7–13	Luke 13:22–30
15th Sunday After Pentecost	A	Jer. 20:7–9	Rom. 12:1–7	Matt. 16:21–28
	B	Deut. 4:1–8	James 1:19–25	Mark 7:1–8, 14–15, 21–23
	C	Prov. 22:1–9	Heb. 12:18–24	Luke 14:1, 7–14
16th Sunday After Pentecost	A	Ezek. 33:7–9	Rom. 13:8–10	Matt. 18:15–20
	B	Isa. 35:4–7	James 2:1–5	Mark 7:31–37
	C	Prov. 9:8–12	Philemon 8–17	Luke 14:25–33
17th Sunday After Pentecost	A	Gen. 4:13–16	Rom. 14:5–9	Matt. 18:21–35
	B	Isa. 50:4–9	James 2:14–18	Mark 8:27–35
	C	Ex. 32:7–14	I Tim. 1:12–17	Luke 15:1–32
18th Sunday After Pentecost	A	Isa. 55:6–11	Phil. 1:21–27	Matt. 20:1–16
	B	Jer. 11:18–20	James 3:13 to 4:3	Mark 9:30–37
	C	Amos 8:4–8	I Tim. 2:1–8	Luke 16:1–13
19th Sunday After Pentecost	A	Ezek. 18:25–29	Phil. 2:1–11	Matt. 21:28–32
	B	Num. 11:24–30	James 5:1–6	Mark 9:38–48
	C	Amos 6:1, 4–7	I Tim. 6:11–16	Luke 16:19–31
20th Sunday After Pentecost	A	Isa. 5:1–7	Phil. 4:4–9	Matt. 21:33–43
	B	Gen. 2:18–24	Heb. 2:9–13	Mark 10:2–16
	C	Hab. 1:1–3; 2:1–4	II Tim. 1:3–12	Luke 17:5–10

PENTECOST—Continued

Sunday	*Year*	*First Lesson*	*Second Lesson*	*Gospel*
21st Sunday After Pentecost	A	Isa. 25:6–9	Phil. 4:12–20	Matt. 22:1–14
	B	Prov. 3:13–18	Heb. 4:12–16	Mark 10:17–27
	C	II Kings 5:9–17	II Tim. 2:8–13	Luke 17:11–19
22d Sunday After Pentecost	A	Isa. 45:1–6	I Thess. 1:1–5	Matt. 22:15–22
	B	Isa. 53:10–12	Heb. 5:1–10	Mark 10:35–45
	C	Ex. 17:8–13	II Tim. 3:14 to 4:2	Luke 18:1–8
23d Sunday After Pentecost	A	Ex. 22:21–27	I Thess. 1:2–10	Matt. 22:34–40
	B	Jer. 31:7–9	Heb. 5:1–6	Mark 10:46–52
	C	Deut. 10:16–22	II Tim. 4:6–8, 16–18	Luke 18:9–14
24th Sunday After Pentecost	A	Mal. 2:1–10	I Thess. 2:7–13	Matt. 23:1–12
	B	Deut. 6:1–9	Heb. 7:23–28	Mark 12:28–34
	C	Ex. 34:5–9	II Thess. 1:11 to 2:2	Luke 19:1–10
25th Sunday After Pentecost	A	S. of Sol. 3:1–5	I Thess. 4:13–18	Matt. 25:1–13
	B	I Kings 17:8–16	Heb. 9:24–28	Mark 12:38–44
	C	I Chron. 29:10–13	II Thess. 2:16 to 3:5	Luke 20:27–38
26th Sunday After Pentecost	A	Prov. 31:10–13, 19–20, 30–31	I Thess. 5:1–6	Matt. 25:14–30
	B	Dan. 12:1–4	Heb. 10:11–18	Mark 13:24–32
	C	Mal. 3:16 to 4:2	II Thess. 3:6–13	Luke 21:5–19
27th Sunday After Pentecost	A	Ezek. 34:11–17	I Cor. 15:20–28	Matt. 25:31–46
	B	Dan. 7:13–14	Rev. 1:4–8	John 18:33–37
	C	II Sam. 5:1–4	I Cor. 15:20–28	Luke 23:35–43
28th Sunday After Pentecost		Use readings listed for 8th Sunday after Epiphany.		

SPECIAL DAYS

"It is also fitting that congregations celebrate such other days as recall the heritage of the reformed church, proclaim its mission, and forward its work; and such days as recognize the civic responsibilities of the people." (*Directory for Worship*, 19.04c.)

Special Day	*Year*	*First Lesson*	*Second Lesson*	*Gospel*
New Year's Eve or Day	A	Deut. 8:1–10	Rev. 21:1–7	Matt. 25:31–46
	B	Eccl. 3:1–13	Col. 2:1–7	Matt. 9:14–17
	C	Isa. 49:1–10	Eph. 3:1–10	Luke 14:16–24
Christian Unity	A	Isa. 11:1–9	Eph. 4:1–16	John 15:1–8
	B	Isa. 35:3–10	I Cor. 3:1–11	Matt. 28:16–20
	C	Isa. 55:1–5	Rev. 5:11–14	John 17:1–11
World Communion	A	Isa. 49:18–23	Rev. 3:17–22	John 10:11–18
	B	Isa. 25:6–9	Rev. 7:9–17	Luke 24:13–35
	C	I Chron. 16:23–34	Acts 2:42–47	Matt. 8:5–13
Reformation Sunday	A	Hab. 2:1–4	Rom. 3:21–28	John 8:31–36
	B	Gen. 12:1–4	II Cor. 5:16–21	Matt. 21:17–22
	C	Ex. 33:12–17	Heb. 11:1–10	Luke 18:9–14
Thanksgiving Day	A	Isa. 61:10–11	I Tim. 2:1–8	Luke 12:22–31
	B	Deut. 26:1–11	Gal. 6:6–10	Luke 17:11–19
	C	Deut. 8:6–17	II Cor. 9:6–15	John 6:24–35
Day of civic or national significance	A	Deut. 28:1–9	Rom. 13:1–8	Luke 1:68–79
	B	Isa. 26:1–8	I Thess. 5:12–23	Mark 12:13–17
	C	Dan. 9:3–10	I Peter 2:11–17	Luke 20:21–26

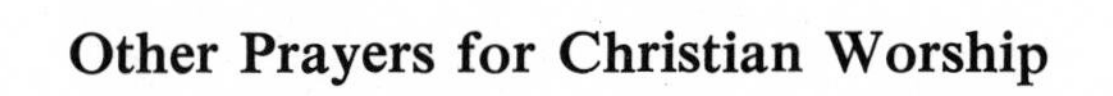

Other Prayers for Christian Worship

Other Prayers for Christian Worship

In a Time of International Crisis

Eternal God, our only hope, our help in times of trouble: get nations to work out differences. Do not let threats multiply or power be used without compassion. May your word rule the words of men, so that they may agree and settle claims peacefully. Hold back impulsive persons, lest desire for vengeance overwhelm our common welfare. Bring peace to earth right now, through Jesus Christ, the Prince of peace and Savior of us all. **Amen.**

For World Community

God our Father: in Jesus Christ you have ordered us to live as loving neighbors. Though we are scattered in different places, speak different words, or descend from different races, give us brotherly concern, so that we may be one people, who share the governing of the world under your guiding purpose. May greed, war, and lust for power be curbed, and all men enter the community of love promised in Jesus Christ our Lord. **Amen.**

For Racial Peace

Great God and Father of us all: destroy prejudice that turns us against our brothers. Teach us that we are all children of your love, whether we are black or red or white or yellow. Encourage us to live together, loving one another in peace, so that someday a golden race of men may have the world, giving praise to Jesus Christ our Lord. **Amen.**

When There Has Been a Natural Disaster

God of earthquake, wind, and fire: tame natural forces that defy control, or shock us by their fury. Keep us from calling disaster your justice; and help us, in good times or in calamity, to trust your mercy, which never ends, and your power, which in Jesus Christ stilled storms, raised the dead, and put down demonic powers. **Amen.**

In a Time of Social Change

All things are new in your grace, Lord God, and old things pass away. Break our hold on familiar things that you discard, and give us forward-looking courage to reach toward wiser ways. Lead us beyond ourselves to the new life promised in Jesus Christ, who is first and last, the beginning and the end. **Amen.**

During a National Crisis

God of ages, eternal Father: in your sight nations rise and fall, and pass through times of peril. Now when our land is troubled, be near to judge and save. May leaders be led by your wisdom; may they search your will and see it clearly. If we have turned from your way, reverse our ways and help us to repent. Give us your light and your truth; let them guide us; through Jesus Christ, who is Lord of this world, and our Savior. **Amen.**

For a Right Use of Nature's Power

Mighty God: your power fills heaven and earth, is hidden in atoms and flung from the sun. Control us so that we may never turn natural forces to destruction, or arm nations with cosmic energy; but guide us with wisdom and love, so that we may tame power to good purpose, for the building of human brotherhood and the bettering of our common lives; through Jesus Christ the Lord. **Amen.**

During an Election

Under your law we live, great God, and by your will we govern ourselves. Help us as good citizens to respect neighbors whose views differ from ours, so that without partisan anger, we may work out issues that divide us, and elect candidates to serve the welfare of mankind in freedom; through Jesus Christ the Lord. **Amen.**

For Conserving Natural Resources

Almighty God: you made the world and named it good and gave it to our management. Make us wise enough to keep air clear and water pure and natural beauty beautiful. Prevent us from destroying land and fouling streams. Let us treat lovely things with love and courtesy, so that all men may enjoy the earth; through Jesus Christ our Lord. **Amen.**

When There Is Tragedy

God of compassion: you watch the ways of men, and weave out of terrible happenings wonders of goodness and grace. Surround those who have been shaken by tragedy with a sense of your present love, and hold them in faith. Though they are lost in grief, may they find you and be comforted; through Jesus Christ, who was dead, but lives, and rules this world with you. **Amen.**

For Victims of Oppression

Great God: with justice you watch over the ways of men, and in love know each one by name. Lift those who are put down by poverty, hurt by war, or scorned by neighbors. Do not let us forget people you remember. Prevent us from oppressing, and make us do something to show helpful love; for the sake of Jesus Christ, a victim of cruelty, who is now our Lord and Savior. **Amen.**

For the Handicapped

God of compassion: in Jesus Christ you cared for men who were blind or deaf, crippled or slow to learn. Though all of us need help, give special attention to those who are handicapped. Make us care, so they may know the great regard you have for them, and believe in your love; through Jesus Christ our Lord. **Amen.**

For Those in Mental Distress

Mighty God: in Jesus Christ you dealt with spirits that darken minds or set men against themselves. Give peace to people who are torn by conflict, are cast down, or dream deceiving dreams. By your power, drive from our minds demons that shake confidence and wreck love. Tame unruly forces in us, and bring us to your truth, so that we may accept ourselves as good, glad children of your love, known in Jesus Christ. **Amen.**

For the Lonely

God of comfort, companion of the lonely: be with those who by neglect or willful separation are left alone. Fill empty places with present love, and long times of solitude with lively thoughts of you. Encourage us to visit lonely men and women, so they may be cheered by the Spirit of Jesus Christ, who walked among us as a friend, and is our Lord forever. **Amen.**

For Prisoners

God our Father: your Son Jesus was condemned to death, held captive, and hung on a cross with criminals. Never let us forget that our laws are not your law, that those we punish are still children of your love. Keep us from condemning men whose crimes are seen, in order to cover up our unseen sins. Move us to care for prisoners, and to visit them in unpleasant places, so they may know they are still loved brothers of Jesus Christ your Son. **Amen.**

For Social Misfits

In Jesus Christ, O God, you were despised and rejected by men. Watch over people who are different, who cannot copy well-worn customs, or put on popular styles of life. If they are left out because narrow men fear different ways, help us to welcome them into the wider love of Jesus Christ, brother of us all. **Amen.**

For Addicts

Faithful God: you have power to set men free from harmful habits and weakness of the will. May those who are hooked on drugs, or gripped by cravings too strong to control, be given freedom. Keep us from condemning the weakness of others while we overlook our own ungoverned desires. Enable us to help those who can no longer help themselves, so that they may see your power and believe in Jesus Christ, the liberator. **Amen.**

For the Unemployed

Lord God: you have made us co-workers with you in the world. May we never neglect the unemployed, or name them lazy if they have no work. Help us to help them, to train them, and to open doors, so that they may find employment. Working together with one another and with you, may we shape a world in which no child goes hungry, and every man contributes to the good of all; through Jesus Christ our Lord. **Amen.**

For Travelers

The world is yours, mighty God, and all men live by your faithfulness. Watch over people who are traveling, who drive or fly, or speed through space. May they be careful, but not afraid, and safely reach their destinations. Wherever we wander in your spacious world, teach us that we never journey beyond your loving care, revealed in Jesus Christ our Lord. **Amen.**

For Healing

By your power, great God, our Lord Jesus healed the sick and gave new hope to hopeless men. Though we cannot command or possess your power, we pray for those who want to be healed (especially for ________). Close wounds, cure sickness, make broken people whole again, so they may live to rejoice in your love. Help us to welcome every healing as a sign that, though death is against us, you are for us, and have promised renewed and risen life in Jesus Christ the Lord. **Amen.**

For Rejoicing in Childbirth

Mighty God: by your love we are given children through the miracle of birth. May we greet each new son and daughter with joy, and surround them all with faith, so they may know who you are and want to be your disciples. Never let us neglect children, but help us to enjoy them, showing them the welcome you have shown us all; through Jesus Christ the Lord. **Amen.**

For Little Children

Great God our Father, Father of families: guard the laughter of children. Bring them safely through injury and illness, so they may live the promises you give. Do not let us be so preoccupied with our purposes that we fail to hear their voices, or pay attention to their special vision of the truth; but keep us with them, ready to listen and to love, even as in Jesus Christ you have loved us, your grown-up, wayward children. **Amen.**

For the Young

Almighty God: again and again you have called on young people to force change or fire human hopes. Never let us be so set in our ways that we refuse to hear young voices, or so firm in our grip on power that we reject them. Let the young be candid, but not cruel. Keep them dreaming dreams that you approve, and living in the Spirit of the young man Jesus, who was crucified, who now rules the world. **Amen.**

For Graduates

Father: in your will our lives are lived, and by your wisdom truth is found. We pray for graduates who finish a course of study, and now move on to something new. Take away anxiety, or confusion of purpose; and give them a confidence in the future you plan, where energies may be gathered up and given to neighbors in love; for the sake of Jesus Christ our Lord. **Amen.**

For Those Engaged to Marry

Almighty God: in the beginning you made man and woman to join themselves in shared affection. May those who engage to marry be filled with joy. Let them be so sure of each other that no fear or disrespect may shake their vows. Though their eyes may be bright with love for each other, keep in sight a wider world, where neighbors want and strangers beg, and where service is a joyful duty; through Jesus Christ the Lord. **Amen.**

For the Newly Married

God of grace: in your wisdom you made man and woman to be one flesh in love. As in Jesus Christ you came to serve us, let newlyweds serve each other, putting aside selfishness and separate rights. May they build homes where there is free welcome. At work or in leisure, let them enjoy each other, forgive each other, and embrace each other faithfully, serving the Lord of love, Jesus Christ. **Amen.**

For Those in Middle Years

Eternal God: you have led us through our days and years, made wisdom ripe and faith mature. Show men and women your purpose for them, so that, when youth is spent, they may not find life empty or labor stale, but may devote themselves to dear loves and worthy tasks, with undiminished strength; for the sake of Jesus Christ the Lord. **Amen.**

For Retired People

Your love for us never ends, eternal God, even when by age or weakness we can no longer work. When we retire, keep us awake to your will for us. Give us energy to enjoy the world, to attend to neighbors busy men neglect, and to contribute wisely to the life of the church. If we can offer nothing but our prayers, remind us that our prayers are a useful work you want, so that we may live always serving Jesus Christ, our hope and our true joy. **Amen.**

For the Dying

Almighty God: by your power Jesus Christ was raised from death. Watch over dying men and women. Fill eyes with light, to see beyond human sight a home within your love, where pain is gone and frail flesh turns to glory. Banish fear. Brush tears away. Let death be gentle as nightfall, promising a day when songs of joy shall make us glad to be together with Jesus Christ, who lives in triumph, the Lord of life eternal. **Amen.**

For Those Who Suffer Sexual Confusion

God of creation: you made men and women to find in love fulfillment as your creatures. We pray for those who deny love between man and woman, who are repelled by flesh, or frightened by their daydreams. Straighten us all out, O Lord, and show us who we are, so that we may affirm each other bodily in covenants of love, approved by Jesus Christ our Lord. **Amen**

For Those in Marital Difficulty

Lord God, who set us in families, where we learn to live together in charity and truth: strengthen weak bonds of love. Where separation threatens, move in with forgiving power. Melt hard hearts, free fixed minds, break the hold of stubborn pride. Lay claim on us, so that our separate claims may be set aside in love; through Jesus Christ our Lord. **Amen.**

For the Divorced or Separated

God of grace: you are always working to hold us together, to heal division, and make love strong. Help men and women whose marriages break up to know that you are faithful. Restore confidence, bring understanding, and ease the hurt of separation. If they marry others, instruct them in better love, so that vows may be said and kept with new resolve; through Jesus Christ our Lord. **Amen.**

For Families Where There is Only One Parent

God our Father: we are never away from your care, and what we lack you give in love. Watch over families where, by death or separation, a parent is left alone with children. Lift bitterness, or too great a sense of lonely obligation. Show them that they live under your protection, so that they have not less love, but more; through Jesus Christ, your Son and our eternal brother. **Amen.**

For Orphans

Gracious God: you care for all your children. Pay attention to orphans. May they be free from unprotected fears or secret bitterness. Enroll them in the human family as special children of your love. By our concern, may we welcome them into the brotherhood of your church, showing them by word and deed your great concern for them; through Jesus Christ our Lord. **Amen.**

For City People

Eternal God: you are bringing your holy city to earth, where death and pain shall be no more, and men shall live together in your light. We pray for cities, where, in high towers or close-built houses, people work and live. Ease tensions and break down separation, so that every stranger may know himself to be a citizen among citizens, governed by Jesus Christ, who came to Jerusalem as a Savior. **Amen.**

For People in Rural Areas

O God, your Son Jesus grew up in a small town and walked the hills of Galilee. We pray for people who live on farms or in little villages. May they take pleasure in nature's natural beauty, and watch over growing things with love. Help them to keep neighborhoods wide open to your world, so that they may be in touch with the whole human family; through Jesus Christ the Lord. **Amen.**

For Agreement Between Labor and Management

O God: you have made a world where men may join to get things done according to your will. Bring understanding between those who labor and those who manage. Do not let greed blind us to basic needs, or make men careless of one another. May wages be fair and work be worthy. Where there are grievances, help us to talk them out, so that name-calling may end, and we may work together as comrades; through Jesus Christ our Master. **Amen.**

For Those in Military Service

Righteous God: you rule the nations. Guard brave men who risk themselves in battle for their country. Give them compassion for enemies who also fight for patriotic causes. Keep our sons from hate that hardens, or from scorekeeping with human lives. Though they must be men of war, let them live for peace, as eager for agreement as for victory. Encourage them as they encourage one another, and never let hard duty separate them from loyalty to your Son, our Lord, Jesus Christ. **Amen.**

For Those Who Refuse Military Service

God of peace, whose Son Jesus Christ came preaching goodwill among men: guard brave people among us who refuse military service because of conviction. May they never confuse conscience with cowardice, but, in good faith, withstand all public opposition. Save them from self-righteousness. Give them charity to love brothers who fight, but courage to speak the call to peace, heard in Jesus Christ, your Son our Lord. **Amen.**

For Play

God our Father: you made the world for sane and cheerful pleasures. Show us how to live free from false restraint or the terror of aimless craving, so that we may enjoy good times together, like guiltless children who play within the safety of your love, known in Jesus Christ, who set us free for joy. **Amen.**

For Those Who Do Not Believe

God of love, who sent Jesus Christ to seek and save lost men: may we who have been found by him value those who do not believe, and never shun neighbors who reject you. Remembering how our faith was given, may we preach good news with goodwill, trusting you to follow up your word, so that men may hear and believe and come to you; through Jesus Christ our Lord. **Amen.**

For Those We May Forget in Prayer

We do not know how to pray, O God, unless your Spirit guides us. Help us to pray for neighbors on earth, who wait for us to care, whose needs we have neglected, whose names we do not know. Make us want to know and name and care. Through our prayers draw us toward forgotten men and women, who are children of your love and our brothers in Jesus Christ, the Lord of all. **Amen.**

For Criminals and Racketeers

Holy God, your Son Jesus visited a crooked tax collector, and died between criminals. Never let us pretend to be pure while neglecting those who live in evil, but send us out with the friendliness of Christ to those our world condemns, so they may turn to you, restored and forgiven, to live as loyal children by your law, revealed in Jesus Christ our Lord. **Amen.**

For Prostitutes

God of compassion: your Son Jesus showed mercy to a woman condemned by harsh judgment, and gave her new life. We pray for prostitutes, who are victims of lovelessness, or of a craving to be loved. Keep us from easy blame or cruel dismissal. May our church seek them out, and show such genuine friendship that they may know your welcome, and live among us, as sisters of Jesus Christ our Lord. **Amen.**

For Those Who Work in International Government

High God, holy God: you rule the ways of men, and govern every earthly government. Work with those who work for peace. Make every diplomat an agent of your reconciliation, and every statesman an ambassador of hope. Bring peace and goodwill among men, fulfilling among us the promise made in Jesus Christ, who was born to save the world. **Amen.**

For Those Who Fight for Social Justice

You give us prophets, holy God, to cry out for justice and mercy. Open our ears to hear them, and to follow the truth they speak, lest we support injustice to secure our own well-being. Give prophets the fire of your word, but love as well. Though they speak for you, may they know that they stand with us before you, and have no Messiah other than your Son, Jesus Christ, the Lord of all. **Amen.**

For Scientists

God of wisdom: you have given us a world filled with hidden holy meaning. Thank you for scientists who search for truth, who use their minds to better life on earth. Give them patience, moral judgment, and curiosity to grope through great mysteries. May their work be constructive, building community among men and nations; through Jesus Christ our Lord. **Amen.**

For Those Who Grow, Prepare, and Distribute Food

God of grace: in your world there are fields to seed and harvest. We thank you for men who farm the land, and for workers who prepare or distribute food. Give them joy in the miracle of growth, and trust in your provision. May no one starve because of greed, but let men hunger for righteousness alone; through Jesus Christ the Lord. **Amen.**

For Migrant Workers

Eternal God: your Son Jesus had no place to lay his head, and no home to call his own. We pray for men and women who follow seasons and go where the work is, who harvest crops or do part-time jobs. Follow them around with love, so they may believe in you, and be pilgrim people, trusting Jesus Christ the Lord. **Amen.**

For Communication Workers

God of grace: you have taught us that faith comes from hearing the good news, and that we fulfill our lives by sending messages of love. Thank you for those who work to speed words between us, who enable us to converse with neighbors. May their skill draw close ties between us all, so that in our words your word may sound; through Jesus Christ our Lord and living Master. **Amen.**

For Transportation Workers

God almighty: you scattered us throughout the earth, yet bound us in a brotherhood of need and service. Thank you for those who move us through the world, who speed deliveries, or take us to and from our homes. May they see themselves as workmen who help us to share ourselves with neighbors; through Jesus Christ the Lord. **Amen.**

For Those Who Manufacture and Sell

Great God: you keep us going and give us energy to get things done. Thank you for men and women in industry, who work in factories and offices, or cover territories. Though they may do routine tasks or run machines, keep them free and thoughtful, so that their work may contribute to a better world, where neighbors will take time to love one another; through Jesus Christ, who lived and worked among us. **Amen.**

For Those in Business or Commerce

God of the covenant: you give love without return, and lavish gifts without looking for gain. Watch over the ways of business, so that those who buy or sell, get or lend, may live justly and show mercy and walk in your ways. May profits be fair and contracts kept. In our dealings with each other may we display true charity; through Jesus Christ, who has loved us with mercy. **Amen.**

For Those in Medical Services

Merciful God: by your power people are healed. Give strength to doctors, nurses, and technicians, who staff hospitals and homes for the sick. Make them brave to battle our last enemy, trusting your power to overcome death and pain and crying. May they be thankful for every sign of health you give, and humble before the mystery of mending grace; through Jesus Christ our Lord. **Amen.**

For Journalists, Publishers, and Printers

By your word, Lord God, the earth was created, and by our words we serve your will. Thank you for men and women who write, print, and publish, who bring us news and help us to think things out. Keep them in touch with all that you are doing in the world, so that their printed words may tell good news, to reconcile nations and renew the minds of men; through Jesus Christ the Lord. **Amen.**

For Janitors, Maintenance Men, and Refuse Collectors

Great God: you have made the world a home for us, and surrounded us with beauty. Thank you for those who take pride in keeping air fresh and streets clean; who make corridors and working spaces clear and safe for us. May they labor faithfully to maintain your world; for the sake of Jesus Christ our Lord. **Amen.**

For Those in Legal Work

God of justice: you gave us law by Moses, and in Jesus Christ interpreted the law in selfless love. Give to those who make, administer, or defend our laws love for mercy and truth. May we never confuse our paper laws with the tablets of your eternal will, but have courage to repeal wrong rules. May our laws set men free for righteousness, revealed in Jesus Christ, the Judge and Savior of us all. **Amen.**

For Secretaries and Clerical Workers

Almighty God: your word has come to us copied by scribes with loving care. Guard those who record words, and keep files, without whose work we would lose track of ourselves, or slip into sad confusion. Help them to be alert and accurate; to rule machines they use and not be run by them. May they know that they are your servants, who speed messages within the broken world you love; through Jesus Christ our Lord. **Amen.**

For Architects, Builders, and Decorators

Great God: you gave Jesus Christ to be the foundation on which our lives are built. Thank you for men and women who build shelters, order space, and decorate rooms where our lives are lived. Help them to provide hospitable places where men may be free for one another, in the love of Jesus Christ our Lord. **Amen.**

For Entertainers

God our Father: you have made us for each other, to live by glad exchanges of love and skill. Thank you for men and women who work to entertain us, who deepen understanding, make laughter, or give us songs to sing. May they desire truth more than profit, and art more than applause. In all they do, may they celebrate good humanity, revealed in your man Jesus Christ, the Lord of all creation. **Amen.**

For Those in the Arts

God of life: you filled the world with beauty. Thank you for artists who see clearly, who with trained skill can paint, shape, or sing your truth to us. Keep them attentive, and ready to applaud the wonder of your works, finding in the world signs of the love revealed in Jesus Christ our Lord. **Amen.**

For Counselors

God of wisdom, God of love: when we are perplexed you give light to go by. Thank you for those who work out problems with us. May they have respect for our struggles, and never fail to marvel at the mystery of human minds. Guide them with your Holy Spirit, so they may guide us into the way of Jesus Christ, our truth and our new life. **Amen.**

For Government Workers

Almighty God: you have plans for us, and power to make them happen. Give legislators, executives, and government workers a knowledge of your will for the world. Let them remember that they serve a public trust, beyond personal gain or glory. May they see that no nation lives for itself alone, but is responsible to you for peace, and for the well-being of all your children; through Jesus Christ our Lord. **Amen.**

For Those Who Wait on Others

Great God and Father of mankind: you have taught us that if we want to be great, we must be servants of all. We thank you for those who help with household chores or wait on tables, whose work gives ease and comfort to others. Help them to know that their work is specially valued by Jesus Christ, who came as a servant with humility and love. **Amen.**

For Those Who Work in Education

Holy Father: you have led us in each new generation to discoveries of the truth. Thank you for men and women who teach, administer, and work in schools and colleges. Make them eager to explore your world, searching mysteries. Never let them neglect students who are slow to learn. Keep teachers young in mind, resilient, exciting, and devoted to human welfare; through the love of Jesus Christ our Lord. **Amen.**

For Students

Eternal God: your wisdom is greater than our small minds can contain, and your truth shows up our little learning. To those who study, give curiosity, imagination, and patience enough to wait and work for insight. Help them to doubt with courage, but to hold all their doubts in the larger faith of Jesus Christ our Lord. **Amen.**

For Those Who Work in Social Service or Charitable Agencies

As you have given yourself to us, O God, help us to give ourselves to one another in perfect charity. Thank you for men and women who work for the welfare of others. Fill them with energetic love to show friendship and compassion with no strings attached, so that men may believe you care; through Jesus Christ our Lord. **Amen.**

For Mechanics, Repairmen, and Those in Skilled Trades

Almighty God: you have given us intelligence, and skillful hands to work with. Thank you for those who provide, maintain, and repair things we use. Help them to know that neighbors depend on them, and to be worthy workmen; for the sake of Jesus Christ our Lord. **Amen.**

For Those in Dangerous Occupations

God of earth and air, height and depth: we pray for those who work in danger above, below, or on the earth. Give them caution and a concern for one another, so that in safety they may do what must be done, under your watchful love, in Jesus Christ our Lord. **Amen.**

For the Mission of the Church

The whole world lives in your love, holy God, and we are your people. Send us out in faith to tell your story and to demonstrate your truth to men of every race and nation, so that, won by your powerful word, the world of men may join together giving you praise, and living to serve you in Jesus Christ the Lord. **Amen.**

For a Particular Mission of the Church

By your will, O God, we go out into the world with good news of your undying love, and minister among men to show wonders of your grace. We pray for ________, where there are men and women who minister for you. May they be strengthened by our concern, and supported by our gifts. Do not let them be discouraged, but make them brave and glad and hopeful in your word; through Jesus Christ the Lord. **Amen.**

For Evangelists and Fraternal Workers

Great God: in every age you have picked out people to spread good news, and to light your light in darkness. Guard those who witness to you in far-off places, in crowded cities or in open fields. Keep them sure of your power, so that they may work without fear of failure. Help them tell your wonderful story until all men turn to you, even as you have turned to us with love, in Jesus Christ our Savior. **Amen.**

For Teachers in the Church

Almighty God: you have given your law to lead us in a life of love, and you have appointed teachers to interpret your will. Create in those who instruct your people a mind to study your word, and good understanding, so that we may learn your truth and do it gladly; for the sake of Jesus Christ our Master. **Amen.**

For Ministers of the Word

In every age, O God, you have appointed spokesmen, prophets and priests, to lead your faithful people. May ministers of the gospel tell the truth in love. Keep them from mouthing pieties they do not mean. Make them humble men and women without pretense or pride, who bring light to darkness, showing the way of Jesus Christ, to whom be praise forever. **Amen.**

For Chaplains

O God: you have ordered men and women to serve the church, and given them special gifts by your Spirit. May those who serve as chaplains be strong in faith. Keep them from being discouraged. Let us bring them hope and friendship wherever they may serve; through Jesus Christ our Lord and Savior. **Amen.**

For a Moderator

Almighty God: you called us into the church, and from among us chose leaders to direct us in your way. We thank you for ________, our Moderator. Enlarge *his* gifts and help *him* to obey you, so that we may enjoy good work under *his* guidance, loyally serving Jesus Christ the Lord. **Amen.**

For Those Who Intend Christian Service

God of prophets and apostles: you have chosen leaders to train your people in the way of Jesus Christ. We thank you that in our day you are still claiming men and women for special work within the church. As ________ has dedicated *himself* to you, let us pledge ourselves to *him*, so that, surrounded by affection and hope, *he* may grow in wisdom, mature in love, and become a faithful worker, approved by Jesus Christ our Lord. **Amen.**

For Church Workers

How many are the ways we serve within your church, O God. Watch over those who work for boards or in agencies of the church, who promote the gospel. Do not let them think themselves lesser or greater than those who preach or teach; but show them that their gifts are needed in the one ministry of the Lord Jesus Christ, who is head of the church. **Amen.**

When a Minister Is Leaving or Retiring

You have bound us together in the church, great God, and built up the Spirit of love among us. Though we must go separate ways in working for your kingdom, help us to know that we are joined forever in your loving care. We thank you for years together, for mutual support and mutual forgiveness. Never let friendship fade, but keep us remembering one another, and grateful for the life we have shared, in Jesus Christ our Lord. **Amen.**

For a Meeting of the General Assembly, Synod, or Presbytery

Almighty God: in Jesus Christ you called disciples and, by the Holy Spirit, made them one church to serve you. Be with members of our *General Assembly*. Help them to welcome new things you are doing in the world, and to respect old things you keep and use. Save them from empty slogans or senseless controversy. In their deciding, determine what is good for us and all men. As the *General Assembly* meets, let your Spirit rule, so that our church may be joined in love and service to Jesus Christ, who, having gone before us, is coming to meet us in the promise of your kingdom. **Amen.**

For Church Schools and Colleges

God of light: your truth makes every dark place bright, and sets men free from foolishness to live in wisdom. Build up schools and colleges where men and women may grow in the knowledge of your Son. Keep them from becoming sheltered groves away from human agony. Draw faculty, staff, and students together in your Spirit, so they may know that you alone are good and true; through Jesus Christ our Lord. **Amen.**

For Seminaries

Almighty God: in Jesus Christ you called ordinary men to be disciples and sent them out to teach and preach your truth. Bring to seminaries men and women who are honest and eager to serve you. Give them tender hearts to care for fellowmen, and tough minds to wrestle with your word, so that, as they speak and act for you, men may repent and return to love, believing in Jesus Christ, who is our Lord and Master. **Amen.**

For a Church Meeting

Eternal God: you called us to be a special people, to preach the gospel and show mercy. Keep your Spirit with us as we meet together, so that in everything we may do your will. Guide us lest we stumble or be misguided by our own desires. May all we do be done for the reconciling of the world, for the upbuilding of the church, and for the greater glory of Jesus Christ our Lord. **Amen.**

For a Church Supper

God our companion: in Jesus Christ you ate and drank with sinners, broke bread with disciples, and joined your Spirit with

Christian men at table. As we meet and eat together, be among us to bring love, so that as we go out into the world, your Spirit may go with us, spreading the fellow-feeling we find at table here; through Jesus Christ our Lord. **Amen.**

When New Members Are Received by the Session

Almighty God: by the love of Jesus Christ you draw men to faith, and welcome them into the church family. May we show your joy by embracing new brothers and sisters, who with us believe and with us will work to serve you. Keep us close together in your Spirit, breaking bread in faith and love, one with Jesus Christ our Lord and Master. **Amen.**

For Founders and Previous Leaders of a Congregation

We thank you, Lord God, for brave and believing men who brought your message to this place. Let us not forget them (*names may be named*). By their energies this church was gathered, given order, and continued. Remembering all those Christians who have gone before us, may we follow as they followed in the way, truth, and life of Jesus Christ, the head of the church. **Amen.**

For the Acknowledgment of Special Gifts

God of goodness: from your love we have received all that we need or can rightly desire, and by your grace we are prompted to grateful generosity. Thank you for the special gift we now receive. May we use everything to spread word of your deeds and proclaim your faithful love. Let those who have given this gift live in our affection. With them, may we do all things to honor your name; through Jesus Christ our Lord. **Amen.**

For a New Church Building

Eternal God, high and holy: no building can contain your glory or display the wonders of your love. May this space be used as a gathering place for men of goodwill. If we worship, let us worship gladly; if we study, let us learn your truth. May every meeting held here meet with your approval, so that this building may stand as a sign of your Spirit at work in the world, and as a witness to our Lord and Savior, Jesus Christ. **Amen.**

For a Right Use of Church Money and Property

Righteous God: you have taught us that the poor shall have your kingdom, and that the gentle-minded shall inherit the earth. Keep the church poor enough to preach to poor people, and humble enough to walk with the despised. Never weigh us down with real estate or too much cash on hand. Save your church from vain display or lavish comforts, so that, traveling light, we may move through the world showing your generous love, made known in Jesus Christ our Lord. **Amen.**

When the Church Faces a Decision

O God: you are always forcing us to face decisions, so that in choosing, we will choose your will. Now that we must decide what to do, guide us with your word and Spirit. Prevent us from clinging to old strategies, and show new ways for us to follow and obey; through Jesus Christ, the pioneer of faith. **Amen.**

For the Authority of Scripture in the Church

We thank you, Lord God, for men of old who preserved your word for us, who recorded your law, copied the prophets, and remembered the gospel message. May your church never neglect the study of Scripture, but with lively and persistent interest read, recite, interpret, and teach the news declared in Jesus Christ your living Word, and the Savior of us all. **Amen.**

For the Holy Spirit in the Church

Almighty God: you poured out the Holy Spirit on believers at Pentecost, drawing them together in the mission of the church. Give us great enthusiasm for your work, and keep your Spirit with us, so that, united and in peace with one another, we may live new lives as ambassadors of Jesus Christ, who is head of the church, our Savior and our strength. **Amen.**

For Worship in the Church

Holy God: you call us to worship, and by your Spirit prompt prayers and praise. Keep us from saying words or singing hymns with ritual disinterest. Fill us with such wonder that we may worship you, grateful for the mystery of your unfailing love for us, in Jesus Christ the Lord. **Amen.**

For an Inclusive Church

How great is your love, Lord God, how wide is your mercy! Never let us board up the narrow gate that leads to life with rules or doctrines that you dismiss; but give us a Spirit to welcome all people with brotherly affection, so that your church may never exclude secret friends of yours, who are included in the love of Jesus Christ, who came to save us all. **Amen.**

For Peace in the Church

God of our lives: by the power of your Holy Spirit, we have been drawn together by one baptism into one faith, serving one Lord and Savior. Do not let us tear away from one another through division or hard argument. May your peace embrace our differences, preserving us in unity, as one body of Jesus Christ our Lord. **Amen.**

When There Is Division in the Church

Holy God, giver of peace, author of truth: we confess that we are divided and at odds with one another, that a bad spirit has risen among us, and set us against your Holy Spirit of peace and love. Take from this congregation mistrust, party spirit, contention, and all evil that now divides us. Work in us a desire for reconciliation, so that, putting aside personal grievances, we may go about your business with a single mind, devoted to our Lord and Savior, Jesus Christ. **Amen.**

For Courage by the Church

Strong God of truth: your Son Jesus was arrested and killed for outspoken faith. Save us from shrinking back in the face of opposition or from trembling when conflicts flare. Do not let us fall in love with martyrdom, but make us brave to speak your word and do your truth with courage, obeying Jesus Christ, whose disciples we are, whose commands we serve. **Amen.**

For Jewish Friends of the Church

God of Abraham, Isaac, and Jacob, Father of us all, whose Son Jesus was born a Jew, was circumcised, and was dedicated in the Temple: thank you for patriarchs and prophets and righteous rabbis, whose teaching we revere, whose law is our law fulfilled in Jesus Christ. Never let us forget that we, who are your people, are by faith children of Abraham, bound in one family with Jewish brothers, who also serve your purpose; through Jesus Christ, our Master and Messiah. **Amen.**

For Other Christian Churches

Almighty God: in Jesus Christ you called disciples and prayed for them to be joined in faith. We pray for Christian churches from which we are separated. Never let us be so sure of ourselves that we condemn the faith of others or refuse reunion with them, but make us ever ready to reach out for more truth, so that your church may be one in the Spirit; through Jesus Christ our Lord. **Amen.**

By Women in the Church

God of love: you chose the woman Mary to bring your Son to the world, and on Easter Day sent women from his empty tomb with news of resurrection. Show us the special work you have for us. Give us a desire to follow worthy women who, in every age, brought life to earth, spread your word, and witnessed to the risen power of Jesus Christ, a woman's child, who is now the Lord of all. **Amen.**

By Men in the Church

Mighty God: your Son Jesus picked out disciples from ordinary men, and told them to follow him. Keep us, who are his disciples now, unafraid and faithful, so that, with manly courage, we may say and do what you want said and done in the world; through Jesus Christ, a man among men, who is the Lord forever. **Amen.**

For Families of the Church

Lord God, holy Father: you set us in families to teach one another and practice ways of love. Oversee families in the church, so that, fed by your word and held in your Spirit, they may forgive one another, and give one another gifts of joy and courage. Join families day by day to the wider family of mankind as friends and neighbors in Jesus Christ, the Lord of all. **Amen.**

For Enemies of the Church

Strong God, God of love: your Son Jesus told us that his church would be persecuted as he was persecuted. If we should suffer for righteousness' sake, save us from self-righteousness. Give us grace to pray for enemies, and to forgive them, even as you have forgiven us; through Jesus Christ, who was crucified but is risen, whom we praise forever. **Amen.**

For Those Who Write Prayers

Almighty God: you have no patience with solemn assemblies, or heaped-up prayers to be heard by men. Forgive those who have written prayers for congregations. Remind them that their foolish words will pass away, but that your word will last and be fulfilled, in Jesus Christ our Lord. **Amen.**

Prayers for Use at Home

Prayers for Use at Home

Parents' Prayer

God our Father: you have brought children out of our love, and put us in charge of them for a little while. Keep us from doing damage. May love be strong, but not possessive; liberating, but never careless. Help us to remember that we are also your children, willful and foolish, in need of patient grace; through Jesus Christ our Lord. **Amen.**

A Family Prayer

Our Father: we are your children. You know us better than we know ourselves, or can know each other. Help us to love, so that we can learn to love our neighbors. May we forgive, hold no grudges, and put up with being hurt. Let there be laughter as we enjoy each other. Serving, may we practice serving you; through Jesus Christ our Lord. **Amen.**

Morning Prayers

God: be with us all day, in streets or buildings where we work, so that everything we do may be for you, and your Son, our Lord, Jesus Christ. **Amen.**

May we wake thinking of your love, great God, and trusting your plans for us. Give us your Spirit today, so we may do what you want done in the world; through Jesus Christ our Lord. **Amen.**

Evening Prayers

As darkness comes, Father, forgive wrong things we have said or done. Renew our love for one another, and give us quiet minds to sleep, so when morning comes, we may be glad to serve you; for the sake of Jesus Christ. **Amen.**

Strong God: you made day and night. As we sleep, tell us your love, so that when light comes we may wake happy, forgiven, and ready to live for you; through Jesus Christ our Lord. **Amen.**

Grace at Table

Father: we thank you for good things you give us. May we enjoy, share, and give thanks; through Jesus Christ our Lord. **Amen.**

FATHER: Praise the Lord.

FAMILY: **The Lord's name be praised.**

FATHER: Let us thank God.

FAMILY: **For he is good.**

God: we thank you for home, family, and friends. May your love be with us as we break bread in Jesus' name. **Amen.**

Thank you, God, for food, and all your gifts; through Jesus Christ our Lord. **Amen.**

When a Family Is Separated

Lord God: watch over us while we are apart. Keep us in your love, and bring us together again to praise you; through Jesus Christ our Lord. **Amen.**

Indexes

Scripture and Scriptural Allusions

Scriptural quotations and allusions to be found in this book are listed below. Translations used are the Revised Standard Version, the Phillips translation, the Jerusalem Bible, and the New English Bible.

Guide for the Use of Prayers

The Guide for the Use of Prayers will help those who lead worship to locate particular prayers in this book. Prayers are indexed according to topics and the seasons of the Christian Year.

References in the Guide indicate the page on which a prayer may be found, and the location of the prayer on the page. Thus, 154:5 refers to the fifth prayer printed on page 154; and 31:2 to the second prayer on page 31.

In addition to the prayers listed in the Guide, leaders of worship will discover that there are prayers within the litanies (see pp. 105–131). There are also petitions in the litanies that may be converted into brief and useful prayers with the addition of an address to God and a conclusion.

10 Ten Prayers God Always Says Yes To

Divine Answers to Life's Most Difficult Problems

Anthony DeStefano

IMAGE BOOKS * DOUBLEDAY
New York London Toronto Sydney Auckland

Published in the United States by Doubleday, an imprint
of The Doubleday Publishing Group, a division
of Random House, Inc., New York.
www.doubleday.com

A hardcover edition of this book was originally
published in 2007 by Doubleday.

LIBRARY OF CONGRESS CATALOGING-IN-PUBLICATION DATA
DeStefano, Anthony.
Ten prayers God always says yes to : divine answers to life's
most difficult problems / by Anthony DeStefano.
p. cm.
Includes bibliographical references.
1. Prayer—Christianity. I. Title.
BV220.D47 2007
248.3'2—dc22

2006033907

ISBN 978-0-385-50991-6

PRINTED IN THE UNITED STATES OF AMERICA

10 9 8 7 6

This book is for my brothers,

Vito, Carmine, and Salvatore,

and my sister, Elisa

Contents

More things are wrought by prayer than this world dreams of . . .

—ALFRED, LORD TENNYSON

When we pray properly, sorrows disappear like snow before the sun . . .

—JOHN VIANNEY, CURÉ OF ARS

Introduction

Too Good to Be True?

This is a book about prayers God always says yes to. Not prayers he says maybe to, not now to, or no to. Not prayers he says yes to sometimes, most times, or once in a while. This book is about prayers God says yes to *all the time*. Are there such prayers? You bet there are!

I know how hard it is for so many in our jaded, cynical culture to approach a book like this without rolling their eyes. But I assure you, this is not a joke or a gimmick. Nor is it one of those self-help books that preach all about personal development, the power of positive thinking, or the ability to "buy real estate with no money down." This is about a spiritual treasure chest that is available to everyone—a treasure chest that few people ever open. This is about prayers that *work*—really, truly work.

Why don't people take advantage of prayers that work? One big reason is that they are so caught up in prayers that *don't* always work. All over the world right now, people are shaking their heads in frustration, asking the question: Why doesn't God answer me when I cry out to him?

Why didn't God cure my mother's cancer? Why doesn't he rescue me from this horrible job? Why doesn't he get me a raise at my job so I can pay my bills? Why didn't he save my wife's brother from that massive heart attack? Why doesn't he send me a husband, or even a boyfriend, so I don't have to be alone anymore? Why did he make my son autistic, when I prayed so hard for healthy children?

Why, why, why?

It's so hard to understand: A supposedly all-powerful, all-knowing, all-loving God—a God who made the sun, the moon, and the stars and has the ability to do absolutely anything he wants—yet so many times he seems to ignore our prayers or, even worse, turns us down flat. Isn't there any explanation that can help keep us from getting angry at him?

There have been thousands of books written about prayer, and millions of sermons preached about it; yet the subject still remains very much a mystery. God's will is inscrutable, the Bible says,[1] and to a certain extent we have to accept that. Yet we *want* to be able to make more sense of it. In the face of all our problems, we want to know why God is often so silent. Are we really alone in the universe, as some claim? And if God *does* exist and *is* listening, why does he say no to us so often? How can we reconcile the idea of a God who says things like "Ask and it shall be given to you; seek and you shall find; knock and it shall be opened unto you"[2] with the undeniable fact that this same God often refuses to grant us what we desire most?

Unfortunately, the answer is something we don't want to hear. God does say no to us an awful lot. Sometimes he says no to us when we come to him with the simplest request. Sometimes he says no to us when we are at our most vulnerable—when we have no one else in the whole world to turn to. Sometimes he says no to us when we get on our knees and desperately plead with him to help us.

Part of the reason for all these "refusals" is that we are looking at prayer in a distorted way. We're viewing it, essentially, with the same kind of consumer mentality with which we view the rest of domestic living: we want *this, that*, and *the other thing*, and we want it *now*.

But God is not some supermarket clerk, and the world is not some huge Wal-Mart. As long as we continue to labor under this misconception, we will continue to get upset every time God says no to us. The harsh reality is that God has some very strict guidelines he goes by when "considering" our prayer requests, and they are sometimes difficult for us to accept.

To start with, there are requests God *always* says no to, no matter how earnestly we pray. For example, if we ask God for something that is obviously bad for our spiritual welfare, he is going to refuse us—period. If a person wants to lie to his friend, or embezzle money from his job, or commit adultery with a coworker, God is not going to give him any assistance. That doesn't mean the person who wants to pursue these things won't be successful anyway. He probably will be. God hardly ever stops us from making the wrong decision—especially when we are in a rebellious state of mind. He has given us the awesome gift of free choice,[3] and that includes the choice to do all kinds of terrible things. But the point remains, while God may allow people to commit crimes, break the commandments, harm their neighbors, and so forth, he certainly isn't standing by providing any divine assistance. A person may make all his lascivious schemes come true, but he will do so on his own—not because of any answered prayers from the Almighty.

Then there are the prayers God says no to for reasons that are not so obvious, even though we may try hard to understand them. There is an old expression that says "God gives us what we *need*, not what we *want*." What this means is that when God decides to grant a prayer request, he uses a completely different set of criteria than we do. Like a good father, he is not concerned about gratifying our every wish. Instead, he is concerned about only one thing: our *ultimate* good, which boils down to *whether or not we make it to heaven*. Every request we make of God is "evaluated" by him in light of that long-term goal. When we ask God to grant us something, he says yes or no based on what he knows will happen to us in the future as a result of that decision. What direction, spiritually, are we going to go in if he says yes? What will it mean for our soul, over the long haul, if he says no? Will we be more likely to be saved, or damned, as a result of getting what we asked for—or not getting it? Moreover, what will happen to the people around us—those who are affected by what we do and how we act? Will *they* be more likely to go to heaven or not?

Because of these kinds of global considerations, God sometimes allows things to happen to us that seem terrible, knowing that he will "ultimately" bring good out of them.[4] In these instances, we say that God denies our pleas for help because they are "not in accordance" with his will.[5]

Everyone who has prayed for any length of time has experienced the feeling of letdown that comes with God's refusals. I remember praying very hard once to obtain a certain job in the government. At the time I was in my twenties and not very religious. This particular job was a great opportunity for me to enter the world of politics, and I had all kinds of dreams of running for office one day and making my mark in the world. Because the position was so important to my future, I spent several days and nights intently begging for God's assistance. I made all the usual promises to become a better person, give up my sinful ways, and go to church more often—if only God would grant me *this one little favor*.

As you might guess, I didn't get the job, and as a result, the door was closed to a whole range of career possibilities. I was very upset, and while I didn't stop believing in God, I certainly wasn't happy with him. In fact, I wasn't on very good "speaking terms" with him for a number of months. In retrospect, though, I realize that getting that job would have been the *worst* possible thing for me. Knowing myself and my personality, I can see that I was clearly unsuited to political life. Besides, if God had granted my prayer I would have had to move far away from home. I would have ended up traveling in completely different circles over the next few years, and would never have become involved in the life of the church. As a result, neither my first book nor this one would have been written. In short, my entire life would have been different—and *not* for the better.

Maybe you have a similar story. Looking back over the long course of our lives, it's sometimes easy to see why God has denied us certain requests. Other times it's more difficult—if not impossible. These are the hardest no's for us to accept, because we can't see God's why. When we pray to God for something, we don't have the luxury of twenty-twenty hindsight, nor do we have a crystal ball to look into the future. Naturally, we have a difficult time understanding the wisdom of God's actions, or of his lack of action. We have to go on faith alone.

This is something we don't really want to hear. When we desire something with all our heart—like getting out of debt or being cured of an illness—it sounds so empty and hopeless to say that God will give us only what's "best" for us. Most times we don't care what's best for us in the future; we want instant gratification. We want the answers that *we* feel we need—not the ones God deems necessary.

And so we stop praying, or we pray without conviction, or we begin to doubt the very existence of a God who is supposed to be listening to our prayers. So many people use unanswered prayers as a reason for not believing in God.

But do you know what? There's a flip side to all this. A remarkable and wonderful flip side.

If God gives us only what we need and what is good for our spiritual growth, doesn't it follow that there are certain things that he always *wants* to give us? After all, aren't there certain spiritual favors and graces that are always good for us and that we need all the time? And doesn't that mean, furthermore, that there are certain prayers God *always* says yes to—prayers that he grants at all times, and in all circumstances, because they are always "in accordance with his will"?[6]

You see, there are certain fundamental spiritual needs we have regardless of what happens to us in the future. And there are certain things we can ask God to give us that will be of great benefit to our long-term welfare no matter what the present situation—things that *never* conflict with God's will and that he is always happy to give us. Even allowing for questions about the unknown, unseen future and the mystery of free will, there must, therefore, be certain basic prayers God can always be relied upon to answer in the affirmative.

And indeed there are. Plenty of them! All one has to do is look to the Bible, the words of Christ, the writings of Christian theologians over the centuries, and the testimonies of thousands of people *right now* whose prayers are being answered.

God loves to say yes to us. Not only to "small" prayers, but to big, practical, and profound ones as well. It's just that we don't usually think about these prayers because they are not of the "consumer" variety. We don't realize that if we simply made certain basic requests of God, they would be granted automatically. And once granted, our lives would change—possibly overnight. In fact, our lives would be a hundred times more exciting and passion filled than they are now, and a hundred times less stressful and anxiety-ridden.

Don't believe me?

How would you like to have incredible, unshakable faith—the kind that could withstand any crisis and any amount of suffering? How would you like to have as much courage and strength as the bravest war hero? the wisdom to solve all the problems you'll ever face in life? How would you like to have peace—the kind of deep inner tranquility that can carry you safely and smoothly through all of life's problems? to experience the most passionate feelings of love, intimacy, and connectedness—no matter how alone you may feel now? How would you like to know your destiny—a unique destiny God has chosen for you from the beginning of time, a destiny so grand in scope and heroic in proportions that it dwarfs all your dreams—a destiny you can still have no matter what your age, job, or position in life?

All these things can be yours, and all you have to do is ask. If that sounds too good to be true, why not just give it a try? Instead of debating, denying, or dismissing, why not just take me up on this challenge? Read a few of these chapters, and say a few of the prayers. Then just stand back and watch the results.

I guarantee that before you even get to the last page of this book, your life will begin to change before your eyes.

1 I Wish I Could Believe

God, Show Me That You Exist

Does God exist?

Can there be a simpler yet more important question in all the universe? Can there be one that has been the source of more mental anguish and emotional confusion in the history of mankind?

It's ironic that a question that so many people struggle with is also one that can be answered most easily by God when we put it in the form of a prayer. For when we lift our minds and hearts in humility and say to God: *"Please show me that you exist. . . . Give me some sign that you are really up there somewhere"* he is only too happy to respond—sometimes with a speed that can astound us.

And yet people often spend decades of their life going round in circles trying to debate God's existence. They analyze the problem, research it, turn it over and over in their minds, go back and forth a thousand times, and at the end of the whole process, they're still not sure.

Why do people get caught in the "faith maze" so often? Probably because so many corollary questions flow from that basic question: Are we alone in the universe? Is death the end of the story? Is there a meaning to suffering? Is there a heaven or hell? Is there an ultimate plan for my life? The problem is that none of these issues can be discussed intelligently if the answer to the first question—"*Does God exist?*"—is no. If there is no God, then any talk about Providence and eternity is absurd. The funeral really is the end of the story, and life has no meaning beyond the day to day. As one of my theology professors used to say, it's the "Looney Tunes" philosophy of life, because like the old Warner Brothers cartoons, the only way to accurately describe death is with the phrase "That's all, folks!"

On the other hand, if there is a God, then a world of possibilities opens up to us. With God, not only does every human being live forever, but all the actions we take and decisions we make have a significance that extends far beyond the present moment. In fact, everything that happens to us in our life—down to the tiniest, most insignificant detail—is mysteriously tied to God's "plan."[1]

There isn't much room for compromise here. Either we're alone in the world or we're not. Either we came about by chance or we were created for a reason. Either death is the end or it's the beginning. Either our situation is ultimately hopeless or it's ultimately blissful. There really can't be two more different or diametrically opposed worldviews.

So how can we come to grips with this most profound question? One way is through simple logic. In the long history of philosophy, many arguments have been put forward concerning the existence of God. Some of the greatest geniuses the world has ever known—Aristotle, Plato, Augustine, Aquinas, Spinoza, Pascal, Descartes, and Kant, to name a few—have made the case that there *is* a God, and that he is a real, living being.

Some of these rational "proofs" are very famous. There is

the so-called cosmological argument, for instance, which asks the question "Where did everything come from?" There is the teleological argument, which points to the order and design of the universe and asserts that there must be a "designer." There is the ontological argument, which is based on the concepts of perfection and existence. There are arguments from "efficient causality," from "contingency," from "desire," from "degrees of perfection," from "miracles," from "morality and conscience," and from "reliable testimonies." The list goes on and on.

There isn't time to discuss these proofs here, but all of them are based on logic, observation of the physical world and our internal consciousness, and inductive or deductive reasoning. None is based on Scripture. None attempts to prove God's existence by asserting that "the Bible says this or that."

These logical proofs can be extremely helpful, especially to someone who tends to think that it's not "intelligent" to believe in God or that religion somehow goes against science. But the problem is that sometimes people get so wrapped up in logic that they get *tied up* in it as well. They can forget that the solution they are looking for is right in front of their eyes and doesn't require any arguments at all.

In the case of faith, it's easy to overlook the most fundamental point of all, namely, that God is *not* an argument; he is *not* a syllogism; he is *not* even a concept. God is a living being. He has the ability to know things, to desire things, to create things, and to love things. He is fully aware and involved. He is *alive*.

Why is that so important? Because living beings don't have to be "proved." They can be *shown*. If I want to prove to everyone that my uncle Frank exists, I don't have to mathematically demonstrate that fact. I don't have to produce his birth certificate, passport, driver's license, or Social Security card. I can if I wish, but I don't have to. There's a much simpler solution. If I want, I can just pick up the phone, give him a call, and say, "Hi, Uncle Frank, how are you doing today?" And if anyone had the audacity to doubt that my uncle was really a living, breathing person, and not just some figment of my imagination, all I'd have to do is introduce them to him.

It's a similar situation when we discuss God. Yes, we can come up with all kinds of fancy arguments to prove his existence, but we don't have to. It's not a strict requirement. Because God is a living being, we can simply give him a "call." Since he is really, truly alive, he is going to answer us and have a conversation with us—maybe not in the exact same way as Uncle Frank would if we called him on the phone, but close.

Does that seem too easy? I promise it's not. It's just that most people who have questions about God's existence have never even tried to make contact with him. They've never made a sincere effort to suspend their doubts for one second and say: "God, I don't know if you're up there. In fact, I'm having a big problem believing in you. But if you do exist, will you please do something to show me, so that I know for sure?"

Do you know what will happen if you say this kind of prayer? God is going to answer you. He is going to say YES. He is going to show you that he exists. Why? Because God is not some cosmic joker. He is not interested in playing hide-and-seek with us. His goal is not to confound and confuse us for our entire lives. Yes, he wants us to have faith in something we can't see or touch, but he doesn't expect us to do the impossible. He doesn't expect us to believe in something or someone we can't even communicate with.

You see, communication is really the key to understanding the whole mystery of faith. In fact, the history of the world is really the history of God trying to communicate with mankind.[2] By creating the universe and the planets in the first place, God was essentially "breaking the silence." By creating animals and human beings, he was making conversation possible.[3] By formulating covenants with Adam, Noah, Abraham, Moses, and David, he was taking the step of actually speaking to us.[4] By sending great prophets like Elijah and Isaiah to his chosen people, he was deepening his bond with us and "revealing" himself to us even more clearly.[5] God's most direct act of communication was to become a man in the person of Jesus Christ. By actually walking among us in bodily form and speaking to us plainly in our own language, God was doing everything he could to "talk to us." And by sending his Holy Spirit, first to the Apostles on Pentecost Sunday and then to the rest of the world, God continues to communicate with us to this very day.[6]

The fact is that we have a God who *loves* to communicate. And the reason is that communication is the starting point for any relationship. Everyone has heard it said that God wants to be able to have a relationship with us. There is no truer point in all theology. Indeed, the thrust of God's communication with mankind over the course of history has always been *relational* and not *conceptual*. That's why he actually prefers it when we come to have faith in him through prayer, instead of through logical arguments alone. God doesn't just want to satisfy a curiosity we have, he wants to enter into a friendship with us.[7] When we take the initiative by *asking* him a question, instead of *treating him as a question*, we have actually entered into a dialogue already—whether we know it or not. And dialogue—

back-and-forth conversation—is the heart and foundation of any relationship.

Now, we couldn't very well have a relationship with God if the communication was all one way. We couldn't hope to make a bit of progress in the spiritual life if God refused to talk back to us when we ask him the simplest question: "Are you there?" That's why God is always going to answer this question when we pray to him.

How, exactly, will he do that?

Before I attempt to answer that, let me first tell you what he is *not* going to do. If you ask God to show you that he exists, he is not going to hit you over the head with a hammer. He is not going to suddenly appear before your eyes in bodily form. He's not going to perform some tremendous miracle for you. Of course, he can if he wants. He has that option. And he has done that at various times in history with various people, but it's very rare. Chances are he's not going to do it in your case.

And believe me, you don't want him to! I know that it's very tempting to ask God to show you he exists by performing some miracle for you. But that's the *last* thing you want him to do. Why? Perhaps you remember the saying "To whom much is given, much will be expected"?[8] That rule applies here. Let me explain.

Having to believe in a God you can't see is one of the "tests" God gives us in this life. And while it's not always the easiest test in the world, it is certainly a test we can all pass. I remember playing a game with my friends when I was a boy in which we had to close our eyes and fall backward into the hands of another boy standing behind us. It was basically a game of trust. You had to believe that your friend was going to catch you. If he didn't—if he wanted to play a nasty, cruel joke on you—he could actually let you fall and hit the ground. The idea, of course, was that your friend would never do something like that to you. But you still had to trust him, because he *could* let you fall if he wanted. You were putting yourself in his hands. It wasn't a big risk you were taking, but it was still a scary feeling to be falling backward with your eyes closed and your arms folded in front of you.

This is similar to the kind of faith test God gives us in life. By being invisible, he is essentially asking us to close our eyes as we fall back. He is asking us to *trust* him. Now, we can pass the test by believing in him; we can fail it by becoming hardened atheists; or, in rare circumstances, we can have the test taken away from us completely. How so?

If God wishes to, he can always perform a great miracle for us or show us some kind of vision. If he were to do that, we would no longer need to believe in something we couldn't see. We'd have demonstrative, "scientific" evidence instead. And that's exactly what some people ask God to do. They want a miracle. They want to hear the voice of God announcing his presence in a silent room. They want to see an angel appear before their eyes. They want a chair or a desk to move by itself across the floor. They don't want to close their eyes as they fall back into God's hands. They don't want to trust God.

But this is where we really have to be careful. Because if God takes away the test of faith from you, he's going to put another test in its place. And you can be sure that this other test won't be easy.

You see, the overwhelming majority of mankind has to go through life having faith in an invisible God.[9] If you, by some incredible act of God's mercy, are excused from that obligation, you can be certain that you will be expected to perform some pretty incredible feat later on, including even the possibility of giving your life.

Remember what happened to Moses? He was given the privilege of seeing the finger of God write the Ten Commandments on Mount Sinai. But then he had to lead a life of hardship and sacrifice in the desert for fifty years and was denied access to the Promised Land. Similarly, Jesus's apostles were given the honor of seeing the Lord perform many wondrous miracles before and after his Resurrection—but all of them had to die horrible martyrs' deaths at the hands of the Romans. (All except John, who was not killed but instead tortured by being dipped into a vat of boiling oil.) Saint Paul was struck blind on the road to Damascus and actually heard God's voice speak to him—but after that he had to suffer greatly, was scourged countless times, shipwrecked twice, and finally beheaded in Rome.[10]

The pages of the Bible and the history of God's church on earth are filled with examples just like these. Like it or not, these are the kinds of tests God offers as *substitutions* for the faith test. Is that something you really want to chance?

I'm not implying that miracles are "bad" or that asking God to perform a miracle for you is wrong. Miracles happen every day. When you are confronted with a problem you can't solve, it's only natural to ask God to intervene on your behalf in a supernatural manner. There's nothing wrong with that. What I'm talking about here are those miracles that are so clear, powerful, and indisputable that they essentially render "faith" in God unnecessary and superfluous. If you ask for that kind of miracle and actually receive one, watch out!

On the other hand, if you simply ask God to show you that he exists, without all the lightning and thunder, you can expect to be answered just as clearly but without the requisite heroic sacrifice. How so?

Very simply, God will give you a *sign* of his presence—a real, genuine, bona fide sign. The exact nature of this sign will be up to him, of course. We always have to remember that God is sovereign and can do anything he likes. But you can be sure it will be something out of the ordinary. Something that—to you, at least—will border on the supernatural. It might be something "big" or something small; dramatic or quiet; profound or simple. It might come to you through the conversation of a friend or while you are at a church service. It might even come to you while you're at a baseball game! God speaks to different people in different ways and at different times.

Whatever kind of sign he gives you, one thing is certain—you will recognize it as a sign. Some *thing* is going to happen to you after you say this prayer—something that has never happened to you in your life before. And when that something happens, the thought is going to pop into your head: *That couldn't have been from me.*

That will be the key—the recognition that something outside yourself was responsible for causing something that is now directly impacting your life in a way that couldn't possibly have come from you. It may not be a vision. It may not be the voice of an angel. It may not be anything commonly associated with miracles. But it will be something powerful nonetheless.

Perhaps an obstacle that has been preventing you from achieving an important goal will suddenly be cleared out of the way. Perhaps you'll be able to overcome some addiction that has had you in its grip for years, quickly and easily. Perhaps a different and completely unrelated prayer you have offered to God will be answered. Perhaps you'll experience a moment of profound insight into a problem that has been a source of constant pain to you. Perhaps you'll be able to conquer some personal evil in your life, or achieve a certain virtue that has up to now evaded you. Perhaps you'll have a close call—a brush with danger or a moment when your life was at risk—and somehow escape it without a scratch. Perhaps some age-old quarrel or animosity that has been a source of great pain will unexpectedly disappear.

No matter how God decides to answer this prayer, your reaction is going to be "How in the world did that happen? How could this possibly have come about? It just doesn't make sense. I didn't plan it. I didn't do any work. I didn't make any phone calls. *I* didn't do anything." There will be a growing conviction in your mind and in your heart that there *must have been* some other force at work. And more important, there will be a growing conviction of the presence of this force.

This is a critical point to understand. The wonder that you'll feel when this prayer is answered will not be the same as what you feel when you experience an ordinary, everyday "coincidence." Everyone has experienced coincidences and weird occurrences in their life. This will not be like them. This will be a direct experience of God's grace, and, as such, it will point directly to the one who is behind it—God.

Now, there are two provisos that I should mention here, and they apply pretty much to every prayer we're going to discuss in this book. The first has to do with the concept of "testing" God.

As the Bible clearly states, we are never permitted to "test"

God Almighty.[11] He simply will not stand for that. He will ignore us. If, for instance, you pray to God, "Please show me that you exist," and at the same time think to yourself, "And if you don't show me, I will know that you're not there," then I wouldn't put too much stock in God's answering you. In other words, if your "prayer" is an "if-then" statement—"if you do such and such, I will believe, and if you don't, I won't"—then God is probably going to say no to you. The reason is that this is not really a prayer at all. It's a demand. You're essentially telling God to do something—*or else.*

That is not the proper way to ask God for a sign of his existence. The whole point is to try to be sincere, even if you have tremendous doubts about God. This is a very important distinction. The goal here is to suspend your disbelief—if only temporarily—to give God a chance to enter your life. The idea is to open yourself up, honestly and truly, to receive a special grace from God. That is not the same as being ready to close the door in God's face if God doesn't satisfy you immediately. If you do that, you're not being faithful or even respectful to God; rather, you're treating God likes some trained dog you expect will perform tricks for you.

And this, by the way, is where those logical proofs we talked about earlier come in so handy. In and of themselves, they may not be sufficient to give you the kind of rock solid faith you'd prefer, but they are certainly persuasive enough to make a person say, "There seem to be some very good arguments on the pro-God side, and *because of that,* I am willing to take a chance and pray with sincerity rather than cynicism."

The second proviso has to do with the kind of person you are right now. Let's say that currently you are *not* living a very godly life. In fact, let's say you're doing the opposite—you're breaking a majority of the Ten Commandments; you're lying, having an affair with someone at the office, being selfish, gluttonous, and angry most of the time. In short, you're not doing well spiritually. In theological language, you have what is called a "darkened conscience."

Is this prayer still going to work for you?

Yes! But maybe not in the same way and in the same time frame as it would for someone who doesn't have your vices, someone who has been trying all along to be virtuous. Here's why.

Let's say you took two glasses of water, one clean and clear, the other dark and cloudy, and dropped a shiny gold coin into each of them. Through which glass would it be easier to see the coin fall? Obviously, the glass with the clean water. Well, it's the same with people. If God decides to reach down into your life and touch you in a special way in response to a prayer you've said, it's going to be a little more difficult to see his hand if the life you're leading is dark and cloudy, morally speaking. As a result of all your vices and bad habits, it's going to be tougher for you to recognize God and his saving actions—not necessarily because you're a "bad" person, but simply because it's harder to see through murky water.

It would be the same if you were wearing sunglasses in a dark room. Seeing exactly what was going on around you might be a challenge. But just because it might be a challenge doesn't mean it would be impossible. If you are living an immoral sort of existence now, it might take you a little longer to discern the hand of God in your life—but you will discern it. God is going to answer this prayer no matter what level of spirituality you are at. You can be a great sinner or a great saint; either way, if you ask God to show you that he exists, he is going to say yes. Once again, God *wants* to communicate with us. He wants us to believe in him. He wants us to have a relationship with him. This is a matter of Judeo-Christian doctrine. Saint Paul summed it up best when he said: "God wills that all come to a knowledge of the truth." Not just the holy, not just the religious, not just the virtuous—but all.[12]

So don't let the fact that you have failings discourage you from saying this prayer. For the moment, just go forward, full speed ahead. If you do, the other problems and vices you have will start taking care of themselves. As you begin to feel the presence of God in your life, you will also begin to experience an inner freedom and peace that goes hand in hand with grace. You'll find that it will be much easier to clean up the rest of your life. We'll be talking a lot more about this in later chapters, but for now understand that the best thing you can do if you are an atheist, agnostic, or doubting Thomas is simply to open up and ask God to show you that he is there.

The writer C. S. Lewis once said that whatever God takes from you with his left hand, he always gives back with his right—in abundance. God may have taken away our ability to see him with our eyes, but that is only because he has something better in mind for us. Just as a blind man is forced to use his other senses to experience the world, God forces us to see him through different senses—through divine lenses, if you will. In doing so, he gives us not only the ability to see him, but also the ability to actually become part of him. The intimacy that we can share with an invisible God is not simply exterior, but deeply interior as well. If we respond to God in faith, we will eventually come to a point where the relationship we have with him is so close and so intimate that we will be as sure of his existence as we are of our own.

In practical terms, this means that when you say this prayer, your faith will begin to grow—slowly at first, and then geometrically. When God starts to reveal himself to you, that will only be the beginning. "Draw near to him and he will draw near to you," the Bible says.[13] The more steps you take toward God, the closer he will come to you. Like someone lying in the sun at the beach getting darker by the hour, your faith is going to get deeper and deeper the more time you are exposed to the light of God. It may take some time, but believe me, you are going to get to the point where you no longer have *any* doubts about his existence. In fact, you will begin to develop a kind of certainty about God that you have never experienced about *anything* else.

With this new kind of certitude, you will also begin to have what I can only describe as a feeling of invincibility—a feeling that nothing can touch you. You'll walk around feeling as safe as a soldier in a tank, or a policeman wearing a bullet-proof vest. You'll have the sense that if the whole world crumbled around you, you would remain standing, unharmed and unscathed. That's the kind of spiritual armor this prayer will give you.

This tremendous sense of well-being will come directly from the fact that you will know—not hope, not wish, not suspect, but *know*—that there is an almighty power that created the universe, and that he is with you every moment of the day and night. Problems of every kind—problems that formerly caused untold amounts of pain and anxiety—will completely lose their crippling effect on you. Problems with money, with coworkers, problems with family members, illnesses, bouts of loneliness and depression—even death itself—will never hold the same kind of power over your life.

Don't misunderstand what I'm saying. I'm not claiming that these problems will magically disappear. I'm saying that the way you feel about them will change drastically—to the point where you'll be able to deal with every problem in your life from a position of strength. That is one of the graces God generously bestows along with faith.

I'm also not saying that you will never again have doubts about God. You may very well have setbacks along the way—temporary crises of faith that come about because of the death of a loved one or because of some other traumatic event in your life. But these won't last long. I can't emphasize this point enough: believing in God is not some phase you go through. It's not a hobby you lose interest in or a love affair that stops being passionate. True faith is a constant progression. If you were to plot the kind of faith I'm talking about on a graph, you might see some places where there were dips and downturns, but the general movement will always be up. Once you get started on this road, God's objective is always the same. He wants you to have a kind of superfaith—an invincible, heroic, indestructible faith.

And it all starts with one simple prayer: *God, please show me that you exist.*

There is a beautiful nineteenth-century painting that illustrates this point well. It's called *The Light of the World*. In it, Christ is shown holding a lantern, standing outside a little cottage on a dark, stormy night. He is knocking on the door of the home, waiting to be let in, but the occupant, unseen behind the door, does nothing. The figure of Christ, bathed in a golden green light, is supremely serene and looks as if he is prepared to stay outside the cottage door knocking forever. It is a striking image because of what it says about the light of truth in a dark world. But the really interesting thing about the painting is that there is a curious detail missing. If you look closely at the door of the home, you will see that there is not a knob or a latch anywhere to be found. Why? It can't be that the artist forgot to put it in. Rather, he was making a sublime theological point: the door to the human heart can be opened only *from the inside.* God will never force his way in.

In this chapter, we've been talking almost as if *we* were the ones who were responsible for making the first move with God. But really that's not the case. Even though it might at first appear to us as though we are taking the initiative by asking God to show us that he exists, in reality, God is the one who is constantly knocking at the door of our hearts.[14] When we ignore him—even when we go for years and years without ever thinking about him—he still remains outside, waiting, knocking. The fact that we desire to know him, that we desire to search for him, even when we have serious doubts about him, is possible only because he is outside the door, quietly but persistently requesting entrance.

The amazing thing is that we really don't have to do very much to let him in. We don't have to study all the arguments for and against his existence, we don't have to torture ourselves with questions about death and the afterlife, we don't have to ask for a miraculous vision to be given to us, we don't have to consult with any experts, read a lot of difficult books, or take a public opinion poll.

All we have to do is ask one simple question in the form of

a prayer. Like the owner of that little cottage in the painting, when we say in the dark of the night: "Who's there . . . is anyone there?" we won't have long to wait for a response. By asking that question, sincerely and humbly, we are essentially opening the door to God. He will not stay outside in the storm. He is going to walk right through the door and into your heart.

And when that happens, I promise nothing in your life will ever be the same.

2 Why Should I Get Involved?

God, Make Me an Instrument

Do you want to know the prayer God answers fastest? The prayer God says yes to most consistently? The prayer he answers with the most pleasure and least fuss or conditions? It's a very old prayer—as old as Christianity itself—and it can be formulated in many different ways.

At first glance, it may not seem all that exciting. It may not seem to carry with it the promise of any great benefits or blessing. But I'll tell you this: it is one *effective* prayer. In fact, the prayer I'm talking about is so potent that if it were sold in a supermarket, it would have to come with a warning label: "Don't pray this unless you are prepared for instant results!"

What is this prayer that generates such an immediate and surefire response from God? Basically, it's simply a request: "Please, Lord, make me an instrument to carry out some important mission of mercy for you." In other words, *"Please use me to help someone in need."*

I'm not exaggerating when I say that God says yes to this prayer quickly. In fact, one of the reasons that we're discussing it now, right after a chapter on faith, is that the speed, consistency, and reliability with which God answers this prayer can almost be taken as a *proof* of his existence.

Stay with me here. If you sincerely say to God, "Make me an instrument," you are going to get such an immediate response that you will find it very difficult to have any doubts about the presence of the Almighty. These four little words will escape your lips and within seconds, hours, days, or weeks (certainly not more than weeks), you are going to be answered. And since this is going to happen every single time you pray it, any lingering questions you have about God's existence will soon be dispelled.

Mark my words, after you say this prayer, someone in need is going to practically show up on your doorstep—and he or she is going to be in dire straits. Emotionally, psychologically, physically, financially—you name it—they are going to have some kind of serious problem. The person may be a friend, an enemy, a family member, or a complete stranger. But they're going to be in bad shape. And you are going to be the only person in the world who can help them.

Why does this prayer work so fast? I can think of many reasons. In fact, I know of very few prayers in which so many spiritual laws converge.

To begin with, it's important to understand that God has been using "instruments" since he first created the world. This is nothing new to him. In fact, God's whole plan of salvation has been to save *us* through *us*—through people just like you and me. That's why he doesn't perform miracles every minute of the day but instead lets us take part in the business of life by making things happen ourselves. That's why he doesn't go about creating human beings out of thin air. Instead, he lets us play a pretty enormous role through the process of procreation. That's why down through the centuries, when God has wanted to communicate important messages to us, he hasn't simply shouted out his commands from heaven. Rather, he has used prophets and kings and judges as ministers of his word. And that's why, when God chose to save the world, he did it through his only son—Jesus Christ—who was fully God and fully human. He could have redeemed us in any number of ways, but he wanted us to be saved by one like us.

So when we ask to be used as instruments of the Lord, we are actually employing a "pattern" that God himself uses all the time. We are essentially "modeling" ourselves after God. Of course he's going to want to grant our request.

A second reason he always honors this prayer is that it ties in directly to his great command "Love thy neighbor."

Now, "love" is a very misunderstood word today. Most people treat it as a silly cliché. They look at love as no more than a concoction of warm, gooey feelings. Not only is this a false way of viewing love, it's juvenile as well. It hardly does justice to such an immense and powerful experience. This idea of love might make for a good romantic movie or a catchy pop tune, but it certainly doesn't jibe with real life or with Scripture. The Bible is so obviously filled with death, sacrifice, righteous anger, and suffering that love simply has to mean more than nice, mushy feelings.

And, indeed, there is another way to look at love—the way God looks at it.

Love has only one meaning—self-giving sacrifice. Doing something for someone else—even when we don't want to, even when every fiber of our being tells us not to—is the true definition of love. It's no wonder Christ said that the greatest act of love is to sacrifice your life for a friend.[1] It all comes down to giving yourself away.

Christ himself taught us this most perfectly during his Passion. The night before he died, he said to his apostles, "This is my body, given up for you."[2] He didn't try to preserve his body at all costs. He was willing to sacrifice it for us. A few hours after he said these words, he put them into action, laying down his life so that all of us could have our sins forgiven and enjoy eternal happiness in heaven. That's why the best, truest symbol of love is not the heart, not the wedding ring, not cupid's arrow. It is the Cross.

There's a well-known quote from the Bible that is extremely difficult to interpret unless you understand love from this perspective. In the Gospel of Matthew, Christ tells a group of disciples: "Where two or three come together in my name, *I am there in the midst of them*."[3] What could he have possibly meant by that? Why would he use the phrase "two or three people" instead of just one? After all, can't God be present to just one person? Can't he be there for just you or me alone? Does there have to be a group of people hanging around for God to "show up"?

The answer is "of course not." God is present even when *nobody* is there. But that's not what Christ was talking about. Christ was making a specific theological point. He was teaching us the true meaning of love. When "two or three" people are present in a particular place and at a particular time, it is possible for one of those people to *give himself away* in love. In other words, it is possible for that person to "love his neighbor." And it is when you love your neighbor that God is most truly and fully present.

Are you beginning to see why this prayer always works? It ties into the very *essence* of God's being, which is love. If we pray for God to use us as an instrument to help someone else, we are really praying to be God-like. We are really praying for God himself to come into our lives and act through us. Why would God contradict his very being by denying us that which he has already asked—in fact commanded—us to do?

We see this truth expressed throughout the pages of Scripture. Whenever someone in the Bible has a powerful experience of God, his or her first impulse is always to go out and help someone else. Take the example of Mary. When the angel Gabriel visited her in Nazareth and gave her the news that God had chosen her to be the mother of his only son, he also informed her that her cousin Elizabeth was going to have a baby—a baby who would grow up to be John the Baptist.[4]

In the history of the world, no one has ever had a more profound encounter with God than Mary did at that moment. The Gospel says that the Holy Spirit literally "overshadowed her" and that Jesus Christ—the second person of the Holy Trinity—was conceived in her womb.

Now, what did Mary do after this experience? Did she go off on a spiritual retreat? Did she lock herself in her room and meditate? Did she attempt to reassess her relationship with God? All these actions would have been perfectly understandable. After all, this was an incredible thing that occurred. No human being had ever been in closer "union" with God. The experience was going to change Mary's life drastically, and she knew it. She would have been more than justified to take a few weeks to mull things over in her mind, to pray intensely and try to come to grips with the mystery of what had happened to her.

But no, she didn't do any of these things. Instead Mary left Nazareth immediately and rushed to the side of her cousin in order to help her. And she stayed at her side for three months, until Elizabeth's baby was born.[5] Reading the Gospel account, it almost seems as if Mary was paying more attention to what the angel had said about Elizabeth than what he had said about her!

And here we have the perfect model of *service* that results from every genuine encounter with God. Whenever we meet God—who is love—we are going to be inspired to do that which love impels us to do, namely, give ourselves away to those in need.

Well, if prayer is anything at all, it is an encounter with God. For us it may not be as intense, intimate, and direct an encounter as Mary experienced, but it is still a form of union with the Almighty. Thus, when we sincerely try to pray, God is going to lead us, inevitably, to helping others. Sooner or later, the act of praying is going to result in the act of loving your neighbor. That goes for every prayer you can think of, not just the ones in this book. The reason that this prayer in particular is so fast acting is because when you say to God, "Make me an instrument," you are *explicitly* asking for something God intends to give you anyway. Therefore not only is he going to say yes to you, but he is going to speed up the process, as well.

But there's even more. This prayer also ties in to one of the greatest mysteries of the world—human suffering.

Suffering is a fact of life—and a terrible one at that. Unfortunately, it comes in a million different shapes and sizes. It can be as annoying as a mosquito bite or as tragic as the death of a child. We first experience suffering when we're babies in the crib, crying because we're hungry and alone. For many of us, our suffering doesn't end until we're old and gray, our bodies spent, alone again—this time in a coffin. Suffering can be searing, draining, agonizing, debilitating, exhausting, and relentless. Saddest of all, it is inevitable.

As believers, we are taught that God didn't intend for human beings to suffer when he first created us; that our first parents, Adam and Eve, did something horribly disobedient and brought all this evil upon us. We're also taught that our suffering won't last forever. That God became a man in the person of Jesus Christ in order to make up for Adam's sin, and that because of his saving action on the Cross, he opened up the gates of heaven to us. Thus, while we still have to go through pain, suffering, and death on earth, we can all look forward to the day when we will rise again, in our bodies, and live forever in paradise with our family and friends.

That's what Christianity teaches. Unfortunately, it's a very *hard* teaching. No matter how true it may be, it doesn't always make us feel any better, especially when we're standing in a dreary funeral home, staring at someone we love lying in a box. Which brings us back, once again, to our prayer.

There is so much suffering in the world—God really has his hands full. It's not that he can't manage the situation by himself. He can. It's just that there's so much more *good* that can be accomplished if we try to become like him. When we offer to assist someone in need, not only are we reducing the amount of aggregate suffering in the world, but we are also helping to make ourselves into the kind of creatures God wants us to be—by loving others as he does. By combining these two actions, what we are ultimately doing is "helping God" pull good out of bad—which is one of the main reasons he allows suffering in the first place. That's why God absolutely loves it when we tell him that we are willing to take on other people's problems. For practical as well as theological reasons, he is only too happy to "share" his enormous burden with us.

The question for us is, how, exactly, will God respond to this prayer when we say it?

And the answer is—a *million* different ways. All you have to do is think about all the people you know who are suffering right now. At this very moment, there are people who are crying because someone they loved died last week. There are people who are terrified because they just received news that their X-rays revealed a "spot" on their liver or lung. There are people who are wringing their hands in frustration because their child is addicted to drugs. There are people who are at their wits' end because they just can't take the pressure of paying their bills anymore. There are people who are sobbing themselves to sleep because they are tired of being alone, with no one to love them the way they need to be loved or deserve to be loved. There are people who are suffering from terrible depression, or from excruciating psychological, emotional, and physical pain.

When you say to God, "Make me an instrument," all God really has to do is channel some of these folks in your direction. There's no need for him to perform any great miracles. No need for him to part the Red Sea. No need for him to send any angels. He simply has to steer them your way. Like a conductor in a railway station who pulls a lever in order to make the tracks switch, God simply pulls a lever in heaven, and a veritable trainload of suffering people will automatically be rerouted in your direction!

Then it's up to you. You'll have to figure out the best way to help them. It may be as simple as offering a kind word of advice or lending them a few dollars; it may be as difficult as donating a kidney or saving their life in a fire. Whatever you have to do, though, you can be sure that you will be able to rise to the occasion. If God sends you someone to assist, he is also going to give you the time, the resources, and the wherewithal to do it. He's not about to answer such a wonderfully selfless prayer and then leave you stranded. Never worry about your lack of ability, your shaky finances, or any other problems you have that might hinder you from carrying out your mission of mercy. No matter what your personal situation, when the moment comes to help someone in need, you will be given all the wisdom and means necessary to be successful. Of that you should have no doubt.

And it doesn't matter how old you are or what physical condition you're in, either. You can be in a hospital bed down to your last few breaths, and God is still going to send you someone whom you can help. It might be the nurse attending you. It might be the patient in the next bed. It might be one of your visitors. You might not even be able to help them with words. It might just be your quiet example they need to see most. Or maybe you'll only be able to say a few prayers for them. Who knows? You can be sure of one thing, though. Whomever God chooses to send to that hospital bed will have the possibility of coming away a better, happier person because of having encountered you.

Naturally, if you're young and healthy, there are no limits to the kind of interesting people God can send your way. In fact, God might not just give you one or two individuals to assist; he might give you a whole cause to get involved in. After all, there are millions of people throughout the world whose rights are being trampled on. Right here in our own country, the dignity of human life is under fierce attack. In answer to this prayer, you might be shown one of these great causes and asked by God to throw yourself headlong into it. He might reveal to you an incredible vocation you didn't even know you had.

Of course you have to be careful. No matter how great the cause, it's essential that you never neglect your other duties in life. There are some folks who get so immersed in worthy causes that they forget the responsibilities they have to their spouse and their children and their job. Fulfilling your God-given obligation to your family always comes first. But, that aside, there is no doubt that saying this prayer will *radically* change your life.

And that leads us to a final question—a question that might sound a bit sacrilegious, but one that might be on the minds of a few readers. Given how effective this prayer is, and the kind of impact it is sure to have on your life, *why would anyone ever say it?*

I mean, why would anyone ask for more problems? Don't we have enough of our own? Why would we ask God to use us as instruments to alleviate the suffering of others, when we have so much in our lives to deal with already? After all, we're not required to be gluttons for punishment. It doesn't seem to make any sense.

And that's the point.

"Whoever tries to save his life will lose it," the Gospel says, "and whoever loses his life will save it."[6] Ultimately, this paradox contains the whole key to our happiness—both here and in the next world. Saying this prayer is actually going to make you a much happier person than you are right now. Happiness is the thing God is going to give you in return for your selflessness.

In fact, the more problems you have, the greater reason there is for you to say this prayer. The kind of confidence and faith it takes to ask for more problems—even other people's—

is very appealing to God. You've heard the expression "Fight fire with fire"? That's exactly what this is. It's the kind of bold and aggressive approach to life's challenges that will positively endear you to God.

Some of this is just basic psychology. When we are hurting from something, the best therapy is often to look *outside* ourselves. When all our attention is directed inward—to our own little world—we often get fixated, sometimes to an unhealthy degree. Helping others not only distracts us, it gives us a chance to see that we aren't the only ones out there who are suffering—that our problems aren't quite so bad after all, at least relatively speaking. The sense of perspective we get from helping others is essential to helping us develop a positive outlook on life.

But of course there are also spiritual reasons for helping others. We've already talked about the fact that when we serve our neighbors, we are acting in "union" with God. Well, this union has consequences. C. S. Lewis said that human beings are like cars that are designed and built to run on a special type of "fuel"—God. When we deprive ourselves of that fuel for long periods of time, the same thing that happens to cars happens to us: we start riding rough and, eventually, we break down. It's impossible for us to "run on empty" for very long without experiencing problems in every area of our life. On the other hand, acting in union with God has the opposite effect—we begin to "run" much better, much more smoothly. We become stronger, healthier, and more powerful. Saying this prayer is equivalent to filling ourselves up with a full tank of high-octane gasoline. We're going to start feeling rejuvenated; we're going to start feeling *great*.

In fact, not only are we going to experience true happiness, but we're going to feel a profound sense of fulfillment as well. After you get into the habit of saying this prayer, you'll never again come to the end of a day and think that it was "wasted." As long as you try your best to assist the people God sends to you, you are going to know that you are achieving something immensely important in life. And since God is good, he's not about to keep all that you do a secret. At various times he's going to show you the fruits of your labors. He'll reveal to you the wonderful effect you've had on other people's lives. The satisfaction you ultimately get from this will be far greater than *any* of your other accomplishments in life.

And the benefits don't even stop there. For when we ask God to use us as instruments to solve other people's problems, God begins in earnest to assist us with *our* problems as well. I don't mean to imply that there is some kind of quid pro quo here—"I'll scratch your back, God, if you scratch mine"—I only mean to say that the natural outcome of helping others is that we get to share in the benefits ourselves—sometimes to an even greater degree than the people we're assisting. Don't be surprised if, after saying this prayer, your own affairs begin to straighten themselves out. Don't be surprised if you get some angelic assistance when it comes to dealing with your bills, your marital difficulties, and your problems at work. Don't be surprised if you start running into people who are suddenly interested in helping *you*, the same way you are helping others. In many ways, it's the "what goes around comes around" dynamic in reverse.

You see, if God is going to use you as an instrument, he is going to begin fashioning and shaping you so that you can be the *best possible instrument*. It's true that the Lord often uses flawed, sinful people to accomplish his will. But he doesn't let them remain in that condition for long. That's because a person obviously can't function as an effective instrument if he or she is consumed by all kinds of anxiety problems, money problems, and relationship problems. Therefore if you show a willingness to help God in the monumental task of alleviating suffering, God is going to immediately start "working" on you. Think about it—what's the first thing a writer does before he puts pencil to paper? He sharpens that pencil! Well, God is the author of the universe. He's not about to write for any long stretch of time with a dull, crooked pencil. He's going to begin "sharpening" you.

The result is that your life is going to change for the better—*you* are going to change for the better. Whether you like it or not, you are going to start improving in all sorts of areas. In order to be a channel of God's grace, you are going to necessarily have to grow in grace yourself. You may not specifically set out to obtain all the benefits that come with God's grace, but you are going to get them anyway, almost by default.

What are those things? Well, to start with, peace, wisdom, love, freedom, good judgment, companionship, courage, excitement, and adventure—all the things we're going to be talking about in this book. Asking God to make you an instrument is really the same thing as asking him to give you a shortcut to complete fulfillment.

When you think about it, that's an awful lot to get for one little prayer.

3 What's in It for Me?

God, Outdo Me in Generosity

When I was a little boy, my mother used to say to me, "If you give something you own away to somebody else, God will always give you back *two* things in return."

Well, I've learned a lot about God and spirituality since then: I've studied the great theologians—plowed through Augustine, Aquinas, Luther, Calvin, and Newman; met with some of the most learned religious leaders of our time; visited the sacred places of the Bible; spent hundreds of hours poring over texts, mulling over problems, and thinking through scriptural questions. Do you know what I've discovered? That when it comes to the subject of God and the material blessings he is willing to bestow on us, my mother was as right and as accurate as any theologian who ever lived!

And isn't that always the case when it comes to real spiritual truths? God wants to bless everyone; he wants to have a relationship with everyone; he wants everyone to go to heaven—not just the scholars. So when he speaks to us, he doesn't just use language that only theologians and philosophers can understand. His message and his word are truly universal. That doesn't mean we don't need the guidance of his church. We certainly do—very much so. It's just that we don't always have to have some professor or Scripture expert hovering over our heads deciphering everything that God wants us to do.

We see this most clearly in the sayings of Christ in the Bible. When we read sacred Scripture, we recognize immediately that the simple words of Jesus are able to communicate to a vast range of people. For instance, it's possible to find dozens of scholarly books interpreting the statement: "*. . . Seek first the kingdom of God and His righteousness, and all these things will be given to you as well.*"[1] But at the same time, it's also possible for the most uneducated, illiterate, unworldly person to correctly understand its meaning, even on first hearing.[2]

I'm sure this can be a little annoying to the theologians! Yet it's absolutely true. Of course, none of this is meant to disparage the study of theology. God's ways are so different from ours and his mind is so unfathomable to our little brains that even his simplest, clearest statements have enough depth behind them to provide a lifetime of study to anyone interested.[3] Certain biblical sayings, too, seem to be so ambiguous and are so obviously prone to misinterpretation that we need to be extremely careful in discerning their meaning. Their basic truth may be self-evident, but they can be very easily misunderstood and misconstrued, especially if taken out of context. And in some unfortunate cases, they might even be purposely distorted by unscrupulous individuals who aren't the least bit concerned about advancing the Gospel, but care only about advancing themselves.

So it is with the prayer we're going to be discussing in the next few pages: "*God, please outdo me in generosity.*"

In religious circles, there has always been a great deal of confusion surrounding the subject of material blessings. You might say that there are two equal but opposite errors spiritual people sometimes fall into. One is to view money and wealth as something very bad—even evil. This is the "Gospel of Poverty" mentality, and according to its tenets, anyone who tries to accumulate wealth is essentially following the will of the devil and is on the path to death and destruction. The people who hold this view believe that God doesn't like the "rich" at all and that money is something the Bible condemns outright. They think, therefore, that, with very few exceptions, eating at fancy restaurants or buying expensive jewelry or attending lavish events or wearing nice clothing or indulging in *any* kind of luxury should be frowned upon.

Then there is the opposite view—the "Gospel of Prosperity." This is the theory expounded by some of the "name-it-and-claim-it" preachers you see on television. You know the ones I mean—the ones who sport Rolex watches, Armani ties, flashy cuff links, and even flashier smiles. According to these folks, having a lot of money is an unreservedly wonderful thing and anyone who says otherwise is simply misunderstanding the Bible. Money is just another one of God's many blessings, they claim—and one that God wants to freely bestow on anyone who approaches him. God loves rich people and wants *everyone* to be a millionaire. In fact, all you really have to do to amass abundant wealth is rid yourself of guilt, pray hard to the Lord, and—while you're at it—"send the largest possible donation to this ministry."

Both views miss the mark. They both emphasize various scriptural truths to the exclusion of others and, as a result, fail to tell the whole story. What does the Bible say about the subject of money, and what has Christian theology taught about it for two thousand years?

Well, for one thing, it should be apparent to anyone who

even glances at the Bible that God can be very tough on the rich. There isn't enough space here to cite all the scriptural passages that warn of the pitfalls of having money—but there are dozens. Everyone has heard the statement: "It is easier for a camel to go through the eye of a needle than for a rich man to enter the kingdom of heaven."[4] Or "The love of money is a root of all evil."[5] Or "Do not store up treasures for yourself on earth, where moths and rust corrupts and where thieves break in and steal, but rather store up for yourself treasure in heaven."[6]

There are quotes like these spread throughout Scripture. They can be a little frightening to anyone who believes in God and, at the same time, has committed himself to becoming affluent. Yet one of the first things to notice about these biblical warmings is that none of them criticizes money *itself.* None of them says that it is in any way sinful to possess money or to accumulate wealth. What they do say very clearly, however, is that having money can be extremely *dangerous.*

Why is money dangerous? Because money has the power to separate a person from God in a way that few other things in life can. Money can give us a feeling of invincibility. It can make us think that we have everything we need in order to be happy and fulfilled, and that we don't have to rely on anyone—including God. This attitude breeds a kind of spiritual complacency that is extremely dangerous because it is so obviously untrue. No matter how rich we might be, things can change for the worse in the blink of an eye. I remember once being the guest of a friend at a magnificent hotel in Rome. The suite I was given was truly opulent, full of marble and mirrors and ceilings gilded with gold, and a balcony overlooking the Vatican. The only problem was that I caught a flu bug the first day I arrived and spent the next three days in agony. I remember lying facedown on the cold marble floor, my eyes looking up at the beautiful paintings on the wall and the antique vases full of flowers, groaning to myself and thinking, how can this be? I'm in a palace—an actual palace—and I can't enjoy it. Why? Because of a tiny little bug!

And this was just a stomachache. So many people receive death sentences from their physicians every day: terminal cancer, terminal emphysema, terminal heart disease. Indeed, we are all living "under the shadow of the gallows." Have you ever heard the saying "The same God that gave you the morning does not promise you the evening"? Never were truer words written. People who fail to rely on God for help because they happen to be able to afford a housecleaner, a butler, and a personal trainer are truly gambling with their lives—because they are just a doctor's visit away from tragedy. When the bad news comes (and it comes to everybody at some point), they have no one to turn to.

The status money confers on us can also get us into a lot of trouble. Because we live in a upscale neighborhood, drive a fancy car, or take nice vacations, it's only natural for us to think that we are special—that we are, in fact, "superior" to everyone else. People forget that this is the very same kind of spiritual pride that got Satan kicked out of heaven![7] It's particularly insidious because it's so easy to fool ourselves into thinking that we're not really being prideful. We often justify our feelings of superiority by saying that we are simply more "successful" than the next person, or more "intelligent" or more "talented," or that we have more "business savvy."[8] All of these things might be true, but too often what we are really thinking to ourselves is that we are *better* than the next person. This is a very dangerous way of looking at things because, once again, it is patently false. The homeless drug addict we see on the street every day on our way home from work may very well make it to heaven before we do. And he may indeed have a higher, more glorious place in paradise than us.[9] "Better" is a word we always have to be very careful about when applying to ourselves. God may have a completely different opinion on the matter.

Finally, having money gives us the possibility of creating endless diversions for ourselves—diversions poor people just don't have. Some of these diversions are good, like having the ability to choose where to live, where to go on vacation, or which school to send our children to. Some are bad, like having enough money to indulge in any kind of sordid vice we like without getting caught (or convicted). Whether positive or negative, though, these diversions all have the power to fill up our days, leaving precious little time for prayer and worship of God.[10] How many wealthy old men have spent decades of their life amassing pretty toys—be they houses, cars, electronic gadgets, or summer homes—moving from pleasure to pleasure, without the slightest thought about God and what is important to him? Then, when they finally come to the end of their days and realize that life is a lot more than the shiny trinkets they've collected, it's too late. It's not that they can't turn back to God at the last minute—they can—it's just that they've already wasted so much time.

So yes, for all these reasons and many more, money can become an idol to us and replace God in our minds and hearts.[11] Thus it can be extremely dangerous. For a certain percentage of people—especially those addicted to status or prone to pride or easily tempted to vice—being rich is probably the worst thing that could ever happen to them, spiritually speaking.[12]

Yet we mustn't jump the gun and issue a summary judgment against the rich just because of the potential dangers of wealth. Not only would that be unfair to them, but it would be unfair to God, who is the one who created wealth to begin with. Indeed, we don't have to look very far to find a biblical defense of money. In fact, the same pious Christians who often condemn the rich at every turn run into a huge stumbling block right at the center of the Gospel. At the very climax of biblical history, we meet up with a certain rich man who practically turns the Gospel of Poverty on its head.

The rich man's name was Joseph of Arimathea, and he was a disciple of Jesus.[13] Joseph was a prominent and wealthy member of the Sanhedrin who opposed their decision to kill Jesus. After the Crucifixion, Joseph was the only one who had the courage to go to Pontius Pilate and ask for Jesus's body. When he was granted permission, he took Jesus off the cross, wrapped him in fine linens, and buried him in a new tomb he had recently purchased. Of course, we know what happened next—Christ rose from the dead on Easter Sunday and appeared to hundreds of people before finally ascending to heaven. The point is that Joseph had a significant role to play in the story of the salvation of the world. God knew very well that this rich man would be remembered forever for his splendid deed. What was God trying to say—at this most important moment in history—by entrusting his own dead son into the hands of a rich person? After all, if God only loved the poor and wanted to glorify only them, why didn't he bestow this great privilege on someone with no money?

Very simply, God honored Joseph of Arimathea because, as a rich man, he was the *right* man for the job. No one but a rich man could have gained access to the Roman governor so quickly. No one but a rich man could have convinced the governor to hand over Christ's body so easily. No one but a rich man could have afforded a big new sepulcher in which to lay the body of Jesus. In other words, no one but a rich, successful, business-savvy man could have taken care of all the details relating to Christ's death and burial so efficiently and with so much "dignity."

The point is that money doesn't have to be bad. It doesn't have to be the cause of a person's damnation. In fact, it doesn't have to separate a person from the Almighty at all. On the contrary, money can be good—*very* good. It can even be a means of achieving holiness and bringing greater glory to God. And this is the key to understanding the relationship between God and the rich: it is always *conditional*. It is always based on an *if-then* statement: money will be a blessing to you *only if* you view it as a gift from God; money will be beneficial to your spiritual welfare *only if* you are generous with it.

If you have this attitude, money can be a truly wonderful gift—both materially and spiritually. It can give you the power and the freedom to do so many things to advance the kingdom of God on earth. It can make it possible for you to experience so many of life's pleasures. It can help rid you of so much anxiety—which always serves to sap you of strength and energy. And yes, it can improve your quality of life to a remarkable degree and make the short time you have on this planet much more pleasant. To deny all this would be ludicrous.

However, if you don't have a godly attitude toward money,

watch out. You may indeed accumulate a fortune in life, but you will be in grave spiritual danger every step of the way. Understand this well: It doesn't matter how many millions you amass or how big your mansion is or how much power you wield, if you don't use your money in the right way—in the way God wants you to use it—it will ultimately be a curse to you. In fact, the more money you have and use the wrong way, the more evil it will inevitably bring down on you.[14] All those biblical injunctions just *can't* be wrong.

Which brings us back to our prayer: "*God, outdo me in generosity.*"

If you get one thing out of this chapter, please remember this point: There is a divine nexus between generosity and blessings from God. When my mother told me that I would receive two things for every one I gave away, she was really teaching me something very fundamental about God and the way he operates; namely, that *he will never be outdone in generosity*. When it comes to bestowing blessings, God will not allow a human being to do more than he does. When it comes to being generous, God simply will not consent to being upstaged.

In fact, this principle is so important to God that we are even permitted to "test" him in it. That's right—*test God*. The Lord, as you know, is always warning us *not* to test him. We've already mentioned that if you say the prayers in this book solely to see if God "comes through," they will automatically be invalidated. Except here.

There is one place in the Bible where God actually tells people to challenge him. There is one passage in all of Scripture where God actually uses the phrase "put me to the test." In the Book of Malachi, God asks the Israelites to give him a tenth of what they earn. Then he says to them: "Test me in this . . . see if I will not throw open the floodgates of heaven and pour out so much blessing that you will not have room enough for it."[15]

At no other time in history did God employ such powerful words of assurance to human beings. On no other topic was God ever so direct in his promise to bestow rewards. He commanded us to "love our enemies," but he never guaranteed any earthly recompense to us for doing so. He told us to "do unto others what we would have done to us," but he never pledged any material favors or prizes for our kind actions. Yet when it came to the subject of generosity, God—for reasons that are not entirely clear—left himself wide open to challenges. In fact, throughout the Bible we see similar guarantees of rewards whenever God talks about the importance of giving to others:

- "Whoever gives to the poor lends to the Lord. Be assured He will repay."[16]
- "Give and it will be given to you, full measure, pressed down, running so much over that men will heap it into your arms."[17]
- "If anyone gives even a cup of cold water to one of these little ones . . . I tell you in truth, he will certainly not lose his reward."[18]
- "Blessed is he who helps the poor. The Lord delivers them from their troubles; he will protect them and keep them alive. He will bless them in the land . . . will sustain them when they are sick, and restore them from illness."[19]

The law of giving and receiving is as immutable as the law of gravity. It *must* work. If you are generous to others, you *will* be blessed by God. There are testimonies from people all over the world that bear this truth out—testimonies from people who were in dire financial straits but were somehow saved from ruin at the last moment. Testimonies from unemployed men who suddenly found high-paying jobs; testimonies from women buried under credit card debt who unexpectedly received tax refunds in the mail; testimonies from young couples who were inspired to start businesses that became instant successes; testimonies from people who were already successful and, who, for reasons having nothing to do with business skill, were able to parlay their small savings into fortunes.

What did all these "lucky" people have in common? What did they do to deserve such unexpected and undeserved financial blessings? Just this: At some point—probably right in the midst of their own financial struggles—they reached into their pockets and helped someone even less fortunate than themselves. Whether it was money, hospitality, or some kind of service, they gave of themselves—even though they couldn't afford to—and God paid them back, royally.

One typical story: The head of a small, not-for-profit organization I know recently told me about how his group had struggled for years to pay their basic utility bills. At one point, they owed $100,000 but had only $20,000 in the bank. They basically needed a miracle to get through the rest of the month. My friend was at his wits' end when the pastor of his church told him to try being generous for a change, instead of simply begging everyone for money. He suggested that the organization give a small donation to the poor. Though he had no idea where he would get the extra funds, as a desperate measure he sat down and made a list of ten charities similar to his own and sent each a check for $200. The total amount of his gift was $2,000. Sure enough, two weeks later he received an unsolicited check in the mail from someone who happened to see his group's newsletter lying on a table in the back of a church. The donation was for $50,000! Ever since then, the organization has regularly made contributions to other charities and has grown steadily and substantially.

Why did this happen? An atheist would scoff and say it was a mere coincidence. But the truth, once again, is that God will never be outdone in generosity.

Does this mean that if you donate $2,000 to some charity, you are automatically going to get $50,000 in next week's mail? Of course not. Before you rush out and start employing this prayer as a kind of quasi-investment strategy, let me try to clarify a few points. Indeed, we said earlier that it was important to proceed with utmost caution in this discussion because there are so many ideas here that can be misinterpreted. Case in point: Before me on my desk is an advertisement from a so-called Christian group that "guarantees" it can show you how to increase your net income "tenfold" as long as you follow a few simple rules. All that is required is that you "plant" a certain amount of "seed money" by giving it away. Then, through prayer, you simply "claim" ten times that amount from God. Once the "transaction" is cleared in heaven, God will send your money back to you, right away, multiplied by ten. If you donate $5, for example, God will give you $50. If you donate $500, the return on your investment will be $5,000. Easy!

The ad claims that this approach to investing is merely the "Law of Sowing and Reaping" put into action, and that if you follow all the recommended steps, you will "unlock the door to infinite riches." It even comes with a "30-day guarantee" (I'm not making this up) and asserts that there is "no risk involved whatsoever." At the bottom of the ad, in boldface type, is an invitation to send a tax-deductible donation to the group—presumably to jump-start your investment, and also as proof to God that you are serious. Of course the ad is sprinkled with biblical quotes and mentions the name of Jesus several times.

How do you think God feels about this kind of "generosity"? Do you think this is an approach to giving that he would support?

It doesn't exactly take a genius to see that this financial "program" is quite contrary to the prayer we've been talking about. God, the Almighty creator of the sun, the moon, and the stars, is not about to lower himself to become your stockbroker! Indeed, the whole idea of a structured, no-risk plan is contradictory to the spirit of what God is trying to do here. What God wants to instill in us is a pure, giving heart. He wants us to be able to share without thinking, lend without calculating, and give without counting the costs. He wants so much for us to adopt this generous attitude that he is even willing to engage in a little playful competition with us to see who can give more. It would actually be more accurate to think of this prayer as a sort of game we are permitted to play with God—a game of divine "one-upmanship." At first glance, it might seem that God is allowing us to "test" him, but in reality what he is really trying to do (and very slyly at that) is to *challenge us* to be like him. Of course there's no ironclad guarantee that God will bless you with cold hard cash—tens and twenties preferred. No one can tie God's hands in that manner. He's free to bless you in any way he likes, including in ways that don't involve money. But the fact is that very often he will do exactly that.

It all comes down to mind-set—or in theological terms,

"purity of intention." Purity of intention has an important bearing on any discussion about spirituality and money. Your intentions will determine whether God will answer this prayer or laugh at you for saying it! The Lord, of course, would never laugh at anyone who prays sincerely. But there are some people who are not sincere at all when it comes to giving, insofar as they only *pretend* to be generous. Before we end this chapter, we have to briefly examine this phenomenon, because it's actually very common.

"Pretending" to be generous can take many forms. The first is the most familiar. You've heard the expression that when you give alms, you shouldn't "let your left hand know what your right is doing"? Well, there are some people out there who violate this guideline to such a degree that it's highly questionable whether they're generous at all. Indeed, some "philanthropists" couldn't care less about the people or the causes they give to. They seem to be interested in only one thing—getting the credit. Whether they're Hollywood movie stars who only want their names and pictures in the papers, heads of corporations who only want tax write-offs, or average middle-class men and women who want to blab about their good deeds so that everyone thinks they're wonderful people—none of them are being generous in the way that God wants them to be. I'm not saying these folks are bad, or that their donations are worthless. Nor am I saying that it's wrong for a person to feel good about himself after giving money away. That's a natural, healthy emotion put there by God, and a natural benefit he gives us because he *wants* us to enjoy giving. Hardly anybody is able to perform virtuous actions with complete purity of intention. Our motives are always mixed—God understands that. No, what I mean is that people who make donations *primarily* to help themselves are not fooling God in any way. Their reason for giving is to receive worldly accolades, not heavenly ones. Thus they shouldn't expect the prayer we've been discussing to work for them. As the Gospel says, "they have their reward."[20]

Then there are those who give away a great deal of money, but the amount is only a tiny fraction of their overall wealth. This, too, counts for little with God. These people might look, act, and sound generous, but in reality they're quite cheap! What they're basically doing is making "safe" donations. And safe donations, while praiseworthy, are not the kind God ordinarily blesses. Remember the widow's mite?[21] The moral of that story was that a person who makes a small salary—say, minimum wage—but who donates $25 every week has actually given away more *in the eyes of God* than a rich person who gives away $1 million! We must always keep in mind that generosity is a relative term. God judges us not according to the exact dollar amount of our donations, but on the amount of ourselves we invest in those donations.[22] The rule is that we are always called to give from our need, and not from our abundance.[23] That means that there are going to be times when it *hurts* to give our money away; times when we would much rather keep it; times when we might be frightened to give, perhaps for legitimate reasons. It's at those times that God will be watching us closely to see what we do—watching us to see if we have the strength to trust in him and do the right thing. *That* is the kind of giving that God blesses.

Finally, there is the biblical exhortation to be good "stewards" of our money. That means we have to be responsible as well as generous. Spending wildly on credit cards, for example, even if we might be buying gifts for other people, never qualifies as true generosity—because we're spending funds we don't really have. Nor is it being generous to give away our whole paycheck the same week our rent is due. We should never attempt to help the poor by depriving our own family.[24] We must always take care of our God-given responsibilities *first*, before we take on the responsibility of supporting strangers. However—and this is a big however—this doesn't mean we shouldn't try to do *both*. Too often the requirement to be a "good steward" is used as a rationalization by people who just want to be stingy.[25] "I can't afford to give $200 to this charity," they say, "because my kids have to go to college in a few years." Sorry, but that excuse doesn't hold water with God. You can always afford to give *something* away—and that something should *always* be more than you can afford. It's just that you shouldn't be so extreme in your giving that it's impossible to fulfill your other legitimate responsibilities. You should never be reckless.

These are just a few of the parameters that separate true generosity from "pretend generosity." It's important always to keep them in mind, but they should never stop you from embracing, wholeheartedly, the attitude God wants you to have about money. And that attitude, in a word, is *to give, and to give, and to give.* It's really not my purpose here to lay out any kind of systematic scheme of giving, or to impart any advice regarding what percentage of your income you should donate to charity (although tithing is probably the *least* anyone should do). The point of this chapter is merely to help you grasp the basic concept of godly generosity—and to encourage you to courageously adopt it as a lifelong habit. Because if you give your money away freely and consistently—regardless of the financial position you happen to be in—God will *always* take care of you and your family.[26]

In fact, if you really catch this vision, money will never again be as great a source of anxiety to you. Instead, it will be a source of adventure. Every day you'll wake up and ask yourself: What person down on his luck is God going to send to me today? What worthy cause am I going to be asked to contribute to? How much can I give without being irresponsible? Who am I going to make happy this week?[27] And last: What fabulous way is God going to find to bless me for my generosity? As with every other prayer in this book, the end result will be that you will be taken to a whole new level in your relationship with God. Soon you won't even be asking God to "bless you" for being generous. You'll be so grateful for everything else that he's giving to you that any material reward will be just icing on the cake.

The amazing thing is that you don't even have to be religious for this principle to work. Often people who aren't far along in their spiritual lives manifest a very pure willingness to give. God rewards them anyway—probably as an incentive to draw them in closer to him. For example, the well-known singer Frank Sinatra—who didn't exactly have a saintly reputation—was an incredibly generous man. He amassed a fortune in his lifetime, but it was also reputed that he gave away over a billion dollars to charity—much of it secretly. When asked why he thought he was able to make so much money over such a long period of time, even when he was well past his prime, he responded: "I don't know why, but every morning God just seems to throw money at me. All I do is try to throw it back! It's been working for years."

Exactly right! This is the true dynamic of sowing and reaping—and it is extremely effective. Whether you're rich or poor, sinful or saintly, up to your eyeballs in debt or rolling in dough, all you have to do is say this prayer and then do your best to be as generous as possible to anyone and everyone who comes your way. After that, just sit back and try to listen to what God tells you. It might be that he gives you an idea to start a business; it might be that he whispers in your boss's ear to give you a raise; it might be that he inspires your long-lost relative to leave you a fortune in his will! Who knows? Remember, God has *a lot* of money.[28]

So stop worrying so much about your bankbook! It's the easiest thing in the world for God to make a deposit in your account. If you have any doubts about this, just go ahead—test him.

4 I Can't Take It Anymore!

God, Get Me Through This Suffering

A few years ago I went into an art supply store to buy a gift for someone, and I got to speaking with the owner. It wasn't a busy store—he evidently ran it by himself—and he was very chatty, asking me all kinds of questions about who I was and what I did for a living. I figured he was just lonely for company and wanted to talk. So I told him about myself, and about the fact that I was starting in as a writer, and that even though I didn't have an agent or an editor or a publisher of any kind, I was working on a book about heaven that I hoped might help people someday. The moment I mentioned heaven something very interesting happened. The smile on the old man's face disappeared and his mouth twisted into a nasty scowl. He abruptly turned his face away from me and said: "*Ahhch . . . heaven. Right. Sure.*"

Of course I was surprised by his reaction, and said to him, "I'm sorry—did I say something wrong?"

"Heaven?" he snarled. "Give me a break, there is no heaven. And God doesn't exist either."

"Well, I'm sorry you feel that way," I said. "But there *is*, and he *does*."

"Listen," the man said. "You seem like a nice kid. But there is no God. And if there was, I'd like to meet him—*so I could spit in his face.*"

The old man then proceeded to tell me about some of the tragedies that had occurred in his life. There were many. His parents had died when he was a teenager, his brothers and sisters had died young—all from cancer—he'd lost several businesses, his wife had just passed away the year before, leaving him basically alone. The one remaining child he had—a son who never called him—was a total waste and had made a mess of his life. But by far the worst thing that had ever happened to him was the death of his daughter twenty-five years ago. She was a little girl—only eight years old—and she had collapsed suddenly one day while playing with her friends in the front yard of the house. She died in the ambulance on the way to the hospital. The doctors thought it might have been some kind of heart arrhythmia, but they were never really sure. Her death had devastated the man, and any vestiges of faith he might have had were ripped away, completely and irrevocably.

I listened as the old man related all this and I tried to think of something to say. But of course, there is never anything. I told him I was sorry for all the pain he had gone through, but I could see I wasn't doing any good. It would have been pointless to tell him about my own tragedies, or how I had been sustained by my faith, or how I was sure that, no matter what he thought, he would see his daughter again one day. But the mere mention of such "nonsense" as heaven had been enough to put him in a bad mood for the rest of the day, so I just left.

Unfortunately, there are no short, neat answers to the question "Why do people suffer?" There are no ready-made sound bites you can rattle off to people to alleviate their pain—not if their pain is great. That's why so many well-meaning folks end up saying exactly the wrong thing (albeit unintentionally) to their friends and family who are grieving over a loss. They say things like: "I know just what you're going through," or "Don't worry, it's all for the best," or "It's God's will," or "At least you had all those years together," or "You've got to stop crying and start living again."

Platitudes such as these, no matter how well intentioned, can feel like stab wounds to a person who is suffering. And it doesn't matter how true what you say may be. It might indeed be accurate to say that it was "God's will" for your grandmother to die; it might very well turn out to be the "best thing in the world" that you lost your job. But what does any of that matter when you are experiencing such emotional agony?

The thing so many people forget is that suffering is like an open wound—a bloody, gaping, open wound. And it has to be treated as such. The last thing we need to hear when we have any kind of traumatic injury is the physiological explanation for why tissues tear, or why we bleed, or the medical process behind platelet clotting. What we need at that moment is for a competent doctor to stop the hemorrhaging and bandage the wound so it can heal. If the doctor suddenly started spewing out all kinds of details about bruises and lacerations—as we were screaming in pain—we wouldn't gain much comfort from him, would we?

It's the same as if you were driving through a fierce storm at night. As the rain pelts the windshield and the lightning flashes across the sky, obscuring your vision; as the sound of the thunder and pouring rain and windshield wipers going back and forth make it practically impossible to think—as all this is happening—what is the best thing for you to try to do? Would it help very much, at that moment, to attempt to understand where storm clouds come from? Or why different weather masses converge and produce precipitation? Or what the various scientific reasons for lightning are? What good would any of this information do when you are in the middle of a storm?

No, the best thing to do when you're in that kind of situation is to concentrate on holding the steering wheel steady, controlling the speed of your vehicle, and keeping your eyes peeled for turns in the road and for other traffic. In other words, the best thing to do is focus your energy on *getting through* the storm. There will be time enough later to figure out why you got caught in the bad weather, or—if you're interested—to take up the study of meteorology. But while the storm is actually raging, the most important thing to do, always, is to make it through, safe and intact.

God understands this concept well. Very often the last thing he will do when we are suffering is to tell us the *reasons* for that suffering. That's something he saves for later—sometimes much later. What he will always do, however, is help us to endure the terrible pain of the open wound; to make it through the storm in one piece. We'll talk more about the "why" of human suffering in a moment. But for now, let's understand this one point: No matter who you are or what your situation, God will always say yes to this prayer: "*Please get me through this suffering.*"

Now, there are many kinds of suffering we have to get through in this world. Some suffering is big and some is small. But every kind can be torturous in its own way—from toothaches to kidney stones; from migraine headaches to bouts of depression; from frustration at work to anxiety at home; from the sad, deteriorating death of the elderly to the sudden, shocking death of the young; from the grief that every son goes through when his mother dies to the unspeakable agony of two parents mourning the loss of their child.

God says yes to all who come to him for help and comfort when they are in the midst of such trials. Notice I did *not* say that he promises to stop the suffering, or prevent it from happening in the first place, or alleviate it in any way. This may be one of the biggest stumbling blocks to faith, but we have to face it, head-on: God allows a lot of terrible things to happen. He allows diseases to ravage countries, hurricanes to destroy cities, murderers and rapists to terrorize communities. Remember, he allowed hundreds of thousands of children to be gassed to death in Nazi concentration camps. So yes, he may very well allow *you* to undergo some form of suffering—maybe the exact kind you dread the most.

Just look what happened to Christ. The night before he died, he prayed to God that he wouldn't have to endure the bloody, violent death of a crucifixion. He knew very well how much pain he was going to go through, and he tried to get out of it: "My father," he asked, "if it is possible, let this cup be taken away from me." Christ—the second person of the Blessed Trinity—made a last-ditch attempt to avoid suffering. At the eleventh hour, he asked for a reprieve. But since he was the perfect son, he also added, "Yet not as I will, but as you will."[1]

We all know what happened. His request was denied. The Crucifixion went on as scheduled.

Well, if God refused his own son, how can we expect any guarantee that he will be any easier on us? No matter how much we pray, we may still have to go through some horrible ordeal in the future.

The point is that no matter what kind of suffering we have to endure, God always gives us a way out. Not a way out of the suffering itself—but from the utter, black hopelessness that suffering can lead us into. And that's what this prayer is—a way out of hopeless despair. In a famous passage from his first letter to the Corinthians, the apostle Paul says that God "will not let you be tested beyond your strength. With your trial, he will also provide you with a means of escape, so that you will be able to endure it."[2]

Spiritual writers often use that passage to illustrate that God will never allow us to be tempted to *sin* beyond the point that we can resist. But it applies just as much to suffering. God always gives us an "escape hatch." No matter how great our inner turmoil, he always gives us an exit through which we can go to avoid being trapped. When Christ prayed that he be spared the agony of the Crucifixion, God may have denied his request, but he promptly dispatched an angel to the Garden of Gethsemane to comfort him.[3] The angel stayed with the Lord and consoled him, strengthened his resolve, and essentially helped him to get through the deep emotional turmoil and dread he was experiencing.

That's the same model of assistance God employs with us. Our appointed sufferings may or may not be prevented through prayer—depending on the situation and on God's will—but we, ourselves, can always count on being helped, consoled, and fortified by God if we ask for help.

Everyone at one time or another has read the poem "Footprints in the Sand." Remember its simple message? A man dreams that he is standing on a beach with God, watching all the scenes of his life flash across the sky. Below each of the scenes the man sees two sets of footprints on the shoreline—one made by him, and the other by God. Looking at the entire span of his life, the man notices something disturbing. Beneath each of the scenes depicting the saddest and most painful events of his life, there is only *one* set of prints. The man turns to God and asks, "Lord, I don't understand. You're supposed to help people when they're suffering, and yet at those very moments when I needed you most, you completely abandoned me and forced me to walk alone. Why?" The Lord looks at him with compassion and says, "My son, don't you see—the reason why there is only one set of footprints during those terrible times of anguish in your life is because it was then that I *carried* you."

There's a reason that this poem strikes such a chord in people—we recognize the truth in it. It makes us recall the times in our own lives when the pain was just unbearable, when it seemed as if we were going to be overwhelmed and swallowed up by grief—and yet somehow we made it through. At those times, it really did feel as if we were being carried along by some power not our own.

I remember many years ago when my wife's uncle died suddenly of a heart attack. He was away with his friend on a fishing trip when it happened, and we got a phone call late at night telling us the dreadful news. He was in his forties and had a wife, two small children, and a close extended family. His wife, who had been informed of his death just a little while before us, was in complete, utter shock. For the rest of the evening, friends and family gathered at the man's house, after being wakened from their sleep just like us. I remember all the crying and groaning that took place on that frightening night. I especially remember the wide-eyed, numb look on the faces of the man's two children as they sat on their bed watching cartoons at two a.m., not quite understanding what was going on around them. The only person who wasn't told was the man's father—who was also my wife's grandfather. He was in his early eighties, and it was decided that it would be better to wait till daylight to give him the news.

The next morning it fell to my wife to tell him that his son was dead. How does a young girl give her grandfather news like that? The only thing I had to do was walk into the house with my wife and stay by her side as she carried out this grim task—but that was tough enough. I won't go into the details of what happened, of how the old man opened the door with a big smile on his face and then realized from the way we looked that something must be wrong; how he kept refusing to sit down; how he kept asking the same question over and over again in a high-pitched, cracking voice—"What's the matter, dear, what's the matter?"—as he nervously fidgeted with his collar; how he didn't believe what we were saying; then finally, how his legs went weak and suddenly dropped from under him. It was an awful thing to watch. What I remember most vividly, though, was my wife and how strong she was, despite her own grief. I kept wondering to myself, Where in the world is she getting the courage and grace to handle all this?

A long time afterward she told me how she was able to make it through that morning. Though she was not very religious at the time, she told me she had said a silent prayer to God right before she rang the doorbell of her grandfather's house. Only she didn't ask God for anything. She *told* him he had to do something for her. "God," she said, "I'm not going in there alone. You're coming with me. . . . You have to, otherwise I just can't do this." After she said that prayer, she felt a wave of peace come over her, and was able to go forward and do what she had to do without breaking down—without collapsing from the enormous weight that was on her own chest.

She was able to go forward for the simple reason that God was helping her. If today she were to stand on the beach with God, she would see that beneath that particular scene in her life there would be only one set of footprints.

And yet this is where the whole footprints analogy breaks down. Because although my wife was given the assistance she needed to get through that horrible ordeal, God didn't do it *all* by himself. Yes, he propped her up, held her by the waist, let her lean against his shoulders, and pulled her along as they walked together into her grandfather's house. But he didn't carry her completely. She had to do much of the work herself.

This is an important point to understand. We said before that God always gives us an "escape hatch." No matter how great our pain, he always gives us a way to make it through the storm with our mind, heart, and soul fully intact. But even with an escape hatch, some effort on our part is always required. We still have to reach up, turn the valve, push open the hatch, and lift ourselves through the opening.

What sometimes happens, unfortunately, is that people get into a pattern of *not* using the escape hatch God provides. They fail to reach out to God through prayer, even in their times of greatest suffering. Or they fail to reach out to the people God sends their way to help them during those dark days. If this becomes enough to a habit over a period of years, then it *is* possible for these people to feel overwhelmed and trapped when their moment of tribulation comes. In those cases, they may not see the emergency exit God has given them—even though it might be right in front of their eyes. They may sincerely feel that for them there is "no way out," that for them there is "no hope." And they may never escape.

What becomes of these tormented souls? They become irrevocably harmed, emotionally, psychologically, and spiritually. Their pain suffocates them—not for months, or years, or decades, but *forever*. Some people go through a divorce or a breakup and are never able to love again. Some people are paralyzed in a car accident and are never able to enjoy life again. Some people lose a close relative or friend and are never able to believe in God again. The saddest people are those who, depressed for one reason or another, turn completely in on themselves, lose all hope, and are finally driven to the loneliest death of all—suicide.

No one is saying that these people consciously or freely choose their fate, or that God is going to hold them strictly accountable for their actions. It all depends on the inner state of a person's soul—and only God can see that. Knowing how kind the Lord is, it is probably poor men and women like these on whom he bestows the most mercy. All we're saying here is that every one of the horrible outcomes I've mentioned *could have been avoided*. Even the worst thunderstorm doesn't have to result in a car crash. Even the cruelest death doesn't have to result in the loss of a person's faith. Even the most severe case of clinical depression doesn't have to result in a suicide. God always gives us a way out. It may not be easy, but it's always possible. God always says yes to the prayer "*Get me through this suffering.*"

Now, once we do make it through the initial downpour of

the storm, we might be in a better state of mind to consider the reasons why it occurred. And this is where we enter into the greatest mystery in all theology: Why does an all-good, all-powerful God allow suffering to exist?

Obviously we can't devote the attention that this question deserves here. It would take many books to do that. But we *can* say that one of the keys to understanding this mystery—indeed, one of the keys to understanding the human condition itself, complete with all its triumphs and tragedies, ecstasies and horrors—is that there is something terribly wrong with *life*. I don't just mean that it's hard or cruel or painful. That much is obvious. I mean that there is something fundamentally "off" about it. There's something about life that doesn't make sense—something that's wrong with the whole picture. And this idea that life is skewed in some way is very much tied to the whole problem of human suffering.

You don't have to be a great theologian to see this. Anyone who can appreciate a dazzling summer sunset, or a crisp, orange autumn day, or a magnificent symphony, or the smile on the face of a beautiful girl can see that these marvelous works of creation simply don't belong in the same world as a cancer ward, a hospice, or a cemetery. The sight of a wildly happy child opening his presents on Christmas morning just can't be reconciled with the sight of a little white coffin in a funeral home. It's not enough to say that the world is full of both good and bad things. That explanation simply doesn't suffice. The good things in life are just too good; the bad things are just too awful. They just can't be part of the same plan. C. S. Lewis put it best; he said that human beings instinctively know that the good things in life are *supposed* to exist, while the cruel, painful things are not.

He said that somehow we know that "right" has a right to be there, while "wrong" has no right whatsoever.

This isn't something we can prove by mathematics or science. It's just something all of us—as a species—can feel deep in our bones. So many belief systems, both religious and secular, try to claim that death and suffering are just a normal part of life. What nonsense! They may be *facts* of life—and facts we have to accept—but they are neither "normal" nor "natural" nor "good" in any way. Christianity is the only religion that really addresses this conflict squarely in the face; it's the only religion that challenges this great, global non sequitur by asking the question "What's wrong with this picture?" And it's the only religion that tries to provide an answer.

The picture is wrong because *something went wrong.* Life was never meant to be this way. Something happened. Something at the very beginning went terribly, terribly wrong. And we call that something the Fall.

Back in the Garden of Eden, our first parents committed a great crime that rocked the world, a gross act of treachery against God, the effects of which we are still feeling today. We don't know all the details, but we do know that it was a direct act of disobedience that came about as a result of pride. The Book of Genesis says that Adam and Eve ate the fruit of the tree of knowledge of good and evil.[4] That sounds so innocent to us, such a harmless bit of symbolism. But what does it really mean?

It does not mean that our first parents wanted to taste an apple; it does not mean that they were thirsty for knowledge; it does not mean that they simply wanted to know the difference between right and wrong. These are misconceptions. Adam and Eve did not want to discover the difference between right and wrong. They wanted to *decide for themselves what was right and what was wrong*. They chose to reject God's laws and make themselves the law. By a prideful act of rebellion carried out at the prompting of the Devil, they tried to *usurp God* and *be God*. That was their crime.[5]

And what they did changed everything. In rejecting God, our first parents rejected and lost everything that came with being close to God. They lost eternal life, they lost heaven, and they lost the friendship of their Creator. They lost it not only for themselves, but for the earth, for all of creation, and for all their descendants. Their sin was passed on, almost as if by genetics.[6] And what they gained by leaving the protection of God's side was not freedom, or knowledge, or independence of any kind, but only exposure to the harsh elements of a fallen world: death, deterioration, disease, depression, weakness, loneliness, old age, and all the rest of the long catalog of human ills that have plagued mankind since time immemorial.

And that, ultimately, is the reason why the world is in such a mess today. God didn't do anything to us—*we left him*.[7] He didn't cause Adam and Eve to reject him, and he didn't cause any of the suffering human beings have experienced as a result of the Fall. Very rarely does God ever willingly, knowingly, or purposely make anyone suffer. He didn't cause that earthquake that killed thousands of people; he didn't cause terrorists to fly planes into the World Trade Center; he didn't cause my wife's uncle to have his fatal heart attack; he didn't cause that old man's daughter to die in her front yard. God doesn't sit around heaven like some twisted, all-powerful sadist, picking and choosing people to inflict pain on. In the final analysis, all of that carnage is the result of the Fall.

What makes people angry at God sometimes is that he

doesn't go out of his way to prevent suffering, either—at least not usually. In fact, God almost never uses his raw power to manipulate people or events. Just as he didn't stop Adam and Eve from rebelling against him, so he doesn't forcibly prevent people from doing bad things today; so he doesn't forcibly prevent natural disasters from occurring. That's just not the way he operates. That's not the kind of world he has created. Despite what certain anti-Christian philosophers have claimed in the past, the God of Christianity has never tried to force his will on humanity or "enslave" us. On the contrary, he has been the greatest proponent of freedom who ever existed.[8] While it's true that he demands obedience from all his creatures, in practice he "allows" us to do almost anything we want—no matter how much damage we do to ourselves and to others in the process.[9]

And yet this same God who is so extraordinarily "permissive" did not leave human beings stranded in a hopeless situation after the expulsion of Adam and Eve from the Garden of Eden. He intervened in a way that no one could have predicted. In order to make up for the sin of our first parents, he did something truly radical. Two thousand years ago, he became a man, in the person of Jesus Christ. Born of a woman, he walked upon the earth and lived a life of perfect, sinless obedience. And it was this obedience—even unto death on a cross—that finally made up for the disobedience of Adam and Eve.[10]

Aside from all its other implications, one of the most fascinating things about the death and resurrection of Christ is that it shows us, on a very basic level, how much God is willing to get involved in our suffering. Just as you don't have to be a theologian to recognize that there is something "wrong" with a world in which there is so much pain, you don't have to be a scholar to know there is something "right" about a father who is willing to sacrifice himself for his children.

This is really where Christianity shows itself to be profoundly different from all the other religions of the world. Islam, when addressing the question of suffering, speaks only about the necessity of accepting the "will of Allah." Judaism maintains that it's wrong to even question God about this subject, because God is so far above us. Buddhism and the Eastern religions preach a sort of total detachment from life—the idea being that if you don't love or desire anything, you'll be better able to deal with the experience of loss. Only in Christianity is suffering at the very core of its theology and spirituality. Only in Christianity is it acknowledged that suffering is so horrible and so wrong that God himself had to personally intervene. Only in Christianity is the primary symbol of the faith a cross—an instrument of suffering on which a man is executed.

While all the major world religions speak about the need to trust God completely in the face of pain, Christianity adds something even more profound to the equation—something startling, sublime, and even heartbreaking. The God of Christianity not only says, "Trust me," but he says, "Look at me," as well. He says, "Imitate me."

We can all recall examples from our own childhood of times when we didn't want to do something, but *had to* because our parents insisted. Maybe we didn't want to go to school, or take our medicine when we were sick, or be sent to our room as punishment for doing something bad. Sometimes our parents explained why these unpleasant things were necessary, and sometimes they didn't. Sometimes they gave us reasons, but we didn't fully understand them because we were still children. I remember when I was a little boy, I was afraid of the water, and how my father took me to a public pool somewhere in Brooklyn and tried to teach me how to swim. I remember him telling me not to be scared of putting my head under the water, but how I kept shaking my head, refusing. Do you know what he did? He didn't just explain that swimming was safe, he said, "Look at me." And he dipped below the surface of the water for a few seconds. When he came up wet and smiling he said, "See, that was nothing. Now you try it. . . . You'll be fine."

This is essentially what God did for us when it came to suffering. Through the words of his prophets, and in Scripture, he told us the story of the Fall of man. But he knew that wouldn't be enough. He knew we couldn't truly understand the gravity of sin, or why it must inevitably lead to death, or how we ourselves were partly to blame for all the bad things that happen because of the crimes and sins and acts of rebellion *we* commit against God every day. He knew that we would have trouble accepting all this if it was only presented as a theological argument, and so he also said to us, "Look at me. I'll go through suffering too."

And he did. He became a man and went through every kind of human suffering imaginable: depression, loneliness, dread, fear, anxiety, physical pain, humiliation, persecution, derision, long drawn-out agony—even the feeling of abandonment.[11] Everything we have to face, he faced, too.[12] He even threw into the bargain the worst pain of all—the death of a child. For he made sure his own mother was present to watch his gruesome end.[13] Not because he wanted to hurt her, but because he wanted the picture of suffering to be complete. He wanted to be able to say to us: "You may not fully understand the 'why' of suffering, but just look at me. I'm dealing with it too. I hate pain just as much as you do, but I'm going through it all so that you know everything will be all right in the end. You can have hope that despite how bad things may seem now, you'll eventually be okay."

And so he died for us, and in doing so not only redeemed humanity, but gave us the perfect example of how to deal with suffering.[14] Today, when we have to face pain in our own lives, we have access to all the strength, peace, and courage that sustained Christ through his Passion and death.[15] God makes that power available to each and every one of us. When you say to God, "*Get me through this suffering,*" he will actually take you by the hand and lead you through your pain. No matter what the crisis, he's willing to walk right through the fire with you, and make sure that you get to the other side without being engulfed and consumed in flames.[16]

How he does that will largely depend on your personality and your particular situation. Suffering—especially grief—affects people in a million different ways. For some, the best thing to do after experiencing a loss is to get right back to work. Others need to take a break and go off by themselves to sort things out. Some people process their grief best by talking about it to anyone and everyone. Others need to stay completely away from the subject—the mere mention of it is enough to cause them excruciating pain. Some people need a simple shoulder to lean on, or someone to hug when they get home; others need to cry and to cry and to cry—to cry to the end of their tears.

When you ask God to help "get you through," he will guide you to *your* best pathway of healing. If you need a certain kind of person to talk to, perhaps God will send him or her your way.

If you need solitude and a period away from everyone, perhaps God will inspire your boss to give you additional time off from work. If you need something consoling to read, perhaps God will put the perfect book into your hands. If you have to face a grueling week of medical tests, perhaps God will give you an extra infusion of courage. Sometimes when a person is going through a particularly agonizing period of mourning—say, over the death of a spouse or a child—God has even been known, on occasion, to provide a sign that the deceased relative is okay.

Sometimes God may send people to you who *need* comforting themselves. As we've discussed previously, there is never any shortage of people who are alone, or sick, or desperate for kindness. Helping others is the closest thing there is to a "cure-all" in life. If God judges that you're ready for that, he may very well point you in the direction of one or more individuals who are worse off than you.

No matter how God answers this prayer, one thing is certain: He will speed up the process of healing and make sure you get through your ordeal with as little emotional, psychological, and spiritual damage as possible. And this guarantee doesn't apply to only the great cataclysmic misfortunes of life. It works for the smaller "slings and arrows" of daily living as well. You shouldn't wait for heart attacks or terminal illnesses or car accidents to ask for God's assistance. You should say this prayer when you have a toothache; you should say this prayer when your annoying colleague at work won't stop talking to you; you should say this prayer when you're stuck in a traffic jam! Whenever you have to face *any* kind of pain, you should say to God, *"Lord, please help me get through this."*

And he will.

Ultimately, the difference between believers and atheists is not that believers suffer any less—they don't—it's that they suffer and grieve *with hope*: hope that their pain will end one day, hope that God has a plan for them, hope that their suffering has meaning, hope that God will somehow pull good out of even the worst miseries and tragedies of life.[17] We're going to explore this subject at much greater length in Chapter 9. We're going to talk all about Providence, and God's will, and free choice, and the redemptive value of suffering. But right now it's important to focus on one thing—the willingness of God to help you through whatever pain you're experiencing. I promise you, if you make a habit of saying this prayer throughout your life, you'll never get to the point of utter desolation; you'll never end up in the position of that old man I mentioned at the beginning of this chapter—the one in the art store who had lost his daughter. No matter how terrible your anguish, you'll never become bitter, cynical, disillusioned, or unhappy. You'll never think of spitting in God's face.

The reason is that God always says yes to this prayer. Even if your agony is so great you almost feel as though you're going to die if the pain doesn't subside—God will help you. He'll come and find you, lift you up by the arms, and carry you out of the darkness. For this God we worship has been there himself. He knows what it means to suffer. He knows what it means to die and be buried—and he knows the way out of the cold, desolate darkness of the tomb.

5 Am I a Terrible Person?

God, Forgive Me

One of my earliest childhood memories is a fight I witnessed between a little boy and a neighborhood bully, back when I was growing up in Brooklyn. The boy couldn't have been more than ten years old, and the bully was in his mid-teens. I remember hiding inside the doorway to the apartment building where I lived, a little frightened yet mesmerized, as I watched the fight unfold on the sidewalk a few feet away. The bully started by pushing the little boy to the ground, and the boy began to cry. But instead of staying down—as most other boys his age would undoubtedly have done—something strange happened: his face got beet red, his eyes narrowed, his jaws and teeth clenched, and he let out a tremendous yell. He got up off the pavement and, to the complete surprise of the older boy, charged him, swinging his fists wildly. He jumped on top of the bully and tried to hit him, all the while screaming at the top of his lungs. The teenager, who was obviously stunned by the boy's reaction, recovered quickly. He viciously flung the boy to the ground and cursed him. But the boy was undeterred. The moment he hit the concrete he got up and lunged at the bully again, furiously swinging his arms and kicking at the air. The older boy punched him full force in the face and threw him down once more.

By this time, the little boy's clothes were torn, his knees were scraped from the concrete, and his face was wet and dirty with tears. But nothing could stop him. Every time the older boy threw him down he got up and charged him, screaming and crying in a delirious kind of rage. He must have been thrown to the ground seven times. But every time he went down he got right back up, crying even more. I remember watching his face intently, literally in awe of his determination. There was nothing that could keep him down. The older boy finally got tired of all the effort required to block the kicking and punching. He yelled at the boy in exasperation, "Would you just stop it and get away from me!" Eventually, the teenager gave up trying to resist at all and had to practically run down the street to escape, cursing and yelling that the little boy was crazy.

For some reason, the memory of that scene has always stayed with me. The picture of that pathetic little boy, dirty and bloody and crying and beaten up, continually getting up off the pavement only to be knocked down again, has served as a kind of grand metaphor for so many things in life. I've thought about it when I was down and out and needed courage to fight. I've thought about it when I was up against what seemed to be overwhelming odds, or when I felt tired and beaten and needed extra strength to go on. But what that incident has always symbolized for me more than anything else is the power of the next prayer we're going to discuss—a prayer that has everything to do with *perseverance*; a prayer God always says yes to, no matter how many times we say it, no matter how many times we cry out for it, and no matter how many times we get knocked to the ground in the process: "*Lord, please forgive me.*"

Everyone knows that God forgives sins. Christians, especially, have heard the expression that Christ "died for us" so that "sins could be forgiven."[1] In the last chapter we went over some of the theology of forgiveness. We said that by sacrificing himself on the cross, Christ atoned for all sins of all people of all times, before and after him. By living a life of perfect obedience, even to the point of death, he made it possible not only for people to go to heaven, but also for our individual sins to be absolved and wiped out forever.[2] That is the universal belief of all Christians everywhere, and it has been for over two thousand years.

What you have to understand is that when it comes to being forgiven for the bad things we've done in our lives, the hardest part has *already been done for us*. Christ completed the work himself, on our behalf, a long time ago.[3] Our role in the process is relatively simple. The more we can grasp this fact, the easier it will be for us to rid ourselves of the guilt, shame, remorse, and accumulated emotional weight from all the past sins that so many of us carry around our necks like millstones.

Let's use an example to illustrate this. I don't know how many times it has happened to you, but on occasion I've been very absentminded and misplaced or forgotten my keys. This is particularly frustrating when you get home at the end of a long day of work and discover that you can't get into your house. Short of breaking down the door, there's nothing you can do except call a locksmith. When he finally arrives, he has to drill out the old lock and replace it with a new one. Then he gives you a new set of keys and you can at last get in.

Now, in that situation we can say that the locksmith made it "possible" for you to enter your home. He didn't do everything of course. After he finished his work and packed up his tools, he didn't carry you bodily into your house. You still had to open the door and walk through yourself. But that was the easy part. The locksmith did the tough work. That's why he can charge so much money. Without him, you would have been sitting outside for God knows how long.

The same is true when you have a headache or some other medical problem and have to take a pill of some kind. The difficult part—creating the medicine, packaging it, and prescribing it—has already been done by the pharmaceutical companies and the doctors. The easy part—putting the pill in your mouth and swallowing it—is what *you* have to do.

God uses this same process when helping us in our lives. When it comes to solving many of the problems we're having, he will invariably consent to do most of the work himself if we ask him. But then he'll also insist that we play a role, too. Sometimes this role may seem to be extraordinarily difficult—at least at first—but in comparison to what he is willing to do on our behalf, what we have to do is really quite simple.

In the case of forgiveness, after the Fall of Adam and Eve mankind was in a truly hopeless situation. Because of what they did, it was no longer *possible* for people to go to heaven.[4] It doesn't matter how holy the Old Testament kings and prophets were, they couldn't get into heaven when they died because the place was bolted shut. They had to wait for Christ. Abraham, Moses, David, Esther, Ruth, Solomon, all the great men and women of that time—they all had to wait.[5]

What did God finally do? He rolled up his sleeves and did the hard part of redemption, the part we could never do ourselves. He became a man, went through life without sinning, and sacrificed himself in order to make up for Adam's sin.[6]

Then he rose from the dead to "prove" that it was all accomplished. Thus God "unbolted" the door to heaven, and all the good people of the Old Testament, as well as all the saints after them, were finally allowed to enter.[7] In doing this, God essentially played the role of locksmith—or doctor. He made it possible for us to get into our home; he provided us with the medicine that could "cure" death. That was the really difficult work. But God also insisted that we play a role in the process of salvation. And this is where there is so much confusion today. Because people really, truly don't understand how *easy* our role is.

In the Gospel, Christ says: "Come to me, all you who labor and are heavy laden, and I will give you rest. . . . For my yoke is easy and my burden is light."[8] Many people have read those words and said to themselves, "But how can that be? How can the Christian burden possibly be light? After all, it's so hard to avoid sinning, it's so difficult to obey the Ten Commandments, it's so impossible sometimes to love our neighbors, or to forgive people who hurt us."[9]

We all know how terribly challenging and demanding Christianity can be. So how in the world could Christ possibly claim that it was easy? His statement seems to fly in the face of common sense. And yet he said it, clear as day. What could he have meant?

The answer to the riddle is that while it's certainly difficult to live the Christian ideal and avoid sinning, it's extraordinarily easy—almost ridiculously easy—to be *forgiven* for our sins. All we have to do, in essence, is walk through the door Christ opened for us; all we have to do is swallow the antidote he gave us. And the way to do both those things is simply this: We have to be sorry and confess our sins to God.[10]

That's it! If you are really sorry about committing some sin—any sin—all you have to do is apologize to God, and he will forgive you. Period.

The hardest part of what I just said is not doing it, but *believing* it. People all over the world claim to be Christians and then fail to accept this one, all-important doctrine. Without the slightest bit of exaggeration, I can tell you that the whole Christian religion boils down to this belief in forgiveness. It's the reason Christ came into the world. It's the reason for the Crucifixion and the Resurrection. It's the reason that the church exists today, and why so many saints throughout the ages have been willing to die for their faith; it's the reason that all spiritual books (including this one) are written and read.

In fact, the reason that the movie *The Passion of the Christ* was so gruesome and violent was because it was trying to drill home this point. It was trying to show, in a very graphic way, that all the sins of all time, committed by all people everywhere, were paid for—ahead of time—by Christ, in one bloody, agonizing, unbearable act of sacrifice. Without the death and Resurrection of Christ, sins couldn't be forgiven. That's the bottom-line message of Christianity.

Does that sound too good to be true? It's not! Think of a football game in which every fumble is ruled a do-over. That's the way God views our lives. Every time you mess up, drop the ball, foul another player, or do anything "against the rules," the referee calls the play a do-over—as long as you are sorry and confess. No flags, no ten-yard penalties, no turnovers of any kind. Christ spilled every drop of his blood that fateful afternoon on Calvary for one reason—so that we could be forgiven anytime we apologize—so that we could have all our fumbles called do-overs.

A well-known Hollywood celebrity once said that he couldn't "buy into" any religion that claimed you could commit a great, bestial sin on Friday and then receive absolution on Sunday. Many people would probably agree. But they miss the point. *You can.* It's not hypocrisy. If you're truly sorry and confess, you can be forgiven, no matter what you do, no matter how often you do it. That's why Christianity, for all its sublime dogmas and rich theology, is, at heart, the simplest and most uncomplicated of religions. Christ said that his yoke was easy and his burden light for a very good reason. Because it is.

Now, various faith traditions within Christianity may differ on how God's forgiveness is *communicated* to people, but all of them believe that forgiveness is a fundamentally simple matter. Catholics, for instance, have the sacrament of penance—better known as "confession." They don't see going to confession as an alternative to the forgiveness of Christ. They too believe that it is only through Christ and his sacrifice that we are forgiven—but they believe that his forgiveness is imparted through a priest. Moreover they don't say a person can't be forgiven without confession, but only that the sacrament is an *added obligation.* They therefore differ in their belief about the relationship of God's forgiveness to the community of Christians, but not about the nature and cause of that forgiveness. All Christians everywhere believe that the hard work of redemption has already been done by Christ, and that our only job is to be sorry.

Are there conditions that need to be met for this "sorrow" to be legitimate in the eyes of God? Yes, but even they aren't that difficult. First of all, we have to acknowledge that we did something wrong. This doesn't mean that we have to pretend that we didn't enjoy whatever sin we committed, or make believe that we're not drawn to doing it again. We just have to admit that it was indeed a "sin" and have some kind of negative attitude toward it because we love God and regret that we disobeyed and disappointed him. After all, this is the same God to whom we owe everything, including life itself. Unless we're the most prideful and egotistical of people, it shouldn't be too hard to muster at least some kind of sincere contrition.

Next, we have to honestly want to try not to sin again. You can't commit a robbery, say to God that you're sorry, and expect to be forgiven *as* you're planning your next heist. You can't cheat on your wife, say to God that you're sorry, and then expect to be forgiven *as* you're on your way out the door to your next illicit rendezvous. That's called "presumption" and it doesn't hold any water with God. There's got to be some attempt on your part to alter your behavior. There's got to be a willingness to let God change you. There's got to be a firm commitment to at least try to act differently, to try to stop, turn around, and head in a new direction.

But once again, the key word here is "try." Human beings are weak. We fall constantly. Some people commit the same sin over and over again throughout their entire lives. God knows that. He's been watching human beings commit these sins for thousands of years. It's not that he's grown used to it. It's just that he's not surprised in any way when he sees you repeatedly falling. If there's a particular sin you're having trouble with and you commit it constantly and feel bad about it constantly, then you're probably going to have serious doubts about your ability to overcome it. That should *never* stop you from resolving to try not to do it again. You may feel in your bones that your resolution is weak—even foolhardy—but that doesn't matter. Any resolution not to sin again, no matter how unrealistic, is going to be accepted by God. Why? Because his yoke is easy and his burden light.

Finally, as most people know, there is a famous line from the "Our Father" that says: "Forgive us our trespasses as we forgive those who trespass against us." What that means, essentially, is that God is going to be merciful to us in the same measure that we are merciful to others. This is God's quid pro quo of forgiveness, and its importance should never be underestimated. We are required to forgive others, not just once in a while, not just when we feel like it, but *all* the time. And if we don't, we are going to have the same strict standard of judgment applied to us. Thus, if you are a very hard, callous type of individual who holds grudges and harbors all kinds of animosities against people who have offended you, you may have a lot to worry about on Judgment Day. But, on the other hand, if you are one of those weak individuals who is constantly falling into the same sinful behavior but are also merciful and forgiving to others, then, as Jesus said, your heavenly father will treat you in exactly the same way.

This isn't some sort of a trick or slick way to get around the commandments; it's a clear biblical promise: "Blessed are the merciful, for they shall obtain mercy." The fact that you will naturally start to become the kind of person who is able to obey God's laws *as a result of* trying to forgive others is a spiritual dynamic that God is well aware of. In fact, that's one of the reasons he made the promise in the first place.

Now, it's true that forgiving others can be difficult. Yet many people completely misunderstand the concept. They think it means we have to have warm, mushy feelings toward the people who harm us. They think it means we have to *like* the people who have offended us or our families or have been guilty of some terrible crime. They think it means we have to *forget* the bad things that have been done to us. Nothing could be further from the truth.

Forgiveness has one meaning: wishing a person the greatest possible good—which basically means wishing them salvation and heaven. If someone hurts us, we can be angry at him, we can dislike him, we can choose to stay away from him, maybe even for the rest of our lives. If someone has betrayed us, we may never be able to trust him again. We may never want our relationship to "go back to the way it was." And if someone has committed a crime of some sort, we can do our best to make sure he is prosecuted to the full extent of the law. God doesn't have a problem with any of that. But at the same time we are experiencing those "feelings," we must also, in our mind, "will" that the guilty person is ultimately reconciled with God and goes to heaven. This may not be the most perfect kind of forgiveness, but it will do. It's God's "minimum requirement," and he will accept it. What God won't accept is when we wish evil on a person or hope that he will be condemned to hell. God reserves that kind of judgment for *himself alone.*

Now, there are cases when even wishing a person heaven is difficult to do. It might seem impossible for a mother to forgive the drunk driver who killed her son. God understands when serious emotions interfere with our ability to forgive. And he's patient with us. In these special cases, the best thing to do is approach forgiveness the same way we approach other things in life that are hard to do—by building up to it, by practicing. If you want to bench-press three hundred pounds, you don't start out by putting all the weight on the barbell at once. You begin with a lighter amount and gradually increase the load.

If you can't yet find it in your heart to forgive some big, horrible crime a person has committed against you, start off with something smaller. Forgive the person who cut you off at the intersection this morning on your way to work. Forgive the nasty bank teller who gave you an attitude when you were cashing your paycheck. Forgive your father for making that cruel comment to you and treating you like a child. Work on forgiving *those* kinds of things, and you'll eventually find it easier to forgive the really serious offenses that people commit. The important thing is *to build up a habit of forgiveness.*

You see, God is very reasonable when it comes to the subject of forgiveness. He wants to forgive you, he's anxious to forgive you, he's looking for every possible excuse to forgive you.[11] But he also wants you to have that same forgiving attitude toward others.[12] It's that simple.

Some people might read this and think I'm being too flippant about forgiveness. They might think that I'm not taking into account the gravity and magnitude of sin; that I don't truly understand how sin can enslave a person, strangle a person, and destroy a person's life. Well, I *do*. I've been there. I understand how terrible sin can be. But I also understand the meaning of the Crucifixion. I understand the purpose of Christ's Passion, death, and Resurrection. And I understand that the only reason he suffered so much *then* was so that we could have it easy *now*. Christ already did the hard work of atonement for us.

Once and for all, you can believe that sin is the greatest evil in the world and that God hates it with all his heart.[13] You can also believe that this same God is ready to forgive and forget the sins you commit faster than you can blink your eyes.[14] This is not a contradiction. It's a joyful paradox, and one that does not in any way trivialize the horror of sin.

A much more legitimate question is, if obtaining forgiveness is so easy, why don't more people ask for it? Why aren't great crowds of men and women flocking to God to apologize for their sins? I know Catholics who haven't seen the inside of a confessional since they were seven. I know Protestants who haven't said a prayer of repentance to God in decades. Why such reluctance to utter those two little words, "I'm sorry"?

There are many reasons. Some people have no idea how much God loves them and wants to forgive them. Some people know but can't bring themselves to believe it, because it's "too good to be true." Still others are afraid to confront the sinful things they have done in the past because they think it will bring them grief, sorrow, or guilt. Human beings will do almost anything to avoid pain. We work so hard to hide our own frailties and weaknesses. Anytime we identify something in ourselves that might bring us pain, we try to pretend it's not there, or cover it up, or disguise it. Just look at the extent to which people will go in order to hide what they perceive to be their exterior faults. Plastic surgery today is a billion-dollar business! People will do the craziest things in order to remove a little wart because it makes them feel ugly and insecure. Well, people go to the same lengths to hide their internal warts as well. But instead of having cosmetic surgery or applying a lot of makeup, they do something else—they build up defense mechanisms of all kinds: they live in denial, they use their egos to shield painful and repressed memories, they run as far away as they can from whatever they think might be a potential source of anguish to them.

The only problem with this strategy is that it doesn't work!

In the end, these poor people wind up living a great big lie. Whatever it is they did in the past that haunts them now can't be covered up by makeup or plastic surgery. It's there, underneath the surface, growing, year after year, until one day it becomes so intense, so tangible, so outwardly visible, that it's impossible to hide any longer.[15]

What these folks don't realize is that they're not alone. We're all in the same boat together! I may not have done what you did, and you may not have done what I did, but we've all done *something*. We all have our own particular weaknesses, our own particular wounds, our own particular sins. Yes, some sins are worse than others, but we all suffer from some form of internal "bleeding." Every single one of us is screwed up in some way, and every one of us is at least partly to blame for the problems we have.[16] Sometimes we don't realize that we have these internal wounds because we don't recognize the symptoms—failed relationships, broken marriages, depression, addictions and habits that can't be conquered, dependency on pills or drugs or alcohol in order to sleep, dysfunctions of various kinds, phobias, insecurities, and so forth. The list goes on and on. All of these are signs that something is wrong *inside*.[17]

Of course, there are always going to be some people who refuse to believe *anything* is wrong with them. They think they're doing just fine, thank you very much! They don't have any problems or wounds. They haven't committed any actions in their life that they consider sinful, or shameful, or cruel, or scandalous, or disgusting. They're not the slightest bit sorry or embarrassed by anything they've done, and they certainly don't need to be "saved." According to their way of thinking, what we're discussing now is just part of a gigantic, age-old

Judeo-Christian conspiracy to inflict guilt on the masses. But *they're* not going to fall for it. *They* don't need to be forgiven for anything.

Well, I'm sorry to have to break the bad news to these folks, but they couldn't be more wrong. Not only are they fooling themselves, but they're making their lives a hundred times more difficult and more chaotic. They truly don't understand the ramifications of their actions—or of their unrepentant attitude. They don't realize that so many of the problems they are dealing with in their life *right now* could be resolved easily if they weren't so dead set against admitting their spiritual shortcomings.[18]

What all these people fail to understand is that while seeking forgiveness might involve pain, the pain is not going to kill them. It's not some crushing monster. Whether it results from facing the truth about our past, or admitting how weak we are now—the pain will always be manageable. God makes sure of that. In fact, in the end, it really won't feel like "pain" at all, but "release." The moment you say you're sorry to God, and know in your heart that you are really, truly forgiven, you will immediately feel as if a great weight has been lifted from your shoulders.[19]

Remember the cartoon, *How the Grinch Stole Christmas*? Everyone knows the moral of that story. After the Grinch took all the presents from the Whos in Whoville, he heard them singing for joy and realized that, no matter what he did to them, he couldn't ever stop Christmas from coming. Christmas, he discovered, meant a lot more than mere toys and presents. But did you know that there's another lesson in that classic children's tale? All those stolen bags of gifts that were piled so high on the Grinch's sled represent something, too. They represent the enormous weight the Grinch was carrying in his soul. When he finally looked inside himself and realized the truth about how greedy and mean and jealous he was, not only did his heart grow "three sizes," but the burden of all the weight he was carrying disappeared. It was as if there was suddenly no load at all on the sled, and he was able to lift it over his head and fly back down the snowy mountain slope, triumphant, into Whoville.

So many of us are carrying similar loads. So many of us are carrying huge sackfuls of unrepented sins on our shoulders. When we look into ourselves and admit our faults and finally come before the Lord in repentance, it's as if all that weight were suddenly, miraculously removed. That's the power of this prayer. These three simple words—"*Lord, forgive me*"—have the ability to obliterate the weight of all your past sins, lusts, thefts, adulteries, indiscretions, and crimes.[20] This prayer may not be able to take away all the harmful effects of those actions, and in many cases you may still have to make some form of restitution for them, but all your guilt before God will be gone. The moment you say those words and mean them, your soul will be a clean slate—a bright, new, shining, polished slate—on which you can write anything you like. You'll be free to start all over again, fresh—even if you have "started all over again" a thousand times before.[21]

It's so important not to misunderstand the meaning of this chapter. I'm not trying to be "soft on sin." I'm not saying it's wrong to be disappointed in yourself when you fall, or that you should be content with living a life of continual, habitual vice. I'm not saying that you shouldn't always be trying to improve yourself, discipline your will, and change your bad behavior.

You should do all that and more. But at the very same time, you can't be harder on yourself than God is. In this crazy, decadent, hedonistic world of ours, where temptation lurks in every corner and any person, place, or thing can instantly become an "occasion of sin," it's very easy to screw up! To deny this would be insane. You can't beat yourself up every time you do something wrong—especially when you have a God who *wants* to be gentle with you and is standing there with open, welcoming arms every time you apologize.

Remember, a good Christian is *not* someone who doesn't ever sin, but someone who repents every time he does.[22] That means that, ultimately, the definition of a successful life is one in which we repent *one more time than we sin*. We've got to impress that definition into our heads and never forget it. We've got to have an almost military fervor about repentance. No matter how bad the sin, and no matter how many times we commit it, we can't ever allow ourselves to feel beaten or demoralized. We have to have the same exact approach to sin and repentance as Winston Churchill had to war. In the darkest days of World War II, when the Nazis were bearing down with all their evil might on Britain, Churchill was able to urge his fellow citizens, "Never give in—never, never, never, never. . . . Never yield to the apparently overwhelming might of the enemy . . . fight on the seas and oceans . . . fight in the air . . . fight on the beaches, landing grounds, in fields, streets and on the hills . . . Never surrender."

Never surrender. Never! That's the message of this chapter, and this prayer. Just like that beat-up little boy I remember from Brooklyn, who kept being thrown to the ground but refused to stay down, we have to rise up whenever we fall and continue the fight. If we fall a thousand times—if we fall *ten thousand times*—we should muster the boldness to say to God:

> Lord, I know I did something terrible, and I feel awful. But I'm not going to let it discourage me. I'm sorry. I'm going to try not to do it again. But if I fail, I'm going to get right back up and try again. I may break the world record for committing this particular sin, but I'm also going to break the record for repenting of it! And God, I promise to do my best to forgive everyone who offends me. After all, if you can forgive me after all the times I've disobeyed you, I can at least try to be merciful to others.

This kind of prayer is music to God's ears. He doesn't just like it, he *loves* it. Just as I watched in awe as that little boy on the sidewalk continued fighting, despite all the blows he endured, God will look down at you from heaven in genuine admiration as you persevere in your struggle, without ever losing faith and heart. You may sin grievously, time and time again, but he won't be able to do anything but smile as he pronounces his merciful judgment on your soul: "Slate cleaned, door opened, burden lifted, sins forgiven—*Do-over!*"[23]

6 This Stress Is Killing Me!

God, Give Me Peace

One of the most powerful prayers God always says yes to is "Please give me peace." After all, everyone wants peace—peace in the world; peace in our communities; peace in our families; peace in ourselves. This last kind of peace is perhaps most important because if we're not at peace with ourselves, then it's impossible to enjoy life, no matter what good things we possess. We can have youth, health, beauty, money, an amazing job, and a wonderful family—but if every day of our life is full of stress, then every day is going to be a nightmare.[1] On the other hand, if we are at peace, then we can handle almost anything that life throws at us.

I don't know about you, but I marvel at people who can remain calm and cool no matter what kind of storm is raging around them. They're like sailboats gliding along smoothly on a glassy sea. Sometimes people are just born that way; it's their nature to be laid-back. Everything they do is measured and slow—even the way they speak—and nothing has the power to rattle them. I guess it's nice to have that kind of gentle disposition, and I'm sure it's a much healthier way to live. But being a typical, passionate Italian, I can't relate to it in the slightest!

Most of us struggle with anxiety on a daily basis. We live in a perpetual state of reaction—reaction to the thousands of external forces that act on us all the time: TV, radio, friends, family, work, e-mail, bills, responsibilities, current events, carnal desires, worldly temptations, the weather. We're constantly being pushed and pulled in so many different directions that it's hard to stand still and keep our equilibrium.

So what do we do? We take prescription medications to get rid of all the knots in our stomach. We buy over-the-counter products like Alka-Seltzer and Pepto-Bismol to eliminate the excess acid. We drink alcohol, go for massages, practice aromatherapy, pay psychologists obscene amounts of money, and even attempt to twist our bodies into pretzels in order to meditate! We do all of this and more because we desperately want relief from the strain that comes with living in our tension-filled, pressure-packed society.

Yet despite such Herculean efforts, our lives remain engulfed with anxiety. Why? What makes calmness and order so elusive in today's culture? Why is it so hard, in the words of the 1960s song, to "give peace a chance"?

The reason, I think, is that people have a very mistaken notion about peace. They either imagine it to be an interior "state of mind" that can be "achieved" through mental practice and self-discipline, or they think that it's something that is completely dependent upon exterior events. In other words, they believe peace will come about by itself whenever "peaceful" conditions prevail, and that stress will come about whenever problems arise in life.

Both views miss the mark. Both fail to take into account one all-important factor—God's role in the "peace process."[2]

Think about the people you know who are truly at peace

with themselves. I'm not talking about the ones who are gentle and easygoing by nature. I'm talking about normal, everyday folks who are familiar with life's emotional roller coaster and know all about anxiety and fear and worry and frustration and passion. Yet they've somehow managed to find a way of making deep, inner peace a normal condition of their lives—regardless of the difficult circumstances in which they find themselves or the challenges they are forced to face.

We've all seen individuals like this: the man who is told he has terminal cancer yet is able to walk out of the doctor's office with his head up, ready to spend the time he has left being a source of strength to his distraught family; the teenage girl who is paralyzed in a car accident yet remains cheerful, funny, and optimistic throughout the painful process of rehabilitation; the couple who loses their home in a hurricane and then devotes every bit of their time and energy to helping their neighbors in the devastated community. Where in the world does this kind of strength come from? How can these people remain so peaceful when the world seems to be crumbling around them?

The answer, in a word, is faith. Most times when you see someone handling things with grace and calm in the midst of a terrible crisis, you'll find that that person has a strong faith and an active prayer life.[3] Yes, there might be an occasional atheist here and there who will display great fortitude in the face of adversity, but that's the exception to the rule. Increased spirituality almost always translates into greater inner peace; and the reason is that peace—real peace—is from God. It's a gift that comes directly from the Almighty.[4]

In fact, it goes even deeper than that. Real peace doesn't exist independently of God; it's part of his very nature. God, himself, *is* the fullness of peace. We see this truth expressed throughout the Bible. The very first action taken by God in the Book of Genesis was to bring peace and order out of chaos. "In the beginning," Scripture says, "God created the heavens and the earth." After that, he separated light and darkness, divided the sea from the land, and then finally brought forth all the various categories and species of life. The whole act of creation was accomplished in an extremely orderly way. At first there was nothing but a dark, formless void, and then—after God got through with it—there was a highly ordered, harmonious universe governed by physical laws.[5]

Later on, in the midst of all the bloody warfare of the Old Testament, we see God constantly granting peace, proclaiming peace, bestowing peace, and promising peace to his people. No matter how great the carnage and confusion, God's people always had access to deep, abiding peace.[6] In the New Testament, Christ promised the same to his disciples. "I leave you peace," he said to them. "My peace I give to you."[7] He did this because he knew full well how much they would need the gift of peace in the future. The first Christians were martyred by the thousands. Whole families were mercilessly fed to the lions and tortured in Roman arenas. Yet these men, women, and children were able to face their brutal deaths with the most amazing calm and serenity.

Near the end of the Bible we see yet another indication that peace and order are part of God's character. After the Crucifixion, Christ's body was placed in a tomb and covered with a shroud. Two days later the apostles discovered, to their amazement, that he was no longer there. When Peter entered the tomb on Easter morning, he observed that the burial shroud was separated from the cloth that had covered Christ's face. The Gospel of John then reports the following fascinating detail: "the cloth, which had been on the Lord's head, was not lying with the linen shroud but was rolled up in a place by itself."[8]

Think for a moment what this means. Jesus Christ, who Christians believe to be God himself, didn't just rise from the dead and miraculously appear before his disciples. Nor did he just get up off the stone slab he was lying on and exit his tomb, leaving his shroud and facial covering on the floor. No. Before Christ completed his mission on earth, he took the time to roll up his burial cloth and put it neatly in a corner. That means that the very first thing God did after rising from the dead was tidy up!

It's such a tiny detail, but it means so much. Remember, this is the same God who separated light from darkness and brought order out of chaos when he created the universe. Of course he didn't leave his own tomb messy on the day of his Resurrection. He left in an orderly fashion because he does everything in an orderly fashion. He is a God of order and peace.

That's why it's so utterly futile when people attempt to search for peace without including God in the equation. It's just can't be done, because God and peace are inseparable. You can read all the personal development books you want, master every relaxation technique under the sun, and meditate till you're blue in the face, but if the peace you're trying to obtain is somehow disconnected from God's peace, then it's doomed to be short-lived. The moment anything really bad happens to you, you're sure to be knocked off balance, and your life will go right back to being chaotic, turbulent, and stress filled.

And that's where this prayer comes in. If you ask God for his peace, you won't ever have to worry about peace being a mere "phase" in your life; you won't ever have to worry about it being some false feeling of tranquility that vanishes at the first sign of trouble. God won't let that happen. When you say the words *"God, give me peace,"* he will immediately begin the work of building up a real, lasting peace in your soul—a peace that resides deeper within you than any of your shifting emotions, a peace that has the power to endure any crisis, any storm, any problem.

How long will it take him to accomplish that?

It depends. With the other prayers we've discussed in this book, it doesn't matter all that much what kind of person you are or what kind of lifestyle you're leading for the prayer request to work. You can be the greatest sinner in the world, but if you look up to heaven and earnestly say to God, "*Forgive me,*" he will—right there and then. You can be a liar and a cheat, but if you say to God, "*Please show me that you exist,*" he will give you a sign that he is there, in short order. You can be a jealous, lustful, envious old coot, but if you say to God, "*Please make me an instrument,*" he will send some suffering people your way—no questions asked.

But this prayer—"*God, give me peace*"—is a little bit different. God will say yes to it all right, but the rapidity and clarity of his response are going to depend a lot more on your relationship with God.

Let's say, for example, that you asked God for peace but were at the same time embezzling tens of thousands of dollars at your job. Could God grant your request right away? What if you were in the midst of a secret love affair with your best friend's spouse? Could God give you serenity at that very moment? What if you gossiped and exaggerated so much that even you couldn't remember all the untruthful things you said? Could God instantaneously eliminate the worrying you're feeling about getting caught in your own lies? Of course not! As long as you're involved in those kinds of activities, you're going to have a lot of anxiety, fear, and guilt to deal with—and deservedly so! God is not about to make those emotions go away. They're there for a reason—to help make you want to change.

Is God still going to say yes to this prayer? You bet he is! But he's going to do it on his terms. He's not in the business of helping people live in denial. His "peace" is not some magical, divine anesthesia administered simply to make you feel good. It's the real thing. It's deep. It's lasting. It's wonderful. That's why when you ask him for peace, he's not just going to give you a Band-Aid when what you really need are stitches. He's not just going to help you cover up the problem, when what you really need is to treat it. God's going to give you peace, but he's going to do it by helping you restructure, rearrange, and rebuild your life so that it fits into his perfect plan. And that may take some doing.

You see, the kind of peace we're talking about goes way beyond mere emotions. It has to do with being in union with God. Ultimately, that's the definition of true peace. It's the awareness that, no matter what else may be happening around you, everything is going to be okay, because you're doing what God wants you to do. No matter what turbulent and stressful calamities may befall you in life, if you're "right with God," then you're always going to have access to him, and, therefore, access to peace, rest, and calm *in him*.

On the other hand, if you're "wrong" with God, it will be impossible for you to have a peaceful life, no matter how hard you try.[9] Why? Because God is the source of peace. If you're in rebellion against him, then you're going to be in rebellion against peace itself. It makes sense that your days are going to be filled with chaos, stress, worry, and anxiety. They have to be. Deliberate sin, by definition, excludes peace.[10] Therefore, eliminating the stress in your life depends, in large part, on how successful you are in eliminating any big conflicts you have with God.[11]

And, of course, that's not always easy to do. It can be hard to break off an extramarital affair once it begins. It can be difficult to stop lying, cheating, or stealing if they've become ingrained habits. It can be an arduous task to be selfless if you've spent years being selfish and self-centered. Sometimes we're just not up to the challenge of reforming ourselves. Sometimes we don't want to alter our bad behavior, no matter how much stress it brings us. Instead of rolling up our sleeves and trying to change, we attempt to stave off anxiety by "simulating" peace in other ways. We set up all kinds of false "accommodations" that serve to reduce our worry and tension temporarily. Essentially, we try to create a superficial peace because the real kind isn't available to us.

Let's use an example. Say one of the walls in your home is beginning to show signs of mildew. You have a choice: you can either get to the root of the problem by finding out where the water is coming from so you can plug it up, or you can work around the problem and just mask the bad odor and cracking and ugly black spots. You can give the wall a new coat of paint, for instance. If you do that, of course, you're not really fixing the problem. You're just postponing it. Sooner or later, the wall is going to crack again, smell again, and become blotchy again.

Then you have the same choice. You can fix it or you can try something else to hide it. You might put a big piece of furniture in front of the wall. You might light some scented candles and spray some air freshener in the room to hide the musty odor. And when that remedy failed, you might even try installing new drywall in front of the old wall. The number of false accommodations you can make is really endless.[12]

Well, we sometimes do the same thing when it comes to our negative behavior. We construct all sorts of false accommodations to hide it from our families and friends, and even ourselves. The strategy works for a while, but eventually it breaks down. A man who cheats on his wife, for example, may be able to create the façade of a healthy home life if he buys a beautiful house in the country with a white picket fence. He may even be able to fool his wife for a while by bringing her flowers, taking her to nice dinners, and telling her he loves her. But not for long. There simply can't be lasting peace in a relationship where one of the partners is breaking a solemn vow instituted by God. Even if the wife never found out about her husband's philandering, there still wouldn't be peace for very long. Serious problems would begin to manifest themselves in other areas of the marriage. Cracks would start appearing everywhere—just as they inevitably appear on mildew-infested walls that have been covered over with fresh paint.

We're all guilty of building up these false accommodations. We're all guilty of painting over the mildew in our souls. The problem is that sometimes we build up so many false layers of paint and plasterboard that we forget what the original problem was in the first place! That's when things can really get tough. Because at that point the only thing God can do to help us is to come in and smash everything we've constructed![13] That's why the road to peace is not always so peaceful. In fact, it can get pretty bumpy. Changing your life in a radical way can be a painful experience.[14] And unfortunately, the situation sometimes has to get worse before it can get better.

Now, please don't misunderstand me. Engaging in self-destructive behavior isn't the only reason people experience stress. Not everyone who suffers from bouts of anxiety is guilty of doing bad things, and not everyone who wants to achieve peace has to rebuild his life from the ground up. There are plenty of folks out there who are good, faithful, godly people and yet have a tremendous amount of turmoil in their lives. A lack of peace does not always signify the need for repentance. There are many other factors involved—not all of which are tied to morality.

Sometimes people get "stressed out" because of illness, sometimes because of conflicts with friends or coworkers. Sometimes the reason is purely physical—lack of sleep, overwork, or bad dietary habits. Many times the anxiety we feel is simply the result of bad mental habits—like constantly focusing on the negative and not the positive—or having a faulty system of priorities. Just think about how much time we waste "sweating the small stuff," getting all irritated and angry every time the waiter doesn't bring over our coffee fast enough.

Then there are the millions of people who suffer from nervous disorders. When the brain's normal mechanism for reacting to a threat—the so-called "fight or flight" response—goes haywire, a person can experience all the symptoms of a "panic attack": fear, heart palpitations, heavy breathing, dizziness, a sense of impending doom, and so forth.

None of this has anything to do with obeying God's laws. It has to do with the fact that we are weak, erratic, screwed-up human beings!

Whatever the cause of the stress, though, it's important to know that this prayer still works. God wants very much to guide you to the best way of eliminating anxiety from your life. It may be that he helps you to reevaluate your priorities. It may be that he brings about a long-overdo reconciliation in your family.[15] It may be that he inspires you to start a program of exercising and stress management. It may be that he leads you to a physician who will correctly diagnose your panic disorder and prescribe the proper form of cognitive therapy.

It may just be that God tells you to stop worrying! In the Gospel of John, Christ says to his disciples, "Do not let your hearts be troubled."[16] Saint Paul repeats that same order when he says to the Philippians: "Dismiss all anxiety from your minds."[17] These weren't just suggestions, they were *commands*. And since it's impossible to command your emotions, it should be obvious that peace—real peace—can't be based on your emotional state. The decision to avoid anxiety is just that: a decision. You see, God never commands us to do anything unless he also gives us the power to carry that command out. Therefore we can be sure that no matter how "stressed" we become, we always have access to relief. We just have to ask God to help us make the decision to dismiss anxiety from our minds, and that will pave the way for God's gift of peace.

No one can say for sure what form that gift will take. The point is that God—the source of all light—is only too willing to illuminate your own particular problem and to show you the quickest, most efficient pathway to healing.

The critical thing is never to confuse the "pathway" with peace itself. That's what so many people do—they think that meditation and deep breathing are going to bring about true inner serenity. They're not. It's true they may help to reduce some of the daily irritations you experience, but they can never be a substitute for the kind of peace we spoke of earlier—the awareness that you're "right with God" and the incredible security that comes from that knowledge.[18] It's sort of like when you rub your eyes to remove dirt or dust particles. You can rub them till they're good and clean, and you may indeed see better as a result. But you should never mistake the rubbing for good vision.

There's a famous story in the Bible that illustrates this point perfectly. Everyone is familiar with the fact that Christ "walked on water," but not everyone knows that one of the main purposes of the story is to teach people the true meaning of peace. I'm going to quote the passage in full now, because it has such a direct bearing on some of the matters we've been discussing.

> When evening came, the disciples went down to the water. They got into a boat and started across the sea to Capernaum. It was now dark, and Jesus had not yet come to them. The sea rose because a strong wind was blowing. When they had rowed about three or four miles, they saw Jesus walking on the water and drawing near to the boat.[19] They were terrified and said, "It is a ghost!" And they cried out for fear. But immediately he spoke to them, saying, "Take heart, it is I; do not be afraid." And Peter answered him, "Lord, if it is you, tell me to come out to you on the sea." And Jesus said, "Come." So Peter

> got out of the boat and walked on the water toward Jesus. But when he saw the wind he became afraid and started to sink; he cried out, "Lord, save me." Jesus immediately reached out his hand and caught him. "O man of little faith," he said, "why did you doubt?" And when they got into the boat, the storm ceased, and those in the boat worshipped him.[20]

This story, related in the Gospels of John and Matthew* and so rich in symbolism, condenses into a few short sentences all the main points I've tried to make in this chapter. Peter and the other disciples play an enormously important role here—they represent humanity. All of us are being tossed about on a stormy sea, and all of us must face a good deal of suffering and anxiety in our life. Yet, in the midst of the winds and the rain and the turmoil, God offers us something incredible—the gift of deep, inner peace. When Peter stepped out of the boat and began to walk toward Christ, he was miraculously suspended over the water. None of the elements had any power over him. Despite the strength of the storm, he was untouchable.

But what happened? Why did he suddenly start to sink?

Peter faltered for two reasons. First, he stopped walking toward the Lord. After getting out of the boat and advancing fearlessly for a few paces, he recognized where he was and came to a halt, petrified. It was at that moment that he lost the ability to stay above the waves. We do the same thing. When faced with the problems of life—and the stress that comes with them—we try to "manufacture" our own peace and security. Essentially, we

*I have combined the two Gospel accounts here for clarity.

stop moving toward God and try to "do it ourselves." But, as we've already seen, God and peace are inseparable. If you try to obtain one without the other, you're doomed to failure. The one critical component to possessing deep, inner peace is being "right with God." And that means trying to move toward him all the time, obeying him as best you can, and then repenting whenever you fall.

The second thing Peter did was to stop looking at the Lord. Instead of placing his trust completely in God, he turned his attention instead to the wind and the waves. That's when he panicked—and that's when he started to drown. Again, we do the very same thing. We can be sailing through life, relatively free from worry and pain, and then all of a sudden storm clouds gather and the downpour begins—and we're stuck right in the middle. The wind blows against us and the sea rises around us and it can be pretty scary. Unfortunately, there's very little that can be done to avoid such situations. Suffering comes to everyone.[21] No matter how smart you are, no matter how rich you are, there's just no way to prevent "external" events from interfering with your plans. That's why you can't ever allow your peace of mind to depend on external events. When Peter focused all his attention on what was going on around him, he took his eyes off God. He looked up, down, around, and sideways, and was quickly overwhelmed with terror. How could he not be? He was alone at sea in the middle of the night while a tempest was blowing. He had no chance, and he knew it.

How often do we act in the same fashion? How many times do we look at all the problems in our life and start to panic? Even when we manage to keep our composure on the outside, stress is busy eating away at our insides. It's impossible to be happy that way. The only solution is to keep your eyes focused on God. Only he knows your final destiny. Only he can grant you eternal happiness in heaven, and only he can give you true joy in this life. Therefore the more you are able to give yourself over to his will and "cast your anxieties" onto him, the more you'll be able to experience true peace, despite what may be happening around you.[22] This is what the saints of old meant when they spoke of "total abandonment" to God.

Now, it's very easy to oversimplify all this and turn it into a cliché. Sometimes well-meaning preachers and self-help experts do just that. They try to make this Gospel story into some kind of a you-can-do-anything-if-you-put-your-mind-to-it motivational talk. They try to claim that "problems only exist in the mind" and that as long as you have faith, or a "positive mental attitude," you can make all of your troubles go away. Well, I'm afraid that's not the way life works. Suffering, turmoil, conflict, and indecision are all realities, and we have to deal with them. You can't just pray to God and expect him to make all your problems magically disappear. That's not the way to true peace. That's only a way of avoiding responsibility. When bad things happen to us and to other people, we have a moral obligation to get involved. We have a duty to fight evil and alleviate suffering. We have a responsibility to look adversity squarely in the face and struggle against it with every fiber of our being. It's just that in our effort to deal with these external challeneges, we can't ever allow ourselves to focus on them to the exclusion of what's most important in life—our relationship with God.

When we make God number one in our minds, even our

struggles can become a means of bringing us closer to him. And that, once again, is the definition of true peace: union with God. When Peter focused his mind, heart, and soul on the Lord, he was able to walk on water. But walking on water didn't mean that he could stop the sea from rising or the wind from blowing. It meant that he was able to stay above the waves and overcome the storm.

That's exactly what God is willing to do for us. He's willing to give us a peace that, in the words of Scripture, "transcends all understanding."[23] No matter what kind of stressful problems we encounter in life, no matter how aggravating the situation or terrible the suffering, we always have the ability to face our challenges with amazing calmness and strength of character.

If you doubt this, maybe you should try taking a short break from all the commotion and tension and noise of your life. Life is so very noisy. Perhaps you need to close your eyes and shut out the world for a little while. Try to forget all the problems, all the worries, all the details, and all the responsibilities that have been weighing so heavily on your mind. Try to place yourself, for just a few seconds, back in that dark tomb in Palestine, on that first Easter morning. If you could be there now, just before daylight, and watch the Resurrection take place, what would you see?

You would see the King of the universe—the person responsible for placing the planets in their orbits and for laying the foundation of the world; the person who was and is ultimately responsible for all the activities that have ever taken place, all the busyness, all the bustle, all the enterprise, all the movement, all the work, all the energy, all the power, and all the life that ever existed[24]—you would see that person slowly and methodically folding his garments and placing them in a corner, quietly making sure his burial chamber was in perfect order before departing it forever.

If you ask *that* person for some of his peace, you can rest assured that his answer will be yes.[25]

7 Okay, I Admit It: I'm Afraid

God, Give Me Courage

Did you ever notice that people are sometimes very willing to confess their shortcomings? They'll readily tell you that they're suffering from all sorts of physical or emotional problems. They'll admit when they're "stressed out" or "run-down." They won't need much prodding to reveal that they have a bad temper or a tendency to be self-centered or stubborn. People will even reluctantly concede that they're "not that smart." But one thing no one ever likes to admit—either to others or to themselves—is that they might be "cowards." Nobody ever likes to let on that they're afraid of anything. Of all the human frailties, cowardice is by far the least "popular."

Most people, in fact, believe that they're pretty brave. They don't think they need much help from above when it comes to courage. Well, even if you happen to be one of these people, don't skip over this chapter just yet! Fear is a very big subject, and this prayer, "*God, give me courage,*" covers an awful lot of territory. When you come right down to it, it might just be the most important prayer in this book.

Before we begin discussing it, though, I'd like to relate something frightening that happened to me many years ago. It sort of frames this entire discussion.

Now, I know a lot of people are frightened by a lot of things, but this particular experience was a little unique. I remember I had just gotten home from a date and it was late—maybe two or two-thirty a.m. Just as I walked in the door, the phone rang. Getting a phone call late at night is always a scary thing, and my pulse definitely quickened. But it was Father Frank Pavone, a priest I knew from my neighborhood parish.

I was in my mid-twenties at the time, and Father Frank had recently been attempting to get me involved in the church community. I had gone to him with some questions about the faith a few months earlier, and he must have seen something in me, because he immediately started asking me to take on various volunteer assignments in the parish and the parish school. But his call on this late evening had nothing to do with that.

Apparently he had tried to get me earlier when I was out. He sounded relieved to finally reach me. He proceeded to tell me a very strange story. It seems that there was a family in the diocese that was claiming to be experiencing some kind of "demonic" activity in their house. They weren't saying that anyone was possessed, but rather that eerie things were happening in their home involving furniture moving, strange noises and voices. They had reported this to the Church, and were requesting that an exorcism be done.

Now, the Church doesn't just "do" exorcisms. Even when the case seems genuine—and that is extremely rare—there is a lengthy investigation process that has to take place before anything official is done. Father Frank explained to me that he had met with the family on numerous occasions, and that while they seemed to be slightly dysfunctional, they certainly weren't crazy. There really appeared to be something unusual going on in the house, and that something merited further observation.

Since the supposed demonic activity usually took place at

about three-thirty a.m., Father Frank had to be there at that time to see for himself what was going on. He told me that as part of the investigation, the Church was permitting him to have one "lay observer" present, whose responsibility it would be to file an independent report to the diocese. The purpose of his call was to ask me if I wanted to be that person.

Now, to be honest, I've never been the bravest person in the world. I'm not a coward in any way, but let's just say I'm the kind of man who when given the choice between watching a funny movie and a scary one will pick the comedy every time. At the mere mention of demons, a chill ran down my spine. And now Father Frank was asking me to be part of some kind of "pre-exorcism" investigation.

I had to decide immediately, since it was almost three o'clock and Father Frank was due to be at the house. I said yes but wasn't happy at all. It was just too weird for me—the surprise late-night call, the alleged demonic activity, the need to leave immediately. Talk about something coming out of left field! I was only just starting to become committed to my faith again, and this seemed a bit much to deal with so early in the process. But what was I going to do? Chicken out?

When I arrived at the house, Father Frank met me in the driveway. He told me a little about the family and the kind of problems they said they were having. Father Frank was always very closemouthed about divulging any kind of personal information, but I could sense from the way he described the family that they must have been a little strange. We went up through the porch to the front door and were immediately greeted by the entire clan—a grandfather, two uncles, the mother and father, and two teenage daughters; all of them lived under the same roof.* As soon as they saw Father Frank, they took him by the arm and practically dragged him into the house, asking him to bless it and say some prayers. Father Frank obliged them by opening his Bible and reading from one of the Psalms. After this, we were quickly ushered into the kitchen, where we sat down and were told about the latest round of "activities" that had taken place.

According to the father, on the previous night, at precisely three-thirty a.m., his eldest daughter, who couldn't sleep, had seen a strange glowing light coming from a mirror in her bedroom. When she approached it, the mirror fell from the wall by itself and shattered into a hundred different pieces. Immediately following this, the bookshelf hanging on the opposite wall tipped over, spilling all the books to the floor.

I listened to all of this patiently but was extremely skeptical. I've always had a strong suspicious streak in me, especially when it comes to reports of "supernatural" occurrences. After spending a few minutes with this family, I was beginning to think they might be the worst kind of superstitious Catholics. When the teenage daughter mentioned that she thought the glowing light in the mirror had begun to take the shape of some sort of "creature," I had to restrain myself from making a sarcastic remark.

Still, there was something very unnerving about being in the house. The whole family seemed to really believe what they were saying. And they weren't that odd, after all. Every one of them was either holding a responsible job or going to school—even the grandfather still worked. Could they all be seeing things? Plus I remembered reading somewhere that in actual

*I have changed a few details here in order to protect the identity of the family.

cases of possession or demonic infestation, it wasn't all that unusual for the people under attack to be a little unbalanced psychologically. The Devil loves playing games with people's minds, and it's much easier to do that if a person is slightly off to begin with. Also the Devil is famous for making matters confusing. And since I was confused about this whole situation, I thought maybe he was just doing his job very well. At any rate, I was trying to keep an open mind.

At about ten minutes after three, everyone got quiet and just sat there and waited. The kitchen table was directly across from the bedroom where most of the "activity" had supposedly taken place. The door to the bedroom was wide open, and Father Frank and I had positioned ourselves so that we could see right into it. The house was dark and silent and eerie. Father Frank looked very serious. Despite my skepticism, I found myself feeling scared.

Then, as if on cue, at about a minute past three-thirty, as my eyes were trained on the bedroom, I saw a piece of paper blow off one of the bookshelves and float diagonally across the room and onto the floor. It floated down so innocently and quietly. Under any other circumstances, I would have thought nothing of it; I would have simply assumed that a breeze had blown the paper from where it had been resting. But because it had happened at the exact moment we were expecting, we all jumped. Then there was a noise of what sounded like a book falling off a shelf. Father Frank immediately leapt from the table and raced into the room. Fear momentarily gripped me and I froze. Was this really happening? But seeing Father Frank rush in so confidently helped me to recover. I followed quickly behind him and couldn't help noticing that there was a smile on his face—obviously he was enjoying all this.

In a flash, the two of us were in the center of the room. We stopped there and waited, each of us looking in a different direction. I have to admit, by now I was frightened. Could there really be a demon in the room? And if so, how much danger was I in? Just then the unbelievable happened—the chest of drawers that was standing against the wall suddenly lurched forward. The entire bureau, which was about four feet long and three feet high, moved toward me a few inches, making a screeching noise as it stopped. I jumped back two feet and almost knocked Father Frank over. I exchanged a quick look with him that said, What the heck is going on here?

But interestingly enough, it was at that moment that all my skeptical instincts took over. Maybe it was a defense mechanism against fear—or maybe it was a sudden burst of confidence because there was such a holy priest nearby—but I made an instantaneous decision that this was all nonsense; that what I was witnessing was not something supernatural but a ruse of some kind. The family was just trying to pull something over on us, and I was going to get to the bottom of it. I immediately bent down to the floor and looked underneath the bureau to see if someone had pushed the furniture forward. There was no one there. I checked the sides of the bureau, then the back of the bureau—then I checked all four corners of the room. Again, no signs of anything wrong. I ran out of the room and asked the father if there was a basement in the house. He pointed to the door. Without asking permission I raced down the stairs and tried to locate the exact spot under the bedroom. When I found it, I checked to see if there were any wires or pulleys or strings of any kind that could have been used to move the bureau from below. Nothing again. I was like someone trying to figure out how a magician performed a trick—but without any success.

When I got back upstairs, Father Frank was in the room praying aloud. Nothing further had happened while I was in the basement. Nothing happened the rest of the night, either.

Father Frank and I came back the following night, and all was quiet. Then a third night, and still nothing. I became more suspicious of the family than ever. Maybe they had seen me running around the house trying to expose their hoax and decided to give up their efforts to trick us. Even though I couldn't figure out what their motive could possibly be, I got it into my head that they were making the whole thing up. In my report to the diocese, I recommended that there should be continued observation but that no official measures be taken just yet, because there were still too many unanswered questions.

Though it might seem a bit anticlimactic, that's basically where the story ends. The family complained to Father Frank once or twice in the next few weeks about other unusual incidents, but things seemed to quiet down after that. As it turned out, they wound up moving out of state a month or so later, when a better job opportunity came up for the father. The new family that moved into the house had no problems whatsoever.

After all these years, I'm still not sure what to make of what happened that night. I think that if the same thing occurred today, I would be just as skeptical, but I would probably be more open to at least considering the possibility that something demonic had taken place. I've just seen too much genuine evil in the world to be a complete cynic about the Devil and his activities. And that bureau did move—of that I'm sure.

But you know what? The thing that stands out most in my memory about that experience isn't the fact that a piece of furniture lurched forward mysteriously. It's the contrast between how scared I was, initially, and how completely unafraid Father Frank was. As long as I live I'll never forget the look of glee on his face as he rushed into that room, his Bible in one hand, his cross in the other, ready to do battle with Evil. If there were demonic forces present that night, Father Frank was ready for them, and there wasn't a doubt in his mind that he and his God would demolish them.

Where does that kind of fearless confidence come from? If we were all able to access that sort of courage anytime we wanted, our lives would be so much easier—and happier. Most people don't realize it, but courage isn't needed only to confront danger—it's much, much bigger than that: Courage is the cornerstone and linchpin of the entire moral order.

C. S. Lewis said that "courage is not simply one of the virtues, but the form of every virtue at its testing point, which means at the point of highest reality." In saying this he was following in the tradition of Aristotle and Thomas Aquinas, who believed that all the virtues—if they are to be of any practical value—must act with a "firmness" that can only be maintained by courage. In other words, for a person to be honest or merciful or chaste or magnanimous or patient, he must first have the courage to overcome all the obstacles that stand in the way of practicing those virtues. At some point, strong temptations are going to present themselves. That's the moment when courage is most important. Essentially, a person must have the guts not to give in.

Courage—or fortitude, as it used to be called—is needed in life to do any kind of good or resist any kind of evil. You need courage to follow all the commandments, to face physical danger, to overcome fears, both rational and irrational. You need courage to struggle against neuroses and phobias, to overcome addictions, to persevere through life's difficulties, to endure suffering. You need courage to take risks, to give witness to the truth, to dare to do great things. In short, you need courage for just about everything. That's why Churchill wrote that "courage is rightly considered the foremost of virtues, for upon it all others depend." And why Franklin Roosevelt said "the only thing to fear is fear itself." Both of these leaders understood the all-encompassing importance of courage.

And that's why we're so unbelievably fortunate that God always says yes to the prayer "*Please give me courage.*" Did you know that in virtually every book of the Bible God tells us to be brave? In fact, the words "fear not," "be not afraid," or variations on that phrase appear 144 times in sacred Scripture![1] And they aren't just suggestions—they're commands. The Bible doesn't say, "Try not to be afraid," it says, "Don't be afraid." It doesn't say, "Do your best to be strong," it says, "Be strong and fear not, for I will help you." As we've said previously, God never gives a command unless he also gives us the ability to follow that command. For example, he doesn't expect everyone to become pastors or priests, because he doesn't give everyone the ability to perform those roles. He doesn't require everyone to write books about the faith or preach sermons about it, because he doesn't give everyone the ability to carry out those tasks. But he does command everyone to have courage. Why? Because he gives everyone the ability to overcome the fears they have to face in life.

You see, courage isn't just a skill or a talent or an ability that human beings possess. It's a gift.[2] Yes, a person can have a fearless disposition, in the same way that some people are born with gentle and peaceful natures. But the kind of courage we're talking about here is much more than that—it's something that is added onto our personality. Thomas Aquinas used the famous theological expression "grace builds on nature" to describe the phenomenon. What it means is that God can take what we are born with, or what we have acquired in life by observation or habit, and then infuse even more of it into our souls, supernaturally. Basically, he can inject us with a special, divine "shot" of courage anytime he wants.

Let's say that you have to give a talk to a group of people and are very nervous about it. It's been said that the fear of speaking in public is one of the greatest fears in the world. Well, when it comes time for you to make your speech, you might be petrified; you might be on the verge of canceling out, playing sick, or leaving town! But if you were "right with God" (as we discussed in the last chapter), or at least trying to get right with him, and you asked him for courage, there is no doubt that God would give you an extra measure of bravery at that moment.[3] You might still be scared—you might still be sweating right up till the time you started speaking—but you'd be able to go through with it. God would say yes to your prayer and you would be okay. You would not fall flat on your face.

We all have different natural talents and skills. Some people have an easy time with public speaking—they're just hams by nature. If they have to give a speech, they don't need as much "extra" help from God. Maybe you need more grace to build on your nature than they do. Likewise, some people don't have to think twice when it comes to taking dangerous chances. If they see a building on fire, they might just rush into it in order to save the occupants, without giving a second thought to the risks involved. Other people wouldn't even consider doing that—there's just no way they would take a chance on being gravely injured or losing their life.

The point is that the second kind of person—the one who is not naturally inclined to physical bravery—has the ability to take the very same courageous action as the person who is by nature inclined to be brave—as long as he or she asks God for help. God has the power to even everything out. He has the power to help that person act just as bravely as the person who is fearless by nature. We've all seen cases of this, when a man or woman who is small, weak, timid, and frail turns out to be the bravest of heroes. In fact, the overwhelming number of people who have won the Congressional Medal of Honor do not look and act like John Wayne. What accounts for this? Very simply, God is willing to distribute massive doses of supernatural grace to those of his children who are rightly disposed to him, and who ask for courage.[4]

This doesn't happen only in instances of physical danger, either. It applies to every situation that requires courage. When Mother Teresa first began ministering to lepers in Calcutta, she couldn't help being overcome with disgust. She literally spent weeks vomiting. She just didn't have a natural inclination to deal with all the filth and squalor around her. But she prayed to God for courage. What happened? In a short time she was kissing those same lepers; she was embracing them, loving them, showering them with genuine affection. God had given her divine graces that made it possible for her to overcome all her natural impulses of loathing.

The same was true of the apostles. Remember how they acted during the Passion? They deserted Christ, denied him, and ran as far away from him as they could.[5] And this was after they had seen him raise people from the dead! This was after they had seen him walk on water, calm storms, multiply loaves and fish, exorcize demons, and perform countless miracles. Of course they didn't really understand what was going on and they were afraid of being crucified themselves. But what was their excuse after the Resurrection—after Jesus actually rose from the dead? What was their excuse after they saw him alive again, in his glorified body? That's when they saw him actually walk through walls! They spent over a month with him and witnessed many incredible miracles before he finally ascended to heaven.[6]

You would think that after that experience—after they saw with their own eyes that even death couldn't overcome him—they would finally have the courage to face their own persecution. But did they begin preaching or healing or spreading the good news about Jesus? No. They hid in the "upper room" by themselves. They cloistered themselves away from everyone. They prayed and waited. It wasn't until after Pentecost Sunday when the Holy Spirit came down upon them that they went out and began the work of spreading the Gospel. In the final analysis, it wasn't the miracles that made the apostles fearless, nor was it hearing the message of salvation proclaimed to them, or even spending time with the Lord. No—it was a freely bestowed gift of the Holy Spirit. The moment they received courage from God, they immediately left their hiding place, went outside, and began taking chances and facing danger.

We talked in the last chapter about how difficult it can sometimes be to stop negative behavior—to sever extramarital relationships, to stop lying or gossiping, to break bad habits.

Anytime a person wants to change it's hard. That's where this extra dose of courage comes in so handy. We're all so set in our ways. Aside from the obvious reasons, we've always got inertia to contend with. Remember the principle of inertia? An object at rest has a tendency to stay at rest. Well, that's true when it comes to everything in life, not just physical bodies. It's just hard for us to take any kind of action that we perceive to be either difficult or painful. The ironic thing is that once you take those first few painful steps, everything gets very easy, very quickly. That first trip to the gym is always the toughest. A person who's overweight or out of shape will find a million different excuses not to go. The second trip is a bit easier, but still difficult. But what happens after the third workout? That same person actually finds himself wanting to go to the gym. He's excited about going. Before he knows it, there's nothing that can keep him from going. The reason is that the inertia that he originally felt has been transformed into momentum. And momentum is the single most important factor necessary to taking effective and sustained action. When you say to God "Please give me courage," one of the first things he's going to do is give you the nudge you require to start moving when you're feeling at your most lethargic—physically, emotionally, or spiritually. He's going to give you that little push you need so badly to get off your butt![7]

And that's just the start. Once you've been given the gift of courage, it doesn't just end there. Your courage will grow. Like all the virtues, it's a "muscle." If used, it will increase in power and size. The more you exercise it, the more God will give you. It's possible to be born with a very timid nature, afraid of your own shadow, and then, through prayer, begin receiving "infusions" of courage from God. If that courage is nurtured and exercised, then it's possible for that same timid person to become, over time, the most heroic of saints.[8]

The problem is that this dynamic works in the opposite direction too. If a muscle is not used, it becomes atrophied—it shrinks. That's exactly what happens to courage when it's underutilized. There are people who go their whole lives without ever asking God for courage and without ever "practicing" to be brave in small things. Then when a real moral crisis comes along, a situation that requires the courage to take action that might be painful, sacrificial, and frightening, they fall apart. Sometimes these same people will complain about how hard life is and how especially difficult Christianity is, with all its demands, regulations, and commandments. The truth is that these folks just haven't "worked out" their courage muscle in a long time. They're in terrible shape, morally and spiritually. The famous Christian apologist G. K. Chesterton said it's not that the Christian religion has been "tried and found difficult," but rather that it's been "found difficult and left untried"!

Now, I don't mean to imply here that anytime you experience difficulty in changing your life, it means you're lacking in courage. There are plenty of people out there who are having a heck of a time overcoming their problems and yet are very brave by nature. But, unfortunately, inborn bravery isn't always enough. Take the example of people who are caught up in self-destructive addictions. These poor folks—who are often good human beings at heart—are literally trapped in the clutches of evil. Whether the problem is drugs, alcohol, gambling, or sex, trying to overcome an addiction is one of the most fearsome struggles a person can ever engage in.

Having an addiction drains you of your ability to think about anything else—including God. All your energy is sapped, all your momentum is lost, all your hope is gone. You become enslaved in the truest sense of the word. Breaking those shackles and escaping from that bondage is so incredibly difficult that it requires the greatest courage in the world. There's simply no way anyone can do it on their own. Often people try—with tragic results—for the end is usually the same: complete and utter ruin, sadness, despair, and eventually death.

Father John Corapi, who overcame a severe drug addiction before becoming a priest, compares the struggle to mortal combat on the battlefield. If your opponent were somehow able to administer a pill or a poison that made it impossible for you to even raise your hands in defense, what would that mean to the outcome of the fight? Obviously you wouldn't stand a chance. That is exactly the strategy the Devil uses when it comes to addictions. Once a person is "hooked" on anything—be it heroin, liquor, pornography, or horse racing—that person can no longer make any progress in the spiritual life; nor can he help anyone else. Essentially, he's been rendered impotent.

The same can be true of phobias of various kinds. Having one or more can paralyze you. That doesn't necessarily make you a coward. An irrational fear is just that—irrational. But knowing that it's irrational doesn't make it any easier to deal with. Conquering such fears takes a lot of guts. There's a long process involved, and unless you've got an inborn, iron constitution, it's going to be very tough to get through it all.

In these cases, what God will essentially do when you ask him for courage is take you by the hand and lead you through the process. There are steps involved. Aside from admitting you're scared, you have to come to the realization that many other people suffer from the same problem, and that you're not any less of a good, kind, or brave person because of it.[9] You have to understand that your value and worth as a human being isn't decreased one iota because of the phobia; that you don't deserve any less respect or any less love than anybody else.

Then you have to identify what it is you're afraid of—which isn't always so easy. For example, if you are afraid of flying, you have to figure out exactly what part of flying is so terrifying. Some people are afraid of heights. Some people have claustrophobia and don't even know it—they're really afraid of being in the narrow, closed-in cabin. For some it's a control issue; they just can't bring themselves to trust the pilots. Some people have overactive imaginations and aren't able to stop picturing horrible crash scenarios in their mind. Instead of thinking about the great time they're going to have when they reach their destination, they focus on the incredibly unlikely chance of being twisted and burned in a fiery wreck. For these people, it's not so much a fear of flying they need to overcome; they need to develop the mental discipline to control their thought patterns.

Beyond this, there's a realization that must always take place: a realization that the short-term pain of facing a particular fear—great though it may be—is nowhere as terrible as the long-term pain that results from being incapacitated by that fear. People suffering from agoraphobia—the fear of open places—understand the pain involved in leaving the safety and security of their home. But do they really understand the pain involved in not leaving their house? Do they really understand how much their fear is going to hold them back in life, as well as the effect it will have on others they love? Do they really understand how much pain is going to be caused by living imprisoned in a life smaller, narrower, and less fulfilling than it could otherwise have been? No matter what kind of phobia you're battling, one of the ingredients to success is gaining an insight into how great the cost will be, long term, if victory is not achieved. That's the kind of insight God wants to give you.

And he wants to give you something else too—perseverance. It takes time to overcome fear of any kind. There are bound to be setbacks along the way—techniques and treatments that don't work, embarrassing falls and humiliations. It's at those times when the natural human tendency is going to be toward discouragement and despair. But if you pray for courage, you'll never get to that point—you'll never lose hope. You'll receive all the bravery and strength you need to carry the cross you've been given—just as Christ, himself, carried his cross. Thomas Aquinas thought this was the highest form of courage: the ability to sacrifice yourself, to endure, to "bear up" against terrifying circumstances over a sustained period.

You see, in the end, it all comes down to sacrifice. We've talked about the various "methods" people use to overcome their fears, but when you get right to the crux of the matter—the core of courage, so to speak—you realize that the truly courageous person is the one who is ready to sacrifice himself and his desires for the sake of something greater. The reason he's able to do that is because he knows in his heart that everything belongs to the Lord. He knows he can never really "lose" anything—since he never really "owned" anything to begin with. So many of our fears in life are tied to the fear of loss, the unwillingness to part with people, places, things, and activities we feel we have a claim on. But when we truly believe that God has dominion over everything—even life itself—then something mystical takes place in our souls, and all our fears disappear.[10]

In the famous final scene from the movie *Casablanca*, Humphrey Bogart sends the beautiful Ingrid Bergman away with another man so that he can stay behind and fight the Nazis. "I've got a job to do," he tells her. "Where I'm going you can't follow. What I've got to do you can't be any part of." Bogart, who seems to be such a hard-hearted cynic on the outside, ends up sacrificing everything—the woman he loves, a prosperous nightclub, the respect and status he has acquired in Casablanca—all because he knows there is something more important in life: the need to fight evil.

Ultimately, that's why we need to pray for courage. All the things in life we want to hold onto—our possessions, pleasures, and feelings of security—as well as the fears we have about losing them, are secondary to our struggle with evil.[11] As we've seen, the evil can be on the outside, in the form of a great social injustice, a natural catastrophe, a building on fire, or a neighborhood bully; or it can be on the inside, in the form of a phobia, an addiction, or a crippling physical ailment. Whatever the particular evil happens to be, we have to be willing to relinquish all our fears in order to face it and, hopefully, conquer it.

The word "relinquishing" appears so much in spiritual literature. It has to do with "letting go of the wheel" so that God can take control of things. It has to do with emptying ourselves of all our insecurity and pride and ego and woundedness so that God can come in and fill us up with himself. "Less" of us and "more" of God is always the formula for success when it comes to dealing with our human frailty.[12] Saint Paul said in one of his letters, "My strength is made perfect in weakness."[13] The reason is that when we are weak, we're in the perfect position to receive abundant graces from God. It's when we are filled up—with pride in our own skills and natural abilities—that we have no room for God's gifts. But when we are "empty," there is plenty of space for God to work in. He can come in and literally pour his spirit and his power into us. He's free to fill us with the highest-octane fuel imaginable, so that we can rocket right through any fears we have.

The bottom line is that when you feel yourself becoming afraid of something, you shouldn't worry at all. In fact, you should rejoice! Whether you're trying to muster enough bravery to make a speech, get on an airplane, take an unpopular stand, defend the defenseless, or rid a house of demons—the fact that you're scared only means that you have more potential inside you to be heroic. For God truly is the "Lord of Hosts," which means he is the God of all "righteous and victorious fighting forces" and the source of all courage. With that courage—his courage—nothing will ever be able to stop you, not even death.

In the truest sense of the word, you'll be invincible.

8 Sometimes Being Smart Just Isn't Enough

God, Give Me Wisdom

It has been said that God has placed obvious limits on our intelligence—but none whatsoever on our stupidity. Certainly there have been times in my own life when I've found that to be the case!

In a way it's unfortunate that God has set things up in this manner, since we're living in an age when intelligence is so critically important to determining our fate. Think about the vast number of challenges we face in today's world. We've still got all the age-old problems to deal with—problems of the heart, problems of the spirit, problems of love and war and honor and duty. Those problems have always been with us and will continue right on to the end of time. But in addition to them, we've got a slew of other issues to contend with that our grandparents never even dreamed of. The technology explosion and computer revolution of the last century have radically changed the entire socioeconomic landscape. Today, it's not enough to figure out what you want to do for a living, whom you should marry, and where you're going to live; you also have to know the answers to questions like "How can I hold a full-time job and be a good mother at the same time?" "How can I get out of all my credit card debt?" "How can I keep my children from smoking, drinking, having sex, and trying drugs, when I know their friends are doing those things?" "How can I bond with my son when all he's interested in is video and computer games and online chatting with his friends?"

The list goes on and on. It would be wonderful if we could just push a button and get all the answers. But of course we can't. We have to go searching—we have to read books, listen to CDs, go to seminars, consult with experts. We have to educate ourselves about practically everything in life, because life has become so very complicated. But do you know the problem with this strategy? It doesn't always work! In fact, sometimes it can have the opposite effect.

Have you ever come across a college professor who's got twenty letters after his name and almost as many degrees and yet absolutely no common sense? Or a theologian who's written dozens of books and taught at the most prestigious religious universities and yet denies the most fundamental doctrines of faith? Or a psychologist who has spent decades studying Freud and Jung and Skinner and yet does more psychological damage to his patients than good? I'm not disparaging academics or theologians or psychologists; what I am saying is that it's sometimes possible to educate yourself right into a state of idiocy!

You see, the ability to "figure out" the right thing to do isn't always tied to "book smarts," and the ability to see the "truth" isn't necessarily related to the amount of knowledge you possess. Yes, it certainly helps to be "smart" in life. But being smart isn't always enough. You have to have wisdom, too.

Human beings have sought wisdom since time immemorial. Yet there's never really been a universally accepted definition for it. Most people would agree that being wise has something to do with a person's ability to make sensible judgments and decisions based on knowledge, common sense, and understanding. But it also involves the ability to look at a given situation from multiple angles and then discern the truth about it. Whatever the definition you're using, though, one thing is for certain: Wisdom is a rare commodity.

This is undoubtedly one of the reasons that young people have such a tough time growing up. In addition to all the emotional turmoil and uncertainty they have to face, they're also expected to make decisions that require the most profound wisdom—a wisdom that is usually far beyond their years, at least in terms of life experience.

Consider the question of which career path to choose. That's a momentous decision for a young person to have to make. The wrong choice could actually wreck one's whole life. If you have children in college, for example, what would you advise them to do? Certainly they could go see a guidance counselor at school. You could suggest that they could try reading books about different kinds of professions. You could give them the benefit of your own hard-earned wisdom.

But while all of these methods are helpful, none is really adequate. None of them is going to guarantee that they make the right choice. The reason is that no expert, no family member, no educational institution, and no book can possibly tell your children the future. None of them can accurately predict what's going to happen in the next two years, much less the next two decades. Nor can anyone really know what's in another person's heart—what kind of work will give your children the greatest amount of joy and inner fulfillment. Even they don't know that yet. So while family and friends and experts can all help them, their advice is of limited value.

But there is someone out there who is not limited in any

way. There is someone who knows exactly what's in your children's hearts and exactly what will make them happiest—because he created them. And that someone also happens to know the future—because he created and planned that too. Do you think it would help to consult with that someone when trying to make an intelligent choice about career paths? Do you think that someone might have one or two valuable things to say—things even the experts don't know?

God is in your children's future right now. He sees them as graying, elderly men and women, even at this moment. He knows how things are going to play out for them—which choices they'll make that will turn out to be right, which will be wrong, which will lead to good consequences, which to disasters. He sees their whole lives—from beginning to end—in one glance. Doesn't it make sense for them to ask God for some guidance? Not just on which career to choose, but on every matter of importance—including whom to marry, where to live, how to raise their children, how to figure a way out of debt.

And yet how many people do you know who actually consult with God on a regular basis? How many people pray to God for wisdom before making a major decision? Did you, for example, pray fervently before picking your major in college, or taking that all-important walk down the aisle, or buying your house, or deciding where to send your kids to school?

Human vision is so severely limited—both literally and metaphorically. Right now, for example, I'm looking at a model airplane that's on my desk. I can either look straight at the plane, or I can focus on what's in the background—on all the other things in my office. I can't do both. If I look at one, the rest is going to be blurry, and vice versa. That's true in life, too. When we attempt to "figure out" what to do in any given situation, we have a tendency to concentrate on either the short-term or the long-term results, on either our own self-interest or the good of those around us, on either the "big picture" or the details. We're always so busy trying to balance opposing points of view. The problem is that we can't do everything at once. Most times we fall short of the mark, because the equipment we're measuring with—our eyes and our minds—is limited to begin with.

Not so with God. His vision is all-encompassing. And this is really the best definition anyone can give you of wisdom. It's the ability to understand things from God's perspective, the ability to see things with God's eyes.

God, as we just said, is in the future; he knows how everything is going to turn out for you; he knows your big picture. But God also sees the intricate little details of your present-day life.[1] He sees everything that is happening to you now—all the ups and downs you're experiencing, every morning, noon, and night. Because he loves you and has your best interests at heart, he is intensely interested in those details and how they impact you, long term and short term. Indeed, Scripture says that "The very hairs of your head are all numbered."[2] Therefore, when you see with God's eyes, you're really seeing life from the widest possible perspective, but also from the vantage point that is most focused on you and your own personal happiness.

It's a great gift to be able to do that. It's even more wonderful that God wants you to be able to do that on a regular basis. Wisdom is something God is ready and willing to give you. It's not some big secret. Saint James made that crystal clear when he wrote: "If anyone lacks in wisdom, let him ask God, who is always ready to give a bountiful supply to all."[3]

You see, God isn't only the source of wisdom—he is wisdom. In the Old Testament, we see God identified with wisdom on many occasions.[4] In the New Testament, we see that this is true of Jesus Christ in a special way. In the famous prologue to the Gospel of John, the evangelist calls Christ the "Word" and the "Light."[5] Both these terms signify wisdom. "Light" has to do with reason, understanding, and truth. "Word" has to do with the concept of self-expression. When human beings use words in conversation or in writing, they reveal who they are, what they're thinking, and what they're all about. The same is true of God. His "Word" is his own self-expression of who he is. And who he is—is Jesus Christ. Everything God is, says, teaches, desires, or thinks is summed up in the person of Christ.[6] This is important, because it means that wisdom isn't just some remote, elusive, and hard-to-understand concept. Wisdom is a person. And it's a lot easier to embrace a person than it is to embrace a cloudy abstraction.

When you ask God for wisdom, you are essentially asking him to give you the gift of himself. And as we've seen elsewhere in this book, that's something he's always eager to do. Remember, the goal of authentic spirituality is to be in union with God. That's what the whole spiritual life comes down to. When you're in union with God, you have direct and immediate access to all of the things that God is, and that includes peace, courage, love, wisdom, and truth. God wants you to have these things; he wants to shine his light on humanity, to speak his word unceasingly. Therefore he wants to pour out wisdom on all of us. This is not profound theological thinking, it's simple common sense.

Have you ever heard it said of anyone that they had "the wisdom of Solomon"? Solomon, according to Scripture, was the wisest man who ever lived.[7] There are several whole books of the Bible devoted to him. When King David died, Solomon became ruler of Israel. One night the Lord appeared to him in a dream and said, "Ask me for anything you want." Solomon thought hard about all the different obligations he had to fulfill as king and how overwhelmed he felt, and he decided to ask God for the wisdom of discernment so he could govern better. The Bible says that God was very pleased that Solomon prayed for this. He told him, "Since you have asked for wisdom and not for long life, or wealth, or the death of your enemies . . . I will grant your request and give you a wise and discerning heart."[8]

God was happy when Solomon asked for wisdom—and he's happy when we ask for it. God granted Solomon's request, and he'll grant ours, as well. The only question is, will this wisdom God dispenses actually help us to solve our problems? Will it be of any practical value? In other words, will the prayer *"Give me wisdom"* generate an answer to the kinds of questions we posed at the beginning of this chapter—questions such as "How can I juggle a full-time career and full-time motherhood at the same time?"

The answer is yes, absolutely—as long as we are careful to adopt the same kind of attitude toward wisdom that Solomon had. Solomon asked God to show him how to run his kingdom better, but he did so precisely because he wanted to serve God better. Behind his prayer for wisdom lay a great faith in the Lord and a desire to be in closer union with him. In the same way, when we wish to harness God's wisdom and utilize it in practical situations, we need to be sure that our ultimate goal is to serve God more effectively.

Let's say, for example, that you're struggling with debt. Obviously God can show you a way out of your financial mess. After all, he invented the planets and the stars—he can certainly figure out a way for you to pay your phone bill! If you ask him to give you a solution, he is going to lead you to the best answer, but the clarity and speed of his response is going to depend, in large part, on your attitude. What, exactly, is your reason for wanting to get out of debt? Is it just because you're tired of dealing with bill collectors? Is it because you want more money to spend on yourself? There's nothing wrong with these motivations. But if you're going to ask God for help, maybe you should try thinking along a different plane. If the anxiety you're experiencing as a result of your financial problems is affecting every area of your life in a negative way—including your spirituality—then perhaps getting out of debt will help you live a more godly life. If that's truly the case, then by all means, let God know! Pledge to him that you're committed to becoming a more holy person. I'm not saying you should make some sort of a deal with God. God doesn't "do" deals. But if you want God's help to get free of debt-related stress, the freedom you achieve needs to serve God's purpose, too. And his purpose is to make sure you live a life in closer union with him, so you can get to heaven. If you try to think in these terms when you pray for wisdom, instead of just lamenting your poor financial situation, you can be sure of a response from God.

Now, the solution he gives you might not be one you like—it might not be the easiest or the most painless in the world. It might involve going out and reading some good books on fiscal responsibility and investment strategy, and then implementing that strategy. It might involve making some donations to charities even though you need money yourself. It might involve sitting down with an expert and hammering out a realistic budget, and then sticking to it. It might even involve getting another job to supplement your income. And if you've already tried these things, it might involve trying them all again, this time with God's help and a little confidence! Who knows?

Whether you're trying to solve a financial problem, a family problem, or a work-related problem, the key, once again, is to keep praying that God will allow you to see with his eyes. God's eyes are all-powerful.[9] Not only can they see into the future, but they can see with perfect clarity. So often the reason that we have trouble deciding on the best course of action is that we're confused by all the details, variables, and circumstances that surround a particular problem. Added to that is the fact that we are often a jumble of conflicting emotions. It's not necessarily that we lack the will to act; it's just that it's easy for us to get stuck in a fog of confusion. Luckily, God's eyes are able to cut that fog. They see through all the extraneous, irrelevant, and distracting details. They see through all your own personal shortcomings, biases, and insecurities. They see through to the very heart of the matter, with a razor-sharp, diamond-clear clarity that will make it possible for you to finally understand what it is you're supposed to do.[10]

And with this new understanding will come something else, too: the mysterious ability to see a special kind of light, a light that originates in heaven and is only occasionally visible on earth; a light that has been glimpsed over the centuries by geniuses, artists, composers, and others fortunate enough to have been given the gift of creativity; a light known as inspiration. For when you see the world through God's eyes, you begin to see possibilities for solutions that would never have occurred to you under normal circumstances.[11] Ideas will suddenly pop into your head—great and wonderful ideas; life-changing ideas, ideas for books, businesses, and projects; ideas for the resolution of problems; ideas for advancing God's kingdom on earth.

Inspiration, clarity, focus, knowledge—all of these are the fruits of wisdom. Yet it's very important to understand that none of them is the same as *sanctity*. Indeed, one of the all-too-common side effects of these gifts is great pride. You can have the most inspiring insights in the world and yet do things that make God very angry. True wisdom, in contrast, always leads us to please God. Thomas à Kempis, who wrote the spiritual classic *The Imitation of Christ*, said: "What does it matter if you understand the profound mysteries of the Holy Trinity, and then displease the Trinity?"

I don't know about you, but I've fallen into this trap many times. It's easy to start feeling conceited spiritually after you memorize a few verses of the Bible, or write a particularly good paragraph on some doctrine of the faith. But lapsing into hypocritical behavior occasionally and then repenting of it is one thing; making it a way of life is quite another. I know one or two people who have a vast amount of theological knowledge and yet whose behavior is nasty, prideful, spiteful, selfish, and self-righteous on a regular basis. I wouldn't have thought it possible, but it is! These folks (and thank God there aren't many of them) are just like the Pharisees in the Gospels. They know everything about the letter of the law, but they violate its spirit every chance they get. They forget the most basic of biblical injunctions; namely, that "the fear of the Lord is the beginning of wisdom."[12] In the words of Jesus, they're like "white-washed tombs that are full of dead men's bones."[13]

So yes, it's important that you tread very carefully when you go in search of wisdom. In fact, you have to be especially cautious when you take up the study of theology. I've said this before, but theology isn't like other subjects. When you get a master's in science or literature or history or psychology, that degree verifies that you have attained a certain level of "mastery" over the subject. Not so with theology. You don't ever master that subject—it masters you! If you really, truly understand what theology is—the study of God Almighty—then it's impossible to ever gain superiority over it. Indeed, you must be humble, reverent, and obedient before it, just as you must be humble, reverent, and obedient before God himself. That's one of the reasons that Christ went out of his way to choose ordinary laborers to be his closest disciples.[14] He knew that it would be easier for tax collectors, fishermen, and repentant prostitutes to become holy than it would be for the intellectually elite.

But if you're somehow able to stave off spiritual pride, the wisdom you obtain as a result of this prayer will certainly give you many wonderful advantages in life. It will give you the power to see things as they really are; it will give you a deep understanding of the truth—about yourself, about other human beings, and about God; it will give you the ability to distinguish between good and evil, right and wrong, and the ability to act on that knowledge. Perhaps the greatest thing it will do for you, though, will be to provide you with a most amazing shortcut.

What do I mean by shortcut? It has been said that there are two ways human beings can acquire knowledge. One is to learn it through experience, study, and inquiry. The other is to "catch" it. When Albert Einstein was very old, he was asked by someone how he originally came to formulate his famous theories. He responded by saying that when he was a young man, he had seen a glimpse of a magnificent vision, a vision of sublime beauty—a vision of relativity—and that he had spent the rest of his life trying to describe and explain what he had seen in that one brief moment.

It's possible for wisdom to come to us just like that—in a flash, in a moment of light-filled grace. By opening ourselves up to the inspirations of God, and then following them wherever they lead us, it's possible to acquire a lifetime's worth of wisdom without actually having to live a lifetime.[15] In the process, we can avoid all kinds of terrible problems we might otherwise have been forced to confront. Consider a few simple examples.

There are many people out there who are filled with lust. Not for sex, but for something much more insidious—"status." These folks are willing to spend ten times as much money for an item than is necessary, all because they want to appear "rich," or "fashionable," or "in the know." Now, of course, it's not wrong to like nice things, or even to indulge in a little showmanship once in a while. It can be harmless fun—so long as you're aware of the truth. And the truth is that all status symbols, no matter how expensive and sought after, are illusory and therefore worthless. Unfortunately, many people go through their entire lives without ever learning this lesson. Then, at the last moment, when the curtain finally begins to fall, they come to the horrible realization that they've squandered all the precious time God has given them on the most frivolous of pursuits. Like Tolstoy's fictional character Ivan Illyich, they're forced to admit that they lived their whole life "the wrong way." Had these people prayed for wisdom at an early age, they would never have made such a fundamental mistake. Why? Because at the heart of Christianity is the message of humility and self-sacrifice—the very opposite of vanity.

Similarly, couples who have been together for many years will almost always tell you that the key to a happy marriage is compromise. You have to learn how to give and take, how to respect the other person, how to sacrifice your own desires for the sake of your spouse. They'll often tell you that it took them a long, long time to acquire this knowledge; that marriage was a great struggle for the first five years or so, and that they finally got tired of fighting with each other and started working together instead. This is great advice. The only thing is, you don't have to fight like cats and dogs to get there! It's right there in the Gospels and letters of Saint Paul. The meaning of marital love is to give yourself completely to your spouse, body and soul.[16] The purpose of marriage is to reflect the love God has for us in such a profound way that new life is brought forth. And how far does God's love extend? To the death. That's how great the love of a husband and wife has to be. Now, you can be sure that if young married couples prayed for wisdom together each night, they would no doubt come upon this fundamental insight before too long; and if they took it to heart and tried to put it into practice, they certainly wouldn't be fighting as much.

In the same way, you'll often hear elderly people say that "the most important thing in the world is health." They've likely experienced some health problems in their latter years and have come to realize that all the good things in life—money, possessions, vacations, and so forth—don't mean too much if you can't enjoy them. After all, if you have a bad heart, or a bum leg, or such severe arthritis that you can't even walk, what does it matter what your bank account looks like? And yet many of these same people spent years abusing their bodies by smoking, drinking, and overeating. Did they really have to come down with some crippling ailment in order to realize the overarching importance of health? Of course not! Have you ever heard the expression "Your body is the temple of the Holy Spirit"? It's right there in Scripture.[17] It's been there for thousands of years—way before all the current dieting and exercise fads. A temple is not just any building. It's a sacred, holy place—a place to be treated with the utmost honor and respect. If the body is a temple, then it's obvious that it should be nurtured, cared for, and treated the right way. You don't have to be sixty-five years old to understand that. And you don't have to be superintelligent to see how this teaching not only relates to the idea of losing a few pounds, but is tied into the whole question of health and physical well-being. You just have to have a little spiritual wisdom, and then the courage to act on it.

Finally, several years ago I attended the funeral of a young girl who had committed suicide. She had been addicted to drugs and suffered from some psychological problems. At the end of the night I went to say good-bye to the mother of the girl, and she grabbed me by the arm and told me with tears in her eyes, "Make sure you hug your children tonight! Please, tell them you love them! It's so important that you do that." Tragically, she hadn't told her own daughter that she loved her very often, and now she couldn't. She was trying to impart that sad piece of advice to me while I still had the chance to avoid her mistake.

Once again, did she really have to acquire that wisdom at such a late date and at such an immense cost? Had she been praying to God for wisdom right along, is there any doubt that she would have been given the grace to understand the value of open, loving communication? Is there any doubt that God, who encourages us to communicate with him all the time through prayer, would have inspired her to express her feelings of love for her daughter sooner?[18]

These are all basic points, I know. But they're so vitally important. I'm not saying that if you pray to God for enlightenment you're going to magically avoid hardship and suffering. Nothing can prevent that. Nor am I saying that it's a bad thing to acquire a certain amount of wisdom through experience. Indeed, part of the fun and adventure of life is making mistakes and then learning from them. But profiting from your errors is one thing; wasting whole decades in search of readily available truths is quite another.

It all comes down to a simple choice you have to make. How do you want to learn the important things in life? Do you really want to study at the school of hard knocks? Do you really want to spend your time continually reinventing the wheel? Do you really want to wait till you're old and gray and battered and broken before you finally start doing things the right way—God's way?

Remember the famous final lines of Robert Frost's poem "The Road Not Taken"?

Two roads diverged in a wood, and I—
I took the one less traveled by,
And that has made all the difference.

Praying to God for wisdom is like taking the road less traveled. Most people you meet in life choose to go down the wider, longer road of experience.[19] You don't have to!

You don't have to have your son or daughter die before you learn the importance of expressing your love; you don't have to contract some god-awful disease before you realize that wealth and popularity are vastly overrated and that the most important thing in life is not love of self but, rather, love of God and neighbor.[20] You don't have to make a million mistakes or live to be a hundred to learn any of life's great lessons.

Wisdom doesn't have to be "wasted" on the old like youth is wasted on the young. It's available to everyone, free of charge. All you have to do is take the shortcut that God has provided. All you have to do is ask.

9 Will I Ever Be Happy Again?

God, Bring Good Out of This Bad Situation

"*God, please bring some good out of this bad situation*" is one of the most powerful prayers in the universe—and one that God always says yes to—but it's also one of the toughest to pray. The reason is that when we're right in the midst of suffering, it's very hard to calmly consider all the wonderful things that might lie in store for us in the future. After all, the future is always so unclear and hazy, while the pain we're experiencing in the present moment is so sharp and unmistakable. That's why clichés like "look at the bright side" and "every cloud has a silver lining" can be off-putting and even slightly nauseating when we hear them.

And yet expressions like these don't usually become clichés unless there is some truth to them. Somewhere along the line, human beings noticed that bad things can give way to good things or even *lead* to them. In fact, if it weren't for the bad experiences—the failures, the humiliations, the tragedies—sometimes the very best experiences in our lives would never have occurred. The entire personal development/self-help industry is founded on this one point: the principle that nothing is truly bad unless we *think* it's bad; the view that there are no such things as "problems," only "challenges" and "opportunities for growth."

There are thousands—perhaps millions—of stories of people who have suffered through terrible ordeals and yet found the faith, strength, and courage to keep their heads up and eventually triumph over their tragedy. Personal development experts and motivational speakers often use these stories to help people persevere through their struggles; to give them hope that their failures and their tragedies aren't the end of the story, but only a new beginning.

One story about overcoming adversity that has always stood out in my mind concerns the great president Theodore Roosevelt. Because of his fame as a tough, courageous leader, not many people know that Roosevelt was also a very romantic man—at least when he was young. When he was in his early twenties he fell head over heels in love with a beautiful black-haired girl named Alice. He wooed her for two years before she finally consented to marry him. To say that he was hopelessly, passionately in love with her would be an understatement. She was, for him, the sun, the moon, and the stars; she was his everything. His diary entries about her at that time reflect a passion bordering on obsession and even worship. When she informed him that she was pregnant, his happiness became even more ecstatic.

Then the unthinkable occurred. The very night that Alice gave birth to their child, she was afflicted with a rare condition called Bright's disease, which immediately began attacking her kidneys. Roosevelt rushed to her bedside and tenderly cared for her. But at the exact moment this was happening, Roosevelt's mother—who lived in the same house—suddenly began to burn up with typhoid fever.

For the next sixteen hours, Roosevelt went back and forth

between his mother, on one floor, and his wife, on another. They were both suffering terribly, and there was nothing the doctors could do for either of them. His mother was the first to die, in his arms, in the very early morning. Later in the afternoon of that same day his beloved Alice died as well, also in his arms. The date was February 14, Valentine's Day.

A few days later there was a double funeral, and a dazed Roosevelt, barely able to talk, wrote down the following epitaph for his wife: "We spent three years of happiness greater and more unalloyed than I have ever known fall to the lot of others. . . . For joy or for sorrow, my life has now been lived out." A little later he added: "She was beautiful in face and form and lovelier still in spirit. When she had just become a mother, when her life seemed to be just begun and the years seemed so bright before her, then by a strange and terrible fate death came to her. And when my heart's dearest died, the light went from my life forever." In his diary Roosevelt drew a thick black X on the page marked February 14 and repeated the words: "The light has gone out of my life forever."

Theodore Roosevelt was only twenty-six at the time. He was a completely broken man, emotionally and spiritually. He was numb, inconsolable, and in his heart and mind he was done with happiness, done with people, done with work, done with living. He truly thought that the light had gone from his life. And yet we know that just the opposite was true. Indeed, the glory and grandeur of his monumental life had not yet even begun to shine. In just a few short years, he was to become a war hero, an author, the winner of the Congressional Medal of Honor (awarded posthumously), the recipient of the Nobel Peace Prize, a famed outdoorsman and conservationist, a happily married father of six, and the man who, as twenty-sixth president of the United States, was ultimately responsible for making America a global power. All of these triumphs came *after* he had been dealt the most crippling blow of his life.

So yes, happiness and success can come after even the worst sorrows. But do they always? Unfortunately, the answer is no. For every inspirational story like Teddy Roosevelt's there seem to be dozens more with unhappy endings. So many people who go through great suffering become cynical and depressed, closing themselves off not only from other people but from the very possibility of experiencing joy again. As the saying goes, they live lives of "quiet desperation." Self-help experts would say it doesn't have to be that way, that such people have the ability within them to turn things around, if only they wanted to.

But these experts miss one all-important point: overcoming adversity is not just a question of willpower. It's not just a question of being motivated to "look at the bright side" or to "think positive." It's not even just a matter of focusing on the solution to your problems and taking action. All of those things may be important, but at its core the question of how to transform suffering into happiness is still a religious one. Ultimately, it is *God alone* who has the power to bring good out of bad.

Back in Chapter 4 we discussed the subject of human suffering and said that it was one of the greatest mysteries in all theology. We said that God always answers the prayer "*Please get me through this suffering,*" but that he doesn't always tell us what the purpose of that suffering is. Well, while it's true that God doesn't always reveal to us the reasons for the bad things that happen, he does do more than simply promise to "get us through." He also pledges, to those who ask him in prayer and to those who are trying their best to do his will, that he will bring good out of every single misfortune they encounter in life; that he will somehow, in the end, turn every instance of suffering into an opportunity for greater, deeper happiness.

If you were going to memorize only one verse in Scripture, Romans 8:28 might be the one to choose, because it holds the key to this promise. If you learn it—really, truly learn it—it will be the spiritual equivalent of having a protective coat of armor about you at all times. The "slings and arrows of life" may indeed knock you down and cause you injury, but none will ever penetrate so deeply that you will be overcome and destroyed. The verse simply states: *"All things work together for good, for those who love God and are called according to his purpose."*

All things work together for good. The Bible doesn't just say that *some* things will turn out to be good in the end. It says *all* things. In other words, if you are trying your best to be the kind of person God wants you to be, then everything you do, everything you fail to do, and everything that you experience in life—even the worst tragedies—will yield some kind of greater "good" in the end.

Now, how can that possibly be true? How can all things work for good? How can losing your job ever lead to good? How can having financial problems ever lead to good? How can being handicapped ever lead to good? How can getting cancer ever lead to good? How can any of these things lead to anything good, when we know that they make us feel so bad?

Perhaps the main thing to understand in this discussion is that while it may be impossible for us to fully grasp *how* God can pull good out of every bad situation, he has already shown us that he *can* do it. He has already demonstrated to us that he has the ability, if he chooses, to pull the best kind of good out of the worst kind of evil. When, exactly, did he do that?

Think about the greatest evil ever to take place in the history of the world. No, it wasn't the Fall of man; it wasn't the killing of Abel; it wasn't any of the bloody events of the Old Testament; it wasn't the Spanish Inquisition or the Crusades; it wasn't the brutal regimes of the Nazis or the Communists; it wasn't the terrorist attacks of September 11; and it wasn't any of the personal tragedies that we experience in our own lives. No. The greatest evil ever committed was the *murder of God.* When Christ was executed on Good Friday, God himself—in his human form—was put to death. Here we have without question the greatest single act of disloyalty, ingratitude, deception, faithlessness, betrayal, depravity, obscenity, malevolence, and outright evil of all time. God—who created everything and everyone—was actually killed by his own creatures. The crime was not simply homicide or patricide or fratricide, it was *deicide.* Truly it is impossible for there to be anything worse than that. No tragedy in life, no matter how appalling, no matter how disastrous, could ever come close to the Crucifixion and death of our Lord.

And yet what did God manage to do with this most monstrous of all human events? Did he allow our situation to stay lost and hopeless for long? Did he give up on mankind? Did he give up on all creation? Did he for one second concede that Satan and his demons had won the day? No. Instead, God promptly turned the world and everything in it on its head. For out of the hellish darkness of the Crucifixion he brought the miraculous light of the Resurrection. In one amazing stroke of genius and grace, God turned it all around—he redeemed mankind, elevated the human person to a divine level, made it possible for sins to be forgiven and for us to receive countless blessings during our earthly lifetime. On top of this he threw open the gates of heaven so that one day we could all be reunited with our friends and loved ones in an eternity of happiness.

Do you see what God did? He didn't just bring a little good out of a little evil. He didn't just bring a little good out of a lot of evil. Somehow, some way, God was able to bring the *greatest* good out of the *greatest* evil! No more horrible event could have taken place than the killing of Christ. No more wonderful treasure could have been given to mankind than the Resurrection of Christ. In rising from the dead, God didn't just "fix things up" or "make things better" for us. He did something much more profound. He turned black into white, dirt into gold, sin into eternal life.

There's a great lesson in this for us. For if God was able to turn the worst kind of evil into the greatest kind of good, then he can certainly turn *lesser* kinds of evils into good as well. He can certainly take the bad things that happen to us in our lives and bring some kind of blessing out of them. Doesn't that make sense?

Now, how he does that is not always so apparent. When you're struggling to pay your bills, or crying over a broken relationship, or sitting in a funeral home mourning the loss of someone you love, it's pretty hard to imagine how God could ever turn your sadness into joy. When you're in that kind of state, it's difficult enough not to be angry at God, much less have confidence in his power to give you happiness. And yet he can.

We said earlier in this book that God allows plenty of bad things to happen in life, but that he doesn't purposely cause them. He's not some sadistic monster who gets pleasure out of watching his creatures suffer. On the contrary, God mourns *with* us when we are in agony. He is just like any father who feels bad when his child falls and hurts himself.

Nevertheless, there's also no doubt that God is in complete control of everything that happens in the universe at all times. Even though he hates it when we suffer, he definitely permits many awful things to occur. He does so because he knows full well that he has the power to bring good out of them. He knows full well that his overall plan—which is always to our benefit—is going to be accomplished.

Now, I warn you, we are entering into the most mysterious area in all theology, and even the language we use is going to become suspect and confusing. It may appear at various points in the next few pages that I am trying to imply that God is responsible for *causing* pain in order to *force* human beings to act in certain ways. That is not the case. God is not a puppeteer, and we are not his marionettes. God is not a chess player, and we are not his pawns. At the very same time, though, it is one hundred percent accurate to say that "not a single sparrow falls to the ground without the permission of our heavenly Father." It is one hundred percent accurate to say that "every hair on our heads is numbered."[1] It is one hundred percent accurate to say that God "uses" the bad things he knows are going to happen in order to achieve the good things that he desires.

This great paradox—how God can remain "in charge" and yet allow mankind to have free will—lies at the very crux of the problem of human suffering. We frankly don't know how God is able to reconcile such seemingly opposed realities. The only thing we can say for sure is that it has something to do with the fact that he does not "exist" in the same way that human beings do. It has something to do with the concept of "time," and the fact that God has the ability to see the "big picture."

As I said in my book *A Travel Guide to Heaven*, human beings

> have a past, present and future. We experience life as a series of progressive moments, and can never know for sure what the next moment will bring. It's not like that for God. God stands outside of time. When he looks down from heaven at John Smith's life, he doesn't just see John the way he is now. He sees all of John's life, from beginning to end. It's as if he's looking at a page titled *John*. He can look up at the top of the page and see John's birth, he can look at the middle of the page and see John getting married, and he can scroll all the way down to the bottom of the page and see John dying in the hospital with his grandchildren around him. He sees it all in one glance. God sees all the choices we're going to make in our lives, and all the results of those choices. He sees the mistakes, the sins, the screw-ups. He sees everything we're going to do, and he sees it all ahead of time. In order to accomplish his will he takes all these choices and *arranges* them in such a way that his plan is ultimately achieved.

Some way, somehow, God is able to *orchestrate* what freely happens on this planet, in order to produce the outcome that he desires—without taking away one iota from our freedom.

Oftentimes it's easy to recognize the sort of "outcomes" God is trying to produce. Suffering—even the worst kind—can have obvious benefits. It can, for example, help to make a person stronger, tougher, and more resilient—as in the case of Teddy Roosevelt. Those are qualities that come in pretty handy in life. Indeed, many who have gone through the furnace of human suffering credit their trials with helping them to become the men and women they are today. Enduring the so-called "refiner's fire" is what shaped and forged them—perhaps more so than any other experience.[2] Saint Paul said that "suffering produces endurance, endurance produces character, and character produces hope."[3] Hope is often the most important gift we can impart to each other. When you've suffered a great deal and yet managed to emerge with your strength and hope intact, you can be of tremendous assistance to others.[4]

Moreover, when you're experiencing pain, the people around you have the opportunity to be loving *toward you*. People who might otherwise be cold, selfish, and disengaged suddenly have the chance to become caring and compassionate human beings because of their relationship with you. Your suffering can therefore help them to become closer to God. It can be a doorway to grace—and even to heaven—for someone else.

As we discussed previously, suffering will usually make a person more dependent upon God and therefore more open to embracing his will. "There are no atheists in foxholes," as the saying goes. When you're in a weakened, vulnerable state, afraid for the future, afraid for your loved ones, afraid for yourself, you're more likely to be humble; you're more likely to give God the chance to come into your life and transform it. Augustine of Hippo put it beautifully when he said only those who have open arms and open hands are able to receive God's gifts.

Most Christians believe that suffering has a "redemptive" value. There's a mysterious line in Saint Paul that says: "In my own flesh I fill up what is lacking in the suffering of Christ for the sake of his body, the church."[5] Catholics have always interpreted that to mean that God gives us the ability to somehow "attach" our suffering to the Cross, and that all the pains we experience in life can be used by God to help build up the "body" of his church on earth and in heaven. That's why you'll sometimes hear Catholics telling each other to "offer up" their pain to God. Not all denominations within Christianity go as far as that, but all Christians *do* acknowledge that God is able to connect a mystical value to our suffering that we can't always see.

Perhaps the greatest good that can come of suffering is that it has the potential to make a person more Christ-like.[6] Jesus went through every kind of human pain imaginable, and he did so because he knew that *we* would be going through plenty of pain as well. When you're hungry or hurt or poor, when you're in chronic physical pain or confronted with infidelity and disloyalty, when you're imprisoned or lonely or separated from your family for long periods of time, when you're persecuted because of your faith—when you go through any of these agonies, you're experiencing the very same things that God himself did. Therefore, it's possible to be even closer to him and more like him. This closeness and intimacy with the Lord can actually bring you a kind of joy and peace you cannot find anywhere else in the whole world, because it flows directly from being in union with God.[7]

Sometimes the good that results from your suffering becomes apparent only after the pain has ended. If you lose your job but wind up finding a better position a few months later, then being fired actually turned out to be a blessing for you. It might not have seemed that way at the time, but in reality it was. I know people who toiled away for years in jobs they hated, but never lost faith in God and never stopped praying that they would be delivered. Eventually they were; and now, when they look back on their life, they realize that all the waiting and frustration were actually beneficial to them. In some way, their time in the "wilderness" is what made it possible for them to find true happiness. One thing you learn as you progress in the spiritual life is that God is a God of *perfect timing*. Since he is able to see the "big picture," he knows just when you should move on and when you should stay where you are. And sometimes before you move on he has to "arrange" a thousand different details in order to make that move possible. That arranging takes time.

People who travel frequently on airplanes know just what I mean, because they have experienced the frustration of "circling." Usually this happens near the end of the flight, just when you're most anxious to get off the plane. Your seat belt is fastened, your tray table is up, and after hours of being cramped into the same tiny position, you're finally ready to come in for a landing. Then, for some inexplicable reason, the plane starts making a series of wide ninety-degree turns and it's apparent that you're not going to land after all. Instead, you've gone into the dreaded "holding pattern." You circle round and round, sometimes for a very long time, until air-traffic control finally clears you to descend to the airport. Sometimes the captain will come on the intercom and tell you the reason for the delay, but most times he won't, and you just have to sit there and wait. There might be a dozen other planes ahead of you that have to land or take off. There might be a thunderstorm in the vicinity of the airport. There might be a problem with one of the runways. Who knows? The point is that, despite the frustration of the passengers, and despite the pilot's ability to freely control his aircraft, another entity—air-traffic control—has made an overriding decision to prevent the plane from landing. And there's just nothing anyone can do about it.

The very same thing often happens to us in life. We can decide what we want to do and where we want to go, but God is still in charge of "air-traffic control." He sees everything on his omniscient radar screen—the weather, the airport, all the other planes in the area. Sometimes, for reasons he may or may not disclose, he decides that the best thing for us to do is remain in a "holding pattern." While we're busy circling, he's busy clearing obstacles, solving problems, and moving people around until things are *just right*. Then and only then does he permit us to come in for a safe, smooth landing.

The amazing thing about this radar screen God uses is that it doesn't just show him the way things are at the present moment. It doesn't just depict the past, the present, and the future. It actually projects beyond the future and into eternity. We've already talked about how important God's perspective is in the pursuit of wisdom. Well, that's really the key to understanding this prayer as well. Because sometimes the only way to make sense of suffering is if we view it from the vantage point of eternity. Sometimes when a very bad tragedy occurs, it's impossible to see how God can bring good out of it. After all, how can something as awful and unthinkable as the death of a child ever lead to anything positive?

But what we must always try to remember is that God is primarily concerned about one thing: whether or not we make it to heaven. Next to that awesome question, everything else—even our suffering—means nothing.[8] As I've said elsewhere, if you die at ten years old in an automobile accident but go to heaven, then you had a successful life. If you die peacefully in your sleep at ninety, rich and powerful in the eyes of the world, but go to hell, then your life was a wasted tragedy. "What does it profit a man," Christ asked, "to gain the world but suffer the loss of his soul?"[9] We don't always see the truth of this, but God does. When we go to a funeral, or see someone in the street who is crippled or mentally retarded, we torture ourselves by asking all kinds of questions about how different or better that person's life could have been, or why God was so "unfair." But we rarely ask the one question that really counts: Is that person going to heaven? That's the only thing God cares about. That's the lens through which he views our lives.

And that's the lens we have to try to use, too. Even when someone we love dies and we can't understand why, we have to try to trust God and believe in our hearts that *God knows better than we do*. He knows everything about that person, and about what would have happened in the future to that person had he or she lived. And knowing all that, he also knows the best time to bring that person home to him.

Even in matters that don't involve death, God is always concerned, above all, with the state of our soul. If he sees that a person is headed in the wrong direction, he won't hesitate to use any means at his disposal—including suffering—to get that person's attention and redirect him. To borrow another brilliant analogy from C. S. Lewis, "God whispers to us in our pleasures, speaks to us in our conscience, but shouts in our pains: It is His megaphone to rouse a deaf world."

More than anything else, pain gets our attention. It has the power to change our lives in ways that few other things can. It forces us to stop thinking about trivialities—trivialities that some people spend decades wasting their time on. It makes us think instead about ultimate questions of life and death, right and wrong, sin and forgiveness, mercy and obedience—questions that we should be thinking about *all the time.* In other words, pain forces us out of our own little world and propels us into a place where we'll be more likely to consider what is important to God. Ultimately, pain is one of the most effective tools God can use to mold us into the kind of creatures who can one day, hopefully, inhabit heaven.

Rev. John Corapi, whom I mentioned earlier, always urges his TV viewers to "be clay." What he means by that is that people need to be sufficiently flexible in their thinking in order to be able to listen to the will of God. After all, if God is an artist and one of his objectives is to make you into a better, holier person, then it matters very much what kind of "material" you're made of. If you're cold, hard, and inflexible, like marble, what would God have to do in order to change you? He certainly wouldn't be able to simply pull and stretch you gently into a different shape. That wouldn't be possible, because you'd be too unyielding. No, he'd have to take a mallet and chisel and begin hammering at you! He'd have to start knocking pieces of you to the ground. He'd have to literally cut chunks of marble out of you until you finally started to assume the shape he intended for you from the beginning.

Now, how do you think it feels to have pieces of yourself removed in this manner? Would it be a peaceful, gentle process? Would it be painless? On the other hand, what if you were made of clay? Then how would God go about fashioning you? To be clay, of course, means that you'd be softer, more easily modeled, more impressionable, more open to the creative desires of God—more open, in a word, to following God's will. The process of being shaped would be a good deal less dramatic, wouldn't it? A good deal less severe—and yes, less painful.

The bottom line is that God is going to do whatever he has to do in order to get you to heaven. If it requires using a hammer and chisel, he will. If it requires gently modeling and caressing you with his hands, he'll do that, too.

Let's use another example. Let's say you were in a deep sleep and just didn't want to get out of bed. You could be wakened in several different ways. The alarm clock near your head might go off, jolting you out of sleep. Someone might come along and yell in your ear or even physically shake you. Both methods would probably work. But there's another way, too. A less traumatic way. Someone in your family might go into your kitchen and quietly begin preparing breakfast. In your slumber, you might hear the eggs and bacon crackling on the stove. The delicious smell of coffee brewing might waft into your bedroom. Before you know it, you'd be opening your eyes yourself, without the need for an alarm clock ringing or anyone yelling in your ear.

Well, many of us are asleep and don't even know it. We're asleep to what really matters in life. And God knows that he needs to wake us up—soon—because life is so very short. Many times he tries the gentle approach first—the "breakfast" approach. He gives us a million beautiful sights, sounds, and sensations to rouse us from our slumber. He gives us, first and foremost, the wondrous gift of life. He gives us the oceans and the mountains and the rivers and all the glories of nature to behold. He gives us the weather—gorgeous spring days, lovely winter snowstorms, and beautifully melancholy rain showers. He gives us an infinite variety of people to form relationships with—people with different gifts, different personalities, and different ways of adding joy to our lives. He gives us art and music. He gives us answered prayers. He gives us our families and our friends. He gives us love and sexuality. He gives us his church, with its prayers, songs, and liturgy. He gives us each countless personal blessings. *All* of these are simply the gentle proddings of God, and all of them are meant to wake us up so we can pay more attention to him and what he wishes us to do.[10]

But what happens when none of this works? What happens when, despite all the beauties and the blessings of life, we continue to go down the wrong path? What happens when we refuse to wake up to the importance of doing God's will, no matter how many times he gently tries to rouse us from unconsciousness? Sometimes—and this is awfully hard for us to admit—the only thing that makes us pay attention to God is pain. Sometimes the only thing that works is that blasted alarm clock!

I'm not suggesting here that if you were a godlier person, you would miraculously be protected from all forms of suffering. Obviously, that's not the case. Everyone has to face a certain amount of anguish in life. That's just a consequence of living in a fallen world. And it's very true that God sometimes allows his most saintly servants to undergo the greatest trials, because he knows that the experience will make them even holier—he knows it will make them even greater saints. That you will have to deal with your portion of suffering in life is a given; but why would you want to go out of your way to make the most painful kind an absolute necessity? You shouldn't force God into a corner and make it impossible for him to get you to heaven *except* through suffering. You should at least give him the option of taking you along a different route—of using a softer touch!

In other words, if you're going to suffer, let it at least be for a better reason than that you need a "wake-up call." Let it be because God wants to put you in a "holding pattern." Let it be because God wants to make you a stronger, more courageous person. Let it be because God wants you to carry your cross and imitate Christ. Let it be because God wants you to advance in holiness. Whatever the reason, don't let it be because you're hard as marble and God has no choice but to take a hammer to you. *Be clay!*

You see, God wants you to be happy—in this life and the next. He wants so much for you to be happy that he has even come up with a way of turning bad things into good. But, as with every other choice we have in life, he gives us the freedom to say no to him.

In a very crude sort of way, the choice we have about suffering is the same choice we have when it comes to throwing out the garbage. We can either put it in the recycle bin, or we can throw it in the regular trash can. God is the great, divine recycler of the universe. If we pray to him, "*Please bring good out of this bad situation,*" he can take any kind of pain we give him—even something as trivial as a toothache—and recycle it so that it actually benefits our soul in the long run. But, ultimately, it's *our* choice. If we like, we can simply dump all our suffering into the garbage can, and along with all the other waste products of society it will go straight into the landfill. Oh, the great garbage heap of wasted suffering in the world! How much refuse has accumulated there in the history of mankind? How many untold agonies have people endured without the slightest bit of good ever coming from them?

It doesn't have to be that way. Every one of your tears, every one of your weaknesses, every one of your humiliations, every one of your failures—every single bad thing that ever happens to you in life—can be *transformed*. Out of every adversity, God can produce some higher good. Out of every loss, God can find some marvelous gift to give you. Out of every death, God can bring forth new life—if only you ask him.

If you come away from this book with only one thing, let it be this: *"All things work together for good for those who love God and are called according to his purpose."*

10 Why Am I Here, Anyway?

God, Lead Me to My Destiny

Ernest Hemingway said that every person's life, truly told, would make a great novel. That sentiment applies perfectly to the final prayer we're going to discuss, *"God, lead me to my destiny."*

We hear it said all the time: "every one of us is special." We've been told this by our parents, by our teachers, by our pastors and priests at church, and by all those personal development gurus we see on television. But is it really true? Yes, everyone has a different set of fingerprints, different physical characteristics, different DNA, and so on, but does that really constitute being unique?

Years ago I was very cynical about spiritual clichés like this. Obviously there were certain people who were special—the billionaires, the geniuses, the heroes, the celebrities, the tyrants, the saints—all the people who somehow managed to stand out from the crowd. But what about the vast majority of human beings who lived and died in complete obscurity, many of whom were unsuccessful, unremarkable, unhappy, and unappreciated. Were they special, too?

As I came to understand Christianity better, I realized that they *were* special, because every human being has an extraordinary dignity simply because he or she is a child of God, made in God's image and likeness and redeemed by God's son.[1] I accepted the idea that human beings have a special kind of intrinsic value that transcends external appearances. I realized and understood that a homeless drug addict on the street might actually end up being a greater saint in heaven than the most powerful world leader. But even with that understanding, it was hard for me to believe that each and every human being was uniquely special *in this life.*

Ironically, it was science—not religion—that ultimately gave me a deeper understanding of human individuality. As I read more about biology and chemistry, certain "clues" about the uniqueness of the human person began to present themselves to me, leading me to an unmistakable conclusion. Indeed, when you really study the sciences—especially statistics—a great cosmic detective story begins to unfold, at the heart of which is the mystery of human destiny.

Did you ever think about all the factors that had to be in place for you to be born? About all the millions of tiny details that had to converge at just the right time and just the right place for you to come into this world?

Mother Angelica, the little Italian nun who founded Eternal Word Television Network, used to tell a story about her own mother as a very young woman. One day while she was washing clothes in the apartment where she lived, she started to sing. It wasn't something she often did while going about her chores. Something just came over her and she felt like singing. Just at the moment she began, a man driving along her street happened to hear her. He wasn't from the area and he wasn't going to any of the houses in the neighborhood. He was just passing through on his way to another section of the city. But he was so taken by the singing that he just had to stop his car and find the young lady with the pretty voice in order to compliment her. He did, and sure enough, they began dating. One thing led to another and they eventually married. The amazing thing is that if he hadn't decided to drive down that particular block at that particular time, and if she hadn't felt like singing at that particular moment, there would have been no marriage, no baby, no Mother Angelica, and no religious television network!

Everyone has a story like that. My own mother was sixteen years old when she met my father. One night her sister asked her to go dancing at the old Triangle Ballroom in Queens. My mother didn't want to go. She was tired. She didn't feel well. But her sister—my aunt Pauline—practically dragged her out of the house. Lucky for me that she did! Because the man who later became my father had also decided, at the last minute, to go to the same dance club. It's fascinating how such little "coincidences" can have such monumental consequences in our lives.

And yet are they really coincidences? Consider for a moment the incalculable odds you had to overcome when your parents came together in sexual union and conceived you.

In any single act of intercourse between a man and woman, approximately five hundred million sperm cells are deposited in the female. *Five hundred million!* And only one of those sperm cells is allowed entrance into the woman's ovum. At the moment of contact, when fertilization first occurs, a special chemical is released by the egg causing it to close off all other sperm. Every other sperm cell—having lost the great race for human life—dies.

Half a billion potential human beings, each one completely different from you, could have been born in place of you had not that one, unique sperm cell fertilized that one, unique ovum. In a very real sense, half a billion other potential human beings had to forgo life to make way for you. Half a billion other men and women, each with their own distinct physical traits—their own hair, eyes, and voices—and each with his or her own unique personality, never saw the light of day, so that you could live. We don't often think of it this way, but each one of us has already won a race in which we were five-hundred-million-to-one long shots.

In fact the odds were even greater than that. For not only did one particular sperm cell have to fertilize one particular egg in order to result in the person called you, but it all had to happen in an extremely short window of time. In any given month, there are only five or six days during which sexual intercourse can result in pregnancy. Had your parents not engaged in sex during that short fertile period—or had they practiced contraception—no child would have been conceived.

In other words, if you were conceived on a Tuesday at ten p.m., that is the only time in all of history that *you* could have been conceived. A different instance of sexual intercourse at a different time would have yielded a different person because each sperm cell contains an entirely unique genetic code. The chances of the same sperm cell (the one that produced you) beating all those other cells on totally separate occasions are just infinitesimal.

When you throw into the equation miscarriages (one in five pregnancies), stillbirths (one in one hundred pregnancies), and abortions (one in four pregnancies), it's easy to see how stupendously lucky you were to be born at all. From a strictly statistical point of view, your presence on this planet is a miracle. At the very dawn of your life you had to overcome overwhelming odds—odds higher than any you will ever have to face in any other situation. No matter what you may think of yourself now, you are already an "overachiever" of the highest caliber. You have already proven yourself to be a kind of "superman" or "superwoman," conquering obstacles that were monumental in scope and proportion. No matter what ills may befall you in life, no matter what suffering you may be forced to endure, no matter what family or money problems you may eventually have to face, it is imperative that you understand this: *You came into this world a champion.* Victory was your starting point.

And this is where we have to begin considering theology. Because the moment we start looking at God's role in the process of creation, we discover something very interesting. We discover that perhaps all of these amazing coincidences weren't really coincidences at all. We discover that there may be a very good reason why we were able to beat such formidable odds. There may have been someone who actually rigged the game at the start and fixed the odds for us. Indeed, throughout Scripture we see many mysterious references to the fact that God actually had knowledge of our existence *before* he created us.

For example, the Book of Jeremiah says: "*Before I formed you in the womb, I knew you, and before you were born, I consecrated you.*" Psalm 139 says: "*Every one of my days was decreed before one of them came into being.*" Saint Paul's Letter to the Ephesians says: "*He chose us in Him before the foundation of the world.*"[2]

These verses all point to one thing: God had us in mind

even before we existed and even before the world was created. From the very beginning, he planned us. Therefore while it's true that we overcame great odds in order to be born, we did not accomplish this monumental task on our own. Our bodies and souls did not come about as a result of haphazard chance. They were engineered by an all-powerful God who wanted us—personally—to come into being. We may be statistical miracles, but we are not statistical accidents.

Think about what that means in practical terms. Before George Washington crossed the Delaware River, God already knew your name and date of birth. Before the Roman Empire fell, God already knew the color of your hair and eyes. Before the dinosaurs roamed the earth, God had already mapped out your entire genetic code. Before the big bang and the creation of the universe, God already knew that you would be reading this book now. Every hair on your head is numbered, says the Gospels—and was numbered before the very foundation of the world.[3]

There are some powerful implications that flow from all this. As we just discussed, God had to say no to a whole range of potential human beings in order for you to be born. In that vast pool of potential genetic combinations, there may well have been individuals who would have turned out smarter than you, stronger than you, more beautiful than you. There may well have been individuals with personalities less prone to anger, greed, jealousy, and lust than you. And yet God said no to all of them.

Instead, God said yes to you. And in saying yes, he said yes to everything about you and the situation you were born into. He said yes to your looks, yes to your personality, yes to your particular gifts and skills, yes to your weaknesses. At the beginning of your life God gave his stamp of approval to every single thing about you. In his all-knowing providence he permitted a myriad of genetic and environmental components to come together to form you. Beyond that, he created your utterly unique soul out of nothing.[4] There's no getting around this fact: you have been specially designated and handpicked by God—chosen, in fact, over millions of other possible individuals—to take part in the life of this world.

The question is, why? What can it all mean? Why did God create us? And why did he make each of us in such a radically special way?

Common sense tells us that God must have something in mind for us—something very specific. What else would account for his desire to make us so different from one another? Yes, it's true that God doesn't need anyone or anything, and that the main reason he created human beings was that he wanted to share his life and his happiness with us. But that still doesn't explain why he chose *you* to be born; why he chose *me* to be born. We're just too unique. A carpenter may enjoy fashioning wood into all sorts of objects, but when he builds something very particular like a chair or a table or a musical instrument, we have to assume he has some other purpose in mind for it, aside from simply satisfying his love of woodworking.

And therein lies the solution to the mystery, the key to understanding the whole enigma of human individuality. As we've said so often, we live in a broken, fallen world—a world that is badly in need of fixing. Despite all the beauty and goodness that surround us, there is no doubt that the world is filled with violence, unhappiness, confusion, depression, and death. God knows that the environment in which we live is drenched in suffering, and he has given us the privilege and honor of helping him alleviate some of it. Jesus Christ, the master carpenter, has chosen us to be his instruments to fix some part of this broken world.[5]

Each of us is special and unique because there is a special, unique mission for each of us to accomplish. Each one of us was chosen to live instead of countless other potential individuals because there is some objective that *only we* can accomplish. The reason why our lives have been so full of inexplicable twists and turns is that we were being specially prepared for this challenge. Despite all our character defects and weaknesses, we are the *perfect* individuals to tackle some specific problem in the universe that needs to be solved at this particular moment in history.[6]

In the final analysis, we are not just human beings but *keys*—keys that God has individually crafted to fit certain locks. Each of us is special because the lock we are called to open will accept only one key—one that looks different, acts different, and feels different from any other one; one that has different kinds of emotions, passions, skills, and defects from any other one. In fact, in all the world and in all of time itself, there has only been one key that has the ability to open this one particular lock—and *you* are it.

Make no mistake: when you find the lock, you will find your destiny. It could be virtually anything. It could be something big or something small, something loud or something quiet. It could be something that makes you famous overnight or something that keeps you hidden. It could be that you're destined to save someone's life in a fire or some other disaster—or that you're destined to change someone's life through a simple conversation. It could be that you'll one day create something that helps people—like an invention or a piece of inspiring music or a book or an article. It could be that your son or daughter is destined to achieve something stupendous—something he or she could never have achieved without your influence. Your destiny might be one decisive, dramatic moment in your life, or it might be many actions taken over many years. Who knows? Whatever it turns out to be, though, one thing is certain: it will be profoundly important to the life of this world and immensely fulfilling to you personally.

But there is one critical point to keep in mind: the destiny we're talking about here is not necessarily the same thing as your "dream." People always talk about how important it is to "follow your dream." And they're right—up to a point. I've had hundreds of dreams in my life: dreams of being a major-league ballplayer, dreams of being a doctor, dreams of holding elective office. At various times in my life I prayed very hard for these dreams to come true. But none of them ever did. Thank God! You see, no matter how much I might have prayed for those dreams to become reality, none of them was my destiny; none of them was what God wanted for me.[7] And none of them would have fulfilled me in the same way that I'm being fulfilled right now.

The fact of the matter is that no matter how much you love and cling to your dream, it may not be the reason you were created. It may not be the reason you were able to overcome all those astronomical odds and enter the life of this world. It may not be the purpose that God had you in mind to fulfill from all eternity.

Here's an example of what I mean. For the longest time my wife wanted to be a lawyer. Ever since she was a little girl, she fantasized about trials and juries and courtroom dramas. In fact, when she was growing up she loved two things in life above all else: her dream of becoming a lawyer—and her father. She was extremely close to her dad. The two of them were practically inseparable. Of course, she loved her mom and brother and everyone else in her family, but she was definitely "daddy's little girl." Once when she was five or six years old, she overheard her father saying that he had to go out of town on a business trip. She suddenly got very worried. She went to her room and got her Snoopy electric toothbrush, her "feetie" pajamas, and a pair of socks and packed them all into her little round patchwork suitcase; then she put on her hat and coat and sat on the porch of her house waiting for her father to come out. When he opened the door and saw her on the steps with her quilted suitcase between her knees, he naturally asked her what in the world she was doing. She just said, "Daddy, I *have to* go with you—otherwise who is going to take care of you?" That's the kind of close bond they always shared. And they continued to grow closer as time went on.

Her dream of becoming a lawyer continued to grow as well. When she was a teenager, she studied hard, won various academic awards, and became a pre-law major in college. Then, as often happens in life, her plans got derailed. There was a death in the family that shook her pretty badly, and she decided to take a year off before going on to law school. During that time, she got a job as a kindergarten teacher. It was only meant to be a temporary position, a way for her to take a breather from life and save some money to help pay for law school.

But in that year something interesting happened. She realized that she *loved* her new job. She loved working with children and she loved watching them learn. She loved everything about being a teacher—from helping the kids tie their shoes and button their coats, to wiping their tears and blowing their noses, to teaching them the alphabet and getting them started on reading. Before she knew it, one year had turned into two, two into three, three into four. Her "temporary" job had become the passion of her life. All her past dreams of standing in front of packed courtrooms, delivering rousing closing arguments, and winning unwinnable cases completely evaporated. In the place of these fantasies were the real-life faces of little boys and girls who looked up to her with innocent, adoring eyes—almost as if she were a second mother. Even though she was making less money than she could have as a lawyer and her job was less "prestigious," she knew that what she was doing in her classroom every day was more deeply fulfilling to her than any dream could ever be. In short, she realized that she was living her destiny.

It would be enough if that were the end of the story. But it's not. God always has something else up his sleeve. About ten years after my wife became a teacher, her father was diagnosed with Alzheimer's disease. Anyone who has ever had a loved one suffer from this illness knows how horrendous it is. Not only do you forget people and places and memories, but you forget how to do the most basic things. You forget what knives and forks and spoons are for. You forget what numbers and letters look like. You forget how to button your shirt and tie your shoes. The burden is great for the people around you—especially your family. My wife's mother did a heroic job as the primary caregiver for her husband. But she couldn't do it all alone. She needed help. My wife, who was devastated by what was happening to her father, stepped up to the plate and did her part and much more. She went over to the house every day after school to help out. She took her father on weekend trips. She watched football games with him on Sunday. She spent every free hour she could with him. It was heartbreaking for her, but it was also very beautiful. She knew she was giving him a great gift. She was returning a portion of the immense love he had showered on her throughout her life. Though she hated the disease with every inch of her being, she was grateful to God for giving her the ability to alleviate some of her father's pain and help him to maintain his dignity.

Then one day, not long ago, as she was zipping up his jacket, she had a moment of epiphany. Everything she was doing for her father—from tying his shoelaces, to showing him the difference between colors and numbers, to answering the same questions over and over again, to teaching him how to write his name—all of these things she had mastered as a kindergarten teacher. It was as if she had spent the last decade of her life being specially trained just so she could help take care of the one person she loved most in the world. She finally understood why it was that she had never felt compelled to complete her law studies—why it was that Providence had led her in a completely different direction. If she had become a lawyer as she had always dreamed, not only would she have missed out on helping all those little children, but she never would have been able to help her father in such a meaningful way.

Was it all just a coincidence? I don't think so. The story is just too sublime. It's too full of love and self-sacrifice. It's too much about giving instead of receiving. It's too much about taking someone else's suffering upon yourself and transforming it into something that has lasting value. In other words, it has God's handwriting all over it.

So often the dreams we have are all about us and our desires and insecurities and vanities. They don't take God's wishes into the slightest account. Everyone has heard stories about unhappy movie stars, drug-addicted rock stars, disgraced public officials, and suicidal authors. All these folks achieved their dreams and yet they all came to the same unfortunate end. Why? One of the reasons is probably that their dreams did not coincide with their real purpose. They wanted something so badly—maybe it was fame, maybe it was riches, maybe it was power—but they failed to consider that perhaps this was the *last* thing they really needed, the last thing God had destined them for. Instead of trying to ascertain God's will through prayer and discernment, they essentially "forced" their key into a lock it was never meant for; they twisted it, struggled with it, pushed and jammed it—until it finally broke off.

There's no need for that ever to happen to us. God knows the deepest desires of our hearts. He knows what will give us the greatest pleasure and the most profound happiness. Remember, he's the one who created us—he's the one who crafted the key—so he knows best what kind of lock it will fit into.[8]

The movie *Forrest Gump* is all about destiny. The main character, Forrest, is a simpleton; he admits that he's "not a smart man." But he "knows what love means." He spends his life trying to be a good, generous, and kind person—one who is open to embracing whatever destiny God has in store for him. "Life is a box of chocolates," he always says, and "you never know what you're going to get." He doesn't fight against the different kinds of "chocolates" he gets in life. He loves them all and "can eat thousands." This isn't so true of the people around him. The girl he's in love with, his lieutenant friend in Vietnam, and the various characters he meets in his travels—all are overly concerned with themselves and their problems. They desperately want to make their dreams come true. They want to create a destiny for themselves that *they* have planned. Though they're not bad people in any sense of the word, they're blind to the fact that God has a purpose in mind for them, a destiny that is much more glorious and grand than anything they might have imagined for themselves. But they don't want to consider that.

Instead, they try hard to fight their true destiny—and they suffer as a result. Not because God wants to punish them, but because their own nature and purpose for living are at odds with the false reality they're trying to create. Forrest's girl, Jenny, ends up becoming a lost soul who eventually gets AIDS. Forrest's friend Lieutenant Dan—who wants so badly to be a martyred soldier—loses his legs in the war and ends up becoming a cynical, belligerent invalid. Only Forrest, who is completely open to the will of Providence, achieves his true destiny.*

And it is a marvelous destiny indeed. Without even trying, he has the most adventurous and exciting life anyone could ever hope for: somehow he becomes part of all the historic events of his day; he receives awards, fame, accolades, the Congressional Medal of Honor, and billions of dollars besides. Why? Not because he's clever or handsome or talented or sophisticated or

*Jenny and Lieutenant Dan are finally redeemed at the end of the movie—because of Forrest.

charming or superior. But rather because he is open to the destiny that was meant for him; because he is willing to focus his attention on what really counts in life: being an honest, selfless, kind, obedient, humble, and godly human being.

Is the moral of this story that a person shouldn't try to pursue his dream and attempt to make plans for the future? Of course not. It's very important to do these things, but you must always keep in mind the words of the psalmist: "If the Lord does not build the house, its builders labor in vain."[9] As you dream and hope and plan and schedule, you must always remember that God already has something in mind for you—something that he's planned since before the world was created.

How do you find out what that "something" is? Ask him.

If you want to know your destiny, all you have to do is bring your request to God in prayer. After all, why would God want to keep something like that a secret from you if he's been planning it for so long? Of course he wants you to know your purpose in life, if only because he wants you to *get going* on whatever it is you're destined to accomplish; if only because he wants you to start fixing the problem in the universe that needs to be fixed.

That doesn't mean he's going to drop a letter into your lap that says: "Your destiny is X." This prayer isn't like some of the others in this book. It's not about instant gratification. It's more of a process. God is going to *lead you* to your destiny. He will point you in the right direction and spur you on, step by step.[10]

This prayer requires a little more patience than the other nine in this book. It requires the faith to trust God and the willingness to go down various roads you might be unfamiliar with.[11] In fact, saying this prayer is sort of like installing a divine GPS system in your car. The instructions you're going to get are progressive: "turn right here, turn left there, go forward now, stop for a moment, make a U-turn, and so forth."[12] Eventually, if you follow the directions—in other words, if you follow the promptings of the Holy Spirit—you're going to get to your destination.

There's a reason that God doesn't always tell us our destiny right away but prefers instead to reveal it to us little by little. It's because he's interested in not only what we're going to accomplish but also what kind of *person* we're going to be at the time we accomplish it. And sometimes the "journey" is what helps mold us into better human beings. Indeed, the journey is often what makes life enjoyable. All of the things we experience in life—from the time we're little children right up to the present moment—can help prepare us for the greatness God has in store for us. Even the bad things—the mistakes, the frustrations, the disasters and tragedies—can help lead us to our destiny. God wastes nothing. That's why we have to ultimately thank him for everything.[13] We have to ultimately say, in the words of one popular country song, "God bless the broken road that led me straight to you."

Of course, there may be a way to speed up the process. There may be a way to have your destiny revealed to you much more quickly than normal. If you're *already* the kind of person God wants you to be, then you might not need a long, hard, arduous journey to shape you. This is an idea we've come back to again and again. Whether you're trying to have a stronger faith, be more courageous, have the wisdom to know what to do, obtain peace in your life, or find your true destiny, it always helps to be *right with God*.

Getting right with God is the great shortcut, cure-all, and

equalizer in life. It won't necessarily prevent you from suffering, but it will guarantee that you'll see God's plan for your life so much more clearly. And it will guarantee that you accomplish your role in that plan in the most effective, efficient way possible. I've known young people who were so solid in their faith that they were decades ahead of the adults around them in terms of their spiritual wisdom, maturity, and power of judgment. If they weren't living their destiny already, it was obvious that they were marching to it at breakneck pace. And then I've known men in their sixties—worldly men, well-educated men—who were completely lost. They didn't know where they were going, what their purpose was, or why their life mattered at all. I'm not just talking about men who were going through a routine midlife crisis. I'm talking about men who were fundamentally immature when it came to spiritual matters, lost souls with no conception of the fact that they had an incredible destiny they were called to fulfill.

So how does a person get right with God? By doing all the things we've talked about in this book: by trusting in the Lord and having faith in him. By trying to be obedient to his commands. By repenting when you fall. By having a spirit of thankfulness for all the blessings you've received—especially the gift of life. By being prayerful instead of prideful, humble instead of arrogant. By dedicating your life to serving others, just as God took on a human form so that he could serve us. In short, by being *in union* with God.

When you're in union with God, you're on the fast track to achieving your destiny. It doesn't matter how old you are, how young you are, how sick you are, how poor you are, or how limited you are. As long as you're alive, you have the power to accomplish the amazing things God has in mind for you. The problem is that there are a lot of people out there who have died on the inside even though they're still breathing on the outside. Do you know how you can tell if you've died on the inside? When you've given up on being a hero—when you've stopped believing that your life is every bit as great as a great movie or novel.

Never, ever do that! God certainly doesn't. It's impossible to overestimate this point. You can be going through tremendous suffering—you can be lonely and depressed and hurting in every way—and yet still perform great deeds. Always remember, we worship a suffering Lord. Therefore it's when you're suffering that you're *most* in union with God.[14] You're in the "power seat," as one preacher has said. The older you are and the sicker you are, the more potential you have to be a warrior for God. The more crosses you bear on your shoulder, the more ability you have to achieve true heroism in life. For when you're suffering as Christ did on Calvary, and yet have the faith and trust to say to God, "*Please lead me to my destiny,*" there's no telling what incredible miracles God will work for you and for those around you.

This isn't religious propaganda, it isn't the "power of positive thinking," and it's not a motivational speech. This is the truth. This is what faith in God is all about. Christ said, "Behold, I make all things new."[15] And that includes people's lives—at every stage. If you pray each day to God to lead you to your destiny, I promise you that death will not come before you have achieved it.

Do you know what the result will be? Your life will be a spectacular adventure. It will be faith filled, fun filled, and profoundly important. It will be a life of heroic service to everyone around you. It will be marked by extraordinary bravery and wisdom—and by an abundance of love, both given and received. Will there be suffering? Of course—as there is for everyone—but you will get through it all, with your faith and your peace of mind intact. In fact, your whole life will be one of peace—deep, abiding peace. And at the very end, when the time comes for you to leave this world, there will be no cause for regret. No tears because of a life misspent. No tragic sadness over "what might have been." You'll be able to rest easy in the knowledge that you gave God the honor that was due him and fulfilled the destiny for which you were created from all eternity.

And even then—even after you've finally breathed your last and your heart has stopped beating—even then, the great adventure will not be over. Because when you open your eyes again, the One who gave you life and gave the world life will look at you and say the words that all good people of faith everywhere yearn to hear, words that will give you a happiness far beyond anything you've ever experienced on earth: "*Well done, good and faithful servant . . . enter into the joy of your Lord.*"[16]

The "Yes" Prayer

With praise for all you are, Lord
And thanks for all you bless;
Lord, grant these ten petitions
With your eternal Yes:

Please show me that you're there
When I can't see your face;
Send troubled souls my way
Their wounds I will erase.

Let me see with your eyes
My mind with your thoughts fill;
But more than wisdom give me
The strength to do your will.

Bless me with abundance
Then put me to the test;
Gladly will I give you
Much more than I possess.

Send me your tranquility
In troubled times and calm;
With loving arms sustain me
Through suffering and harm.

Forgive me for my sins
Though legion they may be;
When death and evil triumph,
Bring good from tragedy.

But most of all reveal
The meaning of my life
The purpose of my glories
The reasons for my strife
My destiny in Heaven
No tears to flow again
My God please grant me all;
In Christ Our Lord,
Amen.

Scripture References

INTRODUCTION: *Too Good to Be True?*

1 Romans 11:33.
2 Matthew 7:7; Luke 11:9.
3 Deuteronomy 30:19; Joshua 24:15; John 7:17; James 4:4.
4 Romans 8:28–29.
5 1 John 5:14–15.
6 1 John 5:14–15.

1 I WISH I COULD BELIEVE: *God, Show Me That You Exist*

1 Matthew 10:29–31.
2 Hebrews 1:1–3.
3 Genesis 1.
4 Genesis 6:18; 9:8–17; 12:1–3; 17:1; Exodus 20, 24; 2 Samuel 7.
5 1 Kings 17; 2 Kings 2; 2 Kings 19, 20; Isaiah 1.
6 John 1:1–18; 1 John 1:1–3; Acts 2:1–4; 2:38–39.
7 John 15:15.
8 Luke 12:48.
9 John 20:27–29.
10 Acts 9:15–16; 26:20–21.
11 Matthew 4:5–7; Deuteronomy 6:16; Psalm 78:18, 41, 56; Psalm 95:9; Psalm 106:14.
12 1 Timothy 2:3–4; 2 Peter 3:9.
13 James 4:8.
14 Revelation 3:20.

2 WHY SHOULD I GET INVOLVED? *God, Make Me an Instrument*

1 John 15:13.
2 Matthew 26:26; Mark 14:22; Luke 22:19; 1 Corinthians 11:24.
3 Matthew 18:20.
4 Luke 1:26–45.
5 Luke 1:56.
6 Matthew 10:39; 16:25; Mark 8:35; Luke 9:24; 17:33; John 12:24–25.

3 WHAT'S IN IT FOR ME? *God, Outdo Me in Generosity*

1 Matthew 6:33; Luke 12:31.
2 Acts 4:13.
3 Isaiah 55:8–9; Romans 11:33.
4 Matthew 19:24; Mark 10:25; Luke 18:25.
5 1 Timothy 6:10.
6 Matthew 6:19–20.
7 Isaiah 14:12–15.
8 Jeremiah 9:23–24.
9 James 2:1–5.
10 Luke 8:11–15.
11 Ephesians 5:5.
12 1 John 2:15–17.
13 Matthew 27:57; Mark 15:43; Luke 23:51; John 19:38.
14 1 Timothy 6:9; James 5:1–4.
15 Malachi 3:8–10.
16 Proverbs 19:17.
17 Luke 6:38.
18 Matthew 10:42.
19 Psalm 41:1–3.
20 Matthew 6:1–4.
21 Mark 12:41–44; Luke 21:1–4.
22 2 Corinthians 8:12.
23 2 Corinthians 8:1–4.
24 1 Timothy 5:8.

25 James 2:15–17.
26 Proverbs 3:9–10; Proverbs 11:24–25; Proverbs 22:9; Psalm 37:25–26.
27 2 Corinthians 9:6–8.
28 Psalm 50:10.

4 I CAN'T TAKE IT ANYMORE! *God, Get Me Through This Suffering*

1 Matthew 26:36; Mark 14:32; Luke 22:39.
2 1 Corinthians 10:13.
3 Luke 24:33.
4 Genesis 2:17; 3:6.
5 Genesis 2, 3.
6 Romans 5:12.
7 Genesis 3:8–10.
8 John 8:31–36; 2 Corinthians 3:17; Galatians 5:1.
9 Galatians 6:7–8.
10 Philippians 2:6–9.
11 Mark 15:34; Psalm 22:1.
12 Hebrews 4:14–16.
13 John 19:24.
14 1 Peter 2:21–23; Isaiah 53:9.
15 Philippians 3:7–11.
16 Isaiah 43:1–2.
17 1 Peter 1:3; Hebrews 6:19; Colossians 1:27; Romans 8:28–29; Romans 15:13.

5 AM I A TERRIBLE PERSON? *God, Forgive Me*

1 Romans 5:8; Ephesians 1:7; 1 Peter 3:18; 1 John 1:9.
2 Romans 3:21–26.
3 John 19:28–30.
4 Genesis 3.
5 1 Peter 4:6; Hebrews 11.
6 Romans 4:23–25.

7 Matthew 27:50–54.
8 Matthew 11:28–30.
9 Exodus 20; Matthew 22:39; Matthew 18:21–22.
10 1 John 1:9.
11 Isaiah 30:18–19.
12 Ephesians 4:32; Colossians 3:13.
13 Isaiah 61:8; Hebrews 1:8–9.
14 2 Chronicles 7:14; Jeremiah 31:34; Jeremiah 33:8; Jeremiah 36:3; 1 John 1:9.
15 Genesis 3:8; Numbers 32:23.
16 Romans 3:9–20; Psalms 5:9; 10:7; 14:1–3; 36:1; 53:1–3; 140:3; Ecclesiastes 7:20; Isaiah 59:7–8.
17 Mark 7:20–23.
18 1 John 1:8.
19 Psalm 32:1–5.
20 2 Corinthians 6:1–11.
21 2 Corinthians 5:17–19.
22 1 John 2:1–2.
23 John 8:10–11.

6 THIS STRESS IS KILLING ME! *God, Give Me Peace*

1 Proverbs 17:1.
2 Judges 6:24.
3 Isaiah 26:3.
4 Psalm 4:8.
5 Genesis 1.
6 Isaiah 54:11–15; Psalm 29:11; Psalm 85:8.
7 John 14:26–27.
8 John 20:6–7.
9 Isaiah 32:17; Isaiah 48:17–18; Romans 14:17; 1 Thessalonians 5:23–24; James 3:17–18.
10 Isaiah 48:22; 57:21.
11 Romans 5:1; Romans 8:5–9; Romans 14:17–19; Romans 15:13; Galatians 5:22–23.

12 Ezekiel 13:8–16.
13 Jeremiah 1:9–10.
14 Matthew 10:34–39.
15 Ephesians 2:11–18; Hebrews 12:14.
16 John 14:1.
17 Philippians 4:6.
18 Romans 5:1.
19 John 6:16–19.
20 Matthew 14:23–33.
21 John 16:33.
22 1 Peter 5:7.
23 Philippians 4:6–9.
24 Colossians 1:15–20; John 20:19–23.
25 Isaiah 53:5; Numbers 6:22–26; 2 Thessalonians 3:16; Hebrews 13:20–21.

7 OKAY, I ADMIT IT: I'M AFRAID: *God, Give Me Courage*

1 Genesis 15:1; 21:17; 26:24; 35:17; 43:23; 46:3; 50:19, 21; Exodus 14:13; 20:20; Leviticus 26:6; Numbers 14:9; 21:34; Deuteronomy 1:17, 21, 29; 3:2, 22; 7:18; 18:22; 20:1, 3; 31:6, 8; Joshua 8:1; 10:8, 25; 11:6; Judges 6:23; Ruth 3:11; 1 Samuel 12:20; 22:23; 23:17; 28:13; 2 Samuel 9:7; 1 Kings 17:13; 2 Kings 1:15; 6:16; 19:6; 25:24; 1 Chronicles 22:13; 28:20; 2 Chronicles 20:15, 17; 32:7; Nehemiah 4:14; Job 5:21, 22; 11:15, 19; Psalms 3:6; 23:4; 27:1, 3; 34:4; 46:2; 49:5; 56:3, 4, 11; 91:5; 112:7, 8; 118:6; Proverbs 1:33; 3:24, 25; 31:21; Isaiah 7:4; 8:12; 10:24; 12:2; 35:4; 37:6; 40:9; 41:10, 13, 14; 43:1, 5; 44:2, 8; 51:7; 54:4, 14; Jeremiah 1:8; 10:5; 17:8; 23:4; 30:10; 40:9; 42:11; 46:27, 28; 51:46; Lamentations 3:57; Ezekiel 2:6; 3:9; 34:28; Daniel 10:12, 19; Joel 2:21, 22; Micah 4:4; Zephaniah 3:15, 16; Haggai 2:5; Zechariah 8:13, 15; Matthew 1:20; 8:26; 10:26, 28, 31; 14:27; 17:7; 28:5, 10; Mark 4:40; 5:36; 6:50; Luke 1:13, 30, 74; 2:10; 5:10; 8:50; 12:4, 7, 32; John 6:20; 12:15; 14:27; Acts 18:9; 27:24; Romans 8:15; Hebrews 11:23, 27; 13:6; 1 Peter 3:6, 14; 1 John 4:18; Revelation 1:17; 2:10.
2 John 14:27; 2 Timothy 1:7.
3 Proverbs 28:1.
4 Psalm 34:4.

5 Matthew 26:56.
6 Mark 16:19; Luke 24:50–51; Acts 1:9; Acts 1:1–3.
7 Deuteronomy 31:6, 8; 2 Chronicles 20:15, 17; Psalm 23:4; Psalm 27:1; Psalm 56:4; Psalm 91:1–5; Psalm 118:6; Haggai 2:5; Romans 8:15.
8 2 Timothy 1:7.
9 1 Corinthians 10:13; 1 Peter 5:8–11.
10 Matthew 16:24–25.
11 Hebrews 12:1–13.
12 John 3:30.
13 2 Corinthians 12:9–10.

8 SOMETIMES BEING SMART JUST ISN'T ENOUGH: *God, Give Me Wisdom*

1 Isaiah 46:9–10; Revelation 22:13; Jeremiah 1:5; Psalm 139:1–4.
2 Matthew 10:30.
3 James 1:5.
4 Proverbs 2:6; Proverbs 8:12.
5 John 1:1–18.
6 1 Corinthians 1:30; Colossians 2:2–3.
7 1 Kings 4:29–31; 1 Kings 10:23–24.
8 1 Kings 3:10–12.
9 2 Chronicles 16:9.
10 Psalm 33:18–19; Psalm 34:15; Proverbs 15:3.
11 1 John 1:5; Psalm 27:1.
12 Job 28:28; Psalm 111:10; Proverbs 1:7; Proverbs 3:7; Proverbs 9:10; Proverbs 14:16; Proverbs 15:33.
13 Matthew 23:27.
14 John 7:15; Matthew 11:25; Luke 10:21; Acts 4:13.
15 Psalm 119:97–100.
16 1 Corinthians 7:3–4; Ephesians 5:22–33.
17 1 Corinthians 6:19–20.
18 Ephesians 6:18; 1 Thessalonians 5:16–18.
19 Matthew 7:13–14.
20 Matthew 22:36–39.

9 WILL I EVER BE HAPPY AGAIN? *God, Bring Good Out of This Bad Situation*

1 Matthew 10:29–31.
2 Malachi 3:2–4.
3 Romans 5:3–5.
4 2 Corinthians 1:3–7.
5 Colossians 1:24.
6 Romans 8:28–29.
7 Philippians 3:10–11; 1 Peter 4:12–14.
8 2 Corinthians 4:16–18.
9 Matthew 16:26; Mark 8:36.
10 Romans 2:4.

10 WHY AM I HERE, ANYWAY? *God, Lead Me to My Destiny*

1 Genesis 1:26–27; Psalm 8; 1 Peter 1:15–20.
2 Jeremiah 1:5; Psalm 139:16; Ephesians 1:4.
3 Matthew 10:30; Luke 12:7.
4 Psalm 139:13.
5 Ephesians 2:10; Romans 1:20.
6 Esther 4:14; Genesis 45:4–5; Genesis 50:18–20.
7 Luke 22:42.
8 Romans 12:2.
9 Psalm 127:1.
10 Proverbs 3:5–6.
11 Isaiah 42:16.
12 Isaiah 30:18.
13 Ephesians 5:18–20; Colossians 3:17; 1 Thessalonians 5:16–18.
14 Philippians 3:8–10.
15 Revelation 21:5.
16 Matthew 25:21.

Bibliography

BIBLES

Holy Bible: New Living Translation. Wheaton, IL: Tyndale Publications, 1998.

The Holy Bible: Revised Standard Edition. Catholic Edition. Camden, NJ: Thomas Nelson & Sons, 1966.

The Holy Bible: King James Version. Illustrated by Barry Moser. New York, NY: Viking Press, 1999.

The Holy Bible: New International Version. Grand Rapids, MI: Zondervan, 1978; revised, 1984.

The New American Bible. Washington, DC: Confraternity of Christian Doctrine, 1970.

The New King James Version Holy Bible. Nashville, TN: Nelson Bibles, 2006.

OTHER WORKS

Alcorn, Randy. *Money, Possessions and Eternity*. Wheaton, IL: Tyndale Publications, 1989; revised, 2003.

Allen, Charles L. *All Things Are Possible Through Prayer*. Grand Rapids, MI: Revell, 1958; revised, 2003.

Aquinas, Thomas. *Summa Theologica*. 5 vols. Westminster, MD: Christian Classics, 1981.

———. *Summa Contra Gentiles*. 5 vols. Notre Dame, IN: University of Notre Dame Press, 1997.

Augustine. *The City of God*. Translated by Marcus Dods. New York, NY: Modern Library, 2000.

———. *The Confessions*. Translated by Rex Warner. New York, NY: Signet Classic, 2001.

Bounds, E. M. *The Complete Works of E. M. Bounds on Prayer*. Grand Rapids, MI: Baker Books, 2004.

Chesterton, G. K. *The Everlasting Man*. San Francisco, CA: Ignatius Press, 1993.

———. *Orthodoxy*. San Francisco, CA: Ignatius Press, 1995.

De Caussade, Jean-Pierre. *The Joy of Full Surrender*. Brewster, MA: Paraclete Press, 1986.

De Sales, Francis. *Introduction to the Devout Life*. New York, NY: Vintage Books, 2002.

Dubay, Thomas. *Faith and Certitude*. San Francisco, CA: Ignatius Press, 1985.

Eastman, Dick. *The Hour That Changes the World: A Practical Plan for Personal Prayer*. Grand Rapids, MI: Chosen Books, 1978; revised, 2002.

———. *No Easy Road: Discover the Extraordinary Power of Personal Prayer*. Grand Rapids, MI: Chosen Books, 2003.

Groeschel, Benedict J. *Arise from Darkness: What to Do When Life Doesn't Make Sense*. San Francisco, CA: Ignatius Press, 1995.

John Paul II. *On the Christian Meaning of Human Suffering (Salvifici Doloris)*. Washington, DC: United States Conference of Catholic Bishops, 1984; reprinted, 2002.

Kempis, Thomas. *The Imitation of Christ*. New York, NY: Vintage Books, 1998.

Lehodey, Dom Vitalis. *Holy Abandonment*. Rockford, IL: Tan Books and Publishers, 1934; reprinted, 2003.

Lewis, C. S. *Mere Christianity*. New York, NY: HarperCollins Publishers, 2001.

———. *Prayer: Letters to Malcolm*. New York, NY: HarperCollins Publishers, 1998.

———. *The Problem of Pain*. New York, NY: HarperCollins Publishers, 2001.

———. *The Screwtape Letters.* New York, NY: HarperCollins Publishers, 2001.

Meyer, Joyce. *Be Anxious for Nothing: The Art of Casting Your Cares and Resting in God.* New York, NY: Warner Faith, 1998.

Moody, D. L. *The Joy of Answered Prayer.* New Kensington, PA: Whitaker House, 1997.

Murdock, Mike. *The Assignment: Powerful Secrets for Discovering Your Destiny.* Tulsa, OK: Albury Publishing, 1997.

Scanlan, Michael, T.O.R., with James Manney. *What Does God Want? A Practical Guide to Making Decisions.* Huntington, IN: Our Sunday Visitor, 1996.

Smedes, Lewis B. *Forgive and Forget: Healing the Hurts We Don't Deserve.* New York, NY: Pocket Books, 1984.

Warren, Rick. *The Purpose Driven Life: What on Earth Am I Here For?* Grand Rapids, MI: Zondervan, 2002.

Acknowledgments

Writing a book—even a small one like this—is a major undertaking, not only for the author but for everyone who is close to him.

I'm not too proud to admit that this was *not* an easy book to write. Unlike other areas of theology, which are still relatively uncharted and lend themselves more readily to speculation, prayer has been at the very center of spiritual thinking for thousands of years. It is not an exaggeration to say that billions of words have been written about the subject. Some of the most brilliant thinkers the world has ever known—as well as some of the greatest saints and martyrs—have contributed to the theological discussion. So when I initially had the idea for this project, I was more than a little intimidated by it. I still am.

In fact, there is simply no way I could have completed this book without the support, guidance, and assistance of many special individuals. So let me express here and now a heartfelt prayer of gratitude to God for making the following people a part of my life:

My inner circle of trusted readers. These were the first people to read each of the manuscript chapters as they were written and to offer me their valuable insights: my father and mother, Sal and Laura DeStefano; my brothers, Vito, Carmine, and Salvatore; my sister, Elisa; my wife, Kimberly; my best friend, Jerry Horn, and his daughter, Jordan.

My wife, Kimberly, especially, has been extremely supportive throughout this entire process. Not only did she provide me with many fine editorial suggestions to improve the book, but she also did a great job of boosting my confidence during those difficult times when the project stalled or lagged for one reason or another. No one has worked harder to make this book a reality.

I don't think anyone has ever had a better team of dedicated colleagues and assistants than I: Jordan Horn, Tracy Corallo, Danielle Malina-Jones, Lisa Amass, and my brother Carmine have been there every step of the way to help me through some of the toughest problems imaginable. Jordan and Carmine, in particular, have assisted me in ways I could never hope to reciprocate. It would be impossible to adequately thank them for all they do for me every day of my life. Thank you!

I am a man who has been blessed with incredible friends, some of whom even went so far as to let me use their beautiful homes when I was writing and revising this book. I owe a tremendous debt of gratitude to David and Mary Weyrich in Morro Bay, California; Tom and Wendy Howey in the Hamptons; Ralph and Carolyn Giorgio in Sarasota, Florida; and Margaret Mary Ott in Winneconne, Wisconsin. It's certainly wonderful to be a writer when you have such generous and giving friends in your life!

Even though my background is Catholic, I tried very hard to make this book as acceptable as possible to all Christians and, wherever I could, to people of all faiths. To this end, I was extremely fortunate to have the input of many scholars and friends, especially Dick Bott, Dr. Theresa Burke, Judge William P. Clark, Father Michael Colwell, Dr. Michael Crow, Dr. Dick Eastman, Dawn Eden, Monsignor Anthony Frontiero, Bonnie Horn, Monsignor James Lisante, Tom McCabe, Janet Morana, Jimmy and Carol Owens, Charles Scribner III, Mary Worthington, Brian Young, Fr. John Leies, S.M., S.T.D.—who read the manuscript as Censor Librorum and secured an Imprimatur from Bishop John W. Yanta of Amarillo, Texas—and, finally, Cardinal Renato Martino, president of the Pontifical Council for Justice and Peace, at the Vatican.

High on my list of people to thank are my friends at Doubleday, especially its great publisher, Steve Rubin, Doubleday Religion's publisher, Bill Barry, and my editor, Trace Murphy—all true gentlemen and consummate professionals. The whole Doubleday team, in fact, has been fabulous to work with. I don't think there could be a more competent and caring group of individuals in the field of publishing. Special thanks to Michael Palgon, Elisa Paik, Darya Porat, Rudy Faust, Kelli Daniel, Preeti Parasharami, Judy Jacoby, Jackie Everly, Alison Rich, Janelle Moburg, Louise Quayle, and John Fontana.

Peter Miller, president of PMA Literary and Film Management, Inc., continues to be my biggest cheerleader and promoter. An extraordinarily bold literary manager and deal-maker, Peter has become a great friend and trusted partner in my work. As long as the "Literary Lion" is in my corner, I know someone will be knocking down doors, pushing through barriers, and overcoming all kinds of obstacles so that what I write will be published and read by as many people as possible.

Michelle Rapkin, my former editor at Doubleday and the person who initially bought the idea for this book, remains one of my dearest friends. Indeed, she has been my literary conscience ever since I started writing spiritual books. Every chapter of *Ten Prayers God Always Says Yes To*, in one way or another, bears the imprint of her kindness and wisdom. I am lucky to have her in my life.

Father Frank Pavone, M.E.V., founder of the Missionaries of the Gospel of Life and the priest about whom I spoke in Chapter 7, is probably the person most responsible for this book's existence. Working alongside Father Frank is like having Thomas Aquinas, G. K. Chesterton, and C. S. Lewis right down the hall! It is not an exaggeration to say that most of what is good in these pages derives from ideas I have gotten from watching and listening to Father Pavone over the past two decades.

Jerry Horn, my coworker and closest friend, provided me with the same kind of critically important help on this book as he did on the last one. Not only did he steer me in the right spiritual direction dozens of times, he also made it possible for me to concentrate on writing by handling all the thousands of different problems, details, and challenges that go along with having such a busy life. Without Jerry's loyal assistance, neither *A Travel Guide to Heaven* nor *Ten Prayers God Always Says Yes To* would ever have been written or published. Thank you, Jerry—and thanks for all you do for my entire family!

Finally, I want to express my heartfelt gratitude to all the people who prayed for me, personally, during the time I was writing this book, and who continue to pray for me and for the book's success. There is not a single, solitary doubt in my mind that God has heard those prayers and that he has extended his loving and helping hand to me countless times and in ways I could never fully repay or be worthy of.

Thank you all and God bless you!